台灣の讀者の皆さんへのコメント

海を越えて旅したことのない私の書いた小説が、
海を越えて多くの讀者の皆様のもとに屆いていることを、
心から嬉しく思っています。
この作品も、どうぞお楽しみいただけますように！

致親愛的台灣讀者

從未出國旅行的我，
這次很高興自己寫的小說能跨海與許多讀者見面，
希望這部作品能帶給您無上的閱讀樂趣。

宮部みゆき

宮部美幸 作品集／25
Miyabe Miyuki

宮部美幸

劉子倩 譯／文藝評論家 傅博 總導讀

勇者物語（ブレイブ・ストーリー）

BRAVE STORY 下

宮部美幸

作品集／25
Miyabe Miyuki

勇者物語 Brave Story（下）

Contents

2

book

第二十一章

悲嘆沼澤

小亘被風捲起，飛升到高得令人頭暈目眩的夜空頂端，掠過天空。

他看到星星。看到底下的雲層縫隙間若隱若現的城鎮燈火。被捲入龍捲風的中心，反而異常安靜；不斷上升的氣流，柔軟如懷抱嬰兒的母親手臂，溫柔地將小亘舉起，不讓他墜落地面。

高度逐漸下降，最後從雲下竄出。不知道風將他帶離了多遠。俯瞰腳下是一片漆黑，分不清是房舍的屋頂或牧場或山邊。即便如此，高度仍在繼續下降。不是龍捲風下降，似乎只有小亘在龍捲風內的位置逐漸下降。

最後，他的腳終於踩到地面。一離開龍捲風的擁抱，右腿的傷口就像突然想到似的又開始刺痛起來。小亘倒在地上，那是黏答答的濕土——不，簡直像一片泥海。

驚愕之下轉頭仰望，銀色龍捲風的尾巴，消失在雲層間。依舊黑暗的天空閃爍著星星。

雖然美鶴說他不保證小亘會被吹去哪裡，但那個龍捲風很好心。真的在危急關頭救了他一命。跟上次被關進嘎薩拉拘留所時不同。這次是真的命在旦夕。

——那傢伙，已經救了我兩次了。

身體下面的泥巴雖然冰冷，卻很柔軟。幾乎令人凍結的寒氣滲入身體。不管怎樣，總不能永遠癱坐在這種地方。他試著站起，但泥巴黏膩濕滑實在難以起身。他想找個東西抓住，放眼所及，只有茂密叢生的芒草或蘆葦之類的雜草，沒有任何東西可依附。

好不容易靠兩隻腿站起時，小亘已經滿身泥濘。腿上包紮箭傷的繃帶也已污黑。如果不趕快清洗乾淨，說不定會罹患——那叫什麼來著，媽媽提過的可怕疾病，好像是叫什麼破傷風還是敗血症之類的。

他用手撥開形似蘆葦的草叢走出去，前方出現一塊平坦漆黑的場所。非常遼闊。走近一看，才發現那不是廣場而是一片沼澤。夜風吹得水面微微蕩漾，反射著星光。站在幾乎毫無波濤陷入沉睡的沼畔，冰冷的空氣立刻籠罩著小亘。

小亘打了個噴嚏。身體開始不停發抖。

這裡是什麼地方？到處都黑漆漆的，冷得幾乎快凍僵。

靠著稀微星光，他環視周遭景色。沼澤還挺大的，一眼望不盡。剛才長滿形似蘆葦或芒草的雜草濕原，似乎也同樣遼闊。

只有一個地方，在小亘的右前方，出現一團茂密森林。狀似把碗倒放而成的森林中央，似乎透著微弱燈光。小亘懷疑或許只是地平線較低處的星光掩映在森林樹叢中所致，連忙凝神細看。但他無法確定。

小亘雙手抱著身體，一邊搓揉身體想辦法讓自己暖和，一邊決定不管怎樣還是邁步跨出。先去看看再說。總不能待在這裡等著染上肺炎。走一走至少會比較暖和，而且說不定很快就天亮了。

就這麼緩緩走著，當他逐漸靠近森林，終於發現那個亮光並非星星。因爲它不是在閃爍，而是在搖曳。一定是油燈或火把的光芒吧。這表示有人在……

雖然濕原上寒冷徹骨，連生物的氣息都感覺不到，但一走近森林，就傳來野鳥咕咕的叫聲。接著他看到了林中有個小小的三角屋頂，藏身在林間的屋子規模比拉烏導師的小屋小了一圈。遠眺時看到的光點，肯定是從這個小屋窗子射出的燈光。

小亘敲門，喊著：「對不起，請問有人在嗎？打擾了。」

無人回應。小亘再次敲門。「我是個旅行者，不慎迷途走投無路，請問有沒有人在？」

微弱的腳步聲響起，門從內側被拉開。一個穿著黑色長袍，將帽子罩住整個頭部的小個子，正朝他探頭張望。

「啊，對不起，這麼晚來打擾。」小亘鞠個躬。「我迷路了。看到燈光，一路找到這裡。能不能讓我稍微歇個腳？順便指點我該怎麼走。」

帽子下面，傳來出乎意料的柔和音調。「你受傷了。」

原來是個女人。小亘看著正壓著門的手指，是修長白皙的纖纖玉指。

「請進，我幫你處理傷口。」

女人退到一旁，讓小亘進屋。小小的屋內，暖爐的火團正熾烈地燒著。窗邊的油燈射出光芒，這個女人剛才一定是坐在那裡吧，暖爐旁的搖椅，仍在微微地前後晃動。

女人讓小亘在一張小木椅坐下，俐落地幫他包紮傷口。還給他喝溫熱甘甜的飲品。

「謝謝。真的很感激妳。」

對於小亘的道謝，女人輕點帽子表示接受。她一直罩著帽子，所以完全看不見臉孔。

「看來你最好換件衣服。可是，這裡沒有適合你身材大小的衣物。」

「沒關係。」

「至少先換件上衣吧。如果是上衣，就算大一點也無所謂。」

遞來的上衣清潔乾爽令他滿心感激。女人把小亘脫下的上衣和拆下的繃帶裹成一團，走出小屋。

狹隘的小屋內家具不多。似乎沒別人住在這裡。搖椅腳邊放置的籃子裡，擱著純黑色的毛線球和編到一半的東西。身心安頓後小亘好奇心萌起，忍不住朝籃中瞥了一眼。是件極小的衣裳——好像是給嬰兒穿的。還有襪子，同樣也很小。如此看來這個女人應該有小孩。

可是，又有點怪怪的。籃中的毛線和編到一半的衣物全都是黑色的。會有人用黑色毛線編織嬰兒穿的衣物嗎？

——況且那個女人也穿著一身黑。

「請問……」

看到女人回來，小亘問：「對不起，妳該不會……是魔導士吧？」

女人停下動作，似乎定睛凝視著小亘。

「不是啦，因爲我看妳一直罩著帽子。或者妳是讀星者？妳在這獨居，是爲了做研究嗎？」

籠罩著帽子的頭垂得很低。女人走近搖椅坐下，小聲說：「我的事，你還是別知道比較好。」

語氣異常哀怨。

「馬上就要天亮了。東方天空已經泛白，這後面有一條小路可以穿過這片森林，通往提亞茲赫本鎮。只要去找鎮長，他應該會親切照顧旅行者。」

「我知道了。」小亘彬彬有禮地鞠躬。「謝謝妳諸多照顧。對不起問妳那麼失禮的問題。但是……呃，因爲我剛才眞的是走投無路，能夠遇上妳實在太高興、太感激不盡了。而且又對我這麼親切，一時想知道妳的名字或長相，所以才冒昧……」

女人微微側首。然後舉起白皙的手，摘下帽子。

小亘內心深處啊的大叫。

——是田中理香子。

爸爸的情婦，就是她導致爸爸拋下媽媽和小亘離家出走。結果，她居然還跑來家裡，指責媽媽才是罪魁禍首。

長得一模一樣，簡直像得令人毛骨悚然。

「眞是不好意思。」

女人以溫婉的語氣說。臉上沒有絲毫的微笑，雙眉和眼角也頹然下垂，和田中理香子打從一開始就噘著嘴存心吵架的嘴型，以及橫眉豎目的雙眼截然不同。

然而，嘴唇之間發出的聲音也像極田中理香子。至少，令人覺得理香子如果安靜說話時應該就是這樣。

「你瞧我眞是的，一直穿著這身悲傷的服裝，所以就連自己都忘了還戴著帽子。」

小亘說不出話來。不過幸好聲音出不來。因爲要是他能說話，一定會說出什麼闖禍的話。

「你怎麼了？幹嘛那麼驚訝。」

女人說著，朝小亘走近半步。小亘連忙後退一步。

「啊……」女人似乎很困惑，一手按著臉頰。「我讓你這麼害怕嗎？如果眞是這樣，那很對不起。可是，爲什麼呢？」

對不起——如果是田中理香子，一輩子也不可能說出這種字眼。這讓小亘稍微恢復正常。這裡是「幻界」。不是現世。那個女人不可能在這裡。

「對、對不起。」小亘搖頭。「因爲妳長得跟我認識的人實在太像了，所以嚇了我一跳。」

「原來是這樣。」女人點點頭。不過，還是沒有笑，連場面上的陪笑都沒有。看來她一定陷入極度的悲痛中。

「妳剛才提到悲傷的服裝，是發生了什麼悲痛的事嗎？」

女人倏然移動腳步走近窗邊，熄滅油燈。然後點點頭。「這片沼澤叫做『悲嘆沼澤』。」

即使油燈熄滅，小屋內依然微明。眞的已經天亮了，小亘也跟女人一樣在窗邊並肩而立，在這裡可以遠眺整片黑色沼澤。

「只有深深爲悲哀歎息的人，才能獲准在這沼畔居住。悲哀一旦消失，就得離開沼澤。待在這裡的期間只能穿黑衣服。離去時，必須將黑衣丟入沼澤。」

「不能露出笑容也是規定嗎？」

「對。只要待在這裡就不行。」

「這是誰規定的？」

「這是提亞茲赫本的戒律。」

女人垂下頭，不知爲什麼，用掌心撫摸起自己的肚子。「我本來也是那個鎭上的居民。要是能再回去就好了……」

她那個動作，終於提醒了小亘。眞不敢相信。可是……

「妳肚子裡有小寶寶了吧？」

女人的頭垂得更低了。「對……」

這點也和田中理香子一樣。那個女人說她跟爸爸已經有了小寶寶。一模一樣。這是偶然？亦或幻界和現世會有重疊的部分？

「你怎麼了？」女人湊近看著小亘的臉。「怎麼冒了這麼多冷汗？啊，可能是因爲走過沼澤地，讓你感冒了吧。」

依賴著她那充滿關懷的語氣，小亘拼命努力，試圖克制自己心中的混亂。這個人不是那個女人。因爲她這麼溫柔，這個人跟那個女人的生活方式應該是截然不同才對。

她有了小寶寶，照理說應該是件開心的喜事，可是這個人卻很悲傷。對了，一定是寶寶的父親——這個人的心愛男人死掉了。所以她才會在這兒悄然獨居，跟寶寶相依悲嘆。一定是這樣沒錯。

「妳要打起精神來。」小亘說。沒問題的，我還是可以關心這個人，因爲她不是那個女人。

女人仰起臉，看著小亘。這時，開始東昇的朝陽，照亮了她的臉。看著她跟理香子一模一樣的那張臉，在金色陽光照亮下雙眼閃閃生輝，小亘感到自己又湧起一陣憤怒，他連忙控制情緒。不對，不對，她不是那個人！

「你眞乖。謝謝。」

女人輕撫小亘肩膀，把他推向小屋的門口。

「不過，你該走了。千萬別讓提亞茲赫本的人知道，你曾經安慰過我。」

然後，她連再見也沒說就把小屋的門關上了。

繞到小屋後面，可以看見穿越森林的小路。路上已沒有像沼畔那樣潮濕，小亘聽著小鳥啁啾互道早安的歌聲，緩緩步行。一走出森林小路，道路就變寬了，大馬路上有達爾巴巴的車軌痕跡。眼前豎著有箭頭的標誌。

「提亞茲赫本就在前方不遠。」

像印刷字的漂亮字體下，有一行塗鴉。

「如果你很幸福就不用來這個鎮。」

第二十二章
提亞茲赫本

眞的「就在前方不遠」。

遼闊平坦的原野正中央，有一個用漂亮的白色石牆築成圓形環繞的城鎭。面向大路的這一邊，有一個遠比嘎薩拉鎭小的城門，瞭望台上有一個大塊頭守門人正在抽菸。

小亘隱約感覺到跟之前經過的城鎭好像不太一樣。他邊想是哪裡不同，邊緩緩走近，此時守門人大聲喊住他。

「喂，那邊那個小弟，你來提亞茲赫本有什麼事？」

小亘護著受傷的腿，思索該怎麼回答。剛才那行塗鴉浮現腦海，現在的我幸福嗎？

「我也不太清楚。」結果他老實回答。「我迷路了……。我不知道這是哪裡。我現在，還在波古國境內嗎？」

守門人把香菸往嘴角一叼，咻地跳下地面，然後走近小亘。「別開玩笑了，這裡已經是阿里奇塔國。不過，阿里奇塔太大了。從這裡到波古國的國界關卡，還比去阿里奇塔的首都近呢！小弟你是從哪來的？」

「歷歷斯郊外。」

守門人驚訝地啊了一聲，香菸頓時掉落腳下。他是個藍眼漂亮得令人眼睛爲之一亮的獸人。

「那麼遠？用走的嗎？我看你好像受傷了。」

他將被龍捲風捲上天，在悲嘆沼澤落地的經過加以說明後，守門人又嚇了一跳。不過，似乎不是因爲什麼龍捲風而吃驚。

「怎麼會這樣，竟然是悲嘆沼澤。」他看似不勝感慨地動著鬍鬚，一邊沉吟著說。

「喂，小弟弟，你在沼畔見過什麼人嗎？」

小亘遂說出黑衣女人幫助他的事。可是，話未說完，守門人就露出前所未見的驚慌模樣，揮舞著雙臂。

「你說小屋？你說那個女人住在小屋？這下可傷腦筋了！雅可姆那傢伙，竟然眞的獨自蓋起了小屋！」

他吼叫著並且抬頭仰望天空。

「小弟，總之你先到提亞茲赫本鎮！鎮長一定很想見你。」

小亘的腿看起來似乎很痛，守門人好心揹著他。

一進入小鎮，他就淸楚明白剛才爲什麼會覺得跟別處不同了。這個城鎮的建築物全都是平房，屋頂平坦，排水管也很粗。而且，建築物全都密密麻麻擠在一塊。全鎮的道路加起來的面積，恐怕還不如所有屋頂的面積加起來那麼大。

「建築物好特別。」小亘在守門人背上說。

「啊，對喔。小弟你對這裡一無所知吧。」守門人笑了。「這個啊，是爲了盡量留住從天而降的雨水。把雨水仔細過濾，經過多次過濾後，就可以製造『淚之水』。」

「淚之水？」

「那是這個世上最乾淨的水，可以用來製造病人服用的藥物和最高級的化妝水。」

鎮長的家位於像立方體一樣的建築物林立的正中央。要抵達那裡，必須打開別人家的房門大搖大擺地穿行而過，所以小亘提心吊膽深怕會被居民責罵。

「這個鎮就是這樣建造的，所以有些房子是專門用來通行的。」

原來如此。難怪沒看到家具，小亘總算釋懷。然而最後抵達的「鎮長辦公室」，擺設空得嚇人，簡直和通行用的房子沒兩樣。辦公室裡只有簡樸的木桌、椅子和小桌。

「嗨呀，我就是鎮長馬格。」

馬格鎮長是水人族。比奇．奇瑪長得更像魚，頭頂上還有巨大的紅鰭，長得像雞冠一樣。表現驚訝時，渾圓的眼珠就滴溜亂轉。

在這裡，是由非安卡族的其他種族擔任鎮上要職。把他在特里安卡魔醫院遇到老神教信徒的事說出來應該沒關係吧——小亘簡單說明經過，也說了在沼澤遇到黑衣女子的事。不過他還記得女子的忠告，沒把安慰她的事說出來。

「哎呀，這真是太意外了。」馬格鎮長舉起長蹼的大手，頻頻拍著自己的腦袋。「小亘老弟，你小小年紀就當上了高地人啊。了不起，了不起、不過你的夥伴真是令人擔心啊。」

不過，既然是水人族，

「從這裡往西走回去，一過了波古國界，就是你夥伴的故鄉沙卡瓦了。那邊的人不只搬運貨物，對消息也很靈通，只要到那裡，說不定就能打聽到你夥伴的下落。」

小亘鬆了一口氣。他很高興。

「謝謝。那我立刻就去沙卡瓦。」

「不不不，還是等你的傷勢康復了再去吧。我們這裡有很好的藥。用『淚之水』熬出來的藥，跟外面一般的成藥效果大不相同喔。」

這個鎮長看來一副很會做生意的樣子。

「對了鎮長，」一屁股坐下不走的守門人，迫不及待地催他。「也差不多該把雅可姆的老婆叫來了吧？」

鎮長看了小亘一眼。不是那種有什麼陰謀的感覺，反倒像是在擔心。

「小亘老弟雖說是個稱職的高地人，畢竟還是小孩。讓他捲入這種事情，我覺得不太好。」

「可是，放逐之後，誰都沒去看過那個女人的情況，對吧？如果能從小亘這裡打聽到消息是最好不過了……」

「放逐？」小亘立刻反問。「那個女人被趕出鎮上了嗎？」

記得她說過本來也是提亞茲赫本的居民——

馬格鎮長悲痛地垂下腦袋，「好吧」簡短說完後站起來。「小亘老弟，麻煩你跟我走一趟。放心，就在附近不遠。」

所以不需要你來揹了，鎮長說著命守門人返回工作崗位，然後牽起小亘的手邁步走出。經過一間通行用的房子，打開下一扇門，鎮長用開朗的聲音說：「嗨，各位女士，今天感覺如何？」

那裡似乎是病房。明亮溫暖的房間裡放了六張簡樸的床鋪，其中五張都躺著人，種族各不相同，但全都是女的。

「嗨，莎拉，妳來看妳母親嗎？」

最靠近鎮長的那張床上，躺著一個身材瘦削臉色很糟的安卡族女性。身旁緊跟著一個應該還在唸幼稚園的小女孩，神色黯然。鎮長抱起那個小孩，撫摸她的臉頰說：「莎拉越來越漂亮了。不過，應該再活潑一點才好。白天該去曬曬太陽盡情玩耍。」

小女孩很可愛。小亘與她四目相視，對她露出微笑，但她的眼神依然晦暗。

「對不起，鎮長。」床上的婦人倚著枕頭，用低得幾乎聽不見的聲音道歉。「其實我的身體已經好多了……」

「妳不用在意。莎塔米，妳這種病，胡思亂想是最不好的。知道嗎？連『淚之水』熬的藥都治不好的病，這世上只有一種藥才能醫治。那就是『時間藥』。」

鎮長讓莎拉坐在床上，撫摸著她的頭，滿臉笑咪咪。

「好了，接下來我要帶這位小客人去參觀。各位女士，你們要好好聽醫生的話，安心在這裡慢慢療養。知道嗎？」

小亘跟大家打個招呼後，就尾隨鎮長回到辦公室。兩人再次相對坐下，鎮長的眼神也變得像剛才的莎拉一樣憂鬱。

「好了小亘老弟。」鎮長切入正題。「你在悲嘆沼澤邊遇到的女人，叫做莉莉．楊努，是本鎮居民。大約三個月前，因某種原因被我趕出本鎮。在我——和我所代表的鎮民沒有答應前，莉莉不能回到這裡，也不能遷居別處。因爲凡是被提亞茲赫本放逐的人，沒有任何城鎮或村落會接納的。」

「那個人做錯了什麼事，必須接受這麼嚴厲的懲罰？」

馬格鎮長嘆了一口氣，頭上的鰭，晃個不停。

「在談那個之前，我必須先跟你大略說明一下提亞茲赫本的成立經過和歷史。」

鎮長說提亞茲赫本，早在南方大陸形成聯合政府之前，就已是眾所周知的「悲哀之城」了。

「這個鎮的生活方式，跟其他城鎮倒也沒什麼不一樣。不同的是，這裡的居民幾乎都在故鄉或以前定居的地方，遭受過生不如死的強烈悲痛，爲了療傷止痛才遷居來此——如此而已。換句話說這裡是『心靈醫院』，是『悲傷』這種疾病痊癒前的暫時棲身之地。所以，房屋的構造和家具擺設都非常簡樸。」

一旦治癒了悲傷，隨時都可離開這個鎮。對於離去的居民，據說歷代鎮長按照規定還得跟他們說：「但願我們永不再見。」

「悲傷的原因有千百種。有人失去心愛的東西，有人被信賴的人出賣。我們從不追根究柢，我們只是一起生活，互相幫助，默默地等待時移事往、傷口癒合罷了。有些人半年就振作並且離開了，也有人待上十年也好不了。悲傷的深度，本來就是因人而異。」

另一方面，利用雨水取「淚之水」成爲鎮上的生財主業，據說歷史並不久。

「正式開始提煉，是三十年前的事了。上一任鎮長是個非常精明的人，他發現本地降下的雨水特別清澈，另外也知道萃濾水需要耐心、安靜，是作業單純但花時間的工作，對於沉浸在悲傷心靈中的人特別有療效，所以他將兩者成功地連結在一起。」

從此鎮上開始以此維生，建造了現在的建築。由於「淚之水」在阿里奇塔國內，以破天荒的高價賣出，所以鎮上的財政非常充裕。

「至於本地降的雨爲何如此清澈，誰也弄不清楚。按照沙沙亞的讀星者的說法，位於本地遙遠南邊的安德亞台地終年籠罩純白雲霧，這種霧乘著吹下來的風，正好在我們這一帶變成雨水。」

安德亞台地——神秘的岱拉．魯貝西特別自治州就位於那裡。是的，老神信仰的……

「可是就算再怎麼清澈的雨水，如果不過濾，還是無法變成『淚之水』。過濾後，水變得更清澈，去除不乾淨的雜質。我們把這些不乾淨的雜質，棄置在距離鎮上不遠的地方，那是一個鳥不飛魚不游的黑暗沼澤。也就是『悲嘆沼澤』。」

那片沼澤等於是『穢物』收集處。小亘想起那冰冷的泥巴觸感，還有那片凝滯無波的水面。

「好了，這裡就是這樣的地方。」馬格鎮長繼續說。「居民都是外地來的，人口也簡單。我們立下重規，因爲大家都是來此治療悲傷的，所以彼此要互相關懷、安慰、禮讓。在提亞茲赫本境內不得發生爭執或糾紛，製造新的悲傷原因。沒想到莉莉．楊努在本鎮漫長的歷史上成了第一個公然破壞規矩的人。」

據說她偷了別人的丈夫。

「那間病房裡，那個病厭厭的女人叫做莎塔米。她的丈夫是個名叫雅可姆的行旅商人，不知什麼時候與莉莉有了私情，最後甚至懷了孩子。於是他們倆就企圖私奔。」

小亘感到眼前一片血紅，耳朵深處襲來海嘯般的聲音，霎時他什麼都聽不見了。只看到馬格鎮長悲痛的表情，和他蠕動不停的嘴巴——

那個女人果然是田中理香子。

她的行爲跟田中理香子一樣。

她和田中理香子一樣都是侵略者。

她是吞噬他人幸福的怪獸。

「我們發現後，立刻將莉莉．楊努放逐。莎塔米想原諒丈夫，想和他破鏡重圓，所以就把他留在鎮上。不管花多少時間，我們都希望讓他們夫妻倆和解。可是已受到莉莉．楊努迷惑的雅可姆，竟然自行離開鎮上，一邊從事行商買賣，一邊跟那個女人交往。」

鎮長說，莉莉．楊努被放逐時身無分文，所以那間小屋，八成是雅可姆替情人建造的。

「莎拉眞可憐。」他抹了一下眼睛說道。

「莎塔米他們……原本是因爲什麼傷心事才來鎮上的？」

小亘好不容易才擠出聲音問。

「他們是波古人。一場流行病讓莎塔米的父母，以及緊接在莎拉之後出生的小寶寶都死了。他們是在一年前來到這裡的。」

「那個女人……莉莉．楊努呢？」

「她的未婚夫據說是病死的。她父親是沙沙亞的讀星者，相當了不起的人物。死去的未婚夫，生前據說也是學讀星的人。」

小亘又冒出冷汗。衣服背部都濕透了。心臟就像一路狂奔似地跳得好快。

他想起莎拉黯淡的眼神。媽媽被田中理香子興師問罪時；聽到對方宣稱已經懷孕當場發飆時；

聽到對方揚言要奪走小亘而撲向對方時，躲在自己房間床底下縮成一團的小亘，一定也是那樣的眼神吧。莉莉・楊努如果是田中理香子，莎拉就是我。瘦得一把骨頭臥床不起的莎塔米就是媽媽。

不禁脫口而出：「太不可原諒了。」

馬格鎮長歪著大腦袋不解地看著小亘。「你剛才說什麼？」

小亘用手抹臉。「不管怎樣，一定要讓雅可姆清醒過來。」

鎮長的大眼睛瞪得更大了。「你說的沒錯啦……」

「雅可姆既然會去莉莉・楊努的小屋，那表示應該有機會當面說服他囉？」

「那是沒錯啦，可是我們提亞茲赫本的居民是無法接近『悲嘆沼澤』的，否則會染上污穢。」

「那我去。」小亘斷然說道。「我不是居民應該沒關係。」

馬格鎮長一副倉皇失措的樣子。「可是小亘老弟，你還是個孩子啊……」

「但是，我是高地人。」

「話是這麼說沒錯啦……」

「鎮長，我跟莎拉一樣，我爸爸也丟下媽媽跟我，投入別的女人懷抱了。他還搬出非常自私的理由，一副彷彿自己才是對的。所以，我可以理解被拋棄的人有何感受。我非常清楚，拜託，請讓我去把雅可姆帶回來。讓我爲莎拉這麼做！」

馬格鎮長的嘴巴開開合合，紅鰭抖個不停，雙臂一下子交抱一下子放開，好一陣子，他煩惱得不知如何是好。最後，他終於輕輕嘆了一口氣說：「好吧，那就麻煩你了。反正，光靠我們也無法解決，那就交給瞭解莎拉心情的你去辦吧。」

第二十三章
黑暗之水

即便如此馬格鎮長還是提出一個條件——在小亘的傷勢康復前，不得接近「悲嘆沼澤」。答應這個條件沒什麼困難。因爲用「淚之水」熬製的傷藥，具有奇蹟般的神效，就算拖再久也用不著等上十天。

在這段期間，小亘有時去參觀萃取「淚之水」的作業，有時自己也學著做一點，或是在鎮上四處遛達打發時間。在提亞茲赫本，每天早晚都會沙沙沙地下個將近一小時的雨。因此，承接全鎮雨水加以儲存的儲水槽永遠是滿的，不管怎麼過濾也不怕欠缺材料。

萃取雨水使用的是有光澤的平滑白布，同樣也是本鎮居民手工製作的。這是利用夫夫魯內這種特殊草類的纖維紡織而成的布，據說這樣東西本身就是高級品。實際上，在「淚之水」製造廠工作的人，一定得穿著這種夫夫魯內製成的工作服，而倘若有這筆買衣服的錢，據說已足夠在物價低廉的那哈特國吃喝玩樂過上一整年了。

據鎮長表示，莎塔米不在製造廠工作，而是在夫夫魯內布料紡織廠工作。這也是一種需要專注力的工作，所以可能比較適合女性吧，工廠的紡織者大半是女性。莎拉除了去母親病房以外，多半時間都在這座工廠。可能是因爲這裡有莎塔米的朋友可以幫忙照顧她吧。小亘一看到她，就說妳好啊妳在玩什麼啊，用開朗的聲音試圖跟她打招呼，但莎拉也許是怕生吧，不是拔腿就跑，就是躲在身旁的大人背後，很難跟她拉近關係。

提亞茲赫本鎮上，少有小孩。夫妻或全家滯留此地的人數，出乎意料的少。隻身前來的人佔了壓倒性多數，據說長年不跟外界聯絡甚至通信的也多有人在。

「不過，仔細想想也難怪。懷抱著連身邊的親朋好友都無法撫平的悲痛——有時失去親朋好友就是悲傷的原因——不管怎樣，當事人都是孤零零的。在他們決定棲身本鎮時，本來就不只是悲傷，同時也注定背負著孤獨。」

這是守門人說的。那個獸人名叫布特，他自稱在那哈特出生，眞正的職業是「流浪漢」。他並非這裡的居民，只是馬格鎭長僱用的雜役。

「大約是五年前吧。我在流浪途中經過一個關卡，當時有一個人說他想去提亞茲赫本，又怕在路上落單不安全，於是我就把他一路送來這裡。」

然後，這麼待下來了。

「這裡大部分都是女人，爲數不多的男人忙著提水搬水做粗活，沒有男人來守門或巡邏，所以鎭長就拜託我。」

這個人雖然看起來親切隨和，說不定腕力高強，小亘想。

「我打從懂事起就已是個流浪兒，又一直單身，所以從來不覺得一個人很孤獨。我反倒覺得不可思議。孤獨本身無害，可是一旦與憤怒或悲傷結合，就會變得非常惡質。」

中午過後，小亘和布特在城門上並肩而坐。他呼呼地抽菸，小亘則不停晃動著腳。

「當守門人其實也不是什麼大不了的工作。如果有人經過，就確認對方是否要來提亞茲赫本，如果是客人就開門，如果不是客人就揮手目送。達爾巴巴車來了就幫忙搬貨卸貨。就只有這樣。然後就只要坐著曬太陽就行了。」

布特為什麼不離開這裡呢？流浪的天性不會在心中騷動嗎？是他對鎮民的同情，讓他留在這裡嗎？正當小亘想著這些問題，波古那頭的大路上突然出現一個人影。速度極快地朝這邊接近。還騎著烏代。

「喂——」布特兩手圈在嘴邊大喊。「那邊的旅人，你來提亞茲赫本有事嗎？」

烏代騎士一手放開韁繩大幅揮舞，也喊著說：「我是行旅商人，我還想問你們有沒有什麼需要呢？」

「你有香菸嗎？」

「有有有，有很多貨色喔。」

行旅商人是個安卡族大叔，行李箱中除了香菸還有零食和玩具。一個小小的木雕娃娃吸引了小亘的目光。雖然雕刻得很簡單，但笑容可愛。

「這個，我要買一個。」

他向布特解釋：「我要送給莎拉。」

布特笑了。「看來你會是個好哥哥。」

行旅商人跳下烏代，自己也抽著菸和大家閒聊了一會兒。其中，提到了之前歷歷斯北方森林那邊，曾經出現不可思議的銀色龍捲風，小亘連忙豎起耳朵。

「鎮上倒是毫髮無傷，可是斯拉森林被吹得東倒西歪，就好像連根剷平似的。」

布特也興味盎然地聽他描述，雖然他知道身旁的小亘就是被那陣龍捲風吹來的，但他完全不動聲色。不該說的事就不說。這就是「悲哀之城」的守門人。

「對了，」行旅商人抽完菸一邊跨上鳥代，一邊想起什麼似的說。「最近，市面上出現『淚之水』的仿冒品，你們聽說了嗎？」

布特傾身向前。「你說什麼？」

「沒什麼啦，我也只是在阿里奇塔的港都聽到小道消息，不過，好像是說，有人私底下用高價買賣在提亞茲赫本以外的地方製作的『淚之水』。還聽說有人生病拿那種仿冒品煎藥喝結果死掉了。」

「這可不能置之不理。」布特變得一臉正經。

「換言之，有人在販賣假貨涉嫌詐欺，對吧？」小亘說。「難道沒辦法可以分辨『淚之水』的眞假嗎？」

外觀看起來都是普通的水，只要在瓶身貼上類似的標籤，似乎誰都可以製造仿冒品。

「當然有辦法辨別。」布特回答。「很簡單。魚類無法在『淚之水』中生存。如果是小魚，可能還沒數到十就浮屍水面了。當然，不是因爲有毒，而是水太乾淨了。從這裡賣出去時，買主都會準備小魚，自行抽樣檢查。」

「那就更不得了了！」小亘站起來。「那種冒牌貨，爲了欺騙顧客，一定會在普通的水裡摻了什麼會讓小魚浮屍的壞東西！」

「不不不，這是不可能的，小弟。」行旅商人搖頭。「阿里奇塔的高地人，個個本領高強精明能幹。一聽說病人死法可疑，立刻就扣押賣剩的水進行調查，結果沒檢驗出有毒物質。檢驗出來的據說只有熬製的藥物成分。」

布特的拳頭抵著鼻尖，沉吟良久。「既然驚動了分局，這可不是鬧著玩的。這下麻煩了。」

布特立刻向鎮長報告，鎮長骨碌轉著大眼睛，猛然站起，說要馬上去蒐集詳細情報。

「如果真有那種東西流出市面，這可是關係到提亞茲赫本生死存亡的大事！」

小亘也跟著心情一緊，走出鎮長辦公室。穿過通行用的房屋後，來到一片青空下，隨即他看到莎拉拼命踢著小腳，從紡織工廠那邊朝城門跑去。

「莎拉，妳怎麼了？」

小亘邊追上去邊喊。莎拉頭也不回，逕自跑到城門口，兩手企圖把門推開。

「喂喂，莎拉。妳是怎麼了？」

布特從上面問。

「烏代呢？」她問。「我聽說城門口有烏代。」

「噢，妳說的是剛才那個行旅商人騎的烏代吧。已經走掉了。」

莎拉的小腦袋頓時失望地垂下。隨後追來的小亘，眼看她的背影實在太寂寞太哀傷，一時之間竟不忍出聲喊她。

布特從城門上探出身子，溫柔地對莎拉說：「莎拉，妳爸爸的烏代如果回來了，我一定會立刻大聲通知妳，不管妳在哪裡都會讓妳聽見。所以，妳不用擔心，先去玩吧。」

原來如此。莎拉聽說城門口來了烏代，以爲是爸爸回來了，所以才急忙跑來。小亘感到一陣心痛。

「這個小哥哥，」布特說著把手揮向小亘。「說要送莎拉一個好東西喔。妳猜是什麼？」

在催促下，小亘連忙取出木雕娃娃。蹲下來平視莎拉，「來，給妳。」說著遞給她。

莎拉好一陣子只是將雙手放在背後，凝視著小小的娃娃。然後終於看著小亘的臉。

「要送給莎拉？」

「嗯。」

「爲什麼？」

「因爲我覺得這個娃娃的臉蛋，跟莎拉長得很像。」

莎拉戰戰兢兢地伸出手指，碰觸娃娃。小亘輕輕將娃娃放在她的掌心上。

「謝謝。」莎拉小聲說。「叫什麼名字？」

「我嗎？」小亘指著自己鼻頭。

「不是啦，她是問娃娃的名字。」布特笑了。「這個小哥哥說，希望取個莎拉喜歡的名字。」

「多琪。」莎拉用手指撫著娃娃的腦袋說。

「多琪啊。這名字不錯。」

「是我妹妹的名字。」

就是莎拉死於流行病的妹妹啊！

「媽媽說，多琪已經變成星星，不會再回來了。可是爸爸會回來。他會回來吧？」

「只要莎拉乖乖聽話。」布特說。小亘目送著踉蹌跑遠的她，用力握緊拳頭。

在悲嘆沼澤附近，目擊騎著烏代的雅可姆——接獲這個消息，是在兩天後。來搬運「淚之水」的達爾巴巴車夫，說在駕駛座上親眼看到。

小亘決定立刻前往悲嘆沼澤。他的腿傷幾乎已經痊癒，馬格鎮長借了一頭烏代給他。還交給他一樣有點像簡易雪橇的東西，勸他如果要經過濕地，要先給烏代的蹄子套上比較好。

「只要套上這個，烏代就不會被泥巴或積水絆住滑倒了。」

見到雅可姆該說些什麼、要如何說服？這些他都沒有思考過。但是，莎拉渴求父親的寂寞心情，他清楚得想哭，只要能傳達這一點，我相信一切都會沒問題。小亘頓時充滿了捨我其誰的勇氣。

穿過森林，一走近莉莉．楊努的小屋，就發現小屋的窗子蒙著布，煙囪也沒冒煙，森林裡也不像有烏代滯留。他試著輕敲門窗，但屋內悄然無聲無人回應。

難道是兩人一起出門去了？他等了一段時間，依舊毫無變化。小亘再次跨上烏代，朝沼澤方向前進。雖然他不認爲他們會去那種濕答答的地方散步，不過他們既然被迫在此定居，說不定去那裡有什麼事。

悲嘆沼澤的水，即使在陽光下看起來仍是漆黑的，連一絲波紋都沒有。現在知道雨水過濾後的不純雜質全都匯集到這裡，不免覺得這片靜寂中，暗藏著極爲不祥且令人毛骨悚然的東西。沼水本身就像一隻酷似阿米巴變形蟲的巨大生物，一直屏息以待，卑屈地弓著身子縮成一團。如果有誰掉以輕心大意接近，那隻生物將會敏感察覺，當下身體的一部分宛如觸手般伸出，向人襲來，待吞噬獵物後，一轉眼又會恢復安靜與平坦，繼續僞裝成巨大漆黑的爛泥塊。

——即便是壞東西或髒東西，爲了存活下去，也得不斷攝取能量。

爲什麼會想到這種事呢？這樣只會自己嚇自己。小亘輕拍後腦袋，用腳跟輕輕踢烏代的側腹，沿著杳無人跡的水邊加速前進。

這時，他聽到非常輕微的「嘰」的一聲。

他停下烏代，豎耳靜聽。是聽錯了嗎？不，他的確聽見了。可是，在這個連鳥鳴都沒有的沼澤？

「嘰、嘰——咕咕咕。」

好像是動物的聲音，很微弱。他環視四周，又聽見了，就在附近。

前方，那酷似蘆葦的修長雜草叢中，有東西在沙沙蠢動。霎時，草葉之間隱約露出紅色的，像是鳥翼的東西。

小亘跳下烏代，拔出勇者之劍，緩緩走近。空著的那隻手一撥開草叢，立刻現出紅翼。不是鳥！不是羽毛和羽根而是滿身的鱗片。鮮紅的鱗片。還有，和小亘的手一樣大，卻一看就知道是鉤爪的指頭。

——是龍。

由於太驚訝了，他當場愣住，甚至忘了呼吸。一頭龍橫躺在地，全身沾滿悲嘆沼澤的黑水與泥濘。身體有一半都浸在沼澤中，翅膀和雙手微弱地顫動，似乎很痛苦。

龍的眼睛轉動，看到了小亘。深色的眼瞳因爲驚訝而睜大，仰起長長的下顎，嘴巴不停地開合。尖銳的牙齒如珍珠項鍊般粒粒分明，白光閃閃。

「咦，是人的小孩！」龍出聲說。「如果你是個好小孩，你願意幫我嗎？」

小亘啞然。龍的模樣頗有威嚴——雖說現在倒臥在地一副虛弱的樣子，但仍然是威嚴十足——可是，傳來的聲音卻令人跌破眼鏡，不知該用單純還是稚氣來形容。

「你怎麼了？」小亘一邊提防著不讓腳陷入爛泥，一邊接近龍。龍頓時露出長長的舌頭發出嘎的一聲。小亘嚇呆了。

「這個沼澤的水，光著手腳不可浸泡！」龍說。

看樣子，剛才的怪叫聲是在警告他。

「不要緊，我穿著靴子。只要不跌倒就不怕。」

龍眨了好一會兒眼睛。「是嗎。如果你是個好小孩，請將那柄劍收回劍鞘。我不會咬你的。」

小亘把勇者之劍收起來，又朝龍走得更近。他伸出顫抖的手，一碰到龍的脖子附近，就感受到乾爽的觸感和體溫。與奇．奇瑪的肩膀感覺有點像。

「你受傷了？」

龍傷心地垂下眼。「我表演飛行特技玩得太過火了。結果失去重心，就變成這樣了。」

有點好笑。龍也會發生這種失敗嗎？

「所以才會掉下來是吧。不過，幸虧你是掉在這片柔軟的濕地——」

龍打斷小亘的話，雙手一邊掙扎划撥著爛泥，一邊說：「才不呢！這個沼澤的水就像痲藥一樣。稍微浸潤到身體就會漸漸麻痺，最後全身無法動彈！像我，身體已有一半不能動了。現在能動的只有脖子，和這兩隻手，我全身最小的這兩隻手。而且這裡的爛泥還讓我的爪子使不上力！所以，我怎麼也脫不了身。」

看樣子這頭龍似乎是龍族的小孩。即便如此身長應該也有兩公尺以上吧。小亘一個人根本不可能從水中把他拖出來。怎麼辦──想到這裡，他突然靈光一閃。

「如果有辦法牢牢抓住泥巴，你能靠自己的力量離開水中嗎？」

「嗯，應該可以。」龍點點頭。「只要翅膀乾了，應該還是可以飛。」

「那，你先等一下！」

小亘急忙回到烏代那裡，拆下蹄子上套的兩個腳橇，跑回龍身邊。

「來，你把這個套在手上試試。用這個，應該能夠牢牢抓住泥地表面吧？」

一試之下，龍開始靠自己的力量緩緩把身體拉起來。

「嘿咻──」他昂起腦袋搖晃著，滿臉通紅拼命努力──應該吧。不過他原本就是深紅色的，實在看不太出來。

「嘿咻！」翅膀總算從水中出來了。剛才還浸在水中的部分，的確像是被麻醉似的頹然無力。

小亘有點嚇到。

「嗯──嗯──」

「再加把勁，加油！」

小亘也在旁邊一下子推他的背，一下子拉他的脖子努力幫忙。終於，龍身大部分都已從水中脫身，只剩下尾巴還浸在水裡。

「只剩一點點了。」

這時，龍發出「啾？」的一聲，兩眼突然睜大。

「糟了！是卡隆！」

「啊？什麼？」

龍慌忙扭動身體，轉頭看自己的尾巴。

「是卡隆啦！卡隆正在咬我的尾巴！」

往沼澤水面一看，剛才平靜無波的地方，現在正掀起細細波濤。

「卡隆是什麼？」

「這個沼澤的魚！可怕的貪吃鬼！」龍兩手亂揮扒著爛泥。「啊，怎麼辦！他在拉我！要是被拖進水裡，我一定會被啃得只剩骨頭！」

在龍大叫大嚷之際，他的巨大身軀正被一點一點地拖回泥沼中。腳橇在泥上留下一條痕跡。水面的微波轉變成更大的波浪。

「那條魚，我幫你解決他！」小亘拔出勇者之劍擺出迎戰架勢。龍用力搖頭，並且讓小亘遠離沼澤。

「不行，不行！那麼小的劍，不是卡隆的對手。現在重要的是趕緊砍斷我的尾巴！」

小亘來回審視著龍慌張異常的表情，和像釣線一樣被扯得筆直的尾巴。

「砍斷尾巴？」

「沒錯。接下來我會用力，把尾巴使勁拉回來。然後你就盡量在靠近水面的地方砍斷我的尾巴。聽清楚了嗎？要盡量砍在最低點喔。如果砍太多會很痛我可受不了。我一喊口令，你就要一刀用力砍下喔。如果砍得拖泥帶水會很痛我可受不了喔。」

「你、你先等一下！」

「再等下去我就要被卡隆吃掉了啦。劍準備好了嗎？兩腳站穩。好了嗎？要開始囉。一、二、三！」

龍嗯地一聲凝聚全身力量扯回尾巴。小亘專心握緊勇者之劍，瞄準從水面拉起正在不停顫動的尾巴，一劍砍下去。

啪！

手上有反應。龍大叫。悲嘆沼澤的水面掀起層層波濤，波濤中心，霎時一截像圓鋸的東西露出水面，旋即消失在水中。

「痛死了！」龍兩手亂揮。眼中掉下串串淚珠。「太過分了吧，你一定沒砍在最低點！」

小亘吁吁喘息，一時之間什麼都說不出來。好不容易擠出來的話是：「剛才那個，是什麼？」

「還會是什麼，就跟你說那是卡隆！」

「那個像圓鋸的東西？那是嘴巴？」

「那是卡隆的背鰭啦。他的牙齒比那個更恐怖。」

龍一邊流淚，一邊檢查自己的尾巴。切口約有白蘿蔔那麼粗，現正流出殷紅的血。小亘擔心得背上發冷，然而不一會兒傷口結痂，血比眼淚更快止住了。

「啊，冷死了。」

龍頻頻發抖。他一哆嗦，四周草叢也跟著一起簌簌搖晃。

「喂，你能不能後退一點？」

小亘離開一步。

「不夠。你要退到更遠更遠更遠的地方，直到那隻烏代那裡。」

小亘照做後，龍就用力吸氣，脖子轉向沼澤，喊「預備！」然後張口一噴。

轟——！

小亘當場愣住，目瞪口呆。龍的嘴裡迸射出火焰。就像是特大號的火焰噴射器。

火焰產生的熱氣包圍著龍，直逼小亘而來。小亘的皮膚可以感受到一陣風拂過。瞬間有股熱氣，隨後留下焦臭味。

——頭髮焦了。

「哈，乾了乾了。」

龍很高興，張大翅膀不斷拍動。他已經不哭了。

「喂，你沒事吧？謝謝你。雖然你使劍的技術有點糟糕，不過你仍是我的救命恩人。」

「哪、哪、哪裡，沒什麼。」

小亘的膝蓋一直打顫，無法動彈。龍輕巧邁步，大步流星地來到小亘身旁。

「你是從哪來的？要去哪裡？看你騎著烏代，你是行旅商人嗎？」龍問。

「呃，嗯。算是吧。」

「噢。那，爲了報答你救了我，送你一樣好東西。」

龍舉起和巨大的身體毫不搭調的小手，從自己脖子後面拔下一片鮮紅的鱗片。

「來，給你。」

小亘接下鱗片。看起來就像紅寶石做成的鞋拔子。

「你把那個拿去歷歷斯，拿給技術高明的工匠，請他幫你做成笛子。龍笛。今後不管你在哪裡，只要一吹笛子，我就會聽見。我會立刻飛來載你，不管有多遠，我都會送你去你想去的地方。」

不過，你要小心喔——他繼續說。

「龍笛的壽命很短，一下子就會壞掉，只能使用兩次。」他說。

「謝、謝謝。」

「是我該謝你。那，就這樣囉。」

大概是要道別了吧，龍威風地揮揮小手，開始緩緩鼓翅，速度越來越快。就像從暖車空轉，變成眞正的引擎發動。

龍粗大的雙腿，從沼地翩然騰空而起，這時小亘這才急忙揚聲問：「欸，你叫什麼名字？我叫小亘！」

龍一邊加速拍翅一邊回答：「我叫喬佐。我是火龍的後裔喬佐。」

喬佐飛起來了。掀起的旋風，令小亘不由得舉手護著眼睛，並且低下頭。風勢靜止時，喬佐的身影已化爲白晝下，天空一角燦然閃爍的紅色星光。然後不久就消失在雲層與光芒的夾縫間。

怎麼會這樣。竟然看到了眞正的龍。到目前爲止，他只聽「幻界」的居民提起過一次龍。那就是卡姿描述的火龍傳說，僅此而已。會說話、會拍翅、從天上摔落遇難的活生生龍族，他可是完全沒聽說過。

小亘至今仍覺得是在做夢，他茫然騎上鳥代，慢慢地向前進。喬佐噴出的烈焰鼻息，那鮮明的深紅色，依然塞滿他的腦袋，就連陰森的沼地景色和潮濕的風都失去了現實感。

或許因爲如此，當他看到有一頭拉著小型台車的鳥代，停在前方的濕地中時，當下也毫不以爲意。台車的載貨台上堆滿許多小瓶子。駕馭鳥代的車夫離台車有段距離，彎腰蹲在悲嘆沼澤的水邊，只見他動作頻頻，不知在做些什麼事。

——他的手浸在水中。

霎時，小亘終於衝出夢境，大叫道：

「那邊的人，不行！不行！碰到沼澤的水會有危險！」

在沒有鳥鳴、也沒有樹木沙沙作響的悲嘆沼澤裡，小亘的聲音聽起來特別響亮嚇人。蹲在水邊的人，馬上反彈似地站了起來，轉身面對小亘。

小亘連忙驅策鳥代。他發現水邊的那個人對於自己的接近，像鞭子甩出般立即擺出防禦架勢。那人罩著頭套，完全看不見相貌。

即使小亘走近了，那人依舊不動。不過，頭套上兩眼挖空之處，可以感覺到他的視線正注視著這邊。

小亘一邊跳下鳥代一邊說：「你該不會是迷路了吧？如果口渴，我有帶飲用水。千萬不能碰沼澤的水。」

那個人穿著看似耐用的皮靴站穩腳步，清爽的筒袖襯衫和長褲，還罩著一件有很多口袋的皮背心。這是行旅商人常見的打扮。再仔細一看，他的雙手也套著皮手套。手上還握著跟堆放在台車上外觀相同的瓶子。瓶口濕濕的。

「這個沼澤的水跟麻藥一樣——」

說到一半，小亘突然醒悟。或許是他體內的小小智者，眼看小亘至今仍然搞不清楚狀況，在心焦如焚下從體內拿枴杖敲他腦袋吧。於是他如靈光一現突然領悟到事實。

台車上堆放的大量瓶子。戴著頭套的人。在沼澤邊做某件事。

——冒牌的淚之水流入市面。

——害得病人死掉了。

資訊與眼前的光景連結，小亘睜大眼睛。霎時，蒙面人將手中的瓶子丟向小亘。

小亘驚險躲過瓶子。蒙面人拔腳就跑，衝往拉著台車的烏代。

「站住！」

小亘大叫，幾乎是反射性地拔出勇者之劍。雖然是不假思索做出的動作，但蒙面人一看到劍，鞋尖幾乎陷入爛泥地猛然停下腳步，隨即轉身面向小亘。

「臭屁的小鬼。」頭套下傳來低沉的聲音。「你拿出那種劍是打算抓我嗎？」

是男人的聲音。就連小亘也能明白感受到，對方態度的轉變，而且是朝著危險的方向轉變。

「沒錯，我要逮捕你。我不能放任你爲非作歹。」小亘捲起襯衫袖子，露出火龍手環給他看。

「我是高地人！」

蒙面男子笑了出來。「真是令人驚訝！沒想到分局的標準也越來越低了。晚上睡覺前還要媽媽唱搖籃曲哄著的小鬼，居然也能拿到寶貴的火龍手環。小朋友，要招認最好趁現在。你剛才報的頭銜是假的吧？手環也不是真貨吧？你只是在玩高地人遊戲吧？」

小亘不理他，毅然繼續說：「你汲取這個沼澤的水，然後再偽稱是提亞茲赫本的『淚之水』向外兜售吧？這分明是詐欺，甚至還害死了人。你知道自己做的事多罪大惡極嗎？」

蒙面男子不僅不怕，反而還拍手哈哈大笑。「我看你才是搞不清楚自己現在的立場呢，小朋友。」

他迅速把手伸進背心底下，取出某個東西對準小亘。

那是……是槍！雖然比小亘在現世所理解的槍的造型曲線來得複雜，不過還是想像得到。

小亘不禁後退一步，蒙面男子立刻逼近一步。然後說：「噢？小朋友，你認識這個啊？佩服佩服。這玩意叫做魔導槍。是阿里奇塔最近剛發明出來，比劍還要可靠的武器喔。當你揮著劍向我衝過來時，我不用逃也不用幹嘛，只要稍微動一下手指頭，就能在你的頭上轟出一個大洞。」

「關於手槍，我清楚得很。」小亘平靜地回答。雖然心臟撲通亂跳，難以抑制聲音，但他還是勉強做到了。

「那事情就好談了。小朋友。如果想保住小命，就乖乖地給我安分點。我會立刻離開這裡。等我走了以後，你就當作沒見過我，也別告訴任何人。你應該也不想年紀輕輕的就一命嗚呼，讓你老媽傷心哭泣吧？」

小亘朝右移動半步。魔導槍的槍口，牢牢瞄準小亘，也跟著一起移動了半步。

「就算你想逃也沒用。這不是你逃得了的，看你年紀小我都說要放你一馬了，你這小鬼還眞不開竅。」

「我不是小鬼，我是高地人。我有責任保護提亞茲赫本的居民。也有責任阻止你出售冒牌『淚之水』來危害廣大群眾的性命！」

「笑死人了。」蒙面男子不屑地說。「那種爛鎭的居民，也値得去保護嗎！只不過是一群哭哭啼啼拖拖拉拉，臨時湊在一起的烏合之眾罷了。」

小亘頓時心頭火起。「你憑什麼這麼說？你根本什麼都不懂！」

「很抱歉。我對提亞茲赫本可是一清二楚。因爲直到最近，我還被關在那個不祥的鎭上。」

蒙面男子一手放在烏代的鞍上。

「我可沒時間跟你瞎扯淡。」

他企圖翻身躍上烏代。小亘握緊勇者之劍的劍柄，不顧一切地向前衝。

蒙面男子舉起大手一揮，對著小亘露出魔導槍，然後發射。砰的一聲，小亘還來不及趴下，便看到眼前白光炸裂。

「啊？」

就跟上次在教堂廢墟的地底下和怪物搏鬥時一樣。握著勇者之劍的手臂自己動了起來。劍在小亘面前從左往右移動，準確捕捉到魔導槍射出的子彈，迅速地擋回去。

蒙面男子也吃了一驚。霎時他俯視手中的魔導槍，然後慌忙再次舉起槍口。

「狡猾的小鬼頭！」

再次傳來槍聲。小亘這次不慌了，他鎮定心神任由勇者之劍處理。劍再次迅速出擊擋開子彈。跳彈可能是飛進沼澤了，濺起小小的水花。有那麼一、兩滴水花，噴到小亘臉上。很冰冷。

「你的槍裝了幾發子彈？」小亘逐漸縮短他和蒙面男子的距離。「你要繼續嘗試直到子彈全部射完嗎？」

「可惡，怎麼會這樣。」

蒙面男子唾罵一聲，旋即飛身躍上烏代。然後在鞍上扭過身子，對準連結烏代和台車的繩結，一槍射穿。

在這電光火石的一瞬間，小亘腦中，響起一個凜然又溫柔的低語聲。

（小亘，快用勇者之劍。）

那是從劍上——劍鍔鑲嵌的那顆寶珠傳來的。沿著小亘的手指，竄過手臂，直接傳送到腦袋裡。

（快用劍。這把劍也能射出魔法彈。）

小亘毫不遲疑，舉起勇者之劍，就像剛才蒙面男子用魔導槍一樣，把劍尖瞄準男人。瞄準他正要舉鞭揮向烏代的那隻手臂和肩膀的關節處。

劍又再次自動揮出，在空中迅速劃個十字後，劍尖回到十字中央。小亘一邊做著這個動作，一邊跟著傳達到心中的耳語複誦：「偉大的女神大人，神聖精靈的睿智力量，請飛往虛空！」

劍鍔的寶珠一閃，劍尖迸出耀眼白光，筆直朝蒙面男子飛去。

光彈射穿了男人右肩。男人發出悲鳴翻落烏代。

受驚的烏代狂奔而去。蹄子驚險踩過落倒在地的蒙面男子身旁。小亘跑向男人，興奮和感動令他臉頰發燙。勇者之劍竟然能做這種事！竟然還蘊藏著這種力量！

男人按著肩膀的傷口呻吟，摔下烏代時頭巾歪了，露出鼻頭和下巴，滿是鬍渣的臉全是泥巴。

「高地人竟然會使用魔法劍。」男人嘶啞的聲音中充滿訝異。「而且還是一個小鬼——你到底是什麼人？」

可是，跪在男人身旁的小亘，卻對他的問題充耳不聞，因為他被另一件事嚇到了。這個下巴的形狀、鼻子的感覺，好像在哪看過。令人非常懷念。很像某個人——

不會吧。這怎麼可能。

閃過的直覺，被理性駁回。但他無法平息心中騷動，左手伸向男人的頭巾。住手！別去掀那個男人的頭巾，不能做這種事，否則你一定會後悔。體內的小小智者高喊，但還是無法阻止他。

小亘一把扯下男人的頭巾。

出現的那張臉，是爸爸的面孔。和三谷明一模一樣的臉，就在眼前。就連那雙總是沉著冷靜、有時甚至令人覺得無情的瞳孔顏色都一樣。

騙人！天底下哪有這種事。

酷似爸爸的男人，滿懷恨意的眼睛炯炯有神地瞪視小亘。也許是傷口發疼吧，他咬緊了牙。

「你是——什麼人。」

小亘勉強擠出這個問題。舌頭彷彿麻痺了，無法順利發出聲音。

「叫什麼名字不重要。」男人從咬緊的齒縫之間說。「我是一個男人。像你這樣的小鬼或許無法明白，但我絕非壞人，我只不過一心想追求自己幸福，努力去做自己能做的事罷了。」

這個男人剛才說溜了嘴——他直到最近還被關在提亞茲赫本。

小亘明白了。「我懂了，你是雅可姆。」

男人第一次感到畏懼，他的視線避開小亘的臉。

「你是雅可姆！你拋下太太和莎拉，企圖和莉莉．楊努私奔卻失敗了。莉莉．楊努被鎮上放逐，現在住在這個『悲嘆沼澤』畔——」

這下子他全懂了。

「你會販賣仿冒的『淚之水』，是爲了養活莉莉．楊努吧？是你替她蓋的小屋吧？蓋房子的錢，就是這樣賺來的吧？」

雅可姆的眼睛，邪惡地瞇了起來。

「小朋友，你怎麼知道我跟莉莉的事？你倒是挺清楚的嘛！是誰跟你嚼舌根的？」

「沒人嚼舌根。我見過莉莉．楊努，也見過你太太莎塔米，我也認識莎拉。我很清楚莎拉是如何思念父親。如此而已。」

雅可姆滿身泥濘地站起來，手覆蓋著中了魔法彈的肩膀傷口，臉避開小亘。不知是莎拉這個名字令他產生反應，還是父親這個字眼刺痛了他，他的眼神映著沼水霎時黯然。

「像你這樣的小孩，憑什麼說這種自以爲是的話。」

呢喃的聲音，也失去了張力。

「我並不是不知道自己在做什麼。我當然也知道，自己正在做的行爲很自私任性。」

「既然如此——」

雅可姆轉身仰望小亘。從正面看來，那張臉眞的跟三谷明是一個模子刻出來的，小亘感到心底正莫名隱隱作痛。

「可是小朋友，人生在世還有無法用道理解釋的『感情』。莎塔米絕不是壞女人。她認眞又勤快，是個溫柔的女人。可是，當我遇見莉莉，兩人彼此相愛時，我就再也無法回頭了。因爲我得到了眞正的愛，不可能再回到冒牌貨的身邊。」

小亘勉強擠出聲音。「你憑什麼能夠分辨你跟莎塔米的愛是冒牌貨，跟莉莉．楊努的愛才是眞的？」

雅可姆歪著嘴角冷冷一笑。「等你長大變成男人後自然就會知道。」

「這種事，我才不稀罕知道！」

聲音大得連自己都嚇了一跳。動搖的心在體內一下子滾過去撞到那邊，一下又滾過來撞到這邊。小亘拼命告訴自己，這不是爸爸，是雅可姆，行旅商人雅可姆。不是我爸爸三谷明。他是別人，縱使外型一模一樣，做出類似行徑折磨媽媽和我，但這傢伙不是爸爸，不是，他不是。

「得到眞正的愛，對人來說比什麼都重要。」雅可姆用說教的口吻強調。「一旦得到了愛，要放手會比死還難受。小朋友，等你也變成眞正的男人，一定會明白這點。不過，能否遇到眞正的愛，這我就無法保證了。」

雅可姆哼哼冷笑的臉，果然和爸爸一個樣——每次小亘說出什麼自以爲是的意見時，三谷明總是慢條斯理地在椅子上坐好，先讓他盡情說個痛快，然後再來好好檢討小亘的意見到底有多少錯誤。

——小亘，你好像有點想錯了。

就像爸爸每次打開話匣子時的微笑。

小亘終於再也無法忍受，視線落到腳邊泥巴。他保持這個姿勢說：「那你就不管莎塔米的感受了？莎塔米對你的『愛』又該怎麼辦？那同樣也是眞的。如果你剛才的說法是正確的，那麼叫莎塔米放棄對你的愛會比去死還要難受，這也沒什麼不對吧？」

雅可姆搖頭。「莎塔米根本不愛我。她只是爲了生活，所以習慣依賴著我罷了。」

「你憑什麼擅自決定人家的感受！」

「那你又憑什麼擅自干涉別人的家務事！」

小亘不肯讓步。「莎拉怎麼辦？莎拉對你這個父親抱持的『愛』又該怎麼辦！」

「親子之間的愛，是另一回事。」

「你太卑鄙了，你根本只是在扯一堆對自己有利的歪理。莎拉她一心等著你回來，每當有烏代經過提亞茲赫本旁邊，她就邁開小腳拼命跑向城門。你一定沒看過她那個模樣吧？如果你看過一次那樣的莎拉，你絕對不可能像剛才這樣扯這些歪理。」

霎時，雅可姆陷入沉默。突然間，他沒受傷的那隻手迅速一動，抓起一把身旁的泥巴，朝著小亘丟來。雖然及時躲開，但泥濘飛沫還是濺到小亘的下巴。「你幹什麼！」

雅可姆的眼神再次燃燒，就跟剛才拿槍對著小亘時一樣，憎恨的光芒令他的眼眸散發出炯炯異彩。

「小孩、小孩、小孩！」雅可姆尖聲絕叫。「就算有小孩又怎樣！那本來就是我賦予的生命！如果只因爲是小孩就堅稱有權束縛父母一輩子，那我也有話要說。如果少了我這個父親就沒辦法活下去，那這種生命打從一開始就沒用！還不如我自己親手了結莎拉的性命。莎塔米也一樣，如果沒有我眞的活不下去，那我就親手殺了她！」

小亘感到窒息，臉頰發熱。雅可姆突出的下巴，激動得口沫橫飛越說越起勁的辯詞。吊起的眉毛、因強硬的自我主張而發光的眼睛，是爸爸，跟爸爸一模一樣。不，這根本就是爸爸。傳入耳中的不是雅可姆的聲音，是爸爸的聲音，是三谷明對著小亘強硬的宣言。

——就算有小孩又怎樣。那本來就是我賦予的生命。小亘，如果你只因爲是我的小孩，就堅稱有權利一輩子束縛我，那我也有我的辦法。如果你覺得我拋棄你太殘酷，那我就成全你好了。

——爸爸不會拋棄你。

——你本來就是因爲爸爸，才能誕生在這個世上。

——所以爸爸決定就當你沒出生過。

——爸爸不會拋棄你，而是要消滅你。

這才是小亘你眞正的期望吧？

他感到一陣暈眩，腳底發軟。心中的憤怒明明像熔岩一樣沸騰，不知爲什麼卻突然好像變得很遙遠。

——快昏倒了。

小亘的手在空中胡亂划動，想找個東西抓住。可是當然不可能有那種東西。他踉蹌地朝旁邊跨了一大步。

雅可姆問。那個聲音聽起來比剛才小聲多了。好像是隔著玻璃在跟他說話。不，不只是雅可姆，周遭的一切事物，乃至悲嘆沼澤的冰冷空氣和陰濕的風，彷彿都隔著一片透明牆壁在另一頭。

「你怎麼了，小朋友？」

小亘簡直就像一個人掉進杯子裡似的。

「小朋友，你還是回家去吧。」雅可姆露出淺笑說。「回去以後，問問你爸媽，問問看你我之間到底誰才是對的。當然，你爸媽一定會說我錯了。可是，小朋友，那是在唬弄你，不是眞的答案，不是你爸媽眞正的心底話。如果你爸媽跟我一樣，在唯一一次的人生當中被迫面臨重要的決斷，一定也會做出跟我一樣的結論。拋棄你們這些孩子，這又有什麼不對呢。你們的命本來就是父母給的，是沒付任何代價、免費得來的命。你應該要感激，識相的話就該乖乖等著被拋棄！」

小亘的視野陷入黑暗。

第二十四章 死亡幻影

他緩緩倒下，身體被往後拉。就這麼直挺挺的，仰天向後翻倒。彷彿站在浪濤拍岸的水邊，腳下的沙正被波浪逐漸帶走——就像那種感覺。倒、倒、快倒了——

可是小亘沒倒。

他看到自己一分爲二。

從身體前面，宛如靈魂出竅，倏然分出了另一個半透明的小亘。那個小亘一站在沼澤泥巴上，便轉頭朝自己一瞥，親暱地露出笑容。

小亘無法動彈，連聲音都發不出來。好像麻痺了，連一根手指都動不了。

——是剛才的，那個泥巴。

濺到臉上的濕泥含有沼澤的水分。毒性發作了，所以才會全身麻痺動彈不得。而現在小亘眼前的另一個小亘，就是沼水的毒性令他產生的幻覺。是幻影。

那個幻影朝雅可姆走去，然後唰地拔出勇者之劍。

雅可姆坐在泥濘中，微帶畏懼地做出防備，並且對著小亘的幻影狂叫。

小亘的幻影揮起了勇者之劍，雅可姆用沒受傷的那隻手護著臉，這中間還一直拼命叫著。

——不行，我並不打算做那種事。

幻影手中的勇者之劍，刃尖冷然發光。

我根本不想殺死雅可姆，我根本不想殺死爸爸，我一點也不恨爸爸，這不是爸爸，這不是我！

勇者之劍砍了下去。

一擊，再擊。雅可姆發出悲鳴，手腳並用爬著逃走。劍刃刺向他的背。雅可姆抵抗著，試圖奪走幻影小亘的劍，劍刃砍了他的手掌。

現在雅可姆滿身泥濘，臉上也濺滿了血。他似乎嚇癱了，全身不停顫抖，即便如此仍企圖逃走。幻影小亘從後面抓住他的衣領，然後對著他的脖子——

——住手！

勇者之劍淩厲地戳入，鮮血噴出，濺到幻影小亘的襯衫上。

撲倒在泥巴上的雅可姆，手伸向空中彷彿在求救，最後，頹然垂落。

小亘的幻影從雅可姆的屍身上將劍拔出，唰地一甩，劍上殘留的血跡飛濺，他毫不在乎地把劍收起，退後一步俯視雅可姆，然後慢條斯理地抬起腳把他踹得老遠。

雅可姆的遺體滾到沼澤的淺灘裡，小亘的幻影又踢了一腳，遺體又隨之滾到更深的地方。雅可姆的衣服被沼澤水浸濕，那股重量拽著他繼續往更深處下沉。

黑色的沼水一分爲二，卡隆的背鰭閃著異光出現。小亘依然無法動彈，只能任憑恐懼凍結全身，只能無力望著。

卡隆不停繞著雅可姆的屍身游動。雅可姆漸漸下沉。然後，當他的背部和襯衫一角噗通消失在水底時，卡隆宛如大鐮刀的尾鰭猛然掀起，拍擊水面，凶惡的銀光烙印在小亘眼底，旋即潛入水中。

回過神時，幻影小亘正看著他。跟剛才一樣，臉上掛著親暱的微笑。

小亘想搖頭，可是脖子動彈不得。他想高喊你在做什麼，可是發不出聲音。

幻影小亘滿面笑容地轉身背對小亘，邁步跨出，小亘也尾隨在後。腳明明不能動，明明不能走，卻尾隨在後。彷彿小亘才是沒有實體的幽魂，飄浮在空中。

要去哪裡？幻影小亘踩著穩定的步伐向前走去，踩著沼澤的泥巴，頭抬得高高的。

最後，莉莉．楊努的簡陋小屋出現在眼前。幻影小亘走近小屋，連門也不敲，毫不遲疑地打開那扇門，隨後跨進小屋。

黑衣女子坐在那晚她讓小亘坐的硬椅子上，罩著帽子的頭垂得深深的，兩手蒙著臉。

幻影小亘往她身邊一站，莉莉．楊努這才仰起臉。滿臉淚痕。

「啊——」她呻吟。「你殺了他。」

小亘的幻影微笑著拔出勇者之劍。

「我好心幫助你，你卻殺了我摯愛的男人。」

莉莉．楊努向幻影小亘伸出雙手，緊抓著不放。

「爲什麼？爲什麼要殺死我的雅可姆？那個人、我們倆，到底犯了什麼滔天大罪？我們只不過彼此相愛，只不過是想成就這份愛。可是，爲什麼你要像制裁罪人似的砍死他？爲什麼要讓他沉入沼澤，拿他去餵卡隆？」

幻影小亘舉起劍。

「因爲，你們太邪惡了。」

幻影滿面笑容，用小亘的聲音如是說。然後一劍刺入莉莉．楊努的胸口。她無聲無息地從椅子上摔落，倒在地上彷彿變成一團黑布。

幻影小亘把劍收回劍鞘，朝小亘走近。小亘想逃，卻無能爲力。做這種事的不是我，那不是我，我做不出這種事。

然而，幻影小亘倏地回到小亘的體內。

霎時，他的雙腳穩穩著地。彷彿打了一個瞌睡終於清醒，脖子猛然往下一點，小亘驚愕地全身僵硬。

他正站在莉莉．楊努的小屋外。

小屋的門關得緊緊的。小亘像是全力衝刺過後的上氣不接下氣，大汗淋漓。就像從惡夢中醒來時一樣。

——沒錯，這是幻覺。

我看到的是幻覺。並非眞正發生的事。現在，如果我伸手開門，莉莉．楊努一定正坐在那把椅子上，用黑毛線替小寶寶織罩袍吧。她沒有死，因爲我沒有殺她。

要確認很簡單，敲個門就行了，只要喊聲有人在嗎，她一定會來開門。快，試試看吧。一定要試試。

做不到。明明沒有打算往後退，腳卻不由自主地動了起來。做不到，我做不到。

回到沼澤邊吧。烏代還在那個救助喬佐的地方痴痴等著，騎上烏代回提亞茲赫本吧。請診療所的醫生替我診治，我中了沼水的毒，請給我解毒劑，然後換下被冷汗浸濕的襯衫，去探望莎拉的小臉——

莉莉・楊努的小屋的門，呀然開啓。

大概只有十公分吧。從那條縫隙伸出一隻小手，接著手臂，最後腦袋也鑽了出來。

是個嬰兒。

光溜溜的，手腳都圓滾滾胖嘟嘟，就像故事書上的天使般五官端整，眼睛是閉著的。

不過，好像有點怪怪的。有點不太對勁。不是普通的嬰兒。他的肌膚——

肌膚是灰色的。是石頭的顏色。對了，這個嬰兒是石頭做的。

當他從門縫之間整個現身後，閉著的眼睛朝向小亘。我懂了，這孩子眼睛看不見，小亘恍然大悟。

嬰兒張開嘴巴，開始說話了。那不是嬰兒的聲音，而是沉重、粗啞如同老叟的聲調。

「噢，你這個沒血沒淚的冷血殺人魔。」

小亘全身寒毛豎立，腿抖個不停。

「都是因爲你殺了我的父母，害得我無法在這世上誕生。我的眼睛見不到光，我的嘴巴含不了母親的乳房，我的耳朵聽不見搖籃曲，我的腳踩不著大地。」

小亘緩緩地、緩緩地一面搖頭，一面往後退。

「不是我。」

顫抖的嘴唇總算發出聲音。

「不是我殺的。」

「狡辯無用，你是殺人兇手。」嬰兒胖嘟嘟的手指指向小亘。「你骯髒的靈魂要怎麼補償我？我的悲傷該如何是好？我無處安身的身體化爲石頭，已經連眼淚都流不出來了。」

小亘尖叫：「不是我殺的！」

嬰兒的小嘴醜陋地扭曲。「所以，我要用你的劍刺穿你的身體，讓它替我挖出你的靈魂。你的肉將會腐爛，你的骨頭將會凍結被風吹走，不斷地徬徨呻吟，我將詛咒你直到上百個黑夜與白天消逝。即便是死亡也不能賜給你安身之處，你那飄泊不定的靈魂，將在渾沌深淵被永久的孽火燒炙！」

嬰兒用難以置信的速度，飛快爬向小亘。小亘連喊都喊不出聲，跌跌撞撞地逃走。

縱使跑了又跑，每當他轉頭一看，石頭嬰兒依然以迅如疾風的速度追來。那張臉孔已經和恬靜的嬰兒表情相差十萬八千里。他連滾帶爬，跌倒了又亂抓地面掙扎起身，在一瞬轉頭偷窺對方是否追上之間，小亘在嬰兒的臉上看到無數人臉。他看到雅可姆、莉莉．楊努、莎塔米，他看到爸爸、媽媽、理香子，看到所有憎恨詛咒他人的人，看到所有傷害別人踐踏別人的人。

其中當然也夾雜了自己幻影的那張臉。

他跑了又跑，經過自己那頭茫然呆立的烏代身旁，也經過雅可姆那輛載著裝滿沼水瓶子的台車旁。跑著跑著，沼澤的水面上露出卡隆的背鰭，小亘發現牠正跟著自己齊頭並進。

卡隆知道這裡有獵物，牠在等待小亘被石頭嬰兒打倒、扔進沼澤。小亘在驚恐之餘一面哭泣喘息著、渴求呼吸，跑了又跑，跑個不停。

最後眼前開始飄起白霧，腳下的地面和沼澤黯黑的水面，被大霧籠罩難以分辨。小亘在滾滾濃霧中，像游泳一般划動手腳狂奔，不知是第幾次回頭，他發覺背後的嬰兒也不見了。

——現在還不能安心。非逃得更遠不可。

雖然心中如此鞭策自己，腳卻無法動彈。膝蓋一彎，頹然往前跪倒，再也站不起來了。

——不行，不行，趕快跑。

畏懼得縮成一團的靈魂，正在哭叫著求救。聽著體內的那個聲音，小亘失去了意識。

黑暗翩然滑入白霧的底層，最後黑暗塡滿了一切，小亘就這麼俯臥在黑暗中，筋疲力竭地睡著了。

呱呱……呱呱……

某處傳來蛙鳴。

呱呱……小亘……呱呱……

這種地方怎麼會有青蛙？迷濛的意識底層只有小亘體內的小小智者醒了過來，豎耳傾聽周遭的聲音。

呱呱……小亘……你聽得見嗎？

甜美的聲音傳來，是那個聽過好幾次的聲音，小亘應該熟悉的聲音。

呱呱……你用不著在意，你沒有錯，你做的是對的，你做了眞正該做的事。無論是在現世或「幻界」，都充滿著虛僞的善意，那種東西毫無價值，你做的是正確的。

扼殺某個生命，在某些情況下是對的。你只不過是殺死邪惡的人。那是正確的——

「不是！」小亘大叫。「我沒有殺人！」

他呼呼地喘著大氣，用手摀著嘴。無法停止顫抖，在哪裡？這是哪裡？那個石頭嬰兒呢？

「喂，你沒事吧？」

身旁傳來一個聲音，小亘又嚇得大叫，正想不顧一切地逃走，卻從某個地方跌落，最後掉到地板上。

「喂喂，你清醒一點，你是在做夢，現在已經醒了，這裡很安全。」

一雙看似認眞的烏黑眼瞳，湊近看著小亘的臉。

第二十五章
北方凶星

一個非常年輕的男子。乍看之下，穿著酷似歷歷斯教會祭司的灰色長袍，不過這個人的袖子呈筒狀，長度也比較短，感覺行動上應該非常方便。

「我看看，還有沒有發燒？對不起冒犯一下。」說著，他將手放在小亘額頭上。然後臉上立刻綻放笑容。

「啊，太好了。燒好像退了，幸虧醫藥箱裡放了消毒水和退燒藥。剛才我還真揑了把冷汗呢。」

這是一間正好有六塊榻榻米大的小房間。小亘躺在簡陋的木床上，被子枕頭是樸素的天然綿布原色，墊被蓬鬆柔軟很溫暖。

「這裡是……？你是誰？」

年輕男子笑咪咪的，微微鞠個躬。「我的名字叫做辛．森西，是沙沙亞國營天文台附屬研究所的研修生，你好啊。」

「噢……你好。」小亘慌了起來。「應該說，是你救了我吧？謝謝你。」

「不客氣。你肚子餓了吧？沒什麼好招待的，我現在就拿熱湯給你。」

隨即響起啪嗒啪嗒的腳步聲，他走向房間角落看似小廚房的地方。此外，室內還有一張桌子堆滿了小山高的書籍。一把跟桌子成套的椅子。書架上塞滿了書籍，塞不下的書就堆在地上。事實上，辛．森西現在走來走去的狹長空間，似乎已經成了唯一能夠自由行動的「通道」。

看來這裡也是一間小屋。天花板高得必須仰望，屋頂下方還有一個很像閣樓的空間。要爬上那裡得利用緊靠桌旁的梯子。

——沙沙亞的國營天文台？

小亘想起一開始奇．奇瑪告訴他的知識。

「森西先生，你該不會是從事讀星的工作吧？」

辛．森西爽朗地回答：「嗯，對呀。」「我是研修生，所以還在實習。還有，你叫我辛就可以了。來，請用。」

他端來的托盤上，放著一個盛滿濃湯的盆子，散發著誘人的香味。

「我的指導教授巴克桑博士，向來主張讀星者不該窩在天文台，應該四處旅行，習慣那塊土地，熟知當地的季節，食用當地的作物，然後仰望星子解讀訊息——他認爲這才是正道。」

所以據說研修生一年當中有大半時間，都散居在南方大陸各地。

「有些人是自己決定觀測地點，也有些人是去巴克桑教授指定的地方。有時地點極爲偏僻，在那種情況下必須先建造觀測小屋，非常辛苦。撇開這點不說，巴克桑教授原本就是很嚴格的老師，只要在觀測上稍微有點失誤，立刻遭到淘汰。」

雖說如此，辛．森西描述時似乎非常開心。小亘突然從他年輕的臉龐上，看到現世的同學宮原祐太郎的影子，那傢伙不是死讀書的優等生，是眞心喜歡唸書。

霎時間，懷念之情和想回家、想見朋友的激動情緒湧上心頭。明知場合不對，卻無法抑止。我到底在這種地方做什麼？做這種事，又能怎樣呢？

「啊，對不起。」辛．森西憂慮地眨著眼。「你整整昏睡了三天，現在身體這麼虛弱，我還這麼自私地跟你閒扯。」

「不會不會，沒關係。」小亘猛搖頭。在這麼親切的好人面前，不能隨便掉眼淚。因爲這樣會變成在撒嬌。

「我已經獨自窩在這裡超過一年了，偶爾頂多跟達爾巴巴車夫聊個兩句，所以大概是太渴望說話了吧。」辛．森西抓抓頭。「來，趁熱把湯喝了吧。」

小亘點點頭，兩手捧著裝湯的碗。

「我睡了三天嗎……」

「對呀。『悲嘆沼澤』的毒蔓延到全身，當時你已奄奄一息。」

「請問，我倒在哪裡？」

辛．森西輕搖食指，反過來問他：「你完全不記得了？」

他並非毫無印象——在「悲嘆沼澤」發生的事——至今仍像夢般模糊難以捉摸，細節雖不清楚，不過，在那裡發生了什麼事，自己做了什麼，他並沒忘記，牢牢烙印在心上。

「提亞茲赫本這個小鎮你知道嗎？」

「知道。」

「你倒臥在隔著『悲嘆沼澤』與那個小鎮反方向的濕地中。我們現在待的這間觀測小屋，就是在那片濕地的邊緣。」

直到這時他才發現，陽光射進掛著樸素格子窗簾的窗口，赭紅餘暉早已黯淡，已是日暮時分了。

「三天前，大約現在這個時刻吧。我發現一頭烏代，在小屋後面徘徊。牠的背上掛著鞍轡，又套著濕地防泥濘用的蹄套，我就在想，啊，說不定有人在『悲嘆沼澤』遇難了。結果過去一看，就發現你倒臥在靠近沼澤出口處。」

小亘再次道謝，雖然感到恐懼得胃猛往上提，他還是問道：「除此之外你有看到別人嗎？不是人也行，比方說拉台車的烏代。」

辛・森西搖頭。「沒有，我沒看到。你當時還有其他同伴嗎？」

「沒有，那倒不是。」

「噢。迷途的烏代我無法照顧，也沒有飼料，所以拜託昨天路過此地的達爾巴巴車夫，暫時先牽到最近的宋村去了，因為那裡有人懂得怎麼照顧家畜。等你康復後，隨時可以去領回。」

小亘慢慢地喝著湯。味道應該很美味，但他卻像嚼沙似地食不知味。

雅可姆的烏代到哪去了？既然不在沼澤，那就表示他駕馭著那頭烏代，載著裝滿沼水的瓶子，揚長而去了吧。如此說來雅可姆應該還活著，小亘心頭殘留的可怕光景只不過是幻覺，是沼水的毒性令他陷入的惡夢，就連莉莉・楊努也仍活蹦亂跳吧；而那個石頭嬰兒打從一開始就不存在。

一定是這樣的，絕對不會錯，但願如此。我壓根就不想殺害雅可姆。我的確很氣他，因為他的長相、言行舉止跟爸爸實在太像了，因為他代替爸爸說出了真心話，的確讓我非常害怕，可是，我絕不至於因此就想殺他。那種事我做不出來，我不是那種人。

可是——自從來到「幻界」後，小亘不是已經做了許多連自己都不敢相信的事嗎？他曾竭盡腦力和體力與怪物搏鬥；曾二度遭到處刑，也都沒大哭大叫；只要有必要，隨時都可以拔出「勇者之劍」。

他突然察覺。打從一開始在「測試洞窟」接受考驗，獲得四神將賜予的四種力量以來，小亘好像已經變得跟現世的小亘判若兩人了。這才是眞正的「旅人」。現世的三谷亘根本比不上強壯、勇敢、有智慧的幻界小亘，如果眞的決心這麼做，或許能殺得了人。

而這樣的小亘，不就是三谷亘一直憧憬的「勇者」嗎？不正是因爲這樣才叫做「勇者之劍」嗎？

雅可姆是個壞人，莉莉．楊努或許沒他那麼壞，但同樣自私自利過於貪心，他們是同類。就算那不是幻覺，而是眞正發生過的事，小亘也應該用不著因此苦惱自責吧。

「你是高地人吧？」

被辛．森西這麼一問，小亘看著自己的火龍手環。辛．森西也看著那個，然後露出微笑。

「你來自哪個分局？」

「嘎薩拉。」

「是喔。那你是長途跋涉而來的囉。」

「像我這樣的小孩當高地人很奇怪嗎？」

「沒那回事。在我出生的村落，每逢沒有作物收穫的冬季期間，大人們全都去外地打工了，只留下老人和小孩必須保護村子不受盜賊和怪物侵襲。所以，村裡的分局主管是個彎腰駝背的老人，高地人也都非常年幼。即便如此，照樣表現得很稱職。」

辛．森西有點害羞，頻頻搔著腦袋。

「不過，我是個膽小鬼，完全派不上用場就是了。」

夕陽西沉，小屋裡變得昏暗。辛．森西站起來，點亮桌上的油燈。柔和的金色燈光照亮屋內，空氣中隱約飄著帶有藥味的燈油味。

「不過辛先生，你在這種地方獨自觀測、研究，其實已經夠勇敢了。」

「噢，那個啊，」辛．森西軟弱地微笑。「這跟勇敢是兩回事。因爲這就是讀星者的工作，如此而已。」

看他的表情好像還想說什麼，突然卻又垂頭喪氣，噤口不語。似乎是想起了什麼煩惱。

這人好內向。或許不該問太多，小亘想。

——我的，火龍手環。

小亘用指尖試著輕觸紅色皮革。

卡姿說過，如果高地人做了不義之事，立刻會被這個手環蘊藏的火龍烈焰燒個精光。是的，在「悲嘆沼澤」遇見喬佐時，就已經讓他見識到火焰狂風的驚人威力了。

然而，小亘的手環還在這裡，這表示，小亘沒有做錯任何事。

看來，果然只是幻覺。

不，即使眞的發生過，也絕非不義——那應該是正義的制裁才對。

——不行，一想到那個就快要發瘋。是夢！是夢！一切都是夢！還是這樣看待吧。因爲，殺人不可能是「正義」，眞正的勇者絕不可能是個殺人兇手。

「我無意打探你的隱私，不過你正要去某處而途經此地嗎？」

被辛．森西這麼一問，小亘抬起眼。

「你在調查『悲嘆沼澤』？」

「不，不是，不是這樣。」他臨時扯了個謊。「事實上，我跟同伴走散了。」

小亘將歷歷斯郊外發生的事件簡略說明。聽著聽著，辛．森西聰穎的眼睛越瞪越大，最後蒙上陰影。

「是嗎……歷歷斯啊。」他環抱雙臂，無力垂落雙肩。「你遇到的那些人，雖然不見得一定是眞正的老神教信徒，不過，那一類的活動果然是越演越烈。」

跟巴克桑博士說的一樣，他小聲咕噥。

「北方統一帝國的影響嗎？」

「當然那也是部分原因，不過還有比那個更嚴重的，是時期的問題。」

「時期？」

辛．森西依舊眼神黯淡地點頭。「這件事雖然還不能公開，不過，我想想看喔——頂多再過半個月，大家知道後恐怕就會開始騷動了，反正你是高地人，告訴你應該沒關係，我想你們到時一定會變得很忙很辛苦。」

在「幻界」，每隔千年會出現一次重大危機——他說。

「我們居住的這個世界，位於無限深邃的混沌中。原本，在混沌中一切都會歸於虛無，凡有生命之物皆無法存在……」

據說是「偉大的光之疆界」在保護大家免於混沌侵害。

「女神大人創造這個世界時，曾和掌管混沌的黑闇冥王締結盟約，每隔千年必須從幻界奉獻人柱給冥王當作牲禮，冥王會用那個人柱的生命能量創造『偉大的白光疆界』，也就是定下這種規矩藉此來保護幻界。」

小亘瞠目結舌。「那，你剛才所說的『時期問題』……」

「沒錯，那個時期已經接近了，藉由人柱獻祭，重新創造『偉大的光之疆界』的時期。」

「你怎麼知道？」

「因為北方天空。」辛．森西指著小屋屋頂的一角。「將會出現宣告時期來臨的凶星。原本會有『讀星者』這個職業，就是為了及早發現那顆凶星。」

「那，現在，你看到了嗎？那顆你所謂的北方凶星。」

辛．森西聳聳肩。「現在看到啦。不過，不是靠我自己發現的，是比我優秀的前輩早在兩個月前就從阿里奇塔首都的大天文台提出最早的發現報告了。」

辛．森西之所以會在這裡建造小屋開始觀測，是奉了巴克桑博士之命。

「博士翻閱古書，發現紀錄顯示，上次『重新創造光之疆界』的時期，就是在這一帶提出最早的觀測報告，也查明了當時的座標，於是把我派來這裡。」

所以才會打從一年多前就窩在這裡啊。

「從那麼久以前就……」

「可是我太笨了，一直到十天前才好不容易發現疑似的徵兆，被博士臭罵了一頓。」

說著，辛·森西又惶恐地縮起身子。

「可是，怎麼可以用什麼人柱呢！」

這未免太殘酷了吧。

「那個人會死吧？」

「不，不會死。只是會得到比死更痛苦、更孤獨的永生不死。」

在下次「重來」的時期來臨前，人柱必須做冥王的臣子，看著世上所有生物的活動在眼下進行，保護他們不受混沌侵害。

「如果只是爲了保護愛情、友情和互助合作、笑容與歌聲，或許犧牲得還有價值。問題是這世上也存在著憎恨、背叛、嫉妒和互相掠奪，彼此殘殺。因爲只要是生物誰都會產生這些情緒。」

霎時，雅可姆和莉莉·楊努的臉孔浮現腦海，小亘感到一陣寒意。是啊，一點也沒錯，的確是這樣。

「被自己的慾望擺佈，即使傷害別人也無所謂。這種人的嘴臉只要一一看在眼裡，難免會覺得，爲了這種爛人將一個好好的人與這個世界隔離，成爲混沌與幻界的分界點，剝奪他身爲人的幸福與喜悅，逼迫他忍受漫長的千年歲月，簡直是荒謬至極。然而，我們不得不忍耐，接受一切，原諒一切，否則『偉大的光之疆界』就會消失，幻界也會毀滅。身爲人柱就是必須背負這麼沉重的責任。」

小亘陷入沉思。的確，正如辛．森西所說，保護這些紛爭不斷的人想必是辛苦，但也是件荒謬的事吧。

然而，最痛苦的，應該是負責保護世人幸福的那個人吧。自己的犧牲可以守護這些笑容，自己在此忍受孤獨，這些人才能展露歡顏。可是，另一方面，心中還是會有疑惑吧。爲什麼是我？爲什麼不是別人？這未免太不公平了吧？要把這種哀嘆藏在心中忍受千年，對小亘來說，才更叫人無法忍受的。

「人柱……是怎麼挑選的？」

辛．森西搖搖頭。「這點沒有人知道，古書上也沒記載任何線索，因爲這全憑女神大人的旨意；有時選中的是非常年輕的人，有時選中的是老人。」

「這麼說來，其實是機率問題嘛！」

「就是啊。」

北方凶星剛在北方天空出現時，會放出耀眼的白光。可是，當女神開始挑選人柱，到結束時冥王把人柱召去混沌深淵爲止，這段期間會發出血紅的光芒。一旦疆界重新創造完畢，凶星將再次恢復爲白光，並隨著天明而消失。

「所以我們把北方凶星發出紅光的時期稱爲『柱之時』。安卡族用古文記載的史籍上，也以同樣意義的『哈爾涅拉』來稱呼。」

「哈爾涅拉……」女神挑選犧牲者的時刻。

「女神大人爲什麼要這樣設計呢？這豈不是太殘酷了。」

既然有力量創造幻界，就算不用人柱，應該也能靠女神本身的力量抵禦混沌吧，這樣不就解決了嗎？現在這樣未免太不負責了吧。

「你也這麼想？」辛・森西悲哀地眨著眼。

「那當然！」

「就是啊，我們讀星者多年來也一直在討論這個問題。女神大人到底在向我們要求什麼？爲什麼要給予我們這種考驗？女神大人該不會只是基於好玩而折磨我們、玩弄我們吧？」

神，玩弄祂創造的生物，只因一時心血來潮，覺得好玩？

「同時，這也正是老神教信徒的論點。他們主張女神大人根本不愛幻界的人，如果眞的愛我們，即使是千年一次，也不可能做出這種殘忍的行爲。」

他們宣稱女神不愛幻界的生物，因爲幻界本來就不是女神創造的，祂只是掠奪了老神創造的產物。

「所以，每當『哈爾涅拉』來臨，老神教信徒就會活躍起來。他們會祈禱，祈求老神這次能聽見他們的心願，再次降臨幻界，替他們趕走邪惡的女神，因爲這才是他們堅信的『重建世界』。」

被他這麼一說明，就連小亘都快搞糊塗了。偏激的安卡族至上主義，和反抗不合理的人柱要求，在「否定女神」這件事上，原來來自同一根源。他害怕自己會開始覺得，難怪有越來越多人受到老神教吸引。

「辛先生。現在你告訴我的這些，每個在幻界的人都知道嗎？還是，只有讀星者才瞭解的？」

辛・森西疲憊地搓揉雙眼之間。「目前爲止，只有少數人知道。」

「這麼說來……」

「在預期北方凶星出現的時期即將來臨後，讀星者的大本營——沙沙亞國營天文台已經召開過數次高峰會議，之後也與聯合政府議會討論過，最後終於作出結論了。昨天的達爾巴巴車夫就是替我送那份決議書來的。」

辛・森西從椅子上站起，拉開桌子最上面的抽屜，取出一個卷軸。

「這就是那份決議書。聯合政府已經決定，要向南方大陸的所有居民公開『哈爾涅拉』的訊息，讓所有人都知道。」

啊，難怪剛才辛・森西會說，高地人將要開始忙碌，會變得很辛苦。

「在幻界有幾千萬人。」

辛・森西站在窗邊仰望夜空。

「被選爲人柱的，只是其中一人。因此，有些人認爲即使公開『哈爾涅拉』，應該也不會造成太大的騷動，因爲自己被選中的機率實在非常小。」

「可是，萬一被選中了呢？對那個人來說，自己可只有一個呀！」小亘不由得大聲起來。「這跟機率毫無關係！辛先生，說不定是你被選中，想想看那時你會怎樣！」

「說的也是……」

窗外，隱隱傳來夜鳴鳥呼呼的叫聲，這是個安靜的夜。可是，即便處於現在這片靜謐中，北方凶星依然逐漸現身在這片天空的某處。

「那麼，你認爲『哈爾涅拉』的事，不要通知大家比較好？如果什麼都不知道，也就不會害怕痛苦了。直到某天某刻，在某個城鎮或村落，某個人突然消失，大家無處尋覓，那個人的親朋好友或許會擔心而四處搜尋，一直掛念著他，然而，在這廣大的幻界中卻只是微不足道的小事。你認爲這樣比較好嗎？」

小亘無法回答。

「巴克桑博士說，」辛．森西依舊仰望著夜空。「無論發生多痛苦的事，多糟糕的事，只要是跟幻界所有居民有關的知識，就不能秘而不宣。沙沙亞國營天文台的高峰會議中，贊成巴克桑老師的博士們，和主張『無用的知識只會製造無謂的痛苦』的反對派博士們，形成壁壘分明的兩派。他們日復一日不斷進行激辯。反對派的博士當中，聽說也有人堅稱應該禁止研究『哈爾涅拉』，他們認爲『不知道就等於這件事不存在』。你認爲這樣好嗎？」

辛．森西丟出問題後，不等小亘回答，逕自在窗邊抱著頭。

「我好害怕。」他小聲說。「這種事，我根本不想知道。關於『哈爾涅拉』知道得越詳細就越害怕，我甚至後悔當初不該受教於巴克桑博士，早知道就不當什麼讀星者了。」

辛．森西會這樣如梗在喉不吐不快，想必也是因爲恐懼吧，並非只是單純地懷念與人溝通，渴望跟人說話。即便如此，如果小亘不是高地人，辛．森西肯定還會隱忍住。雖然小亘只是小孩，而且病倒路旁，但是看到火龍手環後，辛．森西禁不住要把自己知道的事統統說出來。

「我擔心的不只是自己，還有父母跟兄弟姊妹、未婚妻、親密的學友們，每個人都同樣令我掛念。萬一我認識的某個人被選爲人柱怎麼辦……一想到這裡，我連晚上都睡不著覺。」

這是理所當然。任誰都會有同樣反應。

不，或許並非如此，小亘在腦中某個角落想著。比方說雅可姆？如果莎塔米被選爲人柱，他反而會很高興終於能夠擺脫她吧？人應該都是這樣吧，會關心身邊的人，或許只是因爲你喜歡那些人。

就連小亘也是如此。他可不想變成人柱。但如果是石岡呢？如果是那傢伙應該就ＯＫ吧？當那傢伙被美鶴召喚的魔物襲擊消失蹤影時，他不就沒怎麼擔心嗎？

「對不起，你瞧我，慌亂成這樣。」

辛．森西一邊揉眼，一邊轉頭面對他。

「就是這樣才會說我是膽小鬼。」

「辛先生才不是膽小鬼。」

其實大家都一樣，小亘想。

「你也該休息了。你一定累了吧？眞是不好意思。」

「不要緊。對了，辛先生，這個梯子上面是觀測裝置吧？」

「你就是用那個觀察北方凶星吧？」

辛．森西點點頭。

可以的話，能不能讓我也看一下。小亘懇求道。

「毫無概念的我大概看不見吧。」

「不見得。你試試看吧。北方凶星都是過了半夜才會升起，到了那個時刻，我再叫你起床。」

後來辛・森西果然按照約定，在夜深之後讓小亘一窺觀測裝置，那是高精密度的天體望遠鏡。夜空中妝點著無數星星，就像純潔無垢的靈魂般美麗。然而即使有辛・森西的熱心指導，小亘還是無法從那些星星當中辨認出北方凶星。

第二十六章 前往沙卡瓦鄉

翌日早上，叨擾了一頓簡單美味的早餐後，小亘決定出發。

「你再多休息幾天也沒關係喔。身體沒問題嗎？」

「已經好多了。謝謝。」

撇開別的不談，他本來就很擔心奇．奇瑪和咪娜。不知他們現在怎樣了？他們既然沒有被囚禁在特里安卡魔醫院，想必早已平安逃往某處，可是現在會在哪裡呢？如今既已知道「哈爾涅拉」逼近，小亘更渴望能早日見到他們，他懷念他們的笑容。

「既然你的夥伴當中有擔任達爾巴巴車夫的水人族，」辛．森西說。「說不定他回沙卡瓦鄉去了。反正他們向來以故鄉爲據點縱橫南方大陸各地，就算你的夥伴不在沙卡瓦，他的族人應該也能立刻替你查出他的下落。」

沙卡瓦鄉和嘎薩拉，據說距離這裡同樣遙遠，不過……

「在宋村常有卡魯拉族前來交易。他們向來非常自負，我想如果高地人有困難懇求幫忙，他們應該不會拒絕。如果有卡魯拉族出馬，兩天就能帶你抵達沙卡瓦。況且，你的身體又這麼輕。」

對喔，既然這樣還是趕緊行動比較好。辛．森西突然坐立不安。

「聯邦議會馬上就要動員整個南方大陸的卡魯拉族，幫忙運送『哈爾涅拉』的公告，你最好在那之前出發。」

要抵達宋村，必須先穿過濕地和草叢中無路可行之處，不過可能是辛．森西為了買生活用品經常來往吧，已被他踩出了一條小徑，所以不至於迷路。

宋村，在小亘至今路過的幻界城鎮與村落中，算是最小的聚落。約有十戶茅草鋪頂的簡陋房屋，比鄰在雜草叢中開墾出來的狹窄土地上。不過，在平緩的山坡上開闢的家畜牧場倒是大上好幾倍，在劃分得很瑣碎的圍欄中，不僅有達爾巴巴和烏代，還豢養著許多小亘從未見過的珍禽異獸。有的健康地發出叫聲，有的互相用犄角牴觸，也有的在吃草或打瞌睡。

宋村的村長生著一張長耳馴犬的臉孔，毛茸茸的眉毛下面隱藏的小眼睛蘊含著溫暖的目光。小亘的烏代經過他們的仔細梳理，毛色變得光澤水亮。

「要找卡魯拉族的話，現在正好在這裡。」

他們用換季時脫落的飾羽來宋村以物易物，換來摩爾這種小動物。摩爾是一種比老鼠還小的生物，據說可以把躲在卡魯拉族羽毛下面的寄生蟲吃得乾乾淨淨，等於是「清道夫」。

「雖然這位高地人非常年幼，但高地人就是高地人。」

被宋村村長帶來引見的卡魯拉族，鮮紅的羽毛和花俏的頭飾，乃至自大的口吻，都和上次在螺絲野狼的不歸沙漠救過他一命的卡魯拉族一模一樣。小亘突然有點雞婆地暗自擔心，不知他們彼此是怎麼辨別對方的。

「既然是高地人的請託，身爲卡魯拉族倘若拒絕會有損卡魯拉族的名譽。你說是吧，村長閣下？」

「是，您說得對極了。」長耳村長笑咪咪地回答。「這位是卡魯拉族卡庫派的托果托先生，擁有卡庫派飛得最快的翅膀，一眨眼就可抵達沙卡瓦。」

「這樣形容不太正確喔，村長閣下。」托果托挺起胸膛抖動著胸前羽毛。「不只是在卡庫派，在拉卡派也是飛得最快的。不過就算是這樣，也沒辦法『啊！』的一下就飛抵沙卡瓦鄉。我看喔，大約需要把我們卡魯拉族的歷史，從始祖誕生開始講到第二代酋長的嘎拉嶺戰役大捷爲止那麼久的時間吧。」

在托果托準備出發的期間，村長悄悄遞給小亘一副耳塞。

「這是用摩爾的毛揉成的，只要把這個塞在耳中，即使在咆哮的巨龍腳下也能安然入眠。托果托先生的確很快，但也很囉唆。要應付他可不容易。」

「我知道了。」小亘一笑。

「還有就是不管他說什麼你只要應聲附和就行了，有時別忘記發出感嘆說：『噢，那眞是太厲害了！』」

本以爲會跟上次在螺絲野狼的沙漠一樣，被托果托的鉤爪抓著飛越天空，沒想到竟然還有用繩子編織的座位，托果托是用身體垂吊著那個。

「好像只有我一人樂得輕鬆，眞不好意思。」

「你是高地人，不能隨便道歉。謝罪這件事，只有在眞正應該謝罪、罪狀確鑿時，按照正確的程序才能進行，就好像我們卡魯拉族的始祖在塔羅戰役講和之際……」

還沒起飛已經開始滔滔不絕。在聚集的宋村村民圍觀下，小亘飛上天空。

宋村家家戶戶的屋頂，在腳跟下輕輕掠過。孩子們揮著手，小亘也揮手還禮，環顧四周，這是個大好的晴天，萬里晴空連一片雲朵也沒有。

托果托一口氣上升，小亘彷彿坐上了雲霄飛車，不禁發出歡呼聲。

山嶺、丘陵、原野、小河與森林，幻界美麗的大自然盡收小亘眼下，放眼所及，無限延展。他扭過身子想確認方向，立刻在左後方看到「悲嘆沼澤」黑光閃亮的水面，也看見濕地上瀰漫的濃霧。這麼說來在沼澤更後方，一閃而過的那個城鎮，一定就是提亞茲赫本了。

幸好村長說飛到天上會很冷，事先借給他一件棉袍外套。上空的空氣真的很冷，而且破風前進更是讓身子凍僵了。

飛過陌生的山腰，飛越一個村子，飛過河流。按照村長的說法，托果托這次是卯足了全力，所以一定不會投宿過夜，頂多偶爾歇個腳後，直接朝沙卡瓦飛去，不過今晚可能會耗到很晚，如果要打瞌睡千萬小心別摔下座椅。

——這樣根本不能睡嘛。

不是因爲害怕，而是景色奪目，令他心情雀躍。

第一次降落歇腳，是在阿里奇塔和波古國界的關卡。沿著大路開設著行旅商人聚集的茶屋，附近還長了很多巴庫瓦果樹。排隊等候辦理通關的期間，對於這種吃多了會鬧肚子的紅果實，他只挑了一顆小小的入口。

「地圖都記在腦海了嗎？我們現在飛到哪裡你知道嗎？」托果托趁休息的時候問道。

「這個嘛，毫無概念。」小亘老實說。「不過，感覺心曠神怡！」

「你是高地人，不能抱著觀光客的心態一副喜孜孜的樣子。」說著，托果托挺起胸膛。「我們乘風而行，從宋村筆直飛來西邊，要去沙卡瓦，從這兒開始必須往北走，因爲沙卡瓦是位於波古沿海的鄉村。這樣可以嗎？」

小亘瞭解後，說聲拜託了。

「不過如果從這兒起飛，前往北方之前，因爲乘著上升氣流，會在一瞬間到達剛才未有的高度。雖只是短短一瞬間，也許能窺見安德亞台地一角，那裡終年雲霧繚繞，沒有任何道路，如果是靠雙腳爬行，絕對無法一窺究竟，這是個前人未至的台地。」

托果托驕傲地仰天大聲說。

「即便只是驚鴻一瞥，能夠看到廬山眞面目，對高地人來說應該是增廣見聞的好機會吧？噢，全能的女神大人的恩寵，我們卡魯拉族的英勇翅膀啊！」

安德亞台地；岱拉．魯貝西特別自治州的所在地，那裡同時也是老神教信徒聚集的神秘土地。

「噢，太厲害了！」

小亘是眞心這麼說。托果托也很高興。通關手續辦好後，立刻啓程出發。

托果托不僅口若懸河滔滔不絕，說出來的話也毫無虛假。這次的起飛眞的很驚險，他卯足全力急速上升，小亘差點被甩落。

托果托在空中盤旋而上。即使塞著耳塞，托果托鮮紅翅膀劃過空中的聲音依然響徹雲霄。上升、再上升，穿過白霧破雲而出，身體突然連同座椅一起飄然騰起，小亘知道他們已經來到最高點。

那已經和從飛機窗口鳥瞰下方沒什麼兩樣。關卡的建築物看起來好像火柴盒；蔥鬱森林也好似花椰菜，腳下一望無垠的三百六十度全景圖，令小亘看得出神。整片綠意和大地色彩，還有遠處星羅棋布的城鎮，散佈各地的湖沼彷彿一把把小鏡子；涓涓河流宛如絲線。

托果托似乎說了些什麼，小亘拿下耳塞。

「高地人，那就是安德亞台地了！」

托果托的鳥嘴尖端往南一扭，大聲叫道。

「哇，現在雲破天開！可以看到那裡的頂端還有積雪呢！」

小亘定睛一看。彷彿純白巨塔聳立的雲朵中央，高高凸出一塊灰色台地。側面妝點的無數細白光線，一定就是冰河。

台地頂端像是罩著一件薄紗羽衣。雲層裂縫很窄，而且不斷晃動，所以他僅在一瞬間目擊安德亞台地的頂端。但在那一剎那，小亘看到了閃亮的建築物尖塔，不只一座，無數尖塔聳立，在穿過雲間縫隙的陽光照耀下，閃閃發光射進小亘的眼睛。是玻璃？水晶？或是用冰塊作成的？光線反射著雲層結晶發出七彩虹光。

岱拉．魯貝西特別自治州，真的在那種地方嗎？

「我們要搭上往北的氣流了！牢牢抓緊喔！」

托果托通知完後，開始大幅拍動翅膀。頓時，小亘腳下的景色流逝，托果托承受著強烈氣流，如子彈般開始破空前進。

安德亞台地和白雲高塔，漸行漸遠。但小亘依舊朝著飛逝的台地扭過身子，盡量多看一眼。雖然強風已不只是冰冷，簡直颳得臉頰刺痛，但他就是無法轉移視線，直到雲塔消失不見。

那是……那簡直像是……

眾神居住之地。

心中，湧起一個連自己都意外的念頭。

那個，該不會是命運之塔吧？女神該不會就在那裡吧？幻界之人誰也沒去過的命運之塔，該不會就位於安德亞台地上吧？岱拉．魯貝西特別自治州的人，之所以不跟幻界山下的居民打交道，說不定是因爲他們其實並非自古以來的老神教信徒集團，而是女神的擁護者。

自己剛才不就驚鴻一瞥嗎？也許那個才是目的地吧。

小亘在感動之餘，茫然發呆了好長一陣子。即使沒有耳塞，除了體內的血液和心跳聲，也聽不見任何聲音。

雖然只有偶爾停下來休息，托果托卻毫無疲色，不停地往北、再往北飛。太陽西斜，夜晚即將降臨，遙遠的前方出現了海。

由於那時飛行高度已大幅降低，小亘仰起臉，不用扯高嗓門就可以跟托果托說話。

「那片海洋是環繞南方大陸的大海嗎？」

「你說對了！」托果托回答。

「那、那片海的彼端就是北方大陸囉。托果托先生，你曾飛到過北方大陸嗎？」

「噢，那怎麼可能！」托果托渾身發抖，害得小亘也晃了一下。他連忙抓緊座椅。

「高地人哪，你不知道嗎？分隔南北大陸的海洋中心，終年横亙著「針霧」啊！」

「針霧？」

「是的。跟你今天看到籠罩南方大陸中心安德亞台地的雲霧截然不同、跟我們平常熟悉的截然不同，是可怕又危險的死亡之霧！」

據說那種霧的每個顆粒，都像細針般尖銳，飛過那裡的人全都會流血喪命。

「就算我們卡魯拉族的翅膀再怎麼強壯，一旦被無數利針刺傷，也不可能繼續飛行。能夠飛過那種地方的，頂多只有全身包覆著強韌鱗片當盔甲的龍族戰士吧！事實上，這個世界爲數不多的龍族，聽說就是避開俗世，隱居在針霧籠罩的海上小島。所以，連我們也少有機會遇上他們。」

小亘把手伸進褲子口袋，觸摸他小心翼翼藏在口袋裡的喬佐那片紅色鱗片。

如此說來，小亘能遇見喬佐，眞的是很幸運、很寶貴的經驗了。

「商人的風船雖然能在女神大人的恩寵之風吹送下往來南北，但有時如果『針霧』降至意料之外的低處，還是會當場束手無策。在『針霧』沒有散去前，船員們如果不收起船帆離開船舵躲進船艙，鐵定會當場流血哀嚎而死！」

夜幕終於完全籠罩，星星開始閃爍，地上陷入一片黑暗，夜風凍得小亘直發抖，他緊拉棉袍外套的衣領。

後來不知道又飛了多久。他終於累了，倚著座椅。過沒多久，他發現右前方的地面上，有許多令星星爲之失色的明亮光點，畫出小小的圓形鋪了滿地，小亘連忙眨眼。是幻界的夜景，好美！

「那裡，就是波古的首都蘭卡！」

是咪娜以前住的城市。

「沙卡瓦也在這附近。還要稍微往西北方，不過也差不多快看到了。商業之都蘭卡即使在夜裡依舊燈火通明，在黑暗中也能看得很清楚，可是沙卡瓦的水人能在黑暗中視物，所以不會點上無謂的燈，從空中比較難發現。」

把蘭卡的夜景留在左手邊，托果托拍翅轉向東去，而且飛得更低，撫過臉頰的風開始摻雜海潮的氣息。

小亘開始打瞌睡，托果托用依然充滿精力的聲音呼喊。

「高地人啊，沙卡瓦鄉到了！」

從座椅探出身子，起初只看到一片漆黑。漸漸地，腳下經過了海灘，夜色中只見白濤拍岸，托果托一度飛往海上，然後滴溜個迴旋，一邊放慢速度一邊緩緩降落。

是的，城鎮到了。茅草屋頂、建築物的樑柱映入眼簾，四處還吊掛著宛如招牌之物，許多達爾巴巴都關在獸欄中。

第二十七章 重逢

2

book

路上有水人正在照顧達爾巴巴。建築物沒有一般該有的牆壁，只垂掛著簾子似的東西。也有水人正掀起簾子探出臉。海邊也聳立著同樣的建築物，陽台突出在海面上，一群水人正圍桌而坐。

「喂——卡魯拉族來了！」

下面有一個水人大叫。

「還載著客人呢！」

陸續出現、聚集的水人朝托果托揮手，還高聲指示他：「可以降落在西邊海灘！」

「知道了！」

托果托回答，飛越白濤四濺的岸邊，越過崎嶇不平的岩石，降落在一片白沙平坦、波浪靜靜湧來的海灘。

「好了高地人，腳一著地就離開座椅！如果拖拖拉拉的，小心我降落在你身上喔！」

小亘的臉上濺到了一點水花。腳在瞬間擦過沙灘，雙腳飄然著地，小亘抓穩時機一跳，立刻往旁邊滾倒。托果托也隨即在小亘旁邊漂亮地著陸了。

沙沙沙，沙沙沙——夜裡的海濤像搖籃曲般發出溫柔的聲音。

「噢，好快喔！」托果托拍著翅膀發出感嘆。「眞是一趟好旅行！」

「嗯，眞是謝謝你。」

岩岸的另一邊出現大群水人族，朝著這邊跑來。人群之中衝出一個特別高大的水人，一邊蹦蹦跳跳，一邊大力揮手幾乎要把手扯掉。

「喂——喂——！」

聲音還沒傳入耳中，小亘已經認出來了，他踩著沙子衝出去。似乎一路上都坐著的關係，腳有點麻，無法順利奔跑。小亘一會兒往前傾倒一會兒用手撐地，即使如此仍然使盡全力高聲呼喊：

「奇．奇瑪！」

「小亘！是小亘吧？」

看著奇．奇瑪跑過來，小亘縱身一跳撲向他。這個大塊頭水人輕而易舉地接住小亘，然後伸出雙臂，把他舉到頭頂上，不停繞圈子。

「眞的是小亘！這不是做夢！是我的幸運旅人！你果然平安無事！我就知道你一定沒問題！」

從奇．奇瑪的肩上，小亘看到另一張懷念的熟面孔奔跑過來。

「咪娜！」

彼此都有一大堆話想說、想問。

奇．奇瑪的住處是一間搭蓋在水邊的乾淨小屋，屋頂鋪著大片草葉。這種酷似棕櫚的葉子，也拿來鋪在地上或蓋在身上，甚至當作盛裝食物的餐具。此外，在悶熱的大太陽下也代替扇子使用。

三人在那間可以聽見浪濤聲的小屋，互訴在特里安卡魔醫院失散以來的經過。另一方面，奇．奇瑪的左鄰右舍和親朋好友也頻頻進出，送來已經熟透到幾乎入口即化的香甜水果，和大到一個人搬不動的整塊烤肉、香噴噴的烤魚，以及裝在挖空的木頭裡微甜的水。

對照彼此的說法，在小亘被帶走後，奇．奇瑪和咪娜似乎沒過多久就恢復清醒了。

「我的塊頭大，那支箭的箭頭上塗那麼一丁點麻藥，效果維持不了多久。」

「至於我，只是被箭擦過而已。」

不過咪娜說，即使在她可以行動自如後，有好一陣子還是覺得舌頭和嘴唇麻麻的。

「醒來的時候，咪娜發現你失蹤，就開始哭了起來。」

被奇．奇瑪這麼一調侃，咪娜頓時臉紅了。

「你不要說得這麼誇張好不好。」

「啊？這本來就是事實嘛。」

「我才沒有哭咧。我只不過擔心罷了……」

「我也很擔心你們倆，一心想早日見到你們。」

三人都不好意思地嘿嘿笑了。

「結果我們在斯拉森林裡迷路了。大概是因爲那種樹的魔力吧，我們明明拼命趕路，回過神時卻發現一直在同樣的地方打轉。雖然可以看到醫院的建築物，卻怎麼也無法接近。」

「後來我開始感到頭暈，奇．奇瑪好像變成兩個，還聽到宛如歌聲的聲音。」

「咪娜的臉看起來扭曲成這樣子。」

奇・奇瑪用兩隻大手拉扯自己的臉，滑稽地擠眉弄眼。小亘雖然哈哈大笑，心底卻竄起一陣寒意，因爲他還記得射箭的人，把他帶走時撂下的話。

——就算放任不管，森林自然會收拾他們。

「那時眞的好危險，再那樣下去，我和咪娜都會被斯拉森林的魔力蠱惑，最後累得動彈不得，然後就這樣死在林中。」

然而，當他們拖著腳步在林中徘徊之際，突然出現一個巨大的龍捲風，狀況頓時一變。

「那個龍捲風把森林徹底夷爲平地。我當時心想，眞是天助我也，我連忙在地面挖了一個洞躲進去，以免被吹走。」奇・奇瑪自豪地揮舞長有鉤爪的手。

「後來，我赫然察覺，森林的樹全都折斷了，樹葉也散落滿地，夜空中滿天星斗。由於視野豁然開朗，可以清楚看見醫院的建築物，然而與剛才不同的是，醫院變成了廢墟，著實讓我嚇了一跳。」

那個，當然是美鶴召喚來的龍捲風。

「我跟咪娜連忙趕去醫院的廢墟一看，那裡果然被龍捲風吹得亂七八糟，還有很多人因此受傷倒地不起。然後啊，那些人一看到我們就要逃，感覺非常怕我們。沒辦法，我只好抓住一個身穿長袍看起來比較有地位的傢伙。」

「奇・奇瑪眞的好厲害喔，揪住那人的前襟就把他整個舉起來了。」

你們是什麼人，用毒箭射我們的是你們嗎，你們這些人，有沒有把一個小男孩抓來這裡。

那個穿長袍的人結結巴巴地解釋了半天，他們兩人才總算明白，小亘在那間醫院待過，也發現聚集在醫院的人是偏激的老神教教徒。

「我問他那個男孩到哪去了，他居然說被龍捲風捲走，吹到很高很高的地方去了。我當場兩眼發黑。」

不管怎樣暫時先回沙卡瓦鄉，再請水人族一起幫忙找小亘。現在只有這個辦法了。在做出這個決定之前，兩人內心充滿絕望、悲傷。不過，他們深信小亘絕對會平安無事。

「因爲你是受到女神大人庇護的『旅人』，怎麼可能這麼輕易就死掉！」

小亘心裡感到高興，這番話溫暖了他的心，眼淚差點奪眶而出，他頻頻搓著手企圖掩飾自己的害羞，其實他眞的好感動，想不顧一切放聲大哭說謝謝。

「不過話說回來，小亘你那個朋友，已經變成很厲害的魔法師了耶。」

咪娜像個好強的男孩般露出凜然的表情，頻頻動著尾巴說。

「竟然能召喚龍捲風——那是風的大魔法耶。只有最高級的魔導士才有辦法念誦這個咒語喔。」

「『旅人』果然就是不一樣，這證明他很有智慧和勇氣。小亘也是一樣。」

奇・奇瑪就像是自家事似的說得很自豪。小亘雖然微笑，腦袋一隅卻閃過某件事，令他的微笑僵在臉上。

在悲嘆沼澤發生的事，他沒告訴兩人，唯有那一段他說不出口，只好跳過。這種事怎麼說得出口？我殺了人耶，連殺了兩個人。被石頭嬰兒指著鼻子，罵我是沒血沒淚冷酷無情的殺人兇手，還一路追殺我，嚇得我落荒而逃……

不，那是幻覺。只是被悲嘆沼澤的瘴氣蠱惑，做了一個惡夢罷了，那不是眞的，不是眞正發生過的事。只要回提亞茲赫本確認一下，立刻就能查明。莉莉·楊努現在一定還在悲嘆沼澤旁編織著黑色嬰兒衣吧；莎塔米沉溺在悲哀中，莎拉依舊在等待父親歸來，而雅可姆卻拋棄妻小，靠著販賣沼澤之水賺來的錢，一邊駕著台車奔馳一邊堅持要跟莉莉·楊努共創新的人生。

「小亘，你怎麼了?」

被這麼一喊，小亘才赫然回過神。「不，沒什麼。」

「雖然兜了一個大圈子，不過三人總算湊齊了，我們還得去找第二顆寶珠。不過，也不用著急，先看看海景休息一下吧，反正待在這裡說不定也能收集到什麼線索。」

「靠著縱橫大陸各地的水人族耳目，是吧。」咪娜笑著說。

「嗯哼，沒錯!小亘，沙卡瓦鄉如何?還算是個不錯的地方吧?」

「嗯，海景好漂亮，食物和飲水都很美味，大家又親切，而且活潑開朗。」

「看吧，沙卡瓦鄉的美麗，和大海的豐富產物，都是女神大人賜予的。所以我們要努力工作，才能報答女神大人。說到勤奮工作，我們水人族在南方大陸可是第一名。」奇·奇瑪驕傲地挺起胸膛。

「奇·奇瑪炫耀家鄉的這些台詞雖然已經聽膩了，不過，這裡的確值得自豪。」

看著兩人開朗的笑臉，真的好快樂好幸福，可是小亘一想到再過不久，那個令人笑不出來的消息，也將震撼這個和平又充滿活力的沙卡瓦鄉，不禁悲從中來。

聯邦政府議會可能已經開始動員卡魯拉族了吧。亦或，那些紅色翅膀早已飛往全國各個鄉鎮村落了?什麼時候也會降臨此地呢?

爲了重新建造保護「幻界」的「偉大的光之疆界」，必須以人柱獻祭。從辛・森西口中聽聞此事時，就已覺得夠恐怖、很不合理了。可是，現在看著眼前重要的夥伴，他的憤怒甚至壓倒了恐懼。如果是奇・奇瑪或咪娜被選爲人柱？這種事小亘絕對無法容忍，他不可能坐視不管。縱使當事人自己表明願意接受，小亘也無法同意。

雖說這件事大家遲早會知道，不過現在他還不想告訴兩人。他緊閉雙唇，傾聽起起落落的海浪聲。如果他們問起什麼，就說是明亮的海洋太刺眼，才會讓他愁眉苦臉吧。

眼前只有一條路，小亘再次在心中發誓。不能再悠哉下去了，一定要儘快抵達命運之塔，然後面見女神，懇求祂取消人柱這種殘酷的規定。和統治混沌的冥王簽訂契約？既然是簽約，重新簽一個就行了，更改一下就行了，錯誤的事一定要改正。只要拼命懇求，誠心誠意地訴說，女神一定會聽進去吧，要不然祂就不配當什麼神。

那晚，沙卡瓦鄉所有的水人都來到長老的住處，爲小亘舉辦盛大的筵席。桌上擺滿了好多好多的大餐，酒罈也是一罈接一罈地送來，縱使長老的住處再怎麼寬敞，也容納不下全部居民，連屋外的樓梯和地上都坐滿了人，熱鬧得令人眼花撩亂。不過，會感到頭暈眼花，或許是因爲水人族愛喝的烈酒造成的。雖然奇・奇瑪替小亘擋下，說他不能喝酒，但水人族的大叔大嬸們還是聯合起來勸酒，說只喝一杯應該沒關係。

沙卡瓦的長老照奇・奇瑪的說法已經「四百二十歲」了，可是看他那身酷似現世蜥蜴的堅硬鱗片，和光滑的水人族肌膚，實在很難推測年齡。不過，他的表情極有威嚴。

聚集的水人七嘴八舌地提出各種問題，包括小亘旅行的見聞啦，從現世剛來幻界時受到的考驗啦，身爲「旅人」有什麼感受啦……在這當中唯有長老靜坐在中央，嘴角微微帶著笑意，不發一語。他那沉穩的視線多少令小亘感到，長老似乎是在考驗他、揣測他。同時，他也知道長老心中的那個疑問，不管是怎樣的內容，在眼前這個溫馨熱鬧的接風宴上，是絕對不會對他說出口的。

奇．奇瑪也受到大家的問題包圍，比手畫腳地忙著說明他們在嘎薩拉郊外地下洞窟的冒險，歷歷斯鎮的熱鬧，以及那個鎮上的秘密，還有在斯拉森林遇襲的經過，加上咪娜的從旁補充，可把他忙壞了。咪娜應眾人之請高歌一曲，她那高亢嘹喨的歌聲，使得筵席更是進入高潮。唱完之後掌聲如雷響起，紛紛要求她再唱一曲，於是她應聽眾要求又唱了一首。咪娜完全展現了艾蕾歐諾拉飛天馬戲團當家花旦的風範，唱了一首水人們也很熟悉的歌曲，這下子大家圍成一圈樂壞了！手舞足蹈地一邊跳舞，一邊開始跟著唱。小亘也加入圓圈中，和又蹦又跳的水人們一起牽著手，當下酒醉得更嚴重，他眞的開始頭暈目眩，等歌唱完時他已經快癱在地上了。

「你還好吧？小亘。」

「好像不太好。」

跟上次在嘎薩拉鎮躲在酒桶中不愼被薰醉時一樣。

「我去海邊散個步，吹吹風也許就會醒了。」

小亘抓著欄杆扶手搖搖晃晃地走下小屋前的台階，穿過屋外正在熱鬧喝酒的水人族，來到白色沙灘上。剩下自己一人，突然鬆了一口氣，頓時一屁股坐倒在地上。

海風沙沙地輕撫臉頰，夜空一點也沒變暗，看起來彷彿覆蓋在天空這個桌面上的深藍色桌布，閃爍的星光就是桌布上面鑲嵌的金銀沙礫。雙手往身體兩側一撐，沙子的觸感好舒服，起起落落的海浪奏出的音符，像搖籃曲一樣溫柔。
這個美麗幻界。小亘攤開雙手雙腳，呈大字型躺下。和坐著眺望比起來，這樣躺著仰望時，與夜空的距離似乎頓時拉近了，天界彷彿就在伸手可及之處。
咪娜的歌聲再次傳來。
這次是慢板的民謠。咪娜甜美的聲音帶著哀切的顫抖，和海浪的低語同調。

心愛的人啊　離我遠去
你現在　在何處天空下

歌詞清晰可聞。那些水人這回一定也安靜地聽得如痴如醉吧。

我的歌聲　對你的思念
該乘著怎樣的風　才能傳送給你
風啊　請告訴我
那人如今在何方
風啊　請告訴我
那人仰望的星星
因爲我將雙耳當成白貝

這是首感嘆兩人相隔兩地的情歌。又或者，這首歌的主角是在單相思？半瞇著眼打起瞌睡，浸潤在咪娜歌聲撫慰心靈的幸福中。

「小亘。」

此時身旁響起甜美的聲音。

「小亘我在叫你啦，你睡著了？」

小亘睜開眼。不是咪娜，咪娜的歌聲還在繼續，是另一個甜美的嗓音。

小亘猛然起身，背上沾附的沙礫簌簌抖落。環顧四下，不見任何人影，潔白的沙子彷彿自體發光似地微微閃著白光，即使遠眺也能一覽無遺。

「你是在找我嗎？那你就省省吧。反正你絕對找不到的。」甜美的聲音繼續說。「我啊，現在還不想讓你看到我這個模樣，所以才躲起來。」

這個聲音是……對，不就是打從在現世時就已熟悉的那個女孩的聲音嗎？是小亘的「妖精」。

「妳是……在斯拉森林那間魔醫院一別至今，好久不見了。」

被關在那個房間時，她曾呼喚過小亘。可是，甜美的聲音笑了一下。

「哎喲，後來我們不也說過話。你忘了嗎？你倒在悲嘆沼澤時，是那個軟弱的讀星者救了你吧？那時我在你昏睡的睡夢中，跟你說過話，你不記得啦？」

茫然混沌的腦袋如遭雷擊，小亘試著回想。總覺得曖昧不清。夢境……，醒來時只見辛．森西一臉擔心地湊近窺看著他。

「你眞無情。算了。反正我們現在又重逢了。」甜美的聲音似乎心情頗佳。

「對不起。那時我中了悲嘆沼澤的毒，所以出現幻覺。」

「咦，那可不是什麼幻覺喔，是眞的發生過。」

小亘全身一震。身體僵硬到連背上的骨頭都嘎吱作響。啊？妳剛才說什麼？妳說那不是幻覺？

「呃，呃，請問，妳……」

「沒關係，那種事已經不重要了。倒是你，今後打算怎麼辦？」

「什麼怎麼辦？」

「你打算見到女神大人，請她取消人柱對吧？那種事你眞以爲做得到？」

小亘瞠目，在沙上坐正身子。「喂，妳怎麼連這個都知道？」

「你那點心思我猜都猜得到。」甜美的聲音嗤之以鼻地哼了一聲，然後繼續說。「所以我很擔心。你啊，知道那樣代表什麼嗎？對於自己正想做的事，你有自覺嗎？」

「什麼自覺？」

「去見女神大人，懇求她取消人柱，這當然是你的自由。只要『旅人』靠自己的力量找到命運之塔順利抵達，女神大人就會實現他的心願。那同樣也是自古以來的約定。可是小亘，你應該沒忘記吧？女神大人能替『旅人』實現的心願，只有一個喔。她可不會那麼慷慨地一口氣答應兩三個。如果你求她取消人柱，那你就再也無法改變自己的命運囉？這樣的話，你來幻界豈非毫無意義？」

撫過臉頰撩動髮絲的舒緩海風，突然變冷了，彷彿呼嘯作響，令體溫驟然下降。

是啊！他只能向女神許一次願。

「看來，你總算清醒了。」甜美的聲音彷彿胃口大開，喉嚨滿足地咕嚕作響。她說：「你啊，眞是個濫好人。幻界的人是死是活根本不重要，反正你遲早會回到現世，到時候你再也不會看到此界的人，不管是誰被選爲人柱都不關你的事。」

小亘用雙臂抱住身體。怎麼會這樣？沒錯，她說得對。他被幻界之旅佔據整個心思，差點忘了此行目的。

差點忘記了媽媽。

「可、可、是，我……」回過神時，過於焦急令小亘舌頭打結。

「我無法同意人柱的做法。」

「即使這跟你毫不相干？」

「誰說不相干！」小亘大叫。

「我來到這裡，經歷了很多事。遇過可怕的遭遇，也碰上過討厭的人，可是也有很多親切善良的人。幻界發生的事怎麼會和我不相干！」

「可是，你媽媽的事應該更要緊才對吧？」甜美的聲音用不懷好意的尖銳口吻咄咄逼人。「現在你只能二選一喔。你要怎麼辦？請你媽媽忍耐？你要叫她接受現在的命運，忍耐下去？」

「那個……」

「爲了一群再也不會見面的人和不可能再造訪的幻界，你打算犧牲你媽媽？這樣你媽媽會高興嗎？她會說這樣很好？會說你這樣不愧是她的小孩，爲此感到心滿意足？」

小亘雙手摀著耳朵。「那種事……那種事我不想聽。」

「不，你非聽不可。」甜美的聲音簡直像在享受小亘的痛苦，聲音變得更高亢開朗了。「看你是要選擇幻界，還是選擇你媽，你自己決定吧。如果你選擇幻界，那你就跟媽媽說聲對不起，垂頭喪氣地回到現世吧。你媽大概會說：我能養出這麼善良的小孩眞是太好了，你把別人看得比我還重要媽媽好高興。不過，我想那只是嘴上說說。那根本就是謊言。其實你媽心中……」

「住口！」

甜美的聲音不理會小亘的叫聲，越說越起勁。「她心中一定很失望。啊這孩子怎會這麼無情，枉費我辛苦把他撫養長大，他居然一點也不考慮我的幸福，只顧著耍帥想得到別人讚美，在周遭的人面前裝得道貌岸然，卻不肯解救自己親生母親的痛苦，明明只要想做就可以輕易做到，但他居然放棄了這個機會。」

「住口！我媽才不是這種人！絕對不是！」

「你憑什麼敢說她不是？你憑什麼這麼相信她？你不是才剛被你爸爸出賣嗎？你不是也一直深信你爸爸絕對不是那種會拋棄你跟你媽的人嗎？結果呢？他輕而易舉毫不留情地背叛了你。你不是被拋棄了嗎？他不是已經撇下你，說他再也不要你了嗎？人都是這樣的。就連你媽其實心裡想的也跟你爸一樣。」

他已經聽不見海浪的低語，耳中嗡嗡迴響著甜美聲音的質問，戳刺著腦袋。

「歸根究柢，其實你也一樣。」

甜美的聲音，帶著冷笑的音色。

「我也一樣……？」

「沒錯。你想改變命運，所以來到這個幻界。希望你爸爸能拋棄情婦，也拋棄情婦肚子裡的寶寶，回到你跟你媽的身邊。」

是的，一點也沒錯。因爲遭受了不當的對待，他才會來此扭轉命運。

「可是這樣的話，情婦要怎麼辦？她肚子裡的寶寶怎麼辦？這次輪到他們被拋棄。還是你要從更早之前修正命運，讓她跟你爸爸不會相遇？可是，即使如此你爸爸的心意還是不會改變。不能跟眞心喜歡的人在一起，你爸爸內心的空洞將永遠無法塡補。你要勉強爸爸抱著那個空洞，只有你跟你媽得到幸福？這樣你覺得你會幸福嗎？」

渾身的力氣、意志力都被海灘上的沙子吸乾了，小亘不僅無法站立，連頭都抬不起來。他只能垂著頭任憑甜美的聲音一字一句折磨著他。

「說到自私，其實誰都一樣。」

甜美的聲音斷然又不屑地說。

「那妳……到底要我怎樣？」

小亘軟弱地問。

「對。我就是在等你這個問題。我一直在等你問。」

打倒女神——甜美的聲音說。「消滅女神大人，然後你來當幻界之王就行了。我不知道拉烏導師灌輸給你什麼亂七八糟的鬼話。不過，我很清楚，現世與幻界其實是一體兩面，就像鏡子的裡和外。能統治幻界的人，就能操控現世。說穿了，若非如此，女神大人憑什麼可以左右現世人類的命運？」

一體兩面；鏡子的裡和外。

「與其向女神大人哀求，跪在地上請她改變你自身渺小的命運，還不如把目標放在征服幻界與現世。到時大家都會臣服於你，什麼都得聽你的。當你命令你爸心中不准有空洞，他不敢不從；當你命令你媽愛你，她也會乖乖聽話；只要你對你爸的情婦說，妳在這個世上沒有存在的必要，她就會消失；倘若你對她肚子裡的寶寶，說聲『你從一開始就不存在』，它就不再存在。整個世界任你擺佈，無論你做什麼，都用不著有罪惡感。而那時你將會醒悟，」

——原來世界是根據你的意志而存在。

「那將是何等幸福啊。那種世界的形式簡直太美好了。對吧，小亘？」

空白的沉默持續了好一陣子。

小亘緩緩搖頭。

「我不要。」他囁嚅。「我不喜歡那樣。」這次不再是囁嚅，他發出堅定的語氣。

他喜歡奇．奇瑪，喜歡咪娜，只因為他們就是他們，不是因為他們會聽從小亘，因為他們的親切和善良打動了他的心，所以才會變成好朋友。

托果托帶著我凌空飛來時，曾經說過：「高地人的請託向來不能拒絕。」卡姿之所以會出面拯救隻身涉險監視咪娜病房的我，是因為她有身為高地人的使命。

就算大家都聽我的，也不代表喜歡。我不認為那樣是美好的。

「妳錯了。妳這樣唆使我，妳的真面目到底是什麼？」

海浪窸窣囁嚅。再次陷入沉默。

「你眞是令我太失望了。」

甜美的聲音低聲回答。

「算了。喜歡當濫好人的勇者先生，你還有時間改變主意，遲早你會接受我的忠告的。」

「我死也不要！」

「就算你鬼吼鬼叫也沒用。好吧，那我告訴你一個天大的秘密吧。」

打從一開始，你就被騙了。甜美的聲音如是說。

「那個年輕的讀星者，對於重新創造『偉大的白光疆界』，和因此獻上的人柱都只是一知半解。他不知道重點。不過，也不只是他啦，幻界的人幾乎都不知道這件事。」

「可是偏偏妳知道？妳到底知道什麼？」

「人柱，不只一個人。」甜美的聲音緩緩說。「幻界獻出一個人。然後來自現世的『旅人』也得獻上一人。爲了重新創造『偉大的光之疆界』，需要兩個人。所以這兩人各自被稱爲『半身』。」

小亘不太能理解自己聽到的訊息。

「我剛才不也說過了？幻界和現世是一體兩面。正因爲如此，『偉大的光之疆界』不可能只靠幻界這邊重建，現世也得獻上犧牲品才行。」

每隔十年，當要御門開啓時，現世會有一個「旅人」造訪幻界，那是渴望改變自己命運，擁有堅強意志的人。

「本來一向都很簡單。接納一個『旅人』，女神大人傾聽他的心聲，幻界和現世等於是血脈相通。可是碰到千年一度的『偉大的光之疆界』重新建造時，事情就不一樣了，會有兩個『旅人』來到幻界，兩人之中有一個將會成為『半身』獻上自己的肉身。否則，現世與幻界都會在混沌中化為泡沫消失。」

你被騙了。甜美的聲音再次強調。

「拉烏導師對這件事壓根沒跟你提過半個字吧？你和你的朋友——叫什麼美鶴是吧，兩人之中有一個人將被選為『半身』，這個他一點也沒提過吧？那個老頭子明明知道卻不說出來。因為他怕你在恐懼之下，萬一吵著要回現世就麻煩了。當然，那個美鶴應該也還不知道有這回事。不過，那孩子本來就比你聰明，說不定這時候已經察覺到什麼了。」

惹人憐愛的笑聲洋溢耳畔，這種時候有誰笑得出來？

「對不起，我不該笑。」甜美的聲音道歉。「可是，你那茫然的表情實在太好笑了。欸，你也用不著這麼害怕吧。現在又還沒決定你就是『半身』。不過，也對啦，美鶴是個比你厲害的『旅人』，出發得又早，說不定會比你先抵達命運之塔，快快實現心願，然後回到現世去。到那時候，二減一等於一。剩下你一個人，不成為『半身』也難了，真可憐。」

妳這根本是鬼扯——這句話已經衝到嘴邊。一定是騙人的。肯定是謊言。這傢伙是在耍我。

「你好像不太相信是吧。」

啊，又被她看穿了！

「沒關係，要不要相信是你的自由。等到將來你脫不了身，你就會知道我說的是真的。不過，那時就為時已晚了。」

她嬌笑。

「好了，我要走了。我們下次見。」

不過，別忘了我的忠告。

「打倒女神。不管怎麼掙扎，對你來說，都已別無選擇。」

2

book

第二十八章 沙卡瓦的長老

小亘回到奇・奇瑪的小屋後幾乎仍然無法闔眼。唯有天快亮時，奇・奇瑪帶著醉意搖搖晃晃地回來，呈大字型往地上一倒立刻鼾聲大作之際，他才假裝睡著以免被發現，接下來便一直瞪著天花板。腦海中，那個甜美聲音跟他說過的話，一次又一次地倒帶重播。

黎明時分，天空開始泛白，海浪聲也漸漸清晰可聞。原來大海在夜裡也會入睡，直到早上才醒來。可以的話他真希望這悅耳的濤聲和清晨的微風，能把昨晚在海灘發生的事，從記憶中洗滌得乾乾淨淨。

小屋外面的沙地上，某個水人啪嗒啪嗒地匆匆跑過。

「喂，喂，使者來了！」

可能是在叫醒誰吧，壓低的聲音如此呼喚著。他聽見對話聲。

「你看，東邊天空。那不是卡魯拉族嗎？」

「真的耶。那金色的旌旗——可不是聯合政府派來的使者標誌嗎？」

終於來了。小亘從乾爽的樹葉墊褥上起身，掀起小屋門口的簾子探頭往外一看，幾名水人正聚在一起指著東方天空，還有人爬上屋頂。

漸漸泛藍的黎明天空中，突兀地出現一個紅點，彷彿像閃爍著強烈光芒直到日夜接界最後一刻的星子。凝神一看，那是有人揮動著翅膀。可能是綁在尾巴上吧，在晨光照耀下發出金光的長條旌旗，優雅地在空中搖曳。

小亘輕輕把躺在地上像小山一樣的奇．奇瑪搖醒。

「嗯……咦？怎麼，小亘，你已經起來了啊。」

奇．奇瑪仍睡眼矇矓。小亘小巧認眞的臉蛋看著他。本想跟他說，你最好趕緊起來洗把臉，一時之間卻說不出話來。看到小亘這個樣子，奇．奇瑪終於一個翻身猛然爬起。

「怪了怪了，你是怎麼了？我懂了，一定是頭痛吧？大家都猛灌你酒，眞是對不起啊。」

小亘搖頭。然後，脫口問出自己也沒想到的話。

「奇．奇瑪你爸你媽在哪裡？」

奇．奇瑪又「咦？」了一聲。然後，粗糙的大手頻頻揉眼。

「昨天好像沒見到你爸媽，對吧？」

「噢，說的也是。」奇．奇瑪睜著仍有幾分惺忪的眼睛，笑了起來。「因爲只顧著說話和擺酒席慶祝嘛。我老爸老媽，這三個月去阿里奇塔工作了。在一個叫做帕斯的城鎮，那邊正在蓋大醫院，他們負責把建材運過去。」

原來如此。

「不能介紹給你認識，眞遺憾。」

「你們一直住在一起嗎？」

「不，這是我自己的小屋。我老爸老媽在長老大人的住處旁邊，有一間更大的兩層樓小屋。」

說到這裡，奇．奇瑪以異樣眼光看著小亘。「你幹嘛問這個？」

「沒什麼。」

嗯，奇．奇瑪撫著下顎，然後說：「你該不會是夢到你爸媽了吧？覺得有點寂寞是不是？」

不是這樣的。只是……

就在這時，小屋外，傳來敲擊金盆的聲音。

「喂！喂！注意，注意，大家聽著！聯合政府有公告來了，大家快去長老那裡集合！有公告，有公告！」

奇．奇瑪嘴巴張得老大呆住了。「這下子不得了！到底會是什麼事？」

啊痛痛痛，頭好痛──奇．奇瑪雙手抱頭，撂下一句話說他要跳進海裡清醒一下，便匆匆出去了。小亘也走出小屋，東方天空已經看不到卡魯拉族的身影，大概已降落在某處了吧。

他坐在小屋出入口架設的梯子最頂端，望著負責通知的水人，一邊敲打著不像金盆倒像是鍋蓋的東西，一邊在附近來來去去。大概有好幾個人負責通知吧，鎮上四處可聽見敲擊聲和叫聲此起彼落。

「早，小亘。」

回神一看，旁邊那間小屋的簾子掀起，咪娜正探出頭來。耳後的白毛因爲睡覺壓到而有點亂翹。

「不曉得是什麼事？」咪娜不安的眼眸籠罩著陰影說。

「這種公告，是常有的事嗎？」小亘問。

「不。到目前爲止，我只看過一次。那時好像是某個聯合政府的大人物死掉吧。不管如何，都是很少見的。」

眾人圍繞著長老的小屋，開始一場規模直逼昨晚盛宴的集會。

當然，氣氛跟昨晚截然不同。大家都很安靜，緊貼在長老身旁看似助手的水人，正滔滔不絕地說著。他首先針對卡魯拉族送來的公告內容向大家說明，然後，再像口譯員般一一傳達長老在他耳邊說出的話。

「長老已經年紀大了，無法再大聲說話。所以需要有個人轉述。」咪娜如此告訴他。

小亘和咪娜不是本地居民，因此站在水人的圈子外，隔著無數眾人背影，觀望開會的情況。

「長老說，原本，我們這個世界、我們這條命，都是女神大人賜予的。」負責轉達的水人說。

「這點，現在不用說相信大家也明白。我們每天的糧食、強健的身體，乃至生育我們、最後也將是我們回歸之處的大海，每一滴都是女神大人創造的產物。」

「是的！」眾人附和道。

「那麼，如果現在女神大人要求獻出一個人當人柱，那理當也是我們蒙受的恩寵。各位千萬不要害怕。女神大人所指之處，就是眞理所在之處。」

「是的！」

「被選中的人，就是眞理的實踐者，應該跪在女神大人所指之處，挺身而出做個戰士。」

「是的！」

「我們毫不畏懼！」

聚集的水人紛紛如此表示。等到大家安靜下來後，長老又對著傳話者耳語，這次說的話似乎比較長，傳話者專心聽取頻頻點頭。然後，一離開長老身邊，就走到人群的最前面，嚴肅地說：「我們水人族，對於女神大人古老教誨的尊崇，向來不輸給住在『幻界』的任何種族。因此也得到豐富的知識。關於這次重建『偉大的光之疆界』，還有人柱的事，在代代相傳的傳說和民間故事中，相信很多人都已聽說過了。」

群眾之中有很多腦袋紛紛點頭。咪娜小聲說：「天哪。」

「我一點都不知道。」

「因此，長老對於我們的鄉民絲毫不感憂心。他老人家對大家有信心。」

一陣嘩然眾人議論紛紛。傳話者舉起宛如原木的粗壯雙臂安撫大家。

「可是幻界太大。其他種族想必也有很多人不像我們這樣擁有幸福的信仰，失去心靈皈依，害怕被選爲人柱因而產生騷動。各位，你們不能被這些騷動影響而自亂陣腳。我們水人族自太古以來就和女神大人共存共榮！」

噢，噢！眾人一起舉起手臂高喊。傳話者指著北方天空。

「根據聯合政府的公告表示，沙沙亞的大學者讀星研判，今晚將開始進入『哈爾涅拉』。北方凶星將出現在地平線發出紅光。各位，請安心度過『哈爾涅拉』。憑著我們水人族的驕傲靈魂，在此宣誓對女神大人的忠誠。同時，也要恭謹靜候女神大人和掌管混沌的冥王再次締結神聖契約的時期結束！」

水人們紛紛站起來發出歡呼，其中也夾雜著奇．奇瑪。

接著眾人齊聲唱出讚美女神的歌曲。亢奮平息後，爲了結束這場集會，傳話者說：「根據送公告來的卡魯拉族表示，阿里奇塔和波古國部分城鎮已經人心惶惶。人一旦失去信仰，就會顯現軟弱。我們靠著達爾巴巴運送業維生，經常來往各地，或許會在運貨地點捲入騷動，但我希望大家自我把持，互相幫助。達爾巴巴屋的老闆們，要好好地帶領年輕成員啊。」

集會結束了。在達爾巴巴屋工作的水人——也就是鎮上大部分成年人準備向自己的老闆報到。大家慢慢地開始移動。

「咪娜，妳沒事吧？」小亘問。「有沒有很震驚？」

咪娜微笑。「沒事。雖然有點驚訝，不過，又還沒確定是我被選中。因爲這麼多人當中只會選出一人，對吧？」

爲了不妨礙散會的水人，咪娜輕輕拉起小亘的手，一跳就跳到附近堆高的木箱上。

「飛天馬戲團的人，不知道在哪裡會聽到這個消息。但願孩子們不會因此而害怕。不過有布布賀團長在，我想應該不用擔心。」

小亘垂著頭。

「倒是你，你還好吧？你的臉色鐵青耶。」

咪娜依然拉著小亘的手，湊近看著他的臉。

「你是在替我們擔心吧。謝謝你。」說完她粲然一笑。「我們喵族，雖然不像這裡的水人有堅定的女神信仰，不過我們同樣也懂得虔誠祈禱。從今夜起我每晚都會仰望北方凶星祈禱。我會向女神大人祈求，如果召喚人柱，還請同時賜予慈悲，讓我們免於過度傷悲。」

「這樣就夠了？」小亘尖銳地反問。「叫你們去當人柱，妳不覺得女神大人太殘酷？妳不希望祂改變這種做法？」

咪娜渾圓的青灰色眼珠瞪得大大的。「天啊，小亘你瘋啦。」

「本來就是嘛。縱使是千年一次，爲了保全世界用活人獻祭，這太不正常了啦。」

「可是……可是，這個世界本來就是女神大人創造的，不是我們創造的，我們根本毫無辦法。」

「咪娜，如果妳被選爲人柱，妳還能這樣說嗎？」

咪娜鬆開小亘的手，輕撫自己的臉頰。「這個——我不知道。」

「妳怎麼會不知道。當然是不願意！」

「不見得吧。被選中的瞬間或許就會從那種情緒解放出來，其他人或許也會如此。女神大人一切自有定奪，祂不會讓我們悲傷的。」

因爲……，咪娜有點狼狽地搖頭說。

「剛才宣佈的聯合政府公告中，不也寫了嗎？人柱和重建『偉大的光之疆界』以及『哈爾涅拉』都是自古以來的規則，只不過過去一直沒有公開罷了，而且這些水人也都聽過類似的傳說……」

「沒錯，過去是這樣，那也就算了。可是，現在不同了。幻界的南方大陸成立了聯合政府，現在這個政府既然判斷這件事必須公告周知、不能再秘而不宣，不就證明事情生變了嗎？當我聽說阿里奇塔和那哈特國內開始發生動亂，我甚至有點安心。要是大家都像這裡的水人一樣面不改色，那反而才不正常呢。」

咪娜快要哭出來了。

「小亘，你怎麼說這種話，你知道這代表什麼意思嗎？欸小亘，你在魔醫院不是差點被老神教徒殺死嗎？你忘了嗎？現在你說的話，就跟那些否定女神大人的老神教徒沒兩樣。」

不是。不是那樣。說到一半，小亘又噤口不語。我想強調的，不是信仰或否定女神，不是這樣的……

到頭來，我是在害怕。小亘在心中說。之前我以為人柱只從幻界中挑選時我好害怕。因為想到妳或奇・奇瑪可能被選中，我怕得不得了。

可是，現在更害怕了，因為我是「旅人」，被選為人柱的機率高達百分之五十，不是美鶴就是我。二選一。這種情況下，我怎麼可能不怕。

但是我不知道到底該怎麼辦？比美鶴搶先抵達命運之塔，快快實現自己的心願，然後趕緊回到現世？這樣就能忘得掉？這樣就能得到幸福？

亦或，我該當面懇求女神？我的命運不改變沒關係，可是，請務必改變人柱的規定。這樣的話，我就能安心回到現世。

然而，回去以後又如何？只能跟著失去求生欲望的媽媽相依為命，爸爸想必拋棄我們後，就再也不會回頭了吧，如果繼續纏著他，只會再次遭到那個女人——田中理香子的殘忍對待。

不合理、不公平、太過分了，無論選哪條路都是死路。不過，如果還在這兒自尋苦惱猶豫不決，讓美鶴搶先抵達命運之塔，到時剩下自己，理所當然成為人柱。

「那邊那位『旅人』。」

聽到強悍的呼喚，小亘抬起頭，靠近木箱處站著那名負責傳話的水人正仰望著他。近距離一看，他的眼睛四周和裸露的雙肩佈滿了線條纖細、圖案精緻的刺青。他莞爾一笑，眼旁的線條也呈現弧形。

「長老有話想跟你說，能佔用一點時間嗎？」

後面那句話是對咪娜說的，她小聲回答「好」。

「那麼，請這邊走。」傳話者向小亘招手。「還有喵族的小姑娘，替聯合政府送公告來的卡魯拉族正在城門旁的小屋休息，可能很快就要起飛了，如果妳想捎信給妳家鄉或家人，不妨趁現在去拜託他。」

長老仍坐在剛才集會時同樣的位置。不過，姿勢比剛才放鬆一些，倚著牆，單腿屈起。

「你可以坐這裡。」

傳話者拿了一個草編的圓形座墊請他坐，小亘在長老面前端正坐好，相距不到一公尺。

「老實說，長老年事已高，耳朵幾乎完全聽不見。」

傳話者在長老身旁說。

「不過靠著心靈之耳，長老什麼都聽得見，他老人家打從一開始就頻頻聽見你的心聲，非常痛心，所以才請你過來。」

「我的心聲？」

小亘反問的話還沒說完，長老已用驚人的速度向前，雙掌將小亘的腦袋整個包覆。小亘嚇了一跳想後退，傳話者卻用嚴肅的聲音說：「別動！暫時保持那個姿勢。」

小亘縮著身子，渾身僵硬。這段過程頂多只有十秒。長老的手一放開，又緩緩坐回原來的位置。接著在傳話者的耳邊嘀咕了什麼。

傳話者緩緩點頭，然後看著小亘。

「你著了魔。」

「魔……？意思是說魔物嗎？」

「是的，他的形體未必醜陋駭人，有時可能是以甜美的聲音對你耳語，不過，你的身邊的確有魔氣。長老是這麼說的。」

霎時，他想到昨晚在海灘發生的事，打從還在現世時就多次與他說話的，那個甜美聲音。

長老點點頭，又對傳話者說了什麼。

「看來，你似乎心中有數。」

小亘用兩手按著額頭。「可是那是……」

「你不用怕。」傳話者說。「魔會吞噬你的恐懼，請抬起臉看著長老的眼睛。」

在多次催促下，小亘終於照做了。

長老那具皮膚鬆弛、瘦骨嶙峋的身體，要是沒有東西支撐著，一個人恐怕站都站不起來。不過，他眼中蘊藏著比健康年輕人更強悍的光芒，顏色就像大海一樣湛藍。

長老的那雙眼睛定在小亘身上，娓娓開口。傳話者連忙轉達。

「『旅人』啊，我們自古流傳下來的『哈爾涅拉』，對你們兩位『旅人』來說，才是眞正的考驗。」

小亘霎時一驚。「你知道?那你也知道我可能成爲人柱?」

「我全都知道。因爲自古以來，每逢重建『偉大的光之疆界』的時期來臨，女神大人都會這麼做。」

他不由得向前傾。「那爲什麼放任不管?人柱未免太殘酷!」

長老文風不動。「幻界自有幻界的規矩。所以你才會受女神大人的召喚前來。這個世界的運作規則，是你無法介入的。」

「可是，那你們不也是——!」

「現在你心中的疑問，靠你自己的力量是無法解開的。」

小亘的疑問。這條死路。

「你現在煩惱的所有事情，包括害怕自己被選爲人柱；害怕自己或許必須丟下另一個『旅人』；也就是你的朋友，讓他當人柱；害怕如果見到女神大人懇求祂取消人柱的規定，相對地，就得放棄自己渴望改變命運的心願。這一切都是你自己製造、賦予形體的恐懼，卻也是你無法抹消的恐懼。」

的確被他說中了。小亘再次頹然坐下，明明什麼也沒說，心事卻已被對方看穿。

「『旅人』啊!你雖受女神大人召喚，卻不再相信女神大人，這表示你迷失了旅途的目的，你千萬不能接近那個欺騙你、讓你迷途、企圖惑誘你走入黑暗的魔物。」

長老像念咒似地不斷呢喃，傳話者流利地轉述。

「你的煩悶如同沙漠的海市蜃樓。你害怕不存在的事物，企圖逃避不存在的事物，但那只不過是在浪費時間。快去見女神大人，世界就在女神大人的心中。」

「可是我……美鶴已經比我先……」

「不見得跑得快的『旅人』才能找到命運之塔。」

這句話狠狠地震撼了小亘。

「只有在依循正道的『旅人』面前，命運之塔才會出現。幼小的『旅人』啊！放下遲疑，朝著命運之塔去吧，唯有那裡才有眞理。當你向女神大人求問，你才能得到解答。」

長老微微露出微笑。

「至於到了女神大人御前，應該問什麼問題，等你抵達命運之塔自然就會明白。」

朝著沙沙亞去吧，長老說。「現在，正是你該借重那些大學者智慧的時候了。他們研究幻界的歷史，企圖探明幻界的運作法則。雖然女神大人居住的命運之塔遙不可及，但眞正的道路會朝那兒筆直延伸而去。唯有正道才値得探求。那些執掌古老知識的讀星大學者，或許知道照亮那條正道的寶珠沉睡在何處。」

說完這些，長老就倚牆閉上眼睛。傳話者悄然起身，從房間角落的架上拿來一塊看似毛毯的東西，輕輕披在長老身上。

「長老似乎累了。」他說。「剛才的話，你千萬別忘記。『旅人』啊，拜託你了。」

小亘雖然有些遲疑，但還是點點頭。

「你說得對，我決定去沙沙亞。聽說那裡有國營天文台吧？」

「嗯。那是讀星者聚集之處，天文台位於魯魯得鎮。你可以利用達爾巴巴，應該五天就能抵達。」

小亘不由得抓住傳話者的手。「可、可是我，就連到底想不想改變自己的命運，現在都已經搞糊塗了。改變命運又代表了什麼，現在也已模糊不清……」

「不只是你。來到幻界的『旅人』，大家都曾有過同樣的煩惱。有些人能跳出來，也有些人無法擺脫而偏離正道。」

「如果偏離了正道，會變成怎樣？」

傳話者搖搖頭。「這就不是我們幻界中人所能知道的事。全憑女神大人決定。」

小亘忍不住說：「我就是不明白這點。爲什麼大家都能這樣單純、毫不猶豫地相信女神大人？現在幻界之中，就是有越來越多人不像你們擁有這麼堅定的信仰，所以阿里奇塔和波古才會發生動亂吧？」

那些對人柱和「哈爾涅拉」有了認識而開始騷動的人們，一定可以理解小亘的心情。說不定……他們也會贊成打倒女神，或許這才是正確的。

長老沙啞的聲音傳來。傳話者走到長老身旁聽了些話，立刻又回到小亘身邊。

「快，快去吧，『旅人』啊。」

傳話者用他那粗壯的手臂，溫柔地推著小亘。

「如果你走的道路正確，我們應該不會再見面。我要轉達長老最後的臨別贈言。剛才，他說……不信神的人，無法打倒神。

第二十九章

魯魯得的國營天文台

橫渡沙沙亞前往魯魯得鎮的這段旅程，出乎意料之外的沉鬱。

原因之一是小亘和咪娜之間，由於在沙卡瓦長老小屋前的那番爭執，留下了後遺症。每當咪娜投來不安的眼神，小亘就忍不住避開目光。於是咪娜也像做了壞事似的慌忙低頭，小亘偷窺到她這副模樣，不禁也跟著垂頭喪氣。夾在中間的奇．奇瑪，雖然猜出兩人可能吵架了，卻束手無策，只好也保持沉默。雖然有時他會刻意用開朗的語氣聊起一些話題，但對話總是無法持續下去。

而且小亘往往躲在心裡沉思。「放下猶豫，去見女神大人」，這個忠告他當然沒忘記，問題是猶豫若能這麼輕易說好放下，那一開始也就不會苦惱了。

美鶴不知過得如何……他頻頻想到這點。現在，他在哪兒呢？他完全不會猶豫嗎？難道他使用著「幻界」學來的大魔法，一心一意朝命運之塔前進，除此之外什麼都不想嗎？

——美鶴一定不像我這麼軟弱。

仔細想想，每次都是這樣。

在歷歷斯郊外的特里安卡魔醫院重逢時，美鶴看起來真的很酷，小亘多虧他才撿回一命。因爲他唸誦風的大魔法產生的大龍捲風，摧毀了特里安卡魔醫院的結界，將斯拉森林連根剷除。

那時別無他法，那是最適切的做法。可是奇·奇瑪不是說過嗎？龍捲風走後，等他去特里安卡魔醫院一看，只見大批人受傷。當然，那裡聚集了許多老神教的教徒。有上百人，不，或許更多。那些人也受到龍捲風襲擊，受傷的人還算走運，被龍捲風奪走喪命的，恐怕也大有人在。

那又何妨。自作自受這句話就是用在這種時候，是他們先動手的，誰叫他們要片面逮捕小亘，將他監禁並且企圖處死。

可是……如果處在跟美鶴相同的立場，小亘也會採取同樣的行動嗎？他會毫不猶豫嗎？他能發揮自己的力量嗎？

——我可不敢保證會被吹去哪裡喔。

他能夠就這麼瀟灑地做個聲明，便開始唸誦咒語嗎？

——說到這裡才想起。

促成小亘來幻界的那起事件。大松先生的幽靈大樓，美鶴被石岡健兒他們包圍，差點遭到痛毆。可是，美鶴一念咒召喚魔物，形勢頓時逆轉，石岡三人被那個可怕的芭芭蘿內攻擊，石岡被它一口從頭吞下，連魂都沒了。

那時，美鶴打算拿他們怎麼辦呢？當他召喚芭芭蘿內時，那個魔物會對石岡他們做什麼，他應該很清楚吧。那他明知如此還召喚芭芭蘿內嗎？

當時他的表情沒有絲毫猶豫。以牙還牙，只有那份決心。無論何時，美鶴都有堅定的意志力。不管將有什麼困難阻撓他去命運之塔，想必他都不會退縮吧。

相較之下，小亘太軟弱。在勝負決鬥和競賽中，畢竟只有強者才能獲得最終勝利，雖然沙卡瓦的長老說跑得快不見得能找到命運之塔。可是，美鶴不只是跑得快，意志力也很強。也許小亘打從一開始就毫無勝算。

想到這裡，光是勉強支撐身體不從達爾巴巴車的駕駛座摔落就已用盡力氣，當然不可能笑得出來。

旅程上的景色讓小亘他們的步伐更加沉重鬱悶。出了沙卡瓦，第一晚在沿海的草原露宿時還好，來到大路後，情況就不同了。同行者開始逐漸增加。有些人把家產道具放在簡陋的拖車上，有些人背著大包袱，有人帶著小孩，還有老人，也有人讓病人躺在達爾巴巴車的載貨台上。

起先，完全看不出他們是什麼人，打算去哪裡。第二晚露宿時，來到波古和沙沙亞的國界關卡附近，路上成群結隊的旅行者越來越多，有機會互相贈送食物聊上幾句之後，才搞清楚目前狀況。

他們是避難的難民，在「哈爾涅拉」結束之前打算一直旅行避難。

「女神大人的做法，我們不能違抗，可是現在如果我或老公被選為人柱，小孩就活不下去了。」

帶著六個稚齡小孩的獸人族媽媽一臉辯解的表情，如此告訴小亘。他們帶著露宿用的帳棚，正苦惱不知道如何張開，於是奇．奇瑪和小亘連忙上前幫忙。

「那你們要去哪？」

「我是在國境沿線深山中的伐木部落出生的，雖然已經沒有家也沒有父母了，不過小屋還留著，北方凶星發出紅光的期間，我們打算在那生活。」

身材高大到必須仰望的丈夫，似乎不喜歡妻子和陌生人說話，表情非常凶惡。後來只聽見他把妻子叫到一旁，大發雷霆地斥責她。

「妳說出那種話，萬一他們也跟來了怎麼辦？我們有躲藏的地方，已經算是很幸運了，妳不要到處宣傳。」

避難者當中確實有很多人沒有明確的目的地。總之先找個隱蔽的地方再說，倒是你，你是高地人吧？你要去哪裡？被這麼一問，小亘回答要去魯魯得。

「對喔，那裡有個天文台嘛，又有很多讀星者，說不定可以請教他們，怎樣才不會被選爲人柱。」

那我們也去魯魯得吧。甚至有人開始如此提議。

每當與他們說話，小亘總是盡量故作開朗狀，試著問他們：「可是，人柱只有一人，地上有這麼多人，不見得會選中你或你的家人，應該不用這麼擔心吧？」

大家基本上都會回答：「說的也是。」「就是啊。」「嗯，我也是這麼想。」有人也會稍微笑一笑，但最後臉上同樣都會出現陰霾，有點尷尬地垂下眼睛，繼續說：「可是，不怕一萬只怕萬一，你說是吧？能夠避免當然還是想避免。」

「還是有錢的商人跟官員比較好命。」

也有人眼神晦暗地噘起嘴巴說。

「平常他們一天到晚召開聚會唱歌祈禱來讚美女神大人，又一手打點信徒的集會場所，負責供奉鮮花。像這種人一定用不著當人柱。」

可是我們這麼窮，光是養活自己就不容易了。哪有餘錢獻上什麼供品給女神大人。

「所以，你認爲被選爲人柱的可能性會比較高？」

「對呀，因爲我們唯一能奉獻的只有這具臭皮囊。」

雖然急著趕路，但觀察了路上越來越多的避難者之後，小亘可以確定的是，畏懼「哈爾涅拉」不得不離鄉背井逃難的這些人，真的，窮人幾乎是壓倒性的多數。

這一路上也目擊了比鬱悶還要令人不愉快的光景。原本禮拜堂應該傳出的是讚美女神的歌聲，現在聽到的卻是怒吼悲鳴與哀泣。再仔細聽，還有之前從未聽過的、男女老幼吟誦咒語的聲音。越過關卡前方的小村，一個穿著全黑長袍的年輕男子背對著遭人放火、正在熊熊燃燒的禮拜堂，站在木箱上一邊朝空中揮舞拳頭一邊演講。聚集的村民圍繞著他形成一個半圓，眼神像中邪似地仰望著他。在他們的注視下，黑袍年輕男子的雙眼彷彿映在淺水窪中的太陽，炯炯發光。說不定這個年輕男子將會成爲第二個卡庫塔斯．微拉；並且將卡庫塔斯．微拉在嘎薩拉郊外荒地的那個教堂，聚集信徒所幹的勾當重演一遍。小亘感到一陣恐懼。

進入沙沙亞的第二天下午，他們來到Y字型路口。路標上標示著右邊沿海通往沙沙亞首都，左邊通往山上，可以到達魯魯得。朝左邊那條路前進後，路上的避難者雖然少了，但是和小亘錯身而過的讀星者變多了，他們駕駛著達爾巴巴車或獨自騎著烏代趕路，有人從魯魯得往首都的方向走，也有人從首都往魯魯得奔馳而去。

讀星者雖然年齡和種族各有不同，但都穿著跟辛．森西一樣的筒袖服裝，所以一眼就認得出來。不過就像區分學生的學年一樣，依照衣服的顏色不同還是有所區別，也許是有階級之分。就他們在路上所見，衣服最氣派的讀星者是個年紀跟小亘媽媽差不多的安卡族女性，美麗的紫色筒袖袖口和下襬都鑲著金線，圓筒狀的怪帽子上有一顆與勇者之劍的劍顎雕刻一樣的星形圖案。

沿著山路在雜樹林中迂迴前進了半天，那玩意兒終於出現在前方。

「你看，就是那個！」

奇．奇瑪從駕駛座上指著那個告訴他。

「那個透明的圓形屋頂，就是魯魯得的國營天文台。」

已經是黃昏了，天文台背對著暗紅天空，美好明亮得令人著迷。那是一棟形狀酷似行星儀的建築物，巨蛋形的半透明屋頂上有著看似窗戶的缺口。一定是用來架設天體望遠鏡的窗口吧。依大小判斷，一定比辛．森西小屋的望遠鏡大上了十幾二十倍。

好不容易穿過雜樹林後，國營天文台與環繞其四周的城鎮全貌在眼前一覽無遺。那是依傍山下一角建造出來的城鎮，環繞著土色磚牆，建築物大多是用同色的磚瓦建造，古意盎然。有些建築物甚至已有窗戶玻璃破裂或是部分磚瓦傾頹。爲了建造這個美麗的天文台，想必是用了昂貴的建材，聘請了許多技術高超的工匠，錢一定是都花在那上面去了，這點跟現世的大學倒是有點相似。

「讀星者爲了鑽研學問全都住在這裡，所以城鎮外圍附近的建築物都是供他們居住的公寓。」

穿著筒袖的人在附近步行穿梭。達爾巴巴屋的台車停在城門口，守門人和達爾巴巴車夫正在拼命卸貨。木箱看起來很沉重，奇．奇瑪說裡面應該滿滿都是書。

「讀星者在夜裡觀測，白天他們會輪流睡覺，因此公寓的地下部分比露出地面的部分建造得更寬敞。」

事實上，環繞全鎮的外牆和緊貼在牆內側的讀星者居住區的建築物高度幾乎相同，而且頂多只有獨棟房屋的一層樓高度。令人驚訝的是，在那低矮的圍牆和建築物的屋頂上，有幾個拿著劍、標槍或弓箭的武裝高地人，正緩緩地巡邏中。他們戴著火龍手環，所以絕不會錯。

「他們在做什麼?」咪娜感到很不可思議。「發生了什麼事嗎?」

達爾巴巴屋的台車離去,小亘他們走近門房小屋,粗大鐵柵欄做的門扉看似沉重,還掛著堅固的鎖,守門人是個豎直耳朵的獸人。

「咦,你們不是高地人嗎?是來交班的嗎?」

守門人穿著皮革護胸,腰上掛著短劍,一身全副武裝的樣子。

「不是的。我想求見天文台的巴克桑博士。是讀星者辛.森西先生介紹我來的。」

雖然擅自揑造事實,對辛.森西很抱歉,不過爲了見到現在恐怕忙成一團的博士,可能還是這樣說比較好。

「啊,是嗎?那我寫張通行證給你,你等一下。」

站在外牆上的高地人正看著這邊,那是至今未曾見過的種族,身形雖跟安卡族一模一樣,膚色卻是如新綠般鮮豔的綠色,右手持弓,背上揹著箭筒,身上只穿著護胸和護肩的簡易皮甲,手腳裸露,頭上沒有半根頭髮,光禿禿的腦袋像工藝品般美麗,身材修長,五官也很端整,儼然像個假人。

一與小亘四目相對,那個人便大搖大擺地往城門這邊走來。然後嘻嘻一笑露出潔白的牙齒。

「你們是從哪來的啊?」

聽到聲音,才知道是女性。

「嘎薩拉。」

「天啊,從那麼遠?」

「這幾個人是來見巴克桑博士的。」守門人解釋道。「來,這是通行證。」

收下一張約明信片大小的紙片，背面畫有樓層的導引圖。

「巴克桑博士的研究室就在屋頂天文台的下面那層樓。」

「謝謝。」

「小弟弟，或許你跟巴克桑博士很容易對話喔。」綠膚高地人說著咯咯地笑了起來。

「啊？爲什麼？」

「你看到他就知道了。」

「請問，這裡爲什麼戒備如此森嚴？」咪娜問。

「你們不也都看到了嗎？」綠膚高地人沒拿東西的那隻手指著小亘等人的身後，一大群人正在聚集中，更後面還可見到列隊穿過雜樹林朝這邊走來的人們。

「自從告示發表後就一直這樣。」綠膚高地人說。「大家都迫不及待想知道，到底誰會被選爲人柱，怎樣才不會被選中。他們滿心期待以爲只要來到這裡，讀星者或許就會向他們透露什麼。」

「我也警告過他們，不要在外牆周圍轉來轉去。你繞到後面看看，已經出現一個帳棚村了。」守門人說。「不過，只要他們安分一點倒也還好，問題是其中有些人吵鬧著要進天文台、要見偉大的讀星博士，甚至還破壞東西，所以需要嚴加戒備。」

「這樣粗野的傢伙，接下來會越來越多呢。」

綠膚高地人從牆上環顧四周，表情一沉。

「在『哈爾涅拉』結束前，這裡跟聯合政府的建築物同樣被列爲第一級警備強化區。也因此才火速派遣我們至此……」

說到一半，她迅速如羚羊般地衝了出去。在牆上跑得飛快。

「啊，你看那邊！」咪娜指著某處。「有人想翻越圍牆！」

一個衣衫襤褸的瘦削男子像掛在磚牆上似地正想往上攀爬，綠膚高地人跑到射程範圍內，猛然駐足架起弓矢。

「那邊那個！站住！離開圍牆！不聽警告我就要射擊囉！」

在牆上巡邏的另一個高地人，也從反方向跑來，此人拿的是標槍。在兩人的嚴厲警告下，瘦削男子頹喪地後退離開圍牆。

「原來如此。」奇．奇瑪沉吟。「難怪需要戒備。」

「我只不過是想進入建築物嘛。」衣衫襤褸的男子仰望著高地人。「我無意做壞事。」

「天文台非經許可不得擅入。」

「可是，我該到哪裡拿到許可？」

「這裡是政府機關，不是一般人可以出入的地方。」

「這太不公平了吧。」男子噘起嘴巴。「政府的大人物可眞好命，因爲他們絕對不會被選爲人柱，可以在一旁納涼看熱鬧。但對我們來說，這可是切身問題啊，我想見一下讀星者，問問怎樣才不會被選爲人柱，這也是人之常情吧？」

不知不覺男子身旁已擠滿了人，紛紛嚷著對呀對呀。

「即使是讀星界的大學者，對於女神大人的決定也無法事先得知，你還是趁早死心，回家安分待著吧。」高地人說。

「這未免太過分了。」

「快，你們也別磨蹭了，趁現在趕快進去吧。」守門人一邊把鑰匙插入鎖孔一邊催促。「如果不馬上關門，這些聚集的人又要囉唆了。」

小亘他們一進入門內，鐵門立刻鏗然關閉。聽到聲音，又有一群人朝大門聚集而來，他們推擠著企圖制止的守門人，拼命抓著鐵柵欄，把臉壓在柵欄縫隙之間。

「讓我們進去。」

「只有你們享受特權，太不公平了！」

隔著鐵柵欄，每個人的臉看起來更加悲哀、無力，而且狼狽。從他們那頭又是怎麼看我們的呢？小亘感到心痛難忍。

「快點！快去找那個叫什麼巴克桑的博士吧。」奇．奇瑪催促著。他的臉上浮現出嫌惡疲憊的表情（這點就他個人來說很罕見）。「那種失去信仰的人連看都討厭。」

咪娜沉默不語，小亘也不搭話，按照導引圖開始往前走。

建築物內部錯綜複雜宛如迷宮，到處都有小房間，有些場所還得先穿越房間裡面，才能來到走廊上；儘管他們決定要盡快往樓上邁進，卻找不到樓梯在哪裡。

人數多得令人驚愕。大部分都是讀星者，但也有些穿著工作服的年輕人——可能是還不夠格穿上筒袖服裝的學生吧，大家正忙碌工作著。還以為他們擠在小房間裡高談闊論，仔細一看才發現每個人坐在成排的桌前計算著，或是拿著放大鏡對著像字典那麼厚的書頁，或是把文章從一卷捲軸抄到另一卷上。總之看起來極爲忙碌。在狹窄的走道上才剛跟雙手抱書的讀星者相撞，忙著道歉撿書之際，又撞上別的讀星者。讀星者的腦中好像只塞滿了學問和研究，問了好幾個人樓梯在哪裡，這裡是幾樓，得到的都是無厘頭的回答。

「這裡一開始可能不是這麼高的建築物吧。」奇．奇瑪一邊擦汗一邊嘀咕。「大概是不斷增建，才會越蓋越高，所以樓梯沒有固定的位置。」

每找到一處階梯，爬上樓從採光的窗口俯瞰，只見地面越來越遠。最後，終於爬到了最高處，由此俯瞰，連守門人剛才提及位於後方森林中的帳棚村也看得清清楚楚。

「按照導引圖……，應該就是這層樓了。」

似乎是爬了十或十一樓，小亘喘了一口氣。這層樓的人變少了，走廊各處空蕩無人，很安靜。

「我想應該就在這個盡頭。」

說著，他指的那扇門倏然開啓，一個穿著紅色筒袖的女讀星者匆匆走出，而且兩手抱滿了書。

「請問巴克桑博士在嗎？」

小亘大聲問。女讀星者嘴中逕自喃喃唸誦著類似公式的東西，也不回答就衝下樓梯。

「先進去看看吧。」

走近那扇門，舉手輕敲。

「多此一舉！」一個響亮的聲音回答。聽起來元氣十足，是個男人的聲音。

三人面面相覷。「應該可以進去吧？」咪娜說。

緩緩從門縫探頭往室內一看，眼前是堆積如山的書籍和卷宗。不只一堆，放眼望去起碼就有五堆，房間有兩面大窗，窗外是一片藍天，室內盈滿陽光，明亮得令人目眩。

「請問巴克桑博士在嗎？」
房間深處的兩堆書山之間，突然冒出一團塵埃。
「多此一舉！」又是那個聲音。
「呃，我們是來見巴克桑博士的。」
塵埃再次揚起。
「那就過來這邊！我可不在那裡！」
哎呀，原來那個聲音就是巴克桑博士。打擾了——說完這句，小亘他們才跨入屋內。
「博士，您在哪裡？」
「這裡！」又是一陣塵埃，跟剛才揚起塵埃的位置有點不同。由於到處都是書，空間狹小，小亘他們各自散開，盡可能找空隙往更內部前進。
可是，沒看到博士。奇．奇瑪歪著頭。「不在耶？」
「博士，請問您在哪裡？」
「我不是說過在這裡嗎！」
聲音就在小亘的腳邊。聽起來好像有點生氣。
「這裡？」
有人在拉他的鞋帶。視線往下一瞥，小亘哇地大叫，不由得往後跳，頓時撞上背後成堆的書山。
「啊，危險！」眼看著書堆開始崩塌，奇．奇瑪哇哇大叫，他似乎在那堆書的另一頭。

第三十章
巴克桑博士如是說

「瞧你笨的！」巴克桑博士揮舞著小拳頭，亂碰亂打小亘的腿。「這裡的書籍，就算集合女神大人恩賜的所有金子、水晶、寶珠也買不起，全都是貴重寶物！喂，還不把你那隻腳移開，那邊也有書掉在地上，被你踩到了！」

小亘盡可能迅速又安靜地移動身體，當場蹲得低低的。如此一來，總算與巴克桑博士的身高差不多了。

巴克桑博士是個很小很小的矮人，身高只到小亘的腰部。穿著繡了許多條漂亮金線的濃紫色筒袖，戴著同色系的圓筒帽子，帽子頂端也繡有星形圖案。

巴克桑博士看起來似乎已經很老很老了，蓬鬆的白髮多到垂到肩上，眉毛也是全白，而且長達胸前。鬍子也是白的，長度直達博士的腳趾。事實上，除了粉紅色的鼻頭，他的臉孔大多都被眉毛和鬍子蓋住。

「您是巴克桑博士吧？」

聽到小亘的問題，身材矮小的博士激動得鼻頭通紅、拳頭亂揮。

「這個屋裡的博士只有我！問廢話浪費時間的人應該受罰！」

呼嗤擦拉呼嗤擦拉！奇・奇瑪和咪娜撥開書堆露出臉來，說：「小亘，你蹲在那個地方做什麼？」

「啊！那邊那個大塊頭水人！」巴克桑博士又蹦又跳。「不准碰那堆書！」

兩人這才發現跟小亘面對面的小博士，當場目瞪口呆。

「博士，您是龐族的人吧。」

「我還是第一次遇到龐族。」

「什麼龐族？」

「一種體型很小，非常聰明的種族。據說原本是安卡族的同類。」

「很久以前，安卡族和龐族之間發生戰爭，龐族幾乎被體型較大的安卡族消滅，好不容易才逃出來。從此變為流浪者……」

奇・奇瑪一臉稀奇地仔細觀察著巴克桑博士。

「我還以為早就絕種了咧。」

「沒有絕種真是不好意思喔！」巴克桑博士這次開始雙腳亂踢，他穿了一雙很可愛的皮編長靴。「在沙沙亞，還有很多在野蠻的那哈特與貪婪的阿里奇塔無法存活的少數種族呢！」

「對、對不起！得罪了。」

小亘急忙道歉，兩手忙著抵擋巴克桑博士的攻擊。

「我們幾個是有事前來請教博士的，您的大名是我從讀星者辛・森西先生那裡聽來的。」

巴克桑博士舉起的小拳頭，就這麼凝結在空中。

「什麼，辛・森西？」
「對。他是您的弟子吧？」
「不是弟子，是學生。」博士拉著長長的鬍子，歪起脖子。「沒想到那個窩囊廢竟然認識高地人，眞是意外。」
雖然博士一直在發飆，但還是注意到小亘的火龍手環。
「辛先生才不是窩囊廢。他在『悲嘆沼澤』旁一直稱職地做好觀測工作。那時我迷了路，多虧有辛先生幫助。」
「原來如此，那倒是挺令人佩服的。不過撇開那個不談，堂堂的高地人竟然會迷路未免太沒用了吧。」
咪娜噗哧地笑了出來。
「我不知道你們到底有什麼事，不過我可是很忙的。」
「這個我知道。可是……」
「沒什麼好可是的，我很忙，你們可以走了。失陪！」
博士的動作像小貓一樣敏捷，眼看他正要鑽入堆積如山的書本縫隙間，明知這樣很失禮，小亘還是抓住他。倉皇之間，他一把拽住博士衣服的後領把他拎了起來，看起來眞的很像拎著一隻貓。
「哇哇哇！你幹什麼！沒禮貌！」
「對不起，可是有件事一定要請教您，我想博士應該知道通往命運之塔的途徑……」
「你說命運之塔？」被拎在半空中手腳亂動的博士，保持那尷尬的姿勢，扭著脖子望著小亘。

小亘點點頭說：「我是『旅人』。」

博士挑起兩道長眉，瞪大了眼。這才總算看到他那圓滾滾如同黑色樹果的眼珠，那絕非老人的眼睛，那種光芒，突然令他想起美鶴的眼睛。

奇．奇瑪微微聳肩，對咪娜囁語：『博士不是應該博學多聞嗎？怎麼會光聽到『旅人』就驚訝成那樣子？』

「是嗎？」巴克桑博士用截然不同的鎮靜口吻說。「那你能不能先替我找找靴子？」

「靴子正穿您的腳上呀。」

「不是這一雙。應該就在那附近。噢水人啊！就在你後面。」

那是木頭做的靴子。正確來說，應該是仿造長靴的形狀，高度很高的踏腳台。小亘把巴克桑博士放在那上頭。這下子，小亘不用蹲著也可以與博士面對面交談了。

「這個水人和喵族的姑娘是你的夥伴嗎？」博士問小亘。

「是的。」

「那麼，請你們倆先出去好嗎？你們應該知道下面的情況吧？自從宣佈公告後，無知無辜又無力的群眾不斷湧來，這個原本很安靜的學府簡直成了菜市場，你們也下去幫忙戒備吧。」

兩人雖然眼神略帶不滿，可是看著小亘對他們點頭，只好默默地走出房間。

「把門關上。」巴克桑博士對小亘說。「關上以後，到這裡來。」

小亘回到博士身邊，博士就挑起眉毛把眼睛瞪得更大，頻頻觀察小亘，然後鄭重伸出兩隻小手，握住小亘的手。

「歡迎你來，『旅人』。」

他的語氣很嚴肅，而且沉重。

「看你的臉色和你眼中的陰影，你之所以會來此地，我猜一定是已經知道『哈爾涅拉』的來龍去脈了，對不對？」

「您說的沒錯。我知道我可能會被選爲人柱。」

「嗯。」巴克桑博士放開小亘的手，雙手在胸前交握彷彿要祈禱。「那兩個夥伴，還不知道你所知道的事。是嗎？」

「是的，我沒告訴他們。」

「那麼，你來這裡想尋求什麼呢？」

對於這個問題，就是因爲不知道該怎麼回答才會來。小亘沉默了一會兒，才說：「說來話長。」

「無所謂，你就慢慢說吧。」

於是小亘從頭說起。從他本來就是靠美鶴的幫助才獲得「旅人」的資格，一直說到他跟沙卡瓦長老的對話。

巴克桑博士凝神聆聽直到小亘的話聲停止，他那嬌小的身體在高高的靴型踏腳台上文風不動。

最後，他說：「我們讀星者對照星星的動向與『幻界』發生的事物，鑽研世界眞理的學問。」

小小的身體，迸出充滿威嚴的嗓音。

「然而非常遺憾的是，沙卡瓦長老似乎有點太高估我們了。關於引導『旅人』前往命運之塔的寶珠藏在何處，包括我在內這個學府沒有任何人擁有這方面的知識，古書上也沒有相關的記載。更何況，我也是今天第一次親眼見到『旅人』。」

博士語氣依舊客氣，對小亘行了一個禮。

「這樣嗎……」

小亘難掩失望之情。不過相對的，也有點鬆了一口氣。現在這種心情下，就算瞬間出現奇蹟，寶珠全都找齊了，他也毫無把握能利用寶珠前往命運之塔。

「沙卡瓦的長老說，只要能抵達女神大人的御前，到時候該問什麼自然會知道。」

「可是現在的你並不相信這句話。是吧？」

「是的。」

「也就是說，你無法相信自己。」

博士鎭靜地斷言。

「我……，到底該怎麼辦？」

巴克桑博士的鬍子一動，看來似乎在微笑。

「如果我告訴你該怎麼辦，你會照我的話做嗎？」

當然，小亘無法回答。

巴克桑博士兩手在腰部交握，變成上課的口吻。「剛才我也說過了，讀星者不斷鑽研學問企圖瞭解世界的眞理。當然，這門學問還有很長的路要走，因爲我們不知道的，遠多於知道的。我們得到的知識，如果說是一湯匙的砂糖，那我們尙未得知的知識，可說是放眼望去一整片的甘蔗田。」

「不是砂糖堆，而是甘蔗田？」

「是的，就是有這麼遼闊。爲了得到砂糖，必須收割、精製。而有有效率的收割方式，和不會摻雜雜質的精製方式，得經過學習與研究，求學獲得知識就是這麼回事。」

小亘在現世唸的學校，可沒告訴過他這種話。

「如果現在我能從手上這一匙砂糖中，送給你少許東西，那就是……」

巴克桑博士在木靴上搖搖擺擺地變換方向，刻意背對小亘。

「幻界，會反映『旅人』的心靈變換姿態。這就是我僅能提供的知識。」

小亘想起很以久以前也聽過同樣的話。對，是拉烏導師。當小亘「測試洞窟」的考驗結束即將啓程時，他曾忠告，

——幻界，會隨著前往者的不同而改變姿態。

所以，小亘看到的幻界和美鶴看到的幻界不同。

不僅如此。就連美鶴自己不也說過嗎？幻界，是住在現實世界的人憑著想像力創造出來的空間。

「現在，造訪幻界的兩名『旅人』，難得的是在現世也是朋友。」巴克桑博士說。「因此，配合你們兩人各自的心靈變換姿態的幻界有許多相似、相通之處，也有很多重疊之處。正因爲你們彼此關心才會發生這種事。因此，你們有時會碰面，擦身而過，絕非拉烏導師騙你。」

小亘點點頭。不過，光是這樣還是無法使他信服。

「可是博士，我從沒期望過像人柱這種殘酷的規則。如果幻界眞的是反映出我的內心，怎麼會

有這麼殘忍的規定……」

「真的是這樣嗎？」

博士用出乎意料的大嗓門打斷小亘的話。然後，手依然在腰際間交握，猛然轉身。沒想到，要在這個木靴上做這種大動作，地方實在太窄了。

「哇！」博士大叫一聲，兩手亂揮，便從靴子上摔落。

「博士！您不要緊吧？」

正當小亘叫著探頭窺看靴子後面之際，研究室的門砰地撞開，力道猛得讓門從牆上反彈回來。怒吼聲轟然響起。「巴克桑博士在嗎？出來！給我出來！」

聽到這非比尋常的吼聲，小亘鑽出書堆之間，跑向門口。但他才剛從堆積如山的書本之間露出臉……

「別過來！誰也別過來！如果不聽我的，我就宰了這傢伙！」

小亘不禁倒抽一口氣，連忙躲在書後。悄悄偷窺才發現，門口站了一個必須抬頭仰望的大個子獸人，而且不只他一人，剛才小亘上樓時，錯身而過的那個女讀星者也在，她被獸人挾持，雙手交叉壓在背後，獸人尖銳的爪子抵在她脖子上。

「巴克桑博士，你在吧？出來！難道你忍心看著弟子死掉？」

「我在這裡！」巴克桑博士大聲說。「我在這裡，可是我一個人爬不起來！」

小亘看看背後。原來如此，摔到地上的巴克桑博士，身上壓著那個木靴。看樣子，好像是小亘急著跑向門口時，手肘不小心撞倒木靴了，他連忙走近扶起靴子，把博士救出來。

「我在這裡！」

博士悶著腦袋就往門口衝。小亘再次抓住博士衣領阻止他。

「你不能衝出去，對方手上有人質。」

「什麼？」

「博士！」女讀星者發出哭聲。「對不起，您都已經這麼忙了。可是，我快被殺了。」

「唉呀，那不是羅蜜嗎！」

這次還來不及抓住博士，他已衝向門口。小亘悄悄在地上爬行，往反方向繞過書堆，移動到可以看見獸人的地方。

「噢，羅蜜！」

眼看巴克桑博士咚咚咚地跑近，獸人一腳踹出。「別過來！退後！」

差點被踢個正著的博士跌在地上。一站起身子，他就高舉雙手氣得鼻頭都紅了。

「我是巴克桑！你叫我出來我都已經出來了，你那是什麼態度！快把我的弟子放開！」

「博士，危險。」羅蜜發出痛苦的聲音。「這個人是認眞的。您千萬不能靠近。」

「我也是認眞的！」巴克桑博士來勢洶洶地跳起，「笨蛋！你找我有什麼事，有必要這樣動粗嗎？如果有話要說就別亂來，好好講清楚不是更好嗎？」

這樣喊話雖然合情合理，但在小亘看來，抓住羅蜜的獸人似乎已經精神錯亂無法講理了。他的外型像老虎，令人想起嘎薩拉的高地人托隆，可是體型比托隆還大上兩圈。雖然穿著簡樸的布衣，但衣服不僅骯髒也破爛不堪，他激動得雙眼充血，嘴角冒泡，呼吸急促，並且不斷噴出熱氣。大概是連自己也無法克制吧，連腳爪都暴露出來。

地上滴著點點血跡。起先小亘嚇了一跳以為是羅蜜受到傷害，仔細一看，獸人的左腿中了一支箭。大概是被戒備的高地人射傷的吧。

「喂，小不點老頭！你眞的是巴克桑博士嗎？」

「我從剛才不就一直這麼說了嗎？」

巴克桑博士氣急敗壞地跺著小腳。在這種緊急情況下，還能像跳踢踏舞般跺著腳，令小亘感到很佩服。也許博士在他的讀星弟子面前，經常這樣跺腳發脾氣。

獸人激動得嘴巴冒泡，更用力壓制羅蜜，羅蜜啊地發出一聲哀鳴。

「聽說你是很了不起的學者。那你應該知道吧？告訴我！怎樣才不會被選爲人柱？」

巴克桑博士停止跺腳，鬍子垂到地板上，凝視獸人好一會工夫。然後說：「怎麼，原來是爲了這個啊。」

「那當然！我清楚得很！你們一定研究過，然後把知識賣給政治家和有錢人，撈了不少銀子吧？」

「我們不做那種事。」博士的語氣突然變得低沉。「你們被這種空穴來風的謠言左右的心情我能體會。不過，那根本是胡扯。這個世上沒有人知道該怎樣才不會被選爲人柱。」

「少騙人了！你別以爲這樣就能唬我！」獸人瞪大了充血的眼睛，口沫橫飛地怒吼。「你不怕這傢伙死掉嗎？我可是認眞的喔！」

羅蜜的脖子被掐得更緊。身材嬌小的她早已被獸人的手臂提起幾乎懸空，光是這樣就已夠痛苦了。雖然她拼命踮起腳尖，但這次如果再被用力舉起，雙腳恐怕會完全脫離地面。

小亘藏在書堆之間，緩緩移動。他設法要繞到獸人的側面。

「我知道你是認眞的。在『哈爾涅拉』結束前，在這個幻界裡沒有一個人能夠安心睡覺。」巴克桑博士用安撫的口吻繼續說。「就連我說不定也會被選爲人柱，這對誰來說都是切身問題。每個人唯一能憑藉的，就是此界只有一人會被選中；大家都只能緊抓著『應該不是自己』這種樂觀僥倖的一線希望，忍受著恐懼。」

小亘終於繞到獸人的左側，與右手邊的獸人之間隔著屛障他的書堆，左手邊是窗戶。如果能從這頭發射一發魔法彈擊中獸人肩膀，對方應該就能鬆開挾持羅蜜的那隻手，如此他便可以飛身撲向羅蜜和獸人之間了。

研究室入口從剛才就人聲喧嘩。高地人們一定守在門口，一旦發現羅蜜獲得自由，想必他們也會衝入室內。

成敗全看是否抓準時機。小亘緩緩拔出勇者之劍，牢牢握緊劍柄。就差那麼一點了……，拜託再過去一點……，要不然會打中羅蜜……，只要再過去一點點，只要十公分就行了。

這時，響起沉重的盔甲撞擊聲，研究室入口出現一名騎士。

「我看你也該鬧夠了吧。」

騎士用沉穩但強悍的聲音對獸人喊話。

「博士沒有說謊。你就算在這大吵大鬧也沒好處。只會讓你再次回到監獄。」

小亘不由得放鬆戒備垂下劍。那個人，不就是修騰格爾騎士團的隆梅爾隊長嗎。

身披白銀盔甲，宛如鋼鐵的騎士銅像般英姿勃發。不過，細看胸前的護甲和護肘護腿，上面刻滿了無數傷痕。隊長沒戴頭盔，對於讓臉暴露在危險之中絲毫不以爲意。他的金髮凌亂，跟第一次見面時比起來，臉頰似乎凹陷不少。

隊長的劍掛在腰上，包覆著盔甲的拳頭輕握，在身體沒有任何武裝的情況下，走近獸人一步。

『哈爾涅拉』是女神大人的御心所爲。在地上的我們唯一能做的，就是肅穆地等待女神大人的旨意公開的時刻，等時候到了肅穆地接受一切的結果。好了，快放開人質，到我這邊來。」

獸人呼呼喘息，依舊挾持著羅蜜僵持不動。霎時，他似乎要聽從隊長的勸說了，眼見他勒著羅蜜脖子的手臂緩緩鬆開。

然而，就在下一秒鐘，彷彿凶暴狂嵐從獸人體內湧起，令他不停顫抖。

「你是修騰格爾騎士團的吧。」獸人咬牙切齒地呻吟。「像你們這種殺人兇手說的話，鬼才會聽！」

這句話，不只是小亘，連巴克桑博士似乎都很驚訝。維護南方大陸治安的修騰格爾騎士團怎麼會被稱爲殺人兇手？

隆梅爾隊長文風不動。他輕輕伸出右手，「如果你是我認識的那哈特農民佐．泰塔斯，剛才的謾罵應該用來形容你自己才對吧。

「少囉唆！」獸人大叫。「我才不是殺人兇手！」

「在那哈特的喬扎搶奪財物，殺害兩名趕來緝捕的高地人、畏罪逃亡的就是你。在我們應邀支援、前往逮捕時，傷害我部下的也是你。」

隆梅爾隊長依舊未改沉穩的語氣。

「後來你遭到逮捕，在嘎薩拉接受審判時被判終身監禁，送往戈魯戈古監獄。三天前，你從那裡脫逃，襲擊兩名看守殺害了其中一人。到處濫傷無辜、踐踏人命的可不是我，也不是修騰格爾騎士團，而是你！」

「少囉唆、少囉唆、閉嘴！」獸人一隻手胡亂揮舞著，尖銳的爪子劃過空中。「是誰把我們趕出故鄉的村子？是誰逼得我們不得不靠強盜偷竊和攔路打劫來糊口？還不都是你們這些聯合政府的傢伙！你們竟然想滅絕我們！而且這次還想把我這全族唯一僅存的活口當成人柱！我知道，我清楚得很！聯合政府打算搶在女神大人挑選人柱之前，就主動獻上人柱！那就是囚犯！用我們這種囚犯當人柱，你們以爲這樣就能向女神大人交差了！」

隆梅爾隊長的睫毛連眨都沒眨一下。幾近黑色的深藍色眼珠發出冰冷的光芒。

「那些只不過是你的妄想。」

「少囉唆！」

他用尖銳嘶啞的聲音大叫，

「我絕不會束手就擒！我死也不要再被逮捕！」

獸人一邊高叫，一邊抱著羅蜜，朝小亘左手邊的窗口衝去。難道他忘了這是最頂樓嗎！他衝出去的態勢毫無遲疑，就在眾人看著目瞪口呆的霎時，小亘看到嚇得兩眼暴睜的羅蜜做出無謂抵抗，企圖擺脫獸人勒著她脖子的那隻手，卻還是輕而易舉被帶著走。獸人衝刺引起的震動使得附近的書堆相繼崩塌，企圖衝上前追趕獸人的隆梅爾隊長，也被大批倒塌的書籍壓住身體阻擋去路。

「吼——！」

獸人用肩膀衝撞窗戶，玻璃粉碎四處飛散，瞬間他的身體已躍到空中。被他一起拖下水的羅蜜，筒袖衣襬優雅地在空中飄動。

眨眼之間，獸人和羅蜜看來好似靜止在空中。

慘叫響起。

是獸人的叫聲。他似乎稍微恢復清醒，想起距離地面的高度了。只見他的耳朵倒豎，開始墜落，還帶著羅蜜。

小亘飛身上前，腳下的玻璃嘎吱作響。他扔下劍，兩手往前伸，肚子狠狠撞到窗邊扶手，但他依然往前直伸。

輕飄飄的。羅蜜的筒袖在空中搖曳，拂過小亘的手指，小亘立刻順手一抓牢牢拽住，頓時手上重量一沉。

獸人的手已經離開羅蜜。但即便她身材嬌小，小亘依然明顯感覺到重力，他拽著她的衣服，覺得自己的雙腳也快要離地。要被拉出去了。要被拉出窗外掉下去了……

當羅蜜跟獸人一起飛出時，小亘抓住她的筒袖手臂和側邊部分。她現在變成仰面向上，墜落時，眼鏡脫落。現在，眼鏡比主人搶先一步像石頭般追隨獸人往地面墜落，羅蜜尾隨在後，而小亘則在羅蜜後面。

既非出於本能也非臨機應變，純粹只是偶然——小亘的猛然踮起腳尖，結果竟然勾到窗框，小亘變成倒吊在窗邊。按照物理定律，羅蜜的身體在小亘下方砰地撞上建築物的牆壁，一隻鞋掉落追隨眼鏡而去。

還沒掉下去！這個念頭像是打了小亘一個耳光。沒掉下去，還沒有！但這是遲早的問題。腳尖……撐不了多久，只能撐一下子。腳踝快沒力了，到時他們就會一起頭下腳上地往下掉……

窗內掀起一陣怒吼和騷亂。這本書搞什麼鬼！可惡！嘰哩喀拉、霹哩匡啷！

「不、不行，」羅蜜嚇得花容失色，張開嘴巴勉強擠出嘶啞的聲音。「我、我要掉下去了，連你也會掉下去。」

小亘無法回答。他怕一開口，浪費力氣，腳踝會伸直，手會鬆開。光是這麼想，手指一滑，抓著羅蜜衣服側邊的左手霎時一鬆，她立刻就往下墜。連帶抓著她手臂的右手也順勢一鬆。

「抓、抓緊。」小亘拼命說。「一定、要、抓、緊。」

快過來救我們！隊長！快從書堆下鑽出來！

「我、已經、不行了——我要掉下去了——」

小亘試圖用右手抓著她的手臂往上拉，結果反而弄巧成拙，滑溜溜的布料從手中溜走。他重新抓住……換個姿勢再抓，又滑掉了……

某個堅硬的小東西奇蹟似地卡在小亘手中。羅蜜的腳在晃。搖動的力量也跟著搖動了小亘的腳踝，他快要撐不住了。靴子摩擦著牆壁，微微往下滑動。

「放手，如果不放手……連你也……」

這又硬又圓的小東西是羅蜜筒袖袖口的鈕扣！它緊緊夾在手指之間，把力量放在這上面就對了。用這個把羅蜜拉起來。

這時，手中鈕扣無情地發出啵的一聲。線斷了。

慢動作畫面。羅蜜的頭髮飄然搖曳，然後往下墜落。小亘手中只留下鈕扣的觸感。上與下，滿臉驚愕面面相覷的兩人。小亘的腳踝也放鬆了，逐漸鬆開。就這麼保持倒栽蔥的姿勢，身體沿著建築物壁面滑落。

突然，他的腰被某個強而有力的手臂抓住，猛然往回拉，接著他瞥見某個鮮紅的東西如箭矢般橫越，是紅色流星。

「羅蜜！」

小亘一邊被拉回窗內，一邊看到拍著翅膀筆直下降的卡魯拉族，掠過地面在千鈞一髮之際漂亮地接住羅蜜。然後，隨即向後仰面翻倒。

「看來總算趕上了。」

地板上堆滿了書。四處散落的厚重書籍的書角戳到背上痛死人了！

隆梅爾隊長把身子探出窗外，高聲說。地上傳來大批人的聲音。大家正在歡呼，還有咻咻的口哨聲。

小亘從地板上爬起來。隊長回頭看他，然後咧嘴笑了。

「我們又見面了。」

「是。」回答的聲音像慢了半拍，被嚇破膽似地發顫。「剛才救我的是隊長嗎？」

室內一堆人在滿是書籍的地上爬來爬去。其中也夾雜了身穿盔甲的修騰格爾騎士。

「是你救了自己，多虧你堅持到底吊著不放。」

「我還以爲沒救了。」

「我費了好一番工夫才衝到窗邊。那簡直是書籍的雪崩，我掙扎了半天還是無法脫身。」

「大家都在做什麼？」

「在找巴克桑博士。」

從堆滿地面的書籍底下某處傳來博士的聲音。「我在這！就跟你說我在這！」

小亘不禁笑了出來。

看來博士平安無事。隆梅爾隊長也露出笑容。

「小亘！」

才剛聽到門口傳來聲音，咪娜已經衝進來，她想衝進來，卻被一個騎士阻止。

「博士就在這附近。請妳不要踩到他！」

「不要緊，我輕得很！」

咪娜縱身一跳，往牆上一踢來個漂亮的翻身，穩穩降落在小亘身旁。

「我在下面都看到了。我還以爲你會死咧！」

「我也這麼以爲。」

「你沒受傷吧？」

巴克桑博士終於被挖出來，像小孩似的被騎士抱起來給大家看。

「噢，你沒事嗎？」

「對。羅蜜小姐也沒事。」

「謝謝，謝謝！」

博士從書堆上踉蹌地走過來，抓起小亘的手猛搖。

「你是羅蜜的救命恩人。」

「可是，那個獸人……」

博士猛然抬起臉，仰望隆梅爾隊長。「你們幾個是來追捕那個叫什麼佐．泰塔斯的獸人嗎？」

隆梅爾隊長立正姿勢行禮。「是的。博士，造成這樣的場面，向您致上深深的歉意。」

「如果我沒記錯，佐．泰塔斯原本應該是囚犯吧？」

「是。」

「我早聽說各地監獄中流傳著不實的謠言，說什麼囚犯將被選爲人柱。沒想到竟然會引起越獄這麼大的騷動。」

「是我們辦事不力。」

這時，隊長終於露出憔悴的神情，一定是因爲南方大陸各地發生混亂的關係吧，小亘醒悟道。

「我們來這裡的路上，沒看到明顯的騷動。不過，想必有些地方已經有很嚴重的騷動了吧？」

隆梅爾隊長點點頭。「你們高地人想必也會緊急集合。卡魯拉族之所以會來此會合，說不定就是送召集令來的。」

咪娜不安地看著小亘，可是此時小亘卻在看別的東西，他在看自己的右手。

他緊握的手從指縫間洩出耀眼的金色光芒。

「這是什麼?」咪娜眼睛張得老大。

小亘緩緩張開手心，是縫在羅蜜袖口上的那顆圓形鈕扣……

它正在發光。

第三十一章
第二顆寶珠

鈕扣從掌中飄然浮起，飄到小亘眼睛的高度就穩穩停住，光芒更加耀眼，它所散發的光芒，宛如聖劍般直射，彷彿要照亮小亘的眼眸最深處。

「是第二顆寶珠！」

呼應著小亘的低語，從散落屋內、崩塌成堆的大量書籍底下，升起另一道炫目光芒，和第二顆寶珠發出同樣的金色光芒。

「啊，勇者之劍！」

剛才衝上前救羅蜜時，劍被小亘隨手往旁一扔，他急忙走近發光處，伸手拿劍，劍就在那裡，它自動地回到小亘的手中。

拿到劍一轉身，金色光芒就以空中的第二顆寶珠爲中心開始向外四射，最後小亘整個人籠罩在光芒之中。

研究室裡驚訝聲此起彼落，可是小亘卻目不轉睛地凝視著寶珠。

好亮。寶珠金光閃閃，頓時在小亘眼前出現一個渾身散發出耀眼金光的少年。金色頭髮、金色眼珠、金色的肌膚，背上還有一對黃金翅膀，正緩緩拍翅。他的右手持劍，左手持盾。

——我們終於相遇了，「旅人」啊。

金色少年英氣凜然的臉上綻放微笑，呼喚著小亘。

——我是執掌勇氣、遵奉鋼鐵意志的精靈。

音色優美宛如樂聲琤琤。然而，語氣卻是嚴肅的。

——同時，我將爲女神召喚的勇者開路。

小亘點點頭。

——仔細聽著，勇者啊，我會造訪所有需要我的人。但是，當我離去時，將會無聲無息、快如光速拍翅而去。勇氣，召喚或心生勇氣並不難，難的是如何留住。記住！得我之門少，失我之窗多。

「我知道了。」小亘聲音微顫。

勇氣精靈的嘴唇抿成一條線，只有眼角帶著微笑。

——願女神庇護你。

精靈消失，變回金色光芒，光圈縮小，被吸進第二顆寶珠中。小亘伸出右手擺出邀請的姿勢，寶珠遂收入掌中。

在小亘將第二顆寶珠分毫不差地嵌進勇者之劍的劍顎上、把劍收回腰上掛的劍鞘的過程中，室內始終悄然無聲。

最後，隆梅爾隊長終於開口。「這就是『旅人』的力量嗎？」

有人開始吟讚女神的禱詞，是羅蜜。

她在胸前交握雙手，閉上眼用悅耳的聲音祈禱。在場的騎士們，還有高地人、讀星者、乃至巴克桑博士和咪娜全都跟著她一起唱和。

讚頌女神的禱詞說完後，羅蜜睜開眼，眼瞳充滿著光輝。

「那顆鈕扣——不，其實那不是鈕扣，在我家稱為『引導讀星者之石』，打從很久以前就是我家代代相傳的東西。」

羅蜜家代代都是讀星者，她的父親、父親的父親據說都是讀星者。

「我來天文台求學時，家父把縫在他衣服上的東西取下，送給了我，叫我隨時攜帶，好好愛惜它。他說這是星星的贈禮，是祖先代代流傳下來的護身符。」

很久以前，羅蜜的讀星者祖先有一天晚上在觀測天象時，發現金色流星。他追過去一看，發現有一顆閃爍美麗光輝的石頭墜落在地。

「我家的人都是帶著這顆石頭努力求學，堅守本分至今，所以家父也鼓勵我要好好努力。但我做夢也沒想到這竟是顆如此意義重大的精靈寶珠……」

巴克桑博士不知何時已經站上那個木靴，他重重地咳了一聲。

「追求知識，不斷精進學問需要很大的勇氣，新的知識不見得都是好的。不過，雖然有時自己難以接受，有時不願相信，但如果不肯面對獲得證實的事實，學問就無法成立。所以即使全世界所有的人都在背後指指點點、極盡非難之能事，只要那是眞實，我們就必須高喊那是眞實。做學問需要有大無畏、向前挺進的鋼鐵意志。所以，勇氣精靈的寶珠會留在讀星者家族，確實是再適合不過了。」

「是。」羅蜜點頭，莞爾一笑。「小亘，謝謝你救了我一命。」

巴克桑博士向所有的人呼喊：「好了，修騰格爾騎士團的各位，還有其他地方正陷入混亂和騷動，今後恐怕會有增無減，請你們快去吧。各位高地人，剛才的騷動會讓不瞭解內情的人民感到不安，請你們去安撫、勸慰他們吧。至於我的弟子們——」

他兩手叉腰，哼了一聲。

「快把這個房間收拾乾淨！」

第三十二章 小亘

巴克桑博士率先帶路搖搖擺擺地爬上樓梯，一邊說：「雖然是初次遇見『旅人』，不過該知道的知識我還是知道。」「利用那顆寶珠，應該可以回去探望現世的情況吧？」

「是的，沒錯。」

「而且還需要與刻在劍顎上同樣的圖案吧？那麼，這裡也有圖案，就在觀測室裡，跟我來吧。」

沿著彎度不大的弧形樓梯，大約爬了半層樓的高度，就來到了觀測室。這裡與之前看到的房間不同，牆壁和地板採用會發出白光的半透明石材，由於勤於擦拭，幾乎光可鑑人。房間是圓形的，觀測器就放在正中央，下面架著台座，比起在辛．森西的小屋看到的，約大上十倍，那是一個巨型望遠鏡，筒型部分朝著圓頂型的半透明天花板，看起來有點像大砲。

「太陽下山後，這個天花板就會變成透明的。」博士用手揮了一圈，加以說明。「因爲是用受光時會變得白濁、光線消失就會變透明的石頭做成的。這種不可思議的石頭，只有在阿里奇塔某些礦山的礦床上才採得到。」

博士駐足在望遠鏡鏡筒的正下方。「你過來這裡。」

站在白石地板上，博士指著腳下叫他看。

「這裡有圖案。不過現在看不見，只有圖案的部分是用和天花板一樣的石頭做成的，有陽光的時候會與地板混爲一色看不清楚。等到太陽下山，自然就會浮現出來了。」

在那之前，有些話想先跟你說……，博士轉身面對小亘。

「剛才承蒙你救了我的弟子，眞的很謝謝你，我要再次向你道謝。」

他彎下腰，深深一鞠躬。

「你的勇氣和你的善良、你的坦誠，我已經親眼看到了。」

這是在誇他。不過，博士表情凝重地直視小亘。

「不過，也因此有件事我必須告訴你。我相信以你的條件，一定能夠理解。」

小亘不由得肅然立正。

「我說過，『幻界』會反映你的心靈而有所改變，拉烏導師也跟你說過同樣的事。」博士說。

「想想看，這代表什麼呢？如果在幻界發生的事是反映出你內心的想法，那爲何會有種族歧視？爲何必須要有人柱？」

這點正是小亘的疑問。他就是爲了尋求解答才來到此地。

「爲何在這個幻界有這麼不合理的殘酷事態？」博士爲強調又重述一遍，然後緩緩地說：「答案只有一個。你要聽好喔。那就是，在你心中也存在著那些不合理，你討厭跟自己外型不同的東西，排斥想法不同的事物，厭倦某些事物，嫌棄某些人，希望自己比別人得到好處，羨慕別人擁有的東西，企圖把那些搶來。在你心中存在著爲求自己幸福、期望別人不幸的念頭。幻界的一切只不過是反映你自身心態加以具象化的結果。」

「請、請等一下。」面對這出乎意料的指責，小亘不由得提高音量。「我怎麼可能那樣……」

「我知道、我知道。」巴克桑博士舉起手打斷小亘。「你很勇敢，很溫柔，會關懷他人，體貼朋友，也很善良。可是，即便是這樣的你，心中仍然也會有憎恨，也有嫉妒，也有破壞；那是你無能爲力的眞實，是你必須正視無法逃避的眞實。」

雖然過於震驚而目瞪口呆，但小亘還是想起來了，就像劈頭甩了他一耳光，令他赫然清醒。

在悲嘆沼澤看到的那個幻影，那個一邊冷笑、一邊殺死酷似爸爸的雅可姆的小亘分身；那個殺死酷似爸爸的情婦莉莉．楊努，被她腹中誕生的石頭嬰兒指爲沒血沒淚的殺人兇手、落荒而逃的小亘。

那應該也是自己的某個眞實面吧。就某種層面來看，那根本不是什麼幻覺；那也是小亘的一部分。因爲小亘心中如此期望，所以才會在幻界出現。

「不只是你。每個人都一樣，絕無例外。世上沒有那種純眞至善的人，如果眞的有，那絕對是比純粹的惡還要更大的邪惡，如果有反映這種心靈而形成的幻界，我死也不想去。」

「博士……」他感到膝蓋發軟。「您是說我心中的憎恨和憤怒，透過歧視和人柱的方式正在折磨幻界的人嗎？那麼只要沒有我，只要我離去，這種痛苦和不合理的折磨就會結束嗎？」

「沒那回事，不是這樣的。」

「那麼，我到底該怎麼做？」

巴克桑博士朝小亘走近一步，就像之前在研究室那樣，雙手拉起小亘的手。

「一切都存乎你心。幻界是反映自身成形的世界。如果明白這點，就繼續前進吧。該怎樣才能抵達女神大人居住的命運之塔，你必須在迷惘中獨自尋找答案。唯有如此，才是『走上眞正的正道』。」

「您說得簡單，可是我完全不明白！」

小亘想甩掉他的手，但博士卻緊緊握著他的手不肯放。

「如果說歧視、破壞和憎恨都是你，那麼友情、關懷和勇氣也是你。倘若自私地不希望自己變成人柱的焦慮是你，那麼對要求人柱獻祭的女神大人發怒的也是你。歧視其他種族，想把這世上所有的壞事都歸咎於他們的傢伙是你，奮不顧身去拯救別人的也是你。你曾多次遇險性命垂危，在這個幻界有人企圖殺害你，那同樣也是你。可是另一方面，也有一群好夥伴不計較利害得失來拯救你，想助你一臂之力，那還是你。」

老神教徒、那個斷頭台、大言不慚地宣稱自己即將統治南方大陸的安卡族少年、咪娜的歌聲、奇·奇瑪的笑容。

每一樣都是誕生自小亘的心中。

「好好檢視自己。憎恨與憤怒、善良與勇氣，兩者都是屬於你的東西，缺一不可。而唯有正視這點，你才能對於如何改變命運做出最終結論。當你得到答案時，眼前自然會出現通往命運之塔的道路。而且當道路出現時，該向女神大人許什麼心願，你也應該了然於心。記住，並不是見到女神大人就能得到解答，唯有通往女神大人的『正確的道路』，才是你的解答。」

小亘搖頭。「可是人柱呢？我無法認同這種東西，我絕不贊成，我也不希望自己變成人柱！所以，可以的話，我恨不得現在就能立刻前往命運之塔，向女神大人許願，請祂取消人柱的制度。」

「然後你就得回到現世。」巴克桑博士靜靜地說。「你的命運將毫無改變，自己將毫無變化地回到現世。當初促使你來到幻界的強烈心願，也將永無機會實現。」

「如果我不在乎呢？」

「你現在或許不在乎，過個一年或許不在乎，再過個五年或許也不在乎。」

可是未來呢？

「在人生的某個時刻，遲早你會後悔。那時你大概會恨自己，後悔自己被可能選爲人柱的恐懼壓倒，被不滿人柱這種殘酷規定的憤怒壓倒，因而放棄了千載難逢、能夠改變自己命運的機會。或許你還會恨自己的夥伴；因爲你不希望那個水人和喵族女孩變成人柱，才會主動犧牲自己的機會。你也許會想，要是沒有他們，沒有在幻界親切對待你的這些夥伴，你本來可以不必在乎任何人被選爲人柱。你可能還會咬牙懊惱，當初爲了避免自己變成人柱，應該搶在另一個『旅人』前頭，趕快改變命運回到現世才對。你在現世遭遇的所有不幸和厄運，都可能歸咎於在幻界這唯一一次的決定。到時在這個忠實反映出你的恨意、你的憎惡、你在現世受傷的心靈，藉以成形的幻界中，將會發生比歧視異族、人柱獻祭還要更殘酷的事。」

我，絕不會變成那樣……，小亘說不出口。

「你懂嗎？你還沒有找到正確的道路。」巴克桑博士的聲音溫柔起來。「所以，現在你做出的決定，都是背叛未來的你，一定會背叛。沙卡瓦的長老說得沒錯，就單純照他所說的話理解就對了。他沒有跟你打啞謎，趕快找出正確道路去見女神大人吧。我也要給你同樣的忠告，也是我僅能給你的忠告。」

巴克桑博士放開小亘的手，仰望圓頂天花板。

「等太陽一下山，在星空下，踩著圖案，你將會暫時回到現世。你要去見誰、跟誰說話，這我不會過問，等你回來時我也不會追問，照你心中所求去做就對了。最後，如果你做出的結論是要放棄這趟旅行的話，請你來我的研究室，我會寫信給拉烏導師，請他讓你通過要御門。」

「到目前爲止，有『旅人』這樣做過嗎？」

「有啊，中止旅行的『旅人』並不少，古書上就有這樣的記載。有些人回到現世，也有極少數的人就這麼留在幻界，在反映自己內心的世界生活，或許也是一種平靜的生活方式。」

小亘垂下頭。我做不到。我現在無法逃回現世。

「我要去見我媽。」小亘抬起頭說。

穿過光之甬道又回到了病房。不過這次時間不是半夜，而是黃昏。在淡紅斜陽的籠罩下，三谷邦子在床上坐起上半身，茫然望著窗外。

小亘從光之甬道降落在床畔，邦子沒發覺，在淡淡的斜陽中可以看到她臉上滑過的淚痕。媽媽瘦了好多，好像突然老了很多。但仍是小亘的媽媽，懷念與歉疚攪成一團湧上心頭，直衝喉頭。

「媽！」小亘喊，只能發出連自己都驚訝的軟弱聲音。現在非跟媽媽說話不可的衝動，與不想看到如此悲傷的媽媽、媽媽想必也不希望被我看到的念頭，如巨浪席捲而來，困惑著小亘，令他感到挫折。乾脆就這樣離去吧。等一切過去，所有的事情都結束，回到這裡再解釋清楚不就好了？犯不著在現在前途未卜之際就急著交代原委，徒然讓媽媽擔心吧。

就在安撫自己，就要轉身離去之際，邦子突然舉起手擦拭眼睛。

媽媽果然在哭。

這個念頭動搖了小亘。我不在的時候，不能讓媽媽獨自哭泣，這比讓她操心還不好，這絕對是不應該的。如果現在丟下媽媽不管，在我最後回來之前，媽媽一定會弄壞身體，精神一定會大受打擊。

這趟冒險、這趟旅行已經不只是小亘一個人的事了。前往幻界的小亘所需要的東西，在現世等待的媽媽也同樣需要。

那就是，希望。

「媽媽。」

這次小亘用響亮清晰的聲音呼喚。低著頭的邦子兩眼突然睜大了。然後，臉像反彈似地轉向這邊。

「小亘？」她小聲呢喃。小亘朝病床走近一步，邦子驚愕的雙眼燃起了光芒。

「小亘！」邦子大叫，兩手撥開被子掀開毛毯想要下床。小亘伸出雙臂撲向媽媽，緊緊抱住。打從很久以前，他就沒有這樣緊抱過媽媽了，即便如此他還是知道，記憶中媽媽的身體本來應該更豐滿，沒有這麼纖細的。

「小亘、小亘，是小亘沒錯吧？」

她又哭又笑，抱緊小亘又搖又晃，然後鬆開手臂雙手捧著小亘的臉，湊近看著他的眼睛。

「啊，眞的是小亘！你回來了！你到底跑到哪去了？爲什麼突然失蹤？」

邦子大聲哭了出來。

「對不起，媽媽。」

小亘也哭了。內心激動得滿漲，每一根指尖、每一絲髮梢、每一個腳趾尖，都洋溢著眼淚和喜悅。

「對不起讓媽媽擔心了，對不起丟下媽媽一個人，但是我無時無刻都在想著媽媽。」

「這段日子你到哪裡去了？誰把你帶走的？你是逃回來的嗎？有沒有遇到什麼危險？」

聽到淚流滿面的媽媽這麼問起，小亘將臉一抹，拉著媽媽的手倏然端正姿勢。

「媽媽，我正在旅行。一場改變自己命運的旅行。」

當然，媽媽不可能立刻明白。「你說什麼？你在說什麼？媽媽聽不懂。你說你一個人要去哪旅行？」

她緊握著小亘的手，然後將他的雙手張開，從頭到腳反覆地打量。

「你這是什麼打扮？怎麼會穿著這種……，奇怪的衣服？你腰上掛的不是劍嗎！你幹嘛帶著這麼危險的東西？你從哪弄來的？」

光之甬道維持的時間很短，他必須快點。小亘按捺住激動的心情，說：「別管這些，妳的身體怎麼樣？是不是長期住院？醫生說妳身體哪裡有問題？」

「我的事情不重要！」

「怎麼會不重要。妳看我，不是活得好好的嗎！對吧？我全身上下毫髮無傷。我沒事，但是妳應該比我吸入更多瓦斯吧?」

邦子原本就蒼白的肌膚,如今更是慘白無血色。「你……,媽媽做出那種傻事,差點害死了你……」

「那有什麼,我又沒有生氣。媽媽只是太累,對一切都厭倦了,這不能怪妳,我眞的沒事,我比媽媽好多了,因爲朋友救了我。是芦川美鶴,而且他還指引我到『幻界』。」

「幻界?」

三言兩語很難說清楚。小亘解釋時又沒按照順序忽前忽後,說話也前言不對後語,越說反而令邦子的表情越困惑,抱著小亘肩膀的手臂也更加用力。彷彿這樣做就能把小亘從莫名其妙的迷霧中拉回來。

「我想改變自己的命運。讓爸爸不會遇到田中理香子,不會拋棄我們離家出走,我想改變命運,找回以前的生活,所以我才朝著命運之塔出發。」

可是在旅程中,我逐漸糊塗了。

「縱使改變了命運,我發覺我還是沒變。如果我沒變,就算再怎麼扭轉命運,悲傷和憎恨也不會消失。幻界,讓我看到了這一點,它忠實地反映出我的內心世界,讓我看清楚。」

對,就是如此。沒錯。小亘邊向母親解釋,自己也好像開始領悟了。這樣說著說著,巴克桑博士的話、沙卡瓦長老的忠告、拉烏導師的教誨,彷彿都成了自己的血與肉。

「起初,我以爲如果能讓一切都沒發生過,問題就能解決了,我們可以重新得到幸福。可是我錯了。如果光是那樣,當其他的悲傷和痛苦降臨時,只會重蹈覆轍罷了。改變命運並不代表要抹消討厭的事物。因爲即便能讓發生過的事消失，我的心也無法消失。」

縱使向女神許願，讓人柱這個規定消失，也無法消滅人性中不願犧牲自己成全別人的軟弱。縱使憑著女神的力量消除了異族歧視，也無法抹消這種只想把降臨在自己身上的壞事，歸咎於跟自己外貌或習慣上不同的人的想法。而幻界反映出我的內心，所以是相同的，就是這麼一回事。

「小亘……」

邦子雖然臉上猶有淚痕，但已經停止哭泣了。迷惘、畏懼的表情未變，不過在她凝視孩子的眼中，燃起了前所未見的全新火苗，雖然那只是非常微小的火苗，但的確在燃燒。

這孩子到底在說什麼？簡直像發燒昏了頭，或是在做夢。好像是玩起心愛的電玩遊戲走火入魔，陷在那個世界裡出不來了。

可是，可是話說回來，這孩子……

（變強了。）

邦子恍然大悟。雖然他像是在說夢話，但這孩子的確成長了。

「雖然有時也會害怕，有時也會傷心，也發生過很多讓我不知如何是好的事，今後想必也還會繼續遇上。可是媽媽，我要繼續旅行，我一定會找出正道，抵達命運之塔。那裡一定有我渴求的東西，或許不是我起先想要的東西，卻是我眞正需要的東西。所以媽媽，請妳等我，我一定會回來的，請妳等我結束旅行回到妳身邊吧！」

強而有力的話語，使得邦子鬆開孩子的手，像要祈禱似的手指交握，就跟羅蜜在巴克桑博士的研究室吟誦女神禱詞時的姿勢一樣。

「你一定回得來？」

「絕對可以！」

「你、你就一個人？」

小亘用力搖頭。「不是一個人。還有夥伴！」

「如果去旅行，你……真的……」

邦子沒說完，眼珠不安地游移。「下落不明的……，不只是你喔，還有那個叫做芦川的小孩。」

「我知道。他也在幻界。不過，我會找到他一起回來的，我們一定會一起回來的。」

或許還無法理解小亘的話，但邦子開始感受到他話中蘊含的開朗力量，也開始感染自己的心。

「那媽媽該怎麼做？」

「相信我，等我回來。」小亘斷然表示，露出笑容。

邦子臉上浮現微笑，只有母親送孩子出門時才會浮現的、像在靈魂最純粹的部分綻放的美麗花朵。

「這樣就夠了？」

「嗯！」

從光之甬道傳來催促他回去的鐘聲。啊，時間到了。

再次抱緊母親後，小亘說：「妳要趕快好起來喔。也幫我轉告奶奶和魯伯伯，就說我沒事。」

邦子也用力抱著他。透過母子間不可思議的情感聯繫，在她心中也注入了嶄新的能量。

「好了，那我該走了。」

正想離開床鋪之際，響起輕敲病房房門的聲音，有聲音呼喚：「邦子，妳醒著嗎？」

門開了，眼前出現的是魯伯伯。小亘停下走向光之甬道的腳步。「伯伯！」

魯伯伯才從門口走進一步就當場呆若木雞，眼睛和嘴巴都張得又圓又大，一隻手拎的大紙袋，砰地掉下。

「這、這、這……」

那個聲音令他回過神。

「這不是小亘嗎！」

魯伯伯急忙跑過來。可是小亘的耳中傳來鐘聲，比剛才更急迫，光之甬道的入口像是緊急照明燈般明滅閃爍。

「伯伯！」小亘一腳踩進甬道入口，大聲說：「我不要緊，伯伯！媽媽拜託你了！我一定會回來，我發誓，一定會回來，你要等我喔！」

小亘衝進甬道。魯伯伯伸出手臂撲了個空。

「對不起，伯伯！」小亘一邊奔過腳下已經開始消失的甬道，一邊轉頭呼喊：「我走了！」

奔馳甬道的過程中又湧起新的眼淚，小亘連淚也不擦只顧著跑，甬道緊貼著他跑過的腳後跟消失了。

幻界的出口出現在眼前。小亘身體前傾，跑了又跑，擺脫追逐而來的混沌，一頭衝向出口。

他撞到某個堅硬巨物，那東西哇地大叫一聲接住小亘。

「嘿！小亘，是小亘吧？」

是奇．奇瑪，大家正環繞圖案站成一圈，咪娜也在，還有巴克桑博士、隆梅爾隊長和羅蜜。

「太好了！」咪娜跑過來。「我看甬道快消失了，眞替你捏了一把冷汗。」

小亘抱住奇．奇瑪，那寬闊的胸膛、堅固的肩膀和粗壯的手臂，令他想起前一刻才告別的魯伯伯。咪娜柔和溫暖的嗓音，也令他想起媽媽。啊，沒錯，就是這樣。

無論現世或幻界，此心如一。

「你沒事吧？」

巴克桑博士以看穿一切、明瞭一切的鎮定語氣，如此問道。

「是，我沒事。」

巴克桑博士滿足地點頭。

「我擔心死了，小亘。」奇．奇瑪把小亘往地上一放，撫著寬闊的胸膛做出鬆一口氣的動作。

「緊急召集令發布了。」咪娜渾圓的眼睛射出認眞的光芒，說：「我們高地人爲了平定南方大陸的混亂，也接到了新的指令。」

小亘點點頭。他和隆梅爾隊長的藍眼相視，用力點頭。

「知道了，出發吧！」

第三十三章 逃亡者

高地人正在國營天文台的門外集合，匆忙趕來會合的小亘等人，發現和他們剛到此地時相比，高地人的數目增加了，而且，沒參加集會、堅守崗位繼續戒備的高地人，表情也明顯變得嚴肅。

「各位集合的同仁，請聽我說。」

喧嚷聚集的高地人群中央響起一個粗獷豪放的聲音。站上代替講台的木箱，環視大家的，是一個比奇．奇瑪還要魁梧的水人族高地人，他背著圓形盾牌，腰上掛著青龍刀，身體覆蓋了密密麻麻如盔甲般的鱗片，而且還穿著皮革護胸。

「我的名字叫做波雷．奇姆．南，是魯魯得的分局主管。」

他揚聲朗朗表示。

「魯魯得受聯合政府指定爲一級警備強化區後，承蒙各位特地從各分局前來支援，首先在此向各位致謝。目前爲止，魯魯得鎮和天文台內尚未鬧出什麼大亂子，雖然剛才似乎有一點糾紛，幸好事情很快就控制住了，這都要感謝各位的熱心執勤。」

高地人個個都是大塊頭，一跟他們站在一起，小亘立刻就被人牆淹沒了。奇．奇瑪迅速伸出手，讓小亘坐在他的右肩上，順便又把左臂一伸，不消說，咪娜立刻抓著他的手臂，靈巧地爬到他左肩上。

視野變得廣闊後，可以看到隆梅爾隊長正從國營天文台的正面玄關走下來。他身穿盔甲，頭盔抱在腋下，走下台階越過前院後，站在距離高地人稍遠的地方。

可能在等隊長出來吧，國營天文台的建築物旁，突然出現五、六名身穿盔甲、拉著烏代韁繩的騎士。隊長對他們輕輕點頭，騎士們先是直立不動，然後右手高舉到頭上，再放到胸前，向隊長敬完禮後，才又恢復「稍息」的姿勢。

騎士拉的烏代中，有一匹的鞍轡上放著看似沉重的麻袋。那不是普通貨物，隔著袋子隱約能看出腦袋和背部的形狀，是從塔上摔死的佐．泰塔斯的屍體。大概是要送去魯魯得鎮的分局吧。

「在這段非常時期，上級已經對全體分局發佈了緊急指令。」

波雷．奇姆．南從皮革護胸裡取出一份摺疊的文件，將那隻手高舉過頭，然後攤開給大家看。

「這不是來自聯邦議會，而是掌管我們的各個首長發佈的緊急命令。至於內容，則是要追捕逃亡中的罪犯，有人偷走關係南方大陸聯合國家生死存亡的重要機密，現在正越過那哈特國界逃往阿里奇塔，而且那個逃亡者很可能會出現在魯魯得。」

高地人一陣哄然，其中響起某人的聲音。

「逃亡者有好幾個嗎？」

波雷．奇姆．南回答：「不，只有一個。姓名年齡不詳，只能確定是安卡族男性。」

「是哪一國的人？」

「這個也不清楚，不過有肖像圖，待會兒會發給大家。」

「就算那小子正逃往阿里奇塔，可是阿里奇塔幅員遼闊。難道沒有其他線索了嗎？」

眾人紛紛附和。波雷．奇姆．南重重地點頭。

「這個逃亡者正企圖潛逃到北方統一帝國。」

響起一片驚愕聲，大家七嘴八舌討論起來。

「這麼說，是在阿里奇塔的港都囉。」

「不是哈塔亞就是達克拉……，不，索諾港也有可能。」

「不管怎樣，總之必須先封鎖大路。」

一個響亮的女聲丟出如箭矢般尖銳的質問。「這麼說來，那傢伙是帝國的間諜囉？」

「底細不清楚。不過，這麼想應該沒錯吧。」

議論聲更吵雜了，想必大家都幹勁十足吧。四處都可看到有人握緊拳頭躍躍欲試，每一隻手腕上套的火龍手環都在晃動，看起來彷彿原野的火紅花海被風吹得花枝亂顫。

「各位，請聽我說。」

波雷．奇姆．南一句話就讓大家靜了下來。一方面固然是因爲他的聲音宏亮，同時也是因爲那張嚴肅的臉上浮現的表情震懾了大家。

「剛才我也說過了，這個命令不是來自聯邦議會，而是我們的分局首長聯合依其獨自的權力下令。這有多麼罕見，各位也應該明白吧。因爲撇開分局的成立過程不談，現在畢竟是宣誓效忠聯邦政府、隸屬其下的組織。」

小亘看著咪娜的臉。不知爲何突然感到一陣莫名心慌。咪娜也察覺到小亘的視線，把臉轉向他。

「想當然聯邦政府並不同意這個緊急命令。議員們發表了官方見解，宣稱對於首長在未經議會認可下擅自對分局所屬的高地人下令之事備感遺憾，之後他們群聚在議事廳，直到現在。」眼前有個女人說，議員本來就是一群飯桶嘛！語氣聽起來彷彿是吃到什麼難吃的東西呸呸地吐出來似的。

「聯邦議會在阿里奇塔的首都札克爾罕。」奇．奇瑪小聲告訴他。「札克爾罕位於內陸，沒有港口，也沒有工廠和礦山，幾乎純粹是個爲了政治功能而建設的都市。各國的議員代表住在那裡，一年當中有一半以上的時間都在召開國會。」

那剩下的半年在做什麼呢？正當小亘這麼想時，波雷．奇姆．南又扯高了嗓門繼續說。

「不過，我們的首長做出這個決定，自有他們的理由，各位。」

他環視著高地人。

「昨晚我們四位分局首長都夢見女神大人降臨。關於這個威脅南方大陸和平的逃亡者，女神大人親自做出警告，因此首長們毫不遲疑，也毫不畏懼公然反抗聯邦議會的結果，立刻對我們下達了命令。」

奇．奇瑪深吸了一口氣，坐在他肩上的小亘，身體可以感覺到他的胸膛膨脹起來。一看之下，奇．奇瑪竟然雙眼含淚。

「眞是感恩哪……」他呢喃著。「女神大人竟然親自降臨……對我們提出警告……」

過於激動下，他差點當場跪下來叩首，咪娜連忙啪啪啪地拍打他的背，急忙阻止他。

「不行，不行，奇．奇瑪。我們兩個會掉下去啦。」

高地人也一片哄然，人牆七零八落地瓦解；有人跪倒，有人叩首，有人低頭禱告，動作雖然各有不同，但都跟奇．奇瑪一樣滿懷感激。

「我們是效忠創世女神大人的戰士，也是『幻界』和平的守護者，現在正是在女神大人御前好好表現，證明自己配得上這個火龍後裔標記的時刻。」

好！勝利的歡呼聲響起，士氣之高昂，連小亘的臉頰都能感受到周圍的空氣溫度上升。

在波雷．奇姆．南的指示下，高地人決定各自分配任務，各隊帶開分頭進行討論。由於情緒亢奮，大家說話的速度都變快了，甚至已有隊伍搶先騎著鳥代往驛道大路衝去。

「那我們怎麼辦？該怎麼做才好？要加入驛道戒備組嗎？還是留在魯魯得監視？」

奇．奇瑪也很興奮。他任由小亘和咪娜坐在他雙肩上，咚咚跺腳。

「剛才說那個逃亡者可能來魯魯得，不知道是什麼意思。」

咪娜抱著奇．奇瑪的脖子，靈巧地歪著腦袋。

「如果只是要去北方，根本不用經過魯魯得，直接往阿里奇塔就行啦。重點是，那個逃亡者到底是從哪兒來的。」

「女神的警告，可能沒提到這麼多吧。」小亘說。「這點的確令人好奇，或許跟那傢伙偷走的重要機密內容會有關聯。」

「對喔。比方說，為瞭解讀機密，需要借助魯魯得讀星者的智慧？」

小亘點點頭。如果眞是這樣，巴克桑博士和羅蜜他們說不定又會身陷險境。

「欸，奇．奇瑪，我們留在魯魯得幫忙戒備吧。」

話還沒說完，依舊將頭盔抱在腋下的隆梅爾隊長已經率領部下朝這邊走來，小亘和咪娜連忙從奇．奇瑪肩頭滑下。

「隊長……」

隆梅爾隊長朝小亘點個頭，仰望奇．奇瑪的臉，隊長雖然個子也很高，還是比不上奇．奇瑪。

「看來事態嚴重。你要好好保護年幼的高地人。」

奇．奇瑪露出森森白牙，突然發飆。「小亘很強。用不著隊長大人操這個心。」

小亘覺得這話說得太不客氣，忍不住拉了一下奇．奇瑪的皮革腰帶。咪娜青灰色的眼睛瞪得老大。「我們現在要去阿里奇塔的礦山鎮。」隊長對小亘說。「礦工們群起抗議，騷動有擴大的趨勢，如果放任不管，恐怕會釀成大批死傷。」

「那也是……『哈爾涅拉』造成的吧。」

「嗯，你們幾個如果也為了追逃犯，想進入阿里奇塔一定要格外小心。阿里奇塔在四個國家之中面積最大，人口也最多，雖然經濟特別富裕，相對的，貧富差距也很懸殊。在這樣的國情下，『哈爾涅拉』帶來的恐慌恐怕會特別明顯且激烈，絕非沙沙亞或那哈特一帶所能比擬。」

瞭解了，小亘深深點頭。

隊長正欲離去，腳已跨出半步，然而就此時，他似乎突然想起什麼，彷彿最後還是下定決心把藏在心中的秘密一吐為快似地，猛然轉身，一手放在小亘的肩膀，手部的銀色護甲光芒一閃，盔甲鏗然作響。

「你是『旅人』。」

隊長深深望著小亘的眼睛說。

「你的目的是去見女神大人，千萬要多加小心，不要爲不相干的事心煩，使自己身陷險境，幻界的治安應該由幻界的居民親自守護。至少我是這麼相信的。」

由於隊長的藍眼發出的光芒實在太銳利了，小亘幾乎看得入迷。那個光芒令小亘想起他正在尋找的寶珠——勇者之劍力量泉源的寶珠。

「剛才那件事，我也已經聽說。」隊長用壓抑的口吻繼續說，眼睛依舊直視著小亘的臉。「警局首長未經聯邦議會許可擅自出動高地人，如果惹惱了議會，今後我們身爲宣誓效忠聯邦議會的修騰格爾騎士團，說不定會在哪裡跟你們處於敵對的立場。」

小亘啊地恍然大悟。對了。原來是這麼回事。難怪奇．奇瑪會對隊長擺出那麼無禮的態度。

「就算眞的發生那種事，你也不可牽連入內。你是『旅人』，你應該完成的是你的使命，別忘了這點。」

然後，他曬得黝黑的臉上終於露出微笑。

「我想棘蘭的卡姿一定也跟我的意見相同。她是你的主管，剛才這些話你就當作是她的命令吧。」

這次隊長眞的轉過身，輕巧地騎上烏代，對部下叱喝一聲，揚塵而去。

好一陣子小亘就這麼看著遠去的滾滾塵埃，直到隊長他們消失了，才感到背部的視線。雖然大部分高地人都已散去，但包含負責戒備的人在內，城門四周還留有一些人。

他們全都對小亘投以冰冷的目光，想必那些視線直到前一秒爲止，都是投射在已經遠去的修騰格爾騎士團身上。

「我們可不是修騰格爾騎士團的夥伴喔。」

奇．奇瑪倒也不像是在對誰抗辯，只是大聲地自言自語。

難以捉摸的不安，就像一團迷霧，悄悄潛入小亘的心中。這樣子，眞的能熬過「哈爾涅拉」嗎？眞的能守住幻界和平嗎？

他很感激隆梅爾隊長的關心。可是，現在幻界的和平，對小亘來說已非不相干的身外事。正如同「哈爾涅拉」對於可能被選爲「半身」的小亘來說，同樣也是切身大事。

「奇怪？」

咪娜突然提高聲音分貝。

「怎麼搞的？小亘，你看你看！」

第三十四章 呼喚者

咪娜輕輕張開雙手，朝著小亘挺起胸膛，尾巴尖端又搖又晃。

「是『眞實之鏡』，它正在發光！」

的確，咪娜身上的短背心領口正溢出白光，咪娜扯著脖子上的皮繩，把眞實之鏡拉了出來。

「這是怎麼回事？鏡子裡頭有東西！」

小亘和奇．奇瑪都湊近看著咪娜手中的鏡子。沒錯，出現一個人影，身上裹著白袍般的東西，手持長杖……，是魔導士嗎？那人頻頻比手畫腳似乎正對他們訴說著什麼，可是太模糊了看不清楚。

「周圍太亮了。如果找個有陰影的地方，應該可以看得更清楚……」

「我有更好的提議，天文台裡的地下室如何？不是聽說那裡有讀星者的起居室嗎？」

咪娜拉著小亘的手，三人拔腿跑回天文台。一進入建築物內，就尋找往地下室的樓梯。此時正好有個讀星者從樓下上來，一問之下，走廊盡頭就有一間小小的休息室。

休息室裡，只有四、五把椅子和放著油燈的桌子，擺設很簡單，不過這樣已經足夠。奇．奇瑪一吹熄燈，頓時變得一片漆黑，眞實之鏡放出的光芒，宛如清流源源不絕地溢出。

閃亮的白光在眞實之鏡上畫出一個彷彿載著大朵蓮花的形體。在那大圈的中央，剛才模糊難辨的人影逐漸聚焦。

「噢，『旅人』啊。」

那個人的臉面向小亘開始說話，他穿著蓋住腳跟的純白長袍，額上戴著銀冠，手上拿的不是手杖，而是有著細長握柄的銀槌。霎時，小亘想起在歷歷斯大教堂看過的西斯提娜雕像。

「你終於聽到我的聲音了。「旅人」啊！原來你也是個年幼的孩子。」

是個男人。年紀——大約三十歲吧。或者還要更老。可能是因爲白色長袍的映襯，或是因爲他本來就是白光塑造的幻象，他的臉色看起來好蒼白，甚至難以判斷他的表情。而且，聲音明明很年輕，銀冠下的頭髮卻是雪白的，連眉毛都是白的。

「你是……哪一位？」

小亘壓低了驚愕的聲音反問道，該不會是藏在眞實之鏡的精靈吧？

穿白袍的人沒回答小亘的問題，把右手的槌子緩緩地換到左手後，空出來的右手放在心臟上。

「這是我們由衷的聲音。『旅人』啊！請幫助我們。我們僅存的微渺希望全都在你肩上了。」

喂喂……奇．奇瑪很狼狽。

「這是搞什麼？」

「我們的力量越來越弱，時間所剩無多，而且分秒流失。『旅人』啊，請你伸出援手救救我們吧。」

小亘向前跨出半步，靠近白袍人。耀眼光芒雖然照亮了天花板和地板，即便靠近也不覺刺眼。

「我能做什麼？你叫我救你們，那我該怎麼做？」

穿白袍的人對小亘點頭。

「只有『旅人』才有力量阻止『旅人』。」

這是什麼意思？

「請來我們這邊，你應該做得到。請來這裡，傾聽我們的心願，這也跟守護『幻界』和平有關。」

小亘雖然感到困惑，卻也開始心跳加快。守護幻界和平？身爲高地人，這可是不容忽視的字眼。

「現在無法多說，言語只會徒然遁入空中，但我們會在此等待著你。『旅人』啊，請用你的翅膀飛過來吧。」

白袍人的身影從蓮花形的白光上消失了，緊接著出現了另一個幻象。

小亘瞪大了眼。這是……

高聳的純白雲層，縫隙之間可以看到在光芒下閃爍的無數尖塔。橫跨兩端的虹橋，在遙遠的高處被冰河環抱的灰色大地。

是安德亞台地！上次托果托帶著他飛翔時，從天空頂點驚鴻一瞥的傳說幻境。

幻影消失。眞實之鏡陷入沉默，休息室又恢復黑暗的寧靜。

三人都啞口無言，只能面面相覷。這時地下室的某個房間傳來讀星者低低的鼾聲，大概是趁著繁忙公務的空檔在補眠吧。

那個聲音把小亘他們拉回現實。

「剛才那是……什麼？」

咪娜的手上還捧著眞實之鏡，一邊這麼問，彷彿不是在問小亘，而是直接問鏡子，兩眼直盯著鏡子。

「那是岱拉．魯貝西特別自治州。」

小亘這麼一說，不僅是咪娜，連奇．奇瑪都嚇得跳了起來。

「眞的？眞的嗎？」

「你怎麼知道，小亘？」

小亘提醒他們倆，從宋村到沙卡瓦鄉這段路，他是搭卡魯拉族的飛行便車過來的。

「在旅程中飛到最高點時，我曾瞄到一眼。是托果托先生告訴我的。」

「岱拉．魯貝西……」

「那，剛才那個白袍男子就是住在那裡的傢伙囉？」

「應該是吧。」

而且，對方懇求小亘——「旅人」的幫助，還說幫助他們跟守護幻界和平也息息相關。如此說來，還有什麼好遲疑的？

「我非去不可。」

聽到小亘這句話，咪娜終於抬起眼，將眞實之鏡小心翼翼地收進胸口。

「是啊，非去不可。可是，要怎麼去？」
「等、等一下。」奇．奇瑪的大手覆在小亘和咪娜的肩上。
「先冷靜下來好好考慮嘛。小亘，我覺得二話不說就相信剛才的幻影恐怕不太好喔。」
「爲什麼？」
「爲什麼啊……」奇．奇瑪吞吞吐吐，長長的舌頭咻地舔了頭頂一下。「因爲，如果那眞的是岱拉．魯貝西特別自治州，那裡可是老神教信徒的地盤耶。據說跟北方帝國也有勾結。你應該沒忘吧？」
「嗯。但那純粹只是謠傳。」
「對，是謠傳。可是……」
太危險了，奇．奇瑪如此低語。
「這搞不好是什麼陷阱。」
「陷阱？」小亘吃了一驚。奇．奇瑪到底是在提防什麼？
「小亘，你應該還沒忘記吧。在那個詭異的特里安卡魔醫院，把你抓起來差點殺死你的，也是老神教的信徒喔？」
那倒是。小亘當然沒忘記，他從未遭遇過那麼恐怖的事。
「可是，剛才的幻影是眞實之鏡讓我們看到的，眞實之鏡應該不會欺騙我們吧。」
「這個嘛……」
奇．奇瑪眨著厚重的眼皮。「我也不知道。可是，眞實之鏡畢竟也只是工具。或許的確是有魔法的工具，但它又沒有自己的意志，難保不會被人用來做壞事。」

有道理。小亘的心有點動搖。但是，此時咪娜嚴厲的聲音傳入耳中。

「奇·奇瑪你說得好聽，其實只是不想幫助老神教信徒吧！」

奇·奇瑪一臉狼狽。這次，他的長舌頭連舔兩下頭頂。

「妳、妳胡說什麼啊，咪娜。」

咪娜很生氣。青灰色的美麗眼睛噴出火花。「不是嗎？說來說去，那才是你的眞心話。忤逆女神大人的老神教信徒，就算發生天大的麻煩，苦苦向我們求助，你也不在乎。因爲對你來說，他們被消滅是理所當然的，所以你不想去對吧！」

不過我可要去！咪娜狠狠跺腳，魄力幾乎壓倒向來勇猛的奇·奇瑪。

「既然小亘說要去，那我當然也要一起去。奇·奇瑪你自己愛去哪就去哪！」

奇·奇瑪惶恐地往退後。小亘連忙在兩人之間打圓場。

「咪娜，妳先別這麼氣憤嘛，奇·奇瑪是顧慮到我們的安全，所以才這麼說，對吧？」

「就、就是啊。」奇·奇瑪龐大的肩膀頹然下垂。「我承認……我的確不想去岱拉·魯貝西。可是如果小亘要去，那我當然也……因爲我早就決定要寸步不離，好好保護小亘。」

「好吧，那我原諒你。」咪娜咧嘴一笑。「既然這樣，打鐵趁熱。我們快走吧。」

「可是，要怎麼去？」

「這還用說。當然是再拜託卡魯拉族帶我們去，高地人的請求他們是不會拒絕的。」

在陷入一片騷動的幻界裡，卡魯拉族憑藉著天生的飛行機動力而大爲忙碌。尤其是在國營天文台，必須要頻頻往返在聯邦議會和各都市的讀星台之間，天空不斷有卡魯拉族降落。只要從中找個人幫忙，應該行得通。

「那我先去問問跑腿的卡魯拉族都在哪兒聚集。」

奇・奇瑪三、兩步就上樓去了。大概是有點尷尬吧，他的步伐超乎必要地倉促，咪娜看著他那副德性，又笑了出來。

「我也眞是的，說得太過火了。待會我再替奇・奇瑪按摩肩膀當作陪罪吧。」

然而小亘被腦海中倏忽閃過的想法佔據心頭，根本沒聽見咪娜說什麼。在特里安卡魔醫院的千鈞一髮，想起那景象的同時，就會想起英勇出現及時將小亘救出鬼門關的美鶴。

而那個，和剛才白袍男子令人費解的話語連在一塊。

——原來你也是個年幼的孩子啊。

這話說得很怪。那表示在見到小亘前，他就知道現在造訪幻界的還有另一個「旅人」美鶴，才會脫口說出這種話吧。如此說來，美鶴應該早在小亘之前，就已接獲那個白袍男子的呼喚，前往岱拉・魯貝西特別自治州了。

可是有美鶴出馬，竟然還無法拯救白袍男子他們？所以，這次才會輪到小亘受到召喚？

美鶴都做不到的事，我做得到嗎？

「你怎麼了，小亘。」

被咪娜這麼湊近一看，小亘頻頻眨眼，他回答一聲沒什麼，就加快腳步上樓了。再想下去也沒有用，反正到了岱拉・魯貝西自然就知道了。

跑腿的卡魯拉族聚集處在三樓的陽台。白色的遮陽篷下，三隻卡魯拉族正在休息。「不好意思喔，我們正好在吃便當。」

其中一隻卡魯拉族就跟剛吃飽的中年歐吉桑一個德性，一邊嘖嘖剔牙一邊說。如果再叼根牙籤，簡直是一模一樣了。

卡魯拉族的便當，不用說，自然是螺絲野狼肉。陽台上臭哄哄的，奇．奇瑪被薰得倒退三步。

小亘保留細節，很客氣地解釋請託之事。卡魯拉族喀喀轉著脖子傾聽，最後終於說：「原委我都明白了。可是現在我們無法答應你們的委託。」

「我知道你們現在很忙。」

「不，不是這樣。只要是高地人的委託，我們絕對二話不說樂意幫忙。」

卡魯拉族異口同聲地表示。

「更何況，你們想去岱拉．魯貝西是跟這次高地人接獲的緊急指令有關吧？用不著隱瞞，這個指令本來就是我們全族負責傳達到南方大陸各地的，我們早就知道了。」

小亘回答得很曖昧。這件事不知道是否與追捕逃亡者這項緊急命令有關。不過，確實相當可疑。

「即便如此我們仍無法答應。因爲我們的翅膀現在無法飛到岱拉．魯貝西。」

卡魯拉族喀喀動著脖子相互點頭。

「托果托當初載你經過時，是利用從那一帶吹往南方大陸的上升氣流，所以才能飛到岱拉．魯貝西的高度吧？」

「對，他是這麼說過。」

「可是，這幾天，岱拉．魯貝西附近的天氣產生變化了，我們向來乘風而上的那道強烈氣流突然停止了。」

另一個卡魯拉族拍著翅膀接著往下說。「不僅如此。岱拉．魯貝西所在的安德亞台地四周環繞的雲層也變厚了，上空的氣溫驟降。在那種溫度下就算我們的翅膀再怎麼牢靠，連平常一半的力量也無法發揮。弄得不好還會被凍成冰棒呢！」

「這種氣流的突變，氣象的變化，非比尋常。或許在那個安德亞台地上發生了從地上無法窺知的意外變故。」

卡魯拉族似乎陷入沉思，然後說：「總之非常遺憾，我們無法送你們過去。不好意思，請你們另想其他辦法吧。」

小亘很失望，但碰上這種情況也沒辦法，連向來對自己的強壯翅膀和飛翔能力如此自豪的卡魯拉族都這麼說了。

不安的感覺緩緩滲入小亘心底。岱拉．魯貝西一定發生了可怕的怪事，所以白袍男子才會現身求救。

「我知道了。謝謝你們。」

「沒能幫上忙，不好意思。」

小宣一邊催促咪娜和奇．奇瑪轉身離去，一邊隨意把手伸進褲子口袋。這時他的指尖碰到某個堅硬光滑的東西。

是什麼東西。他放了什麼在口袋來著。摸索著取出一看，是閃著鮮紅光輝的鞋拔，彷彿用紅寶石做成的鞋拔。

不對。這是火龍的鱗片！是他在悲嘆沼澤救過那隻叫做喬佐的火龍，送給小亘的謝禮。

差點都忘了。小亘像中年歐吉桑一樣，朝著自己額頭狠狠拍了一掌，這似乎是在這種情況下最適合的動作。

「天啊，你怎麼了，小亘？」咪娜把臉湊過來。

喬佐送他這個鱗片時，不是說過嗎。用這個鱗片做成笛子，然後吹吹看。喬佐說，無論何時何地我都會飛奔而來，載著你飛行。

「卡魯拉族先生！」小亘跑回去。「如果是龍，即使是現在的岱拉·魯貝西應該也能飛過去吧？」

卡魯拉族互看彼此，然後說：「的確，如果是龍的翅膀，哪怕沒有氣流，哪怕在令人凍結的酷寒中，也能輕鬆飛往安德亞台地的頂端吧。」

「畢竟那些龍是棲息在飄著可怕『針霧』的大海彼端嘛。」

說著，其中一隻卡魯拉族瞄到小亘手中的鮮紅鱗片。「那是什麼？」

小亘簡短加以說明，卡魯拉族的黑眼珠瞪得越來越大。

「原來如此。那就絕對沒問題了，你快用那個鱗片做成『龍笛』。龍族跟我們一樣，是將靈魂放在猛翼上，翱翔天空的生物，篤守信義又勇敢，既然答應了你，就絕對不會食言。」

奇・奇瑪雙手大大地用力一拍。

「既然如此，我們快去做龍笛吧，小亘！」

可是，小亘很困擾。「要怎麼做？喬佐說過，叫我去找技術高明的工匠。」

他也說過龍笛非常脆弱，只能使用兩次。那應該是因爲，鱗片本身原本就很容易損壞吧，想必加工也很難。

「去歷歷斯不就得了。」咪娜的臉上一亮。「何不去拜託湯尼・方隆？他的手藝應該沒話說。」

一隻卡魯拉族伸出有著碩大鉤爪的腳向前一步。「如果要去歷歷斯，我待會會經過。幼小的高地人啊，如果就你一個人，我可以送你過去沒問題。」

太好了！奇・奇瑪喜出望外。

「好，那小亘你從空中先前往歷歷斯，我和咪娜坐達爾巴巴車隨後趕去。放心，要不了三、四天就能追上你。就算方隆的技術再怎麼高明，起碼也要花上好幾天工夫才能做出笛子吧。到時我們約好地方碰面，然後呼喚那隻龍，三個人一起朝岱拉・魯貝西出發！」

既然說定了就得趕快準備出發——奇・奇瑪整個人蓄勢待發。不過，另一隻卡魯拉族卻叫住他。本來就看似刻薄的臉上浮現更陰沉的表情。

「我說那位水人族，還有喵族的女孩，你們兩個最好不要接近歷歷斯，如果要跟幼小的高地人會合，最好挑個遠離鎮上的地方。」

「爲什麼？」小亘問。他突然有種不祥的預感。

「這純粹只是風聞啦。」那個卡魯拉族先這麼聲明後才說：「歷歷斯鎮，據說在分局主管的命令下，已經頒佈了戒嚴令。不但禁止外人進出，鎮上的居民也不得外出。我是不清楚你們知不知道啦，那個鎮上安卡族的富裕階層，和非安卡族的窮人可是涇渭分明喔。」

「是，我們很清楚。」小亘咀嚼著苦澀的回憶點頭附和。

「是嗎。那就不用我多解釋了。據說『哈爾涅拉』造成人心惶惶，兩者的對立日益激烈，燒殺暴動頻頻發生，戒嚴令應該是因此採取的非常措施吧，不過我聽說，有許多非安卡族的居民都已遭到逮捕。」

咪娜僵著臉轉頭看小亘。

「一定是潘所長幹的。」

小亘點頭。或者是在那個鎮上不動聲色、卻進展得如火如荼的種族歧視主義，趁著這次「哈爾涅拉」掀起的騷動，藉機浮上檯面。

「幼小的高地人啊，你是安卡族，又是高地人，應該可以進入鎮內。不過那個水人族和喵族女孩，最好遠離歷歷斯鎮。否則難保不會受到波及。」

在卡魯拉族的建議下，奇·奇瑪和咪娜決定在歷歷斯鎮往南越過一個山丘的「大樹路標」處與小亘會合。大樹路標，據說是一棵就連奇·奇瑪都無法雙手合抱的巨樹，卡魯拉族常常拿來當作指標。

「在地面上駕駛達爾巴巴車，應該很容易找到，而且那位在森林中，萬一出事也較方便躲藏。」

小亘他們立刻準備出發。小亘一邊打包行李，一邊感到內心深處滲入的不安，如同積水越來越深，越來越冰冷。如今歷歷斯鎮處於戒嚴令下，湯尼·方隆是否平安無事？艾爾莎又過得如何？

第三十五章

歷歷斯的慘狀

載送小亘的卡魯拉族很謹慎，抵達歷歷鎮上空後，在放小亘落地前，他先在上空盤旋一圈窺看鎮上的情況。

「你看到那個露營用的帳棚了嗎？」

小亘坐在卡魯拉族掛在身上的座位，仰望著卡魯拉族胸口火紅的羽毛，大聲回答：「就是那個白色帳棚吧？有，我看到了。」

有幾個五角形帳棚——中央的那個最大，屋頂的尖端掛著旗幟。如果小亘沒記錯，帳棚隔壁的建築物就是歷歷斯的分局。

「那是修騰格爾騎士團的露營帳棚。」卡魯拉族說。「歷歷斯鎮的大會堂也掛著修騰格爾騎士團的旗幟，連那種規模的設施都接收了，可見得進駐的不是一般巡邏小隊，應該是一整個中隊。看來事態比我想像得還嚴重。」

卡魯拉族大大地拍動翅膀，在空中滑翔，飛到帳棚的正上方。到處都有身穿銀色盔甲的騎士駐守。

「分局主管潘氏在頒佈戒嚴令的同時，大概就已要求修騰格爾團出動了。那個旗幟是……」卡魯拉族飛到大帳棚上方，確認隨風翻飛的隊旗。

「是賽澤克隊的標誌。賽澤克隊長原本就是在歷歷斯長大的，跟分局主管的交情也很好。」

這已經不只是不祥預感的問題了，小亘直覺一股黑暗抹黑了整顆心。

「這麼說來，這裡的修騰格爾騎士團也是和潘所長同夥的囉。」

「應該是吧，不信你看。」

卡魯拉族飛過紅磚工匠街的上空，由於他為求謹慎刻意高飛所以看不清細部。不過，已經足夠了。紅磚工匠街宛如暴風雨侵襲過後的廢墟。建築物傾頹，四處仍留有火災過後的焦黑痕跡，看不見半個人影，毀壞的家具和弄髒的衣物，覆蓋著塵土散落各地。從這裡連方隆的工作坊位置都無法確認。難道也被摧毀、或是被燒掉了嗎？

這幅慘狀——彷彿某種巨大的、形體捉摸不定的東西，在狂飆之下掃過後留下的痕跡。對，的確是這樣。以惡意和憎惡為名，充滿力量的不定形之物襲來，把所有東西咬碎、噴吐出來後揚長而去。

惡意和憎恨總是處於飢餓狀態，這片鳥瞰的光景如同不懂規矩的貪吃鬼，隨手抓起滿桌食物張口大嚼吃得殘渣四濺匆匆離去後的景象。

「這麼嚴重的騷動，要說光靠歷歷斯的分局就能鎮壓，我絕對不相信。八成是修騰格爾騎士團趕來支援，才會變成這副模樣吧。」

小亘啞然。

原本住在紅磚工匠街的人，大家都到哪去了呢？但願他們已經逃走了……就怕遭到逮捕，現在被囚禁在某處。

上次見面時，方隆說過波古的分局首腦斯魯卡首長，私底下其實是個異種歧視主義者。修騰格爾騎士團現在之所以會純由安卡族組成，遠因也是斯魯卡首長一手促成的。

莊嚴的西斯提娜教堂，塔頂的鐘閃閃發光。以此爲中心，心懷種族歧視主義的老神教逐步入侵了整個歷歷斯鎮。不，現在也一樣。小亘驀然想起，第一次仰望這座聖堂時，當時一無所知，但聖堂落下的巨大陰影籠罩鎮上曾令他心生嫌惡。現在，從上空眺望，那種感覺更強烈了。聖堂全體沐浴在陽光下，它霸佔了從天而降的煦麗陽光，而建築物的陰影覆蓋住整條紅磚工匠街，它似乎更貪心地想要佔據更大的地方，甚至巴不得有一天把整個城鎮都覆蓋住。聖堂的影子彷彿是活的，憑著它自己的意志，正打算呑噬全鎮。

這個歷歷斯對於不接受種族歧視主義的人來說，或許是整個南方大陸最危險的地方。即便那是高地人。

歷歷斯鎮不像嘎薩拉建有城門，現在四處都可看到修騰格爾騎士或看似高地人的人物駐守路口保持戒備。尤其是以前小亘初次造訪鎮上時走過的大街路口，現在都架起了臨時要塞，交叉的粗大原木形成路障擋住了去路。

「怎麼辦，幼小的高地人。」

「請在鎮外的森林裡放我下來，我再想辦法混進去鎮裡。」

「嗯。那你要小心喔。」

卡魯拉族飛走了，在仔細確認四下無人之前，小亘一直藏在森林的雜草叢中。這期間，雖然腦袋拼命思索到底該怎麼混入歷歷斯鎮，卻依然毫無頭緒。

如果藏起勇者之劍，更換服裝，假裝是住在歷歷斯鎮的安卡族小孩，也許能通過那個路障吧。如果我天眞無邪地說，我替媽媽跑腿辦事，現在才剛回來？不不不、不行，這樣一定會遭到質疑。住在這個鎮上的富裕安卡族，在戒嚴的情況下，怎麼可能叫寶貝小孩出去跑腿。那麼如果謊稱是迷路了呢？就說我搞不清楚家在哪裡？騎士叔叔，你能不能送我回家？

正在傷腦筋之際，突然感到腰部有微微暖意，低頭一看，勇者之劍在發光。小亘急忙抓住劍柄，從劍鞘中拔出劍。

——小亘，小亘。

兩顆寶珠的精靈對他說話了。

——你還記得在悲嘆沼澤使用過魔法劍吧？

——當我們倆的力量合為一體時，你就能學會新的魔法劍。

——快，舉起劍來。

小亘雖然驚訝，還是將劍舉到眼睛的高度。霎時手臂自己動了起來，劍尖在空中畫出印記。右，左，然後上、下，畫出十字後，閃亮的劍身映出臉孔。

這時，他的身體變得輕飄飄的。這是怎麼回事？這就是新的魔法劍？在悲嘆沼澤使用魔法劍時，他曾成功發射過魔法光彈。這次的又是什麼？

接著，他發現身體看不見了，勇者之劍也消失無蹤。

變成透明了！

精靈對他說。

——小亘，這就是新的魔法劍力量。只要畫出印記，誰也看不見你，因爲神聖的結界會隱藏你的身影。

——不過，這個結界會吸走你身體的力量，不能維持太久。一旦找到藏身之處，得立刻解除結界，如果勉強硬撐，你將會不支倒地。

「我知道了。謝謝！」

勇氣頓時湧起。好，先去找艾爾莎！

歷歷斯的分局裡擠滿了人，有高地人，也有修騰格爾騎士。可以看到潘所長和一個脫下盔甲的修騰格爾騎士正在裡面的房間圍著桌子慷慨激昂地不知在討論什麼。從盔甲上的徽章和周遭騎士們的態度看來，那個人似乎就是賽澤克隊長。

沒找到艾爾莎，說不定在家裡。半路上小亘躲在分局的置物櫃中解除結界，稍微喘口氣後，再憑著模糊的記憶出發搜尋潘所長的家。精靈的忠告沒錯，一旦使用隱身術藏身在結界裡，簡直就像攀登高山，令人喘不過氣且呼吸困難。心跳似乎也比平常更快。大概是結界正從小亘身上吸取能量以維持功能吧。

走在歷歷斯鎮街頭的，包括高地人和騎士，全都是安卡族。有些商店雖然還開著，但大部分都關著大門，其中甚至有些商店還釘上木板徹底封閉。不過跟紅磚工匠街的慘狀比起來，鎮中心似乎還算平穩，還開著的店面門前大排長龍。從旁經過時，他聽到配給如何如何之類的字眼。可能是因爲禁止外人進出，導致糧食和日用品逐漸欠缺，所以開始施行配給措施吧。

「哎，雖說只要忍耐到獵殺異族行動結束，不過還眞是傷腦筋啊。」

安卡族女人正在互發牢騷。小亘背上感到一陣寒意。獵殺異族，他們封鎖全鎮，打算把非安卡族的人，一個不留地加以獵捕，那抓到之後會如何處置呢？

好不容易找到潘所長的家，當小亘發現二樓窗邊，艾爾莎頹然低頭的側臉時，他已經像缺氧的金魚般張著大嘴猛喘氣了。幸好，從玄關迅速潛入一看，家裡一樓沒有人。他連忙解除結界，倚著手邊的椅子休息。他的呼吸急促，肩膀不停上下聳動。突然一陣暈眩，他連忙扶著椅子靠背。椅子發出咕咚一聲。

樓上傳來輕輕的腳步聲。

「誰？」

是艾爾莎的聲音。她下樓來了。小亘抓著椅背轉頭。

「天啊……是你。」

記憶中那雙黑色的眼瞳美麗如昔。不過，原本就苗條纖細的艾爾莎變得更憔悴了。

「方隆先生……，在哪裡？」

好不容易擠出這句話，小亘就從椅子摔了下來，一屁股跌坐在地上，費盡力氣也只能吁吁喘息。

艾爾莎讓小亘躲進她房間，替他拿了冷水來。小亘總算鎭定下來。

他把龍笛的事說明了之後，艾爾莎頻頻點頭。

「對，對，湯尼一定做得出龍笛，恐怕也只有他才做得出來。」

可是……說著，只見她淚光盈盈地垂下頭。

「他被逮捕了。在我爸指揮下，高地人企圖以暴動罪的名義逮捕紅磚工匠街的居民時，他頑強拒捕……」

「那麼，他被抓到哪去了？」

「西斯提娜教堂。」

「在那種地方？不是監獄？」

大概是想把抓來的人押進聖堂，強迫他們改信老神教吧。

「西斯提娜教堂的地下有一個大監牢，是我爸和祭司大人商量後打造的監獄。他還說，要囚禁異教徒，用西斯提娜的力量來封鎖是最好的辦法。」

西斯提娜教堂的戴蒙祭司，以前來這裡時曾經見過。光得徹底的禿頭，如刀鋒般銳利的冷眼。

「聖堂的地下是吧。妳確定嗎？」

「對……。可是，我不知道要怎麼去地下室。我在聖堂內左看右看，都找不到通往地下室的樓梯。」

去了自然會有辦法。小亘大口做個深呼吸。心律似乎還未恢復正常。好像喝醉了一樣，膝蓋也一直顫抖。

「你的臉色發青耶。我再倒杯水給你吧。而且，你最好吃點東西。」

小亘搖頭。「謝謝。我喝水就夠了。沒時間了。」

艾爾莎拿了開水和冷毛巾來。小亘擦去臉上的汗珠，心中充滿感激。

「艾爾莎小姐，妳不要緊吧。這個鎮看起來很慘。」

聽到小亘這麼說，艾爾莎含淚的眼睛瞥向窗外。接著，她悄然步向窗邊，拉起窗簾。

「為了『哈爾涅拉』，重建『偉大的光之疆界』，必須有一個人犧牲……。都是這件事公開後造成的。」

小亘點頭。「別的城鎮同樣也因此發生動亂。尤其是窮人和囚犯之間更是人心惶惶。對窮人來說，他們除了生命沒有別的可以獻給女神大人，所以擔心自己被選為人柱的可能性較高。而囚犯則是懷疑聯邦政府打算把他們獻給女神大人，以免其他人中選。」

「噢……」

「也有些地方趁此動盪將過去累積的不滿爆發出來，掀起暴動或叛亂。」

艾爾莎抓著窗簾轉過身，皺起眉頭。「昨天，我爸說阿里奇塔的礦山發生了暴動。」

「對，沒錯。修騰格爾騎士團也已前往處理了。」

「是嗎。」艾爾莎垂下頭。

「這裡發生的暴動是以迫害非安卡族的方式進行吧？因為本來這裡長久以來就有這種傾向。」

艾爾莎將臉埋進窗簾。

「可是，我還是覺得不可思議。到底是什麼樣的原由，會演變到今天這種地步呢？」

艾爾莎從窗簾中用孱弱的聲音說：「你是不是認為在這廣闊的世界裡，只有一個人將被選為人柱，應該不會造成如此騷動，更不太可能因此導致安卡族與非安卡族對立？」

小亘默然。他並不覺得只有一人中選就不會發生騷動。尤其，對小亘自己來說，獲選的機率是二分之一。

「其實湯尼和我更擔心的是……不，」艾爾莎轉頭。「連我爸和戴蒙祭司都很驚訝，老神教對本鎮安卡族人的影響到竟是如此深遠。你應該也知道老神教的教諭吧？」

創造幻界的是老神，老神在創世時，模仿自己的外型造出安卡族，置於地上世界。可是女神從老神手中騙走幻界，進而為了妨礙安卡族的繁榮，製造出酷似女神外型的其他種族。因此，等到有一天老神消滅女神，重新復活成為這個幻界的創世之神時，女神造出的其他種族也將滅亡，幻界將成為安卡族的樂園……

艾爾莎緩緩點頭，掉下一滴眼淚繼續說：「根據那個教諭，每隔一千年就得重新建造偉大的光之疆界，乃至需要人柱獻祭，這些都是女神大人為了迫害安卡族所玩的花樣。所以當然會是安卡族被選為人柱，即使只有一人當人柱，對安卡族來說也是寶貴人才，故意挑選能夠協助老神復活、具有勇氣和智慧的安卡族當人柱，這就是女神大人的陰謀。」

小亘嗤之以鼻。「牽強附會也該有個限度吧。」

「我倒不覺得。」艾爾莎悲傷地凝視小亘。「你雖然是個稱職的高地人，畢竟還是個孩子。不管如何牽強附會，對相信的人來說那就是真的。對於相信老神教的人來說，女神大人挑選的人柱是安卡族的救世主，所以不管怎樣都得加以阻止。」

據說戴蒙祭司，在西斯提娜教堂聚集大批安卡族信徒進行禮拜和大型傳教法會。祭司當場表示

——「哈爾涅拉」根本不是重建「偉大的光之疆界」的時刻，那是女神的謊言，對於知道眞相的老神教信徒來說，「哈爾涅拉」其實是老神從天穹彼端藉由北方凶星通知幻界，叫大家起來拆穿女神謊言，消滅信奉女神的其他低賤種族的時刻。

「對老神教信徒來說，這是消滅女神大人奪回幻界宣告聖戰來臨的信號……，你懂嗎。」

艾爾莎的話，化爲冰冷吐息撫過小亘臉頰。他倏然一寒。

「魯魯得的國營天文台並沒有提出這種看法啊。」

「對，我想也是。可是，這種事對仰慕戴蒙祭司的人來說，根本就不重要。」

她用力搖頭，黑髮都亂了。

「所以湯尼才會遭到逮捕。因爲他說出跟你同樣的話，企圖保護遭到迫害的其他種族。湯尼一個人根本不是對手，他完全束手對策，連他的工作坊也被人放火洩恨……」

失望之餘，小亘感到身體變得沉重，彷彿就要陷入椅子之中。那麼，就算他成功救出方隆，也無法請他製作龍笛了嗎？

不過，不管怎樣他都不能袖手旁觀。小亘把喝光的杯子往腳邊一放，站起身來。

「你要做什麼？」艾爾莎問。

「去西斯提娜教堂瞧瞧。」

「你一個人有什麼辦法？」

「不知道。反正我想先確認情況。如果眞有大批居民未經調查和審判，就被關入地下黑牢之類的地方，那我不能放任不管。我要查明事實，請求別鎭的分局出動支援，說不定還有辦法挽救。」

艾爾莎抓著窗簾，總算站了起來，從她顫抖的嘴唇勉強擠出話語。「湯尼他，說不定已經死了。我爸是這麼告訴我的。他說，妳再也見不到那個男人了。」

小亘抬起臉，定定凝視艾爾莎。「現在絕望還太早。」

艾爾莎的眼中溢出淚水。她單手摀著眼。

「如果連妳都絕望了，那就再也沒有人等待方隆先生了。妳要振作起來，艾爾莎小姐。」

「可是……」

「而且，我真的很需要龍笛。一定要請方隆先生替我打造，所以我要把他救出來，我保證。」

「像你這樣的孩子又能怎樣呢？」

小亘取出勇者之劍，畫出印記。他就在艾爾莎眼前，啪地隱形了。

等他立刻解除結界現身一看，艾爾莎瞪著漆黑的眼珠，一臉蒼白地像是隨時都會昏倒。

「剛、剛才那是什麼？」

「只是一點魔法。不過，可以幫上我的忙。」

艾爾莎一個踉蹌，小亘連忙衝上前將她扶住。艾爾莎就跟剛才的小亘一樣，肩膀激烈起伏猛喘氣。

「你、你到底是……什麼人？」

小亘沒回答。艾爾莎心中自問自答的模樣，化為光影明暗的漩渦，映現在她的眼中。

小亘準備離開艾爾莎，她按住小亘的手臂。

「等、等一下。求求你，好嗎，你先等一下。」

艾爾莎慌張地撞上家具和房門，跑到床邊的小抽屜裡翻找，取出某樣東西。她抱在胸前回到小亘身邊。那是一個掌心大小的小木盒。

「你把這個帶著。」

小亘接過來，視線落在木盒上。上面好像纏著一條布腰帶，蓋子上還掛著鎖。

「你打開看看。」

一打開，裡面塞滿了工具。

「這是湯尼的工具箱。他啊，做精細工藝品時都是用這個。本來他一直隨身攜帶，這是工作坊遭人放火前，他交給我保管的。他說，即使沒有紅磚工匠街的工作坊，只要有了這個不管在哪都能照樣工作。他還說這個跟他的靈魂一樣重要，希望我替他收著。」

「這樣好嗎？」

艾爾莎點點頭。雖然眼眶中還有淚水，但眼神十分堅定。

「我相信你。請你救出湯尼，讓他能夠製造龍笛。並且替我轉告他，在跟他重逢之前，我會耐心等待的。拜託你了。」

「我知道了。」小亘把木盒牢牢繫在腰上。「這個我先收下，我保證一定會交給方隆先生，請他替我打造龍笛。」

第三十六章
西斯提娜教堂的監牢

此時正逢西斯提娜教堂舉行下午禮拜的時刻。隔著中央通道，左右兩邊的成排長椅上坐著無數信徒。站在祭壇上的戴蒙祭司，白色法衣外罩著一件繡滿了錦織圖案的沉重袈裟，正把皮革精裝的古老書籍，大概是祈禱書吧，舉到眼睛的高度朗聲誦讀。

小亘畫出隱身印記潛入聖堂，躲在禮拜堂最後方成排的大燭臺後面。聳立在燭臺上的無數蠟燭火，一邊冒出青煙，一邊款款搖曳。解除結界一深呼吸，就聞到蠟味。

信徒約有百人吧。本以為全都是安卡族，沒想到還夾雜了幾名獸人族，令小亘吃了一驚。他們正虔誠地低著頭傾聽祭司講道。就小亘所聽到的部分，戴蒙祭司口中說出的，都是對創世神的感謝，還有祈求這次歷歷斯動亂中受傷的民眾早日康復的穩當之詞。這樣聽起來沒什麼奇怪之處，可是一想到這個聖堂背後隱藏的另一張臉孔，就令人無法理解。亦或身為此地信徒的其他種族，尚被蒙在鼓裡？

祈禱書朗誦完畢。戴蒙祭司開始用宏亮的聲音講道。果然，他還是說此次歷歷斯的動亂實屬不幸，我們現在應該攜手合作、互相鼓勵克服這個難關云云，在小亘聽來只覺得是在唱高調。即便如此，信徒們還是肅穆傾聽，戴蒙祭司最後再次感謝創世之神結束講道後，大家就一起站起來唱歌。

禮拜結束後，信徒們陸續走出禮拜堂，戴蒙祭司目送每一個人離去，然後關上大門插上門閂。祭司的法衣下襬滑過精心打磨的地板，發出窸窣的摩擦聲。祭司檢查過祭壇周遭的蠟燭燃燒情況後，打開深處的房門消失蹤影。幸好他沒走到後方的大燭臺這邊，令小亘鬆了一口氣。

悄悄從燭臺縫隙間爬出來，站起身拍拍衣襬，四下張望。

怪了，這是怎麼回事？

大門是連結外部的出入口，祭壇後方戴蒙祭司遁入的那扇門，顯然通往聖堂內其他地方。看來，只有從那兒潛入了。可是要經過那扇門有極高的危險性，一不小心可能會和祭司或其他人碰個正著，況且裡面的情況完全無法預測，恐怕必須長時間用結界隱身，這樣身體吃得消嗎？

這麼大的建築物一定還有其他後門。先走出去，四周打探一下吧。

突然間，他感到某人的視線。小亘眨眼。

沒有人，禮拜堂空空如也，不可能有人看著他，大概是錯覺吧。一定是因為太緊張了。

他躡足橫越過椅子後方，朝大門走去。手一放在門閂上。

他還是覺得被人盯著，視線追著小亘不放。

小亘一手放在腰上的勇者之劍，緩緩環顧四周。這視線會是從哪來的呢？

牆上裝飾的彩色玻璃？那上面描繪了西斯提娜的各種姿態。有她在飾品工匠前顯靈現身的情景，也有她拿著鑲有寶石的杓子打擊魔物的模樣。

雖然描繪得美麗精緻，但畢竟是畫的。那雙眼睛不可能有生命，不會盯著小亘。

再次抓起門閂之際，某處響起沙沙的摩擦聲，小亘一驚，連忙轉身。

那是什麼聲音？

自己的神經繃得很緊，甚至可以聽見劈哩啪啦放電的聲音。可是那個跟剛才聽到的微弱聲響不同。剛才那個……，好像是什麼東西在動……

新鮮花束的香氣令鼻子發癢。祭壇旁西斯提娜石像的台座上，今天同樣也放滿了花束。這是爲了矇騙信徒——不，是還不明白這個聖堂眞面目的人們的眼睛，掩飾西斯提娜塑像的腳下踐踏著其他種族的景象，才擺上這些虛僞的獻花。

小亘呼地吐出一口氣。遠從大門口仍可看到地上有兩、三朵純白花朵從石像的台座上掉落下來。原來剛才是花朵掉落的聲音，大概是花實在放得太多，被擠落了吧。

沒時間再磨菇。他小心翼翼，盡量無聲地拉開門閂，正要推開大門之際，石像的台座上又接連掉落五、六朵花。從花朵縫隙間隱約可看到石像的腳跟。

霎時，小亘全身發冷。因爲他覺得，西斯提娜的腳動了，所以花朵才會紛紛掉落。

怎麼可能，別傻了。

不過，他還是屏息定定眺望。

這時，剛才戴蒙祭司走入的那扇門，傳來喀擦喀擦的聲音。門開了。小亘往旁邊縱身一躍躲在手邊的長椅背後。

門開了，某人出現。響起法衣滑過地板的聲音。是戴蒙祭司？糟了。如果他沿著走道走過來，一定會被發現！

小亘急忙畫印張設結界隱身。

法衣下襬滑過地板的聲音越來越近。小亘悄悄從長椅靠背探臉出來一看，果然是戴蒙祭司，他已脫下豪華袈裟，恢復平常只穿白色法衣的模樣。手上拿著那把杓子——跟西斯提娜石像拿的一模一樣，是那把頂端鑲有寶石的杓子。

和初次見面時比起來，他的臉色更紅潤明亮了。在小亘看來，祭司好像生氣勃勃，甚至恢復青春，光溜溜的腦袋也油光水亮。冷不防地，他想起搭乘卡魯拉族便車，從空中俯瞰這個聖堂時的情景。聖堂君臨整個歷歷斯，影子覆蓋著鎮上——難道聖堂有什麼法力，隨著氣勢增長，讓戴蒙祭司也充滿了不可思議的威力？

祭司走過小亘躲藏的長椅旁，又繼續往前走了兩排，突然停下腳步。

跟禱告和講道時一樣沉穩又帶有威嚴的聲音出現了。

「我感到有魔法。」

霎時，小亘忘了自己正躲在結界中，身子一縮，心臟開始撲通亂跳。

戴蒙祭司緩緩轉動脖子，他的嘴角浮起露骨的冷笑。

不要緊，有結界在，他看不見。小亘這麼安慰自己。由於開始呼吸困難，他反過來刻意放慢呼吸，盡量減少身體的消耗才行。

「搗蛋鬼。」戴蒙祭司說。不只是脖子，整個身體都轉了一圈。

「你躲在哪裡啊？」

他背對著小亘，愉快地唸唸有辭。小亘緩緩爬過地板，企圖遠離戴蒙祭司。

這時，戴蒙祭司一個轉身，用震耳欲聾的聲音呼喊：「在那裡！」

祭司手中的杓子分毫不差地指向小亘，杓頂鑲嵌的寶石光芒一閃，迸射出閃電。小亘來不及閃躲，還弓著腰就被閃電射個正著，倉皇之間他伸出雙手蔽護身體。

手掌，接著是手臂，竄過一陣電擊般的麻痺。小亘當下被轟得往後飛，高高地越過長椅靠背，背部先著地。

過度震驚之下，連痛都感覺不到，他抓爬著地板掙扎起身，結界消失了。是被那道閃電般的光芒給抹消的。

戴蒙祭司睨視小亘，滿臉笑容。兩隻眼睛放射出那種無生命的、無能量的、如黑暗中螢光塗料發出的光芒。

「爲、爲什麼……」

戴蒙祭司迅速向前邁出一步，接近小亘。

「你眞以爲你這種三腳貓的魔法，能夠騙得過我的眼睛嗎？我早就發覺你躲在這裡了。」

原來他是故作不知，暗中監視著小亘的行動啊。

小亘膝蓋著地挺起身子，手持勇者之劍。戴蒙祭司的笑容更大了。「你是什麼人？」柔聲中語帶威脅。他又逼近了一步，小亘則退後半步。

「雖然法術還不成熟，但是像你這樣的小孩能吟誦結界魔法畢竟很罕見。上次你來這裡時，我記得你說你是高地人。」

「我是高地人。」小亘毅然揚起下巴。「揭發不義，與邪惡搏鬥，保護幻界，就是我的使命！」

戴蒙祭司像吠叫似的短短笑了幾聲，然後說：「瞧你說得大言不慚，膽子倒不小嘛。」

小亘可以清楚感受到，對方估量身價似的視線正在他身上來回掃過。他一陣悚然不禁發抖。

「那把劍……」戴蒙祭司用杓子指著小亘的勇者之劍，瞇起眼睛。「還有你眼中的光輝，那個魔法。」

再次，他的臉上綻放險惡笑容。祭司的眼睛一亮。「我懂了，你是『旅人』吧？」

小亘沒回答。他集中精神，全身做好防備，以便隨時揮劍出擊。

「沒錯，你就是『旅人』。」祭司用剛才朗讀祈禱書時那種謳歌的口吻說。表情樂不可支，幾乎手舞足蹈。

「不祥的『札札·阿克』啊，欺神者啊，從虛偽的女神攪起的污濁泡沫中誕生的卑屈僕人哪。你爲何踏入這個聖域？像你這種賤民也能感受到這個聖堂放出的光輝嗎？」

小亘喘著大氣回嘴。「紅磚工匠街的人在哪裡？」

戴蒙祭司挑起花白的優美長眉。「你說什麼？」

「湯尼·方隆在哪裡？大家應該都被關在這個聖堂的地下監牢！」

「原來是這麼回事啊。」戴蒙祭司發出冷笑。「這眞是失敬失敬，這麼說你是來救那些人的？」

小亘扯高嗓門。「大家在哪裡！」

「『札札·阿克』啊。找得到的話你就找找看吧。如果有本事找到，那你就睜大眼睛找吧。」戴蒙祭司緩緩變換姿勢用雙手捧起杓子，直到頂端鑲嵌的寶石舉到眼睛的高度。「不過，你是找不到的，不淨者得不到天助，想都別想。因爲……，你將要死在這裡！」

戴蒙祭司將寶石抵在額頭，開始朗聲念咒。

「太古封印的吾神之咆哮啊，永劫的時間鎖鏈封鎖的御靈之力啊。現在請您現身，成全讚美吾神者的衷心請求。天雷招來！」

聖堂所有的彩繪玻璃，彷彿遭到雷擊，一起發出耀眼光芒，光芒刺眼得令人眼花撩亂，小亘不禁舉起一隻手遮住眼睛，腳下咚地傳來沉重衝擊令他站立不穩，他死命抓住長椅的椅背。

「吾神啊，請讓這個欺名盜世的騙子遭受天誅！」

戴蒙祭司張開雙手，粗聲吶喊出震撼屋頂的怒吼。彩繪玻璃彷彿在呼應他般，再次發出光芒。在那光芒中，小亘看到了。彩繪玻璃上描繪的無數個西斯提娜全都轉向小亘。右手持杓，左手的手鏡伸向小亘，他的臉映現其中。

——噢，我們的敵人在這裡。

——我們的敵人在這手中。

所有西斯提娜的眼睛都炯炯發光。

啪擦！又有花朵掉落。小亘反射性地，像鞭子般迅速地瞥向石像，轉身回顧。然後，當場渾身凍結。

眞不敢相信。

怎麼可能有這種事。

西斯提娜的石像，現在正一邊用腳尖踢開腳邊堆滿的花朵，一邊緩緩走下台座。

右腳離開台座，踩到地板。左腳抬起來。高舉手鏡的左手垂落身旁，鏗然有聲。握著杓子的右手，如同展翅般往旁邊大大張開。

這怎麼可能！石像不可能會動。這是幻覺。我看到的是幻覺。

戴蒙祭司對著聖堂的天花板仰頭大笑。「等著瞧！欺神的污濁小人侵犯聖域，已經惹惱西斯提娜女神了！」

西斯提娜石像，雖有眼睛卻沒有眼珠。可是小亘感覺到在那本該是平坦灰石的眼眶中，迸射出憤怒和憎惡的視線，惡狠狠地盯著小亘看。

西斯提娜塑像一踩到地板上，就把手鏡舉到頭上，像是打網球時的反手抽球，把杓子從下往上一揮，杓子尖端射出衝擊波，蘊藏毒氣和尖刺的銳風劃過聖堂飛來。小亘面前的長椅靠背就像魔術一樣被啪擦砍斷，在下一瞬間粉碎飛濺，碎片紛紛落到小亘身上。

小亘不敢出聲，拔腿就逃。

「噢，你逃啊你逃啊，不淨者！你害怕天譴嗎？怕了吧。這座聖堂可沒有你能躲藏的地方！」

戴蒙祭司聲音響起的同時，第二道衝擊波飛來，小亘縱身撲向地板躲過這一擊。上衣的衣襬被割破，兩、三排長椅都在衝擊之下翻倒。

碰！碰！西斯提娜每前進一步，聖堂的地板就跟著震動。她和小亘只剩不到三張長椅的距離。戴蒙祭司邊遠離小亘，邊舉起杓子再次開始祈禱。

衝擊波來了。小亘在千鈞一髮之際驚險躲過，左耳耳垂被削到，噴出鮮血，如果滑倒就死定了。西斯提娜石像的眼睛，牢牢盯著小亘。

杓子揮起。小亘拔出勇者之劍施展在悲嘆沼澤學會的那招魔法劍，朝著射來的衝擊波發射光彈。

濺起長椅碎片筆直前進的衝擊波，和勇者之劍尖端射出的光彈，在距離小亘不到一公尺的地方撞個正著，光彈擋住了衝擊波，形成一道閃著白光的半圓形防護罩把它反彈回去。

衝擊波彈向西斯提娜雕像，高舉手鏡的左手晃了起來。石像重心不穩差點撲倒，好不容易撐住恢復穩定後，又開始朝小亘前進。

西斯提娜的石像不是靠自己的力量移動，是戴蒙祭司的咒語在操縱她。小亘兩眼四處游移，拼命撐住不讓自己被這難以置信的決鬥景象搞昏頭，他不斷動腦筋，一定要想辦法打倒戴蒙祭司。要阻止他唸咒！

衝擊波，再次反彈。被光彈的防護罩彈回來的力量直擊背後的大燭臺，蠟燭全都熄滅了。不，不對，是蠟燭頭被削掉了，被削掉的無數燭芯，彈落到地板上兀自燃燒著。

——用這個衝擊波！

西斯提娜的杓子尖端，瞄準小亘。

——朝著戴蒙祭司打回去！

快回想起來！軟式棒球。不是一天到晚都在跟阿克玩嗎？小亘力氣雖小，可是擊球的時間點抓得超準。當時旁觀的小村伯伯不是還這樣誇獎過嗎。小亘無論什麼球都打得中，很有天分喔。比鈴木一朗還厲害！

勝負全看能否抓準時機。配合對方的呼吸！西斯提娜雕像揮起杓子。好，要來囉。

衝擊波本身帶著凶惡的意志朝小亘撲來。只見它劃過空中嗡地射來，企圖砍斷小亘的脖子。

小亘揮舞勇者之劍射出魔法彈。他的腰一縮，可是遲了一秒，光彈防護罩在小亘眼前展開，被衝擊波的氣勢壓倒，使得小亘踉蹌後退。幾個大燭臺、支撐的柱子啪擦斷裂，待回神後，再過一秒發出沉重巨響一起倒下。

「怎麼了？忙著逃命啊？你沒有退路了，小鬼！」

戴蒙祭司的高亢笑聲，在聖堂的牆壁間迴響。

西斯提娜雕像的石頭臉孔逼進眼前，冷冷一笑，它準備給小亘最後的致命一擊。

杓子在空中畫出弧形，近距離發射的衝擊波發出刺耳的聲音逼近小亘。

——比鈴木一朗還厲害！

小亘眞的擺出軟式棒球的打擊姿勢，揮出勇者之劍。射出的光彈從小亘的正面擦過，千鈞一髮之際彈回衝擊波。防護罩沒擋住的衝擊波，擦過小亘的左肘，就像剃刀割到手指時那般，霎時竄過冰冷觸感。上衣的袖子破裂，左頰啪地濺出鮮血。

「哇！」

西斯提娜雕像的身後，戴蒙祭司連帶背後的長椅一起仰面翻倒，白色法衣如船帆張開，下襬一角被砍斷，飄飄然地在空中飛舞。

「可、可惡！」

戴蒙祭司一退縮，西斯提娜雕像頓時停止不動。小亘看準那一瞬間。他從持杓的西斯提娜右手下面一鑽，筆直朝戴蒙祭司衝去。

「臭小鬼！」

戴蒙祭司不停掙扎試圖站起來，動作卻被寬大的法衣絆住。小亘幾乎是以三級跳遠的姿勢撲向戴蒙祭司，狠狠踩住法衣寬大的袖子。手臂貼地的祭司發出悲鳴摔倒地上。

小亘揪住戴蒙祭司的法衣前襟，一把將他抓起來。用祭司的身體當擋箭牌，轉身面對西斯提娜雕像。

「來啊，有本事就試試看，你再唸咒呀。如果西斯提娜雕像攻來，你也會跟我一起人頭落地！」

「可恨哪……你這卑鄙小人！」

「彼此彼此！」

西斯提娜雕像高舉著持杓和手鏡的雙臂，緩緩晃動。

「放手，放開你的髒手！」

「我偏不放！」

眼看戴蒙祭司不斷高叫，甩著光禿禿的腦袋掙扎企圖逃走，小亘死命抓著他。法衣的衣襟猛然被扯破。祭司拼命踢腿，用杓子朝小亘亂打。

「別用你的髒手碰我！」

啊，是喔。小亘頓時鬆手。用盡全力企圖擺脫小亘的祭司，當下自己一頭撞到地上，發出鏗地一聲。

祭司發出呻吟，在地上縮成一團。小亘立刻伸出手，從祭司鬆開的手指間奪走杓子。

「這種玩意兒，就該這樣對付！」

他握緊杓柄，用盡全身所有力氣，把寶石往地板一敲。

寶石當下粉碎，碎片四濺時，一陣血腥味竄入鼻中。

晃動的西斯提娜雕像靜止了。舉著雙手彷彿在高呼萬歲。這時，右手的手指鬆開，杓子滑落。喀啷一聲落地後，就在小亘眼前化爲沙礫。

「噢，西斯提娜女神！」

戴蒙祭司的額頭割傷了，流了滿臉的鮮血。大概是鮮血刺痛眼睛吧，他閉著一隻眼。不像祭司，倒像是消瘦枯竭仍要耍狠的海盜船老船長。

「可惡，臭小鬼，西斯提娜女神絕不會原諒你！」

戴蒙祭司憎惡的聲音方落，彩繪玻璃立時又發出閃電般的光芒，西斯提娜雕像左手殘留的手鏡也開始發光。還來不及驚訝，那圓形鏡面已射出光芒。小亘倉皇之下往右逃，他跌在地上爬起來一看，剛才小亘站的那塊地板，已經燒焦了一大片。

這次輪到手鏡魔光攻勢嗎？小亘又好氣又好笑，陷入一陣混亂。恐懼和興奮幾乎令他心神失常，彷彿就要發出歇斯底里的狂笑。

這時，左手腕的火龍手環發出紅光。燃燒般的觸感令小亘恢復清醒。高地人的忠誠誓言，我們是火龍遺志的繼承者，護法的守衛，眞相的獵人。

小亘站起來。他把紅光熠熠的火龍手環往胸口一抵，然後抓著勇者之劍衝出去。

西斯提娜雕像的手鏡迅速射出連串光線，追著小亘。地板、牆上都留下漆黑的灼熱痕跡，破碎的長椅殘骸受到燻烤，燃起火苗。

他瞄準的不是西斯提娜，他要破壞那個賜予手鏡力量的彩繪玻璃。小亘奔跑著，左閃右躲，前翻後滾，一邊閃躲一邊在聖堂內跑來跑去，對著彩繪玻璃發射魔法彈。

彩繪玻璃破了一片。

——跪在女神膝下，

接著又有一片嘩啦啦化爲玻璃粉雨。

——憎恨邪惡，拯救弱小，

又一片、再一片！每當魔法彈命中，彩繪玻璃粉碎之際，在破壞聲中，還夾雜著高亢嘶吼的女性悲鳴。

——直到此身腐朽回歸塵土，

最後一片，祭壇旁邊的彩繪玻璃。玻璃上映照出的西斯提娜，眼中發出憎恨的光芒，彷彿要撲向小亘，就這麼化爲無數玻璃碎片。

——仰仗眞理的星子前進！

小亘上氣不接下氣，兩眼充血，他轉頭看西斯提娜的石像，在已化爲瓦礫堆的長椅彼端，就矗立在小亘面前。

「再吃我這一記！」

小亘發射魔法彈。帶著小亘的意志劃過空中的光彈，分毫不差地命中西斯提娜石像的胸口正中央。光彈化爲光點碎片消失在空中後，西斯提娜仍屹立不搖。小亘頹然單膝跪地，即便如此視線依然沒離開西斯提娜。這時西斯提娜的左手鬆開，手指一張，手鏡落地。跟杓子一樣，手鏡也在地上化爲沙礫。

「噢，西斯提娜女神……」

戴蒙祭司僵著血跡斑斑的臉孔，手腳並用地爬到西斯提娜石像的腳邊。他用雙手抓著石像，牢牢抱住。

「怎麼會這樣！該死的小鬼，你知道自己幹了什麼好事嗎？」

小亘還沒說話，西斯提娜石像突然傾倒，它變回普通的石像了，變成即將傾頹瓦解、失去台座、晃動不穩的普通石塊。

對於現在發生了什麼事，戴蒙祭司還來不及弄清楚、逃走，西斯提娜已緩緩倒下，轟地一聲把發出哀嚎的祭司壓在下面。

戴蒙祭司的哀嚎倏然停止。聖堂中還在動的東西，只剩下飛舞的塵埃、長椅的殘骸，以及像膽小土狼前來討剩飯般細細舔舐的成群小火舌，如此而已，失去了彩繪玻璃這個屏障後，直接射入的陽光，將這些景象照得異常璀璨明麗。

──我、我贏了。打敗他們了。

小亘當場腿軟，就像潛水潛過久，即使拼命吸氣，肺臟仍在渴求更多空氣。

祭壇旁的那扇門突然開啓，幾個穿法衣的男人探出頭來。他們同樣呆然佇立，小亘一把臉轉向他們，他們立刻哇哇大叫跑回門內。門碰地一聲被順勢帶上。

沒時間磨蹭了。已經引起這麼大的騷動。那些男人八成是祭司的部下。如果他們向修騰格爾騎士團和潘所長通報，所有人會立刻趕來，到時敵眾我寡，小亘絕對招架不住。

必須趕快逃──好不容易站起來，才剛往大門走去，就聽見門外有人跑過，正在大聲叫嚷。

「喂，喂！不好了！聖堂出事了！快去通知分局！快去搬救兵！」

大事不妙。如果大搖大擺從大門出去，恐怕逃不掉。必須張設隱身結界。小亘舉起劍。可是，他太累了。光是揮劍畫出印記，已經頭暈目眩了。

這樣下去，一定會被抓。

「這到底是怎麼回事？」

一個驚愕得破嗓的聲音，令小亘抬起眼。西斯提娜石像原本矗立的位置、在那覆滿鮮花的台座之處，冒出一個男人的頭，眼睛瞪得又圓又大。小亘霎時明白了。

對，就是台座。西斯提娜石像掩人耳目、把其他種族踩在腳下的那個台座，正是地下監獄的出入口。原來如此，這的確像是潘所長和戴蒙祭司會想到的鬼主意。

男人還來不及把頭縮回去，小亘已凝聚僅存的力量發射魔法彈。男人大叫一聲，隨著咚咚聲響消失了，看樣子好像是滾下去了。

小亘跛著腳，鞭策著虛弱的身子，跑向台座。正如他所料，台座整個移到一旁，露出通往地下的堅固梯子。把頭伸進去一看剛才那個男人昏倒在梯子下面。小亘用顫抖的手抓住梯子，開始往下走。下去之後是一條兩側都是石壁的狹隘走道，四處亮著罩著燈罩的油燈。緊靠右手邊有一個小房間，桌子椅子、成堆文件。這是守衛室嗎？

沒有錯。是地下監牢。正面有柵欄，走道一直向下延伸，走道兩邊並列著成排牢房。關在裡面的人正抓著柵欄，臉擠在縫隙之間喧鬧著。

昏倒的男人應該是這裡的獄卒，他的腰上掛了一串鑰匙。小亘順手摸來，緊貼在阻擋去路的柵欄上呼喊。

「各位，你們沒事吧？紅磚工匠街的各位，大家全都在這裡嗎？」

哄然響起一片喊聲，數不清的問題一齊飛來令他不知該從何聽起。「你是誰？」「你是來救我們的嗎？」「上面出了什麼事？地板一直咚咚搖晃耶！」

「我是高地人！是來救你們的！」

小亘只大聲答了這麼一句，就回到梯子下面，拉起台座背面的把手，把蓋子重新蓋好。守衛室的牆上掛著成圈的繩索，他將昏倒的男人綁起來後，就塞到桌子底下。鑰匙圈上掛了許多鑰匙，他費了好一番工夫才找到打開正面柵欄的鑰匙。地下監牢裡的人們，歡喜、焦躁、亂哄哄地鬧個不停。

好不容易打開柵欄，小亘跌跌撞撞地衝進地下監牢的走道。大家的聲音實在太吵，即使兩手圈在嘴邊大叫，也沒人肯聽。小亘拿起收在鞘中的勇者之劍，敲得柵欄鏗鏘作響。

「安靜！安靜一下！」

人群總算靜下來，小亘揚聲高喊：「方隆先生在這裡嗎？」

後方，冒出一個嘶啞的聲音，回答方隆在這裡。小亘連忙跑過去。

湯尼．方隆變得十分憔悴。可能是因爲一直關在這裡吧，臉色像鬼一樣蒼白，顴骨都突起來了。綁在頸後的烏黑長髮也比上次見面時少了很多，好像變瘦了。不過眼睛倒是瞪得大大的，一看到小亘的臉，眼中頓時燃起光芒。

「你不是嘎薩拉的高地人嗎？」

方隆的雙手緊抓著牢籠柵欄。

「就你一個人來這裡？你的夥伴呢？」

「很遺憾，就我一個人。」小亘也抓著牢籠柵欄，勉強保持站立。「本來打算偷偷潛入，沒想到引發一場大戰，所以上面已經回不去了，現在潘所長的部下和修騰格爾騎士團，一定已經包圍了這個聖堂。」

牢中的獸人和水人們，你一言我一句地吵著。有的憤懣有的咒罵還有人大叫。其中，只有方隆笑了。「這樣好像談不上來救人吧。你不也走投無路了嗎？」

「是的。很抱歉。」

「那你打算怎麼辦？」

「除了那個梯子，沒有其他出口了嗎？」

「怎麼可能會有什麼出口。」

方隆放聲大笑，邊說邊轉頭看著關在同一間牢房裡的夥伴，粗壯的獸人和水人們一起發出狂吠的笑聲。

「就是因爲沒有，我們正在這裡挖掘密道呢。當然，是在不被發現的情況下偷偷地挖。」

密道大概就在這間牢房吧。方隆他們一邊歡呼，一邊拆下簡陋的地板，頓時出現了一個洞。

「我們已經挖通到鎮外了！」與方隆並肩而立的獸人驕傲地露出尖銳利齒，一邊大叫。「如果只有我們幾個，隨時都能逃走。可是我們擔心其他的牢友。你來得正好，幹得好，小不點高地人！快，用那串鑰匙把大家的牢門都打開。」

小亘鬆了一口氣，差點當場倒下。方隆從柵欄縫隙間伸出手，緊急抓住小亘的手臂。

「振作一點。看來你好像受傷了，不過要昏倒先等一下，等逃到更安全的場所再說。」

「嗯，知道了。」

握著鑰匙圈的手，又被方隆拉回去。他睜大了他的黑眼珠。

「那個……，不是我的工具箱嗎！」

是小亘掛在腰上的工具箱。

「你見過艾爾莎？」

「對。她平安無事。雖然因爲擔心你而悲傷，不過人很平安。」

「太好了……」

「這個，是她交給我的。方隆先生，我想請你幫我做龍笛，所以才來歷歷斯找你。」

方隆瘦削的臉上，頓時湧現精悍之氣。「好，沒問題。雖然還搞不清楚狀況，不過叫我做什麼都行。總之，我們快離開這裡吧。」

第三十七章

喬佐的翅膀

長長的密道通往歷歷斯郊外的山中。眾人逃出後，就在那裡分道揚鑣。

「請你們去其他城鎮的分局，只要告知他們歷歷斯的現狀，大家絕不會坐視不管的。」

人群中還夾雜了女性和孩童，令小亘很不放心，不過紅磚工匠街的每個人倒是意氣風發地說：

「我們對這一帶的地形很熟。不會被抓到的，一定會成功逃出去。」

小亘和湯尼．方隆一起穿越森林，越過丘陵，趕往「大樹路標」。奇．奇瑪的達爾巴巴車因爲急著趕路，車輪上沾滿了泥濘和塵土，他們果然如約在那裡等著。咪娜爬上大樹枝椏搶先發現了小亘和方隆的蹤影，可是一看到傷痕累累的小亘，驚嚇地點從樹上掉下來。

「難怪俗話說人有失手馬有失蹄，連猴子也會掉下樹。」小亘露出笑容。「我雖然看起來很嚇人，其實沒受什麼傷啦。」

「少騙人了，你明明傷得很重，到底出了什麼事？」

有話待會再說。大家先坐上達爾巴巴車。

「總之，如果不脫離歷歷斯分局的管轄範圍，就無法安心製作龍笛。雖然有點顛簸，你們忍一下，只要越過兩座山，就會到達一個叫做塔庫洛的小村莊，那裡非常僻靜，連歷歷斯的人都不知道，分局應該也不會找上那裡，只要到了那裡，就不怕了。」

奇・奇瑪卯足幹勁鞭策達爾巴巴，揚起塵土奔馳而去。

塔庫洛這個山中小村，早在很久很久以前，誰也記不清楚的遠古時代曾因金礦繁榮一時。金礦挖光後，村子的繁榮也結束了。現在只剩下少數老人靠著種田勤儉度日。

「說起用塔庫洛的黃金做成的裝飾品，那可是古董中的古董。」

方隆環視著樸素的茅草屋頂小屋說。

「我曾受人委託修過兩、三次，原來是這種地方做的啊。」

達爾巴巴車一抵達村子入口，老人就從小屋探出頭親密地和奇・奇瑪打招呼。小亘很驚訝。

「奇・奇瑪，你在這兒有熟人？」

一路上達爾巴巴車翻山越嶺，走的都是相當險峻的路。

「你也送貨到這裡來嗎？」

「不是因爲工作，呃，是他們有事託我代勞啦。因爲這裡都是老人家，像衣物或是日用品之類要去鎮上才能買到的東西，我會替他們買好送過來。」

話說當年，奇・奇瑪才剛開始駕駛達爾巴巴車時，在山中迷了路，後來好不容易抵達這裡才開始了這段緣分。

「你也知道的，我們不會去歷歷斯送貨嘛。所以對這一帶的路不熟，況且那時還是新手，差點死在路旁，多虧在這兒得到他們幫助。從那之後，只要經過附近我就會來看他們。」

由於以前是挖金礦的城鎮，所以這些老人全都是做過金礦礦工的獸人族。看起來跟奇・奇瑪眞的很要好，大家都很親切。說明原委後，他們立刻提供一間空著的小屋，還主動送來糧食和飲料。村長是個連耳毛都已雪白的獸人，在小亘看來，好像上了年紀的西伯利亞哈士奇犬。雖然年老體弱，眼中還留有些許強悍的地方特別相似。

休息一晚後，方隆立刻開始製作龍笛。說到他乍見喬佐鱗片時那股興奮之情，連小亘咪娜和奇·奇瑪都看得目瞪口呆。

「這可是一輩子一次的大工程。」他漲紅著臉說。「龍的鱗片就連我師傅都沒處理過，當然我也是頭一遭，而且絕不允許失敗。因爲這玩意兒只有一片。」

兩天，不，給我三天時間，他說。「包在我身上，我一定會完成的。」

如此宣誓後，就窩在小屋閉門不出。

「眞不知該說是工匠脾氣還是藝術家個性……」

奇·奇瑪瞪著黑眼珠欽佩不已。「這股活力眞叫人難以相信，前不久他還被關在牢裡性命垂危呢。眞是了不起。」

「方隆先生現在，一定正專心投入眼前的精雕工作吧。」咪娜心有戚戚焉地說。「這樣子，也不會去想留在歷歷斯的艾爾莎了。」

關於艾爾莎，小亘當然也很掛念。可是，雖說父女立場對立，她畢竟是潘所長的女兒。方隆他們越獄後歷歷斯的戒備會更加森嚴，不過一時之間艾爾莎應該還不大可能有什麼生命危險。他這麼安慰自己。

也許是鬆了一口氣吧，小亘病倒了，他高燒不退，令咪娜很擔心。村中的老人特地煎了草藥說這個對付受傷引發的高燒最有效，可是那玩意兒很苦很難喝，每次都是在頻頻作嘔的狀態下才勉強喝下。

方隆仍然專心在工作。小亘臥床休養的期間，歷歷斯分局的高地人和修騰格爾騎士團的成員曾來到村子入口。這出乎奇．奇瑪的預料，原來他們還是把塔庫洛村也納入越獄犯的搜索範圍內了。不過，可能是他們疲於應付耳背重聽的老人，或者驚訝於這個瀕臨廢村的小村子未免過於荒涼，連村子都沒進立刻就走人了。

「這個村子的老爺爺老婆婆，其實精明得很。」

負責照顧小亘，陪在病榻前的咪娜，吐出舌尖笑了。

「其實他們根本沒有重聽到那種地步，卻故意假裝聽不見，把追兵唬得一愣一愣的。」

小亘放寬心來養傷，他很清楚咪娜打從心底替他擔心，所以關於西斯提娜教堂發生了什麼事，自己又做了什麼，有機會就一點一點向她說明。

「虧你能平安回來。」

咪娜深邃的青灰色眼瞳有點濕潤。

「這都要感謝勇者之劍。」小亘說。「不過……我殺了戴蒙祭司。」

「不是你殺的，是他自作自受。況且，如果戴蒙祭司沒倒下，就換成你被殺了，也就無法救出方隆先生他們了。」

沒錯。可是，還是無法抹消心中殘留的罪惡感。仰望木頭搭建的簡式屋樑，聽著讓茅草屋頂沙沙作響的風聲，空氣中籠罩著灶上煮的濃湯蒸氣和剛出爐的麵包香味，就這麼躺著，彷彿一切只是一場惡夢。然而，每次翻身，每次睡眼惺忪驟然清醒時，就像日曆被風翻回前一頁，聖堂的光景總會復甦，令小亘再次意識到，那是現實中確實發生過的事。緩緩倒下的西斯提娜石像，以及被壓在下面的戴蒙祭司，額頭的傷口淌著鮮血，還不斷發出哀嚎。

無論白天還是黑夜，每逢小亘被惡夢驚醒，咪娜總是陪在身旁。有時趁咪娜沒注意的時候凝視她的側臉，總會發現媽媽的影子。雖然跟媽媽很像，但那不是媽媽，而是一個溫柔女子的影子，那個身影又好像是小亘至今未曾見過、但今後可能會在未來現世某處相遇的人——將會是時時關心小亘的人。

等到小亘身上雖還到處塗著傷藥、包著繃帶，但已可下床時，湯尼．方隆終於搖搖晃晃地走出小屋，他的手上緊握著一支又紅又亮的小笛子。

「完成了……」

說著，這次輪到他倒下了。也難怪如此，畢竟他已經不眠不休不吃不喝三天了。

小亘拿著龍笛。紅寶石的光芒被封鎖在笛中，這個纖細輕巧的工藝品，與其說是笛子，更像是在尚未被人類破壞的密林深處飛來飛去、不可思議的美麗小鳥的鳥喙。到底會發出什麼樣的聲音呢？

「這兒應該可以吧。」

塔庫洛的村長帶領小亘他們來到村外廣場。雜木林環繞四周，柔軟的草皮上到處開著白色小花。

「龍的身體想必很巨大，不過這裡應該沒問題，腳下的地盤也夠穩。」

據說以前這個村子繁榮時，這裡本是慶典聚會的場所。

小亘做個深呼吸，仰望藍天。今天是蔚藍無雲的晴天，風也很輕柔。

「小亘，快吹笛子試試看。」

咪娜和奇．奇瑪，後面還有村長帶著村民們都吞了一口口水。大家似乎都是有生以來頭一次能看到龍。老人們如小孩般雙眼發亮的模樣，還挺可愛的。

「那我，要吹囉。」

小亘開始緊張。他的手指牢牢夾著龍笛以免掉落，接著他將龍笛放到嘴邊。

鮮紅的笛子，隱約帶著暖意。小亘輕輕吹入一口氣。

那個聲音化為豐潤的音色迸射而出。突然間，彷彿從頭被一匹晶瑩剔透美麗柔滑的布匹包覆，連風景都乍然一變。雜木林的綠色變成鮮麗的嫩綠，雜草中綻放的白色小花，色調如白銀開始發光。龍笛，並非將小亘吹的那口氣變成笛聲。只要接觸到資格符合者的生命，自然就會奏出音樂。對著天空的彼端呼喚。那個呼喚聲乘著風，與風渾然融為一體，越過雲層，吸收光線，一邊在地上所有生物的耳中注入悅耳的囁語，一邊朝著天空更高處飛昇而去。

「好美……」

咪娜陶然仰望著天空呢喃。彷彿看到了音色的流動。不，就連在小亘眼中也清楚看見了。在乾淨的「幻界」空氣中顯得格外清澈、不讓污濁靠近、蘊含著強勁能量的清風，正從這個廣場不斷往上攀升而去。

即使龍笛已離開小亘嘴邊，那股氛圍仍久久縈繞不去。樂音停止的龍笛在小亘指間發出紅光，最後心滿意足地恢復沉默。

不知等了多久。大家都已忘了時間，只是定定地、全心全意地仰望藍天，難掩興奮。終於在蒼穹彼端出現一個鮮紅的小點。宛如在空曠的藍天中，又生出了另一支龍笛。但那顆在正午天空中閃爍的鮮紅星星，顯然正在移動，逐漸靠近，並且朝這邊奔來。在萬里無雲的藍空中受到導引，發現目標，回應呼喚，筆直奔來。眼看鮮紅小點逐漸膨脹，形成巨大的翅膀。每當它猛力拍翅就捲起氣流，一邊在背後畫出彩虹一邊往這裡飛來。越來越近。

小亘不禁舉起一隻手，大家也開始揮手。鮮紅的翅膀已清晰可見。沒錯，是一條龍。鮮紅的龍張開翅膀，在小亘他們頭上轉一個大迴旋後，暫時停在正上方天空。小亘眾人紛紛散開，空出廣場中央。喬佐一邊靠著長有鉤爪的腳和翅膀的動作靈活地保持平衡，一邊緩緩降落。每次翅膀一動，雜木林和草叢就一陣亂搖。喬佐翅膀掀起的風，把小亘的頭髮、咪娜的耳朵、村民們寬大的衣袖和下襬都吹翻了。大家一邊又笑又叫，一邊繼續揮手揮得手都快斷了。

喬佐的腳終於踩到地面。巨大的火龍為了避免自己的翅膀掃到等待的人群，小心翼翼地著陸。又大又圓的眼睛，骨碌一轉發現了小亘。

「喬佐！」小亘張開雙臂撲過去。火龍一邊收起翅膀，一邊發出喉音迎接小亘。

「嗨，嗨，好久不見，小亘。」

喬佐從大牙之間發出聲音。他的身體和上次在悲嘆沼澤相遇時比起來，足足大了一兩圈。強壯的翅膀，牙齒閃著利光，每一片鮮紅鱗片都化為強韌外衣覆蓋著全身。不過，開朗的語氣依然沒變。「你一直沒呼喚我，我還在奇怪你怎麼了呢。」

「對不起。後來又發生了很多事。不過，沒想到你還記得我啊。」

「那當然。」喬佐的眼睛滴溜亂轉。

「你是我的救命恩人嘛。」

喬佐在悲嘆沼澤被怪魚卡隆咬住時，被小亘用勇者之劍砍斷的尾巴還是沒變。

「你的尾巴、都沒長出來嗎？」

喬佐甩著尾巴尖，一邊拍打雜草，一邊笑了起來。村民們原本戰戰兢兢地接近喬佐，正用指尖觸摸龍尾巴和翅膀，頓時四散而逃。

「就算我們龍族再厲害，對這個也沒輒，我還被龍王大人罵了呢！說我就是成天搞特技才會這樣。不過，有點傷痕比較像身經百戰的勇士，還挺酷的吧？」

「嗯，對呀。」

喬佐歪起長長的脖子，環視聚集的人群。「這是你的夥伴嗎？」

「大家的眼睛和嘴巴都好大喔。」

小亘放聲大笑。「那是因爲看到你太驚訝了啦。大家都是第一次看到龍。」

「這樣啊。各位，你們好。」

喬佐隨和的招呼，村民們「噢」地響起哄聲，甚至有老年人嚇得腿軟。村長則頻頻擦著額頭的汗。

「這眞是這眞是……是眞的耶。眞正的火龍。」

「嗯，是啊。」喬佐毫不扭捏。

咪娜提心吊膽地走上前。「小、小亘……」

「嗯。喬佐，這是跟我一起旅行的咪娜和奇．奇瑪。」

「請多指教。喵族的小姐。還有，水人族的大叔。」

「大、大叔？」奇．奇瑪很錯愕。

「我才沒那麼老。」

「咦，這樣啊。對不起，水人族的年紀不太好分辨。」

龍的年紀也一樣難以分辨。才一陣子不見，喬佐的身體雖然就長大了，不過在心智上似乎還是個小朋友。

「對了小亘，你想去哪裡？我現在可以飛得比以前更高更快喔。你想去哪我都可以帶你去。」

小亘把原委向他解釋。喬佐倒也不驚訝。「噢，岱拉．魯貝西啊。嗯，的確，安德亞台地附近的氣流最近變得怪怪的，如果卡魯拉族接近恐怕會有危險。」

「你早就知道？」

「知道啊，幻界的天空就等於是我們的。那，我們立刻出發嗎？」

「嗯！」

小亘他們已做好出發準備。喬佐把脖子一伸過來，奇．奇瑪率先爬上去，把咪娜拉上去，最後小亘也爬上去，跨坐在喬佐的脖根處。村民們圍攏過來。

「村長先生，多虧你們照顧。真的很謝謝你們。」

「哪裡哪裡，小事一樁啦。」

「方隆先生就拜託你們了。」

「好，包在我身上。等他恢復健康，我會安排一條安全越過山嶺的路線，確保他平安抵達嘎薩拉。」

小亘給嘎薩拉的卡姿寫了一封信。叫方隆帶著信去嘎薩拉，把歷歷斯的現狀向分局報告。

「一共三位吧？都坐穩了嗎？好好抓緊喔。」喬佐脖子轉過來確認後，開始鼓動翅膀。

「好了，那就出發囉。起先會有點搖晃喔。嘿咻！」

喬佐一拍翅膀，立刻捲起上升氣流。氣流溫柔地撫過小亘臉頰，心情也跟著昂揚起來。

「路上小心喔！」

村長大聲呼喊。小亘揮揮手，村民們也揮手還禮。喬佐的身體飄然騰空，雜樹林已在腳下。小亘聽著村民們的歡呼和鼓勵，大聲說再見和謝謝。

轉眼間，喬佐已經飛上了天。他在廣場上空滑翔畫出半圓向大家道別後，就朝著岱拉．魯貝西飛得更高。

塔庫洛村老人們目送到喬佐再次化爲紅星，完全消失不見爲止，還一直仰望著天空。大家不約而同地嘆道：「果然是活到老學到老啊……」

第三十八章 冰凍之都

就連搭乘過卡魯拉族便車的小亘，都覺得喬佐的飛行之快、之高不同凡響，更別說是初次飛行的咪娜和奇．奇瑪，對他們來說這似乎是個極大的震撼。不過咪娜還算好，至少還能俯瞰下界發出歡呼，大呼小叫興高采烈的。奇．奇瑪可就慘了，才剛起飛沒多久，他原本就蒼白的肌膚已經完全失去血色。

「我、我大概有點……，不適合空中旅行。」

他哆索地只說了這麼一句之後就再也沒開口，渾身僵硬地緊抓著喬佐翅膀不放。

「奇．奇瑪，沒想到你這麼沒出息。」

連咪娜這麼調侃他也都沒反應。

「空氣可能會有點稀薄，不過我想看不到下面比較不會心慌，所以我要衝到雲層上面喔。到時候，腳下整片都是軟綿綿的雪白雲朵，應該會舒服一點。」

喬佐說著，毫不費力地穿過頭上的雲層。正如他所說，眼下的雲海（只要忘記其實那是在高得要命的地方）看起來好軟好安全，的確減輕了些許不安。

小亘和咪娜抓著喬佐脖子，開始跟他東扯西扯。龍向來都是飛在這麼高的地方嗎？聽說你們棲息在分隔北方大陸和南方大陸的大海上，一個被「針霧」籠罩的小島上，是真的嗎？

「嗯，對呀。我是在『針霧』中出生的。我們龍族居住的小島，形狀就像我送給你的那枚鱗片。」

很久以前龍族的數目比現在更多，無論是在南方大陸或北方大陸，都有許多龍族。

「可是，聽說我們還是很難跟你們共同生活。」

「爲什麼？」

「因爲我們身體太大了，力量也太強，而且又會噴火。」

咪娜瞠目以對。「這麼說，是我們這些種族，包括安卡族、獸人族等所有種族，把龍族趕走的嗎？」

「嗯……也許吧。」喬佐似乎難以啓齒。「我也只是從龍王大人和爸媽那裡聽過一些古老的傳說，很多事情我也不清楚。」

原來喬佐也有爸媽。雖然這是理所當然，卻還是覺得有點不可思議。

「可是，如果眞是這樣，那我覺得好討厭喔。」咪娜露出悶悶不樂的表情，扯著耳朵。「說到火龍，那可是輔佐創世的女神大人，守護『幻界』的重要恩人耶。結果他的子孫竟然被我們這些後來出現的種族迫害……」

「不是什麼迫害的問題啦。」喬佐連忙補充。「你知道嗎，龍王大人說過，幻界本身就等於是一個生物，所以在漫長的歷史中會不斷變化。像我們這種過於強大的生物，數量會漸漸減少，就算有一天滅亡了也是無可奈何的。」

他的語氣非常平淡。

「喬佐你不會覺得寂寞嗎？」小亘問。

「寂寞？」

「如果滅亡了……」

「我沒辦法體會耶。但起碼我現在好得很。而且，『龍島』上還有很多夥伴。」

不過據說成年的龍很少離開島上。一年到頭都窩在「龍島」，悄悄過著平靜的生活。會外出在幻界到處飛翔的，都是好奇心旺盛的小龍。小亘能遇見喬佐，可說是千載難逢的機運。

「這或許也是女神大人的旨意吧。」喬佐在雲中瞇起眼睛說。

他們早就預期這趟空中之旅會很冷，每個人的衣服都穿得很厚。然而接近安德亞台地時，雲層逐漸增厚，氣溫也驟然下降了。奇．奇瑪開始猛打噴嚏。

「我噴點火讓你們暖暖身子吧。」

「不，不用！心領了！」

奇．奇瑪慌忙拒絕，差點從喬佐背上滑落。小亘和咪娜都笑翻了。

「其實你用不著客氣。不過……」喬佐透過雲層看向彼端。「這些雲果然有點不對勁。以往，只要飛到這裡，就能從雲層間看到安德亞台地了，可是現在卻什麼都看不見。」

不知不覺，原本在腳下的雲已籠罩住他們全身。喬佐明明沒有改變飛行高度。

「而且，你們感覺到了沒？這些雲帶著悲傷的味道。」

「悲傷的味道？」

小亘和咪娜都伸出舌頭，試著嚐一下雲。這還挺難的，因爲無法像舔棉花糖那樣品嚐。

「是眼淚的味道。說不定，是女神大人在傷心。」

喬佐的語氣變得肅穆。

火龍用翅膀撥開雲層，繼續飛行。最後，終於在雲層右前方的細小縫隙間看到有東西閃了一下。雖只是一瞬間，但小亘的確看到了。

「我想想看喔。我們應該已經來到安德亞台地附近了。我飛低一點看看。抓緊喔。」

喬佐霎時降低高度。彷彿坐在隱形的雲霄飛車上，小亘的胃輕飄了起來。奇・奇瑪發出呻吟。

「就是那個！」喬佐說。「咦，我們已經來到正上空了耶。」

喬佐翅膀產生的強烈氣流，雲不斷往背後流去。豁然開朗的視野中，突然冒出空中樓閣般的都市，小亘不禁屏息。在冰河保護下，被大雪封閉的安德亞台地的最高處存在著這樣一個都市。橢圓形的雙重城牆、林立的樑柱、迂迴的迴廊、有著上上下下的階梯及陽台的石造建築物，連綿不絕宛如迷宮，閃耀著冰冷的光輝。

起先，還以爲是水晶做的建築物。凝神細看之下，才發現並非如此，是凍結了。一切都覆蓋在冰雪下。小亘想起以前全家旅行時在玻璃工藝博物館看到的景象。水晶玻璃蓋成的巨大城堡，連尖塔上飄揚的旗幟都是用玻璃精細打造而成。

「你們看那個森林。連樹木都凍結了。」

裹著白霜的枝幹垂掛著無數冰條，像奇特的果實般閃閃發光。

「統統都結冰了耶。」咪娜發出嘆息說。「這麼冷的地方，眞的有人住嗎？」

放眼望去在這廣大都市裡沒有半個人影。

奇・奇瑪打了一個特大號噴嚏，震動了喬佐的翅膀。「我懂了，難怪他會求救，小亘。在大家凍死之前，趕快設法讓我們下去吧。」

小亘感到寒氣凍麻了耳垂。

「喬佐，安德亞台地上沒有可以往上走的道路嗎？」

「不知道，我沒看過。」

「打從很久以前這裡就被冰河給圍住了。」

「嗯。不過，上次我飛來這裡時，建築物和森林都沒凍結，而且還開著花，我還看到有人在散步呢！」

冰凍都市的東北方城牆旁，有一個屋頂平坦看似大會堂的建築物。喬佐在那裡降落。

「哇塞，冷死了！」喬佐一邊收起翅膀，一邊抽動著大大的鼻孔。

「我也快要打噴嚏了。小亘，怎麼辦？你要進去看看吧？」

「嗯。」小亘從喬佐背上跳下來。「喬佐，待在這裡你會凍僵吧？」

「我可以不時噴火取暖，不要緊。不過，待太久我可受不了，對你們的身體也不好喔。」

「知道了。我們會盡快回來。」

光是從大會堂的屋頂降落到地面就大費周章，要探索街上更需要過人的努力。因爲滑溜溜的，實在是舉步維艱。小亘、咪娜和奇・奇瑪跌跌撞撞地好不容易才站起來，一會兒又爲了幫忙滑倒的夥伴自己也摔個狗吃屎，十足吃盡了苦頭，一點也笑不出來。

寒氣與靜寂如此駭人。在這個連心臟都會凍結的都市裡，眞的還有人活著嗎？在他們費盡辛苦抵達這裡的這段期間，透過眞實之鏡向他們求救的那個男人，該不會已經斷氣了吧？

「有沒有人在？」

「喂！我們來救你了。」

三人試著放聲大喊，無人回應。冰凍的城市沒有一絲回音，連呼喚聲都被吸走了。不，也許聲音飄到空中，也被凍結了。

記得很久以前，媽媽曾帶他去看過兒童劇。角主是隻小飛馬，還有希臘眾神登場的音樂劇。老實說，當時小亘覺得不怎麼好看。不過，美麗的佈景倒是很吸引他。有大理石神殿，還有環繞四周的濃密森林。

岱拉·魯貝西的這個都市令小亘想起那齣戲的佈景。有的建築物沿著起伏低緩的室外階梯往上爬，可以抵達一扇雕滿花鳥與天使的大門，那是一棟窗框綴飾著薔薇的豪宅，門口柱子上有凱爾貝羅斯（註）如看門狗般的睨視著。街景如棋盤般井然有序。建築物的屋頂多半是平坦的，邊緣聳起突出的屋簷下，各自點綴著匠心獨具的裝飾品。還有一個露天圓頂建築，其圓柱皆雕有魔導士和騎士、貴婦模樣（大概是以某智者或偉人爲模特兒吧），並肩站立圍成一圈，支撐著天頂。

希臘神話的眾神之鄉。要說是仿造未免言重。

純就景觀來說，小亘並不覺得會格格不入。可是說來不可思議。對老神教信徒來說，難道這種都市景觀就是他們的理想嗎？女神統治的幻界城鎮，一切都是伴隨著該鎮的產業、以及在幻界中扮演的角色而存在的。因爲每個城鎮都有幻界居民應有的生計和生活，而這就是這裡所欠缺。對，所以才會令他聯想到舞台劇的佈景。

露天圓頂建築是做什麼用的？那是頌揚誰的雕像？這個都市又因應誰的希望而誕生的？住在這裡的人，爲了什麼賣力流汗，爲了什麼而歡笑，又對什麼懷抱不安？這裡感覺非常人工化，但那感覺並不只是因爲放眼望去都被冰霜覆蓋所致。

「欸，奇．奇瑪。」我試問。「幻界中還有其他像這樣的城鎮嗎？」

奇．奇瑪冷得憔悴失神。

「我可沒見過。哪有像這裡這麼冷的。」

「不是冷，我是說城鎮的結構。你知道還有哪個地方到處都是這種氣派的神殿建築嗎？」

「我想應該沒有吧。」咪娜一邊憂慮地轉頭看著反應遲鈍的奇．奇瑪，一邊說。

「這個地方怪怪的。不是凍結了才說怪，到處都看不到店鋪或旅館耶。」

三人來到街角一個看似小公園的地方。中央有個四周種植著花草的台座，上面立著一尊雕塑。是一個球形雕塑。起先以爲是類似地球儀的東西。可是，走近一看，才發現球體表面毫無圖案、光溜溜的，由於凍結得非常厲害，如果不小心碰到可能連手指都會被黏住。

球體正中央已經出現裂縫逐漸崩解。裂縫中已結了霜。小亘仔細觀察後，終於發現這似乎模仿寶珠的雕塑，而且不是別的，正是勇者之劍上鑲嵌的寶珠。可是，如果眞是如此那就怪了？寶珠負

註：希臘神話中看守地獄門口的三頭惡犬

責引導「旅人」。然而在老神教中將「旅人」視爲不祥之物。把這種跟「旅人」有密切相關的東西做成雕塑公然陳列，未免太矛盾。

「小亘，怎麼辦。我們這樣悶著腦袋四處亂走也不是辦法。」咪娜雙臂環抱著身體，邊摩擦邊說。「而且奇．奇瑪快要昏倒了。水人族受不了寒冷。」

想想的確是。蜥蜴是變溫動物，周遭如果氣溫低，體溫也會跟著下降最後導致動作遲鈍。奇．奇瑪蹲在廣場入口，緊閉雙眼一直縮著不動。

兩人急忙跑到奇．奇瑪身邊。雖然腳下一滑撞到了奇．奇瑪，不過這下子倒讓奇．奇瑪睜開了眼。他的眼神茫然失焦。

「你沒事吧？」

「嗯，對不起。」連眨眼的動作也變得遲緩。仔細一看，奇．奇瑪堅固鉤爪的指間已積滿冰霜。「我覺得睏得要命。」

「不好了。這樣下去會凍死。」

「回喬佐那裡吧。奇．奇瑪，你站得起來嗎？」

「我不要緊。」說話也變遲鈍了。身體變得好笨重。小亘和咪娜分別從左右兩邊抓著他的手臂，嘿咻嘿咻地往前走。

「我不要緊……不用擔心……」

像在說夢話的奇．奇瑪似乎已經快失去意識了。

整個城鎮在一片無止境的淺藍色結冰之下，又覆蓋著純白的霜雪。地面已結了一層厚度足以溜冰的冰，所以連腳印都沒有。小亘本想沿著像棋盤的街道，按照來時路走回去，但似乎被毫無色彩變化的街景搞迷糊了。即使走到應該可以看到喬佐的地方，還是沒發現火龍鮮紅的身體。

這時，咪娜放開奇．奇瑪的手臂，停下腳步。小亘在前頭多走了兩、三步才發覺。

「咪娜，妳怎麼了？」

回頭一看，她瞪大了渾圓的眼睛，呆住了。

「妳是怎麼了？」

「小亘。」咪娜指著。「這個，你看。」

兩人的左手邊有一個四周種滿凍結灌木的廣場，整片都是純白的，彷彿清晨下大雪的校園。

「妳在說哪個？」

「你看不見？你再仔細看。」

小亘凝神細看。寒氣凍得他流眼淚。

「妳到底看到了什麼……」

正要反問之際，小亘也看到了。廣場中央，白雪廣場上縱橫著許多冰條，形成一幅圖案。

是通往現世的圖案！

「這表示這裡可以使用真實之鏡嗎？」

如果真是這樣，就更令人百思不解了。真實之鏡和光之甬道出入口的圖案，同樣也和「旅人」有關。不僅跟老神教扯不上關係，甚至應該是敵對關係。

「走過去，確認一下吧。」奇．奇瑪用含糊不清的口吻說。「說不定是看錯了，如果真的是那個圖案或許可以找到什麼線索。」

「可是……」

「沒關係、沒關係。」

三人橫越凍結的廣場，走近凍得硬梆梆的雪地圖案。靠近一看，越來越覺得就是那個圖案。小亘站在中央，蹲下身子用指尖沿著圖案的線條畫過。

「只有這裡凸起來的。」

「眞的耶。」

咪娜也來到小亘身邊蹲下。指尖碰到冰，爪子一抓就喀喀作響。

「這到底……」

正想說是怎麼回事時，咪娜爲了禦寒把鈕扣扣得緊緊的上衣內側，眞實之鏡又開始發光。咪娜慌忙想取出鏡子。突然腳下一陣晃動，三人一屁股跌坐在地上。

「哇，怎麼了？」

冰凍尖凍的雪地正在震動，沿著圖案外側邊緣，開始出現裂縫，隨著裂縫越來越大，滿天飄著細小的冰霜碎片。

冰面裂開，圖案外圍變得更清晰立體。這時，轟然一聲震動，地面開始下沉。圖案部分如同大型電梯，就這麼載著小亘三人緩緩下降。

第三十九章 教王

圖案電梯降落到底，出現一個完全仿圖案形狀的大廳，頭上的圖案開了個洞，寒氣不斷灌入內部。大廳跟外面一樣冷，細細的粉雪或凍雪被風吹成堆，不過室內並沒有結冰，石壁看似大理石。小亘前面出現一條蜿蜒的石廊。

「去看看吧。」

兩人把奇．奇瑪夾在中間開始往前走。走廊上沒有火把或燭臺之類的燈光，但內部整體仍然微亮可見。構成走廊、牆壁和天花板的光滑石子放射出月光般幽微光芒。

走廊忽左忽右蜿蜒不絕。左右兩邊不時出現沉重的門扉。門扉四周凝結著凍雪，即使試著去推或拉，門還是緊閉文風不動。

這裡也是毫無人跡。

緊張和寒冷讓小亘三人說不出話。沿著長長的走廊繼續前進。走廊前方有一道形狀仿蠟燭火焰的拱門，前方顯得格外明亮。他們朝那兒走去。穿過拱門，出現一個展開的露台，挑高直達天花板的空間，高度約有三十公尺。這是圓形的房間，階梯循著周圍的牆壁而上。小亘走出一步，隔著裝飾露台邊，有著優美藤蔓曲線的欄杆往下看。然後，啊地大叫一聲。

樓下的圓形大廳中央，放著一面直徑約等同小亘身高的大型圓鏡，是眞實之鏡。旁邊有個人彷彿是那面鏡子的守衛，倚在一張扶手椅上。正是那個白袍男子，呼喚小亘的男人，就癱在那裡。他手上原本拿的那把槌子，現在已經脫離他那無力垂落的手，掉在他的腳邊。

小亘衝下階梯。一時之間也不知該喊他什麼好，悶著腦袋一口氣衝過去，抓起白袍男人的手臂。

「振作點！請振作點！」

小亘一搖晃男人，他額頭上的銀冠就歪了。在眞實之鏡看到的景象沒錯，男人的確滿頭白髮，眉毛也是白的。可是年齡比那時想像得還年輕，應該不到三十歲吧。男人的脖子像斷了般無力地歪斜著，眼睛是睜開的。小亘湊近那張臉。心裡感到一陣安心。

「啊，太好了。我來幫忙了。呼喚我的，就是你吧？」

男人睏倦地眨著眼，痛苦地發出呻吟，企圖從椅子上起身。小亘伸出手，讓他靠著椅背坐好。

「你是……『旅人』吧。」

聽到聲音，果然很年輕。眼睛也很清澈，肌膚光滑緊實，卻滿頭白髮。

「是的。我叫小亘。」

奇．奇瑪和咪娜總算追下樓來。男人來回看著三人的臉。

「你們是怎麼……來的？」

「這是跟我一起旅行的夥伴，陪我一起來到這裡。對不起耽擱了這麼久的時間。」

「我們騎龍來的。」

男人有點瞠目，旋即露出微笑。「那眞是了不起。你遇到了龍啊。我……沒能見到。即使在幻界，那也是極爲罕見的生物。」

之前透過咪娜的眞實之鏡求救時，他說話的語氣很正式很拘謹。現在，聽他毫不做作地交談，小亘開始覺得這個人更年輕、更隨和。同時又更令人感到神秘。

「不管如何，先離開這裡吧。你的臉色很糟，一定是這裡的寒氣讓你染上肺炎了。」

小亘把手放在男人額頭。本以爲他會發燒，沒想到觸手冰涼，臉色也灰暗如鉛。

「還有其他人嗎？一起逃走吧。逃到更溫暖的地方。」

男人緩緩搖頭。「已經沒人了。大家都死光了，我是最後一個活口，只剩下我。」

他的語氣中蘊含的不是悲哀，而是自嘲。

「你叫我『教王』吧。大家都這麼稱呼我。我本來是大家的領袖。好歹算是啦……」

教王。岱拉・魯貝西特別自治州，既然是與老神教有關的信徒們隱居的故鄉，這的確是個適當的稱呼。

可是……話說回來怎麼處處充滿詭異。

「你怎麼會變成這樣呢？」

咪娜湊近蹲在男人膝旁。「是傳染病？所以大家都死了？這裡從以前就這麼冷嗎？」

「有話待會再說。先趕緊離開這裡吧。」奇・奇瑪呻吟著說。

「咪娜，幫我按摩一下我的背，這樣我就能打起精神，可以揹著這個人走。」

白袍男人一手放在小亘的手上。「我無法離開這裡，這裡即將毀滅，我也會死，我無法逃走。

這種事女神大人是不會允許的。」

女神大人？小亘瞠目，輕輕張開雙手指著四周。

「這是什麼意思？這裡不是——你們不是老神教信徒嗎？你們隱居在這裡吧？所以你才會被稱爲『教王』吧？」

「不，不是的。不過，在地上確實是這樣的認知。」

男人微微露出笑容。就像脆弱的冰片融解掉落，他的臉上也逐漸撕去毫無表情的面具。

「那也包含在我跟女神大人的盟約之內。爲了避免在地上引起無謂騷動，斷絕和地上的關係，這麼做對穩定南方大陸的政情是最好的。所以我們遵守約定，一直到現在。可是，背信的時刻終於來臨。女神大人大概早就知道會有這麼一天吧。人是狡猾的，心靈很脆弱，遲早會出現心靈脆弱的人，違背發誓要永遠遵守的約定，於是大家就都得受到懲罰。」

他像唱歌似的喃喃自語。小亘的腦袋跟不上。

「你在說什麼？」

白髮的年輕教王看著小亘眼睛。「我曾經也跟你一樣是個『旅人』。」

他也是來自現世的人類嗎？

「這裡包括我在內，住了十一個現世人類，曾經都是『旅人』，爲了改變自己的命運，穿過要御門，來到這個幻界。」

他的眼神似乎充滿懷念。

「可是我們十一個人無法實現自己的心願，我們受不了幻界之旅的艱險路程，選擇放棄旅行。

可是，我們也不希望在完全無法改變自己命運的情況下，厚著臉皮回到現世……」

小亘默然，看著教王瘦削的下巴形狀。清澈的眼眸中籠罩的不是疲憊，而是百無聊賴的陰翳，這點也令他有點耿耿於懷。

而且這個人很像某個人，總覺得以前好像在哪見過。

「所以你們就留在幻界了？」

咪娜小聲發問。呼出來的氣形成白霧。

「對，沒錯。」教王點頭。「爲了我們這種受挫的『旅人』，女神大人建造了這個都市，並且命我們在這裡過著隱居生活，這是讓我們留在幻界的交換條件。」

咪娜彷彿一副感觸良多樣子，仔細仰望著高高的天花板。「大家都窩在這裡？一步也沒接觸過外面世界？」

她那張不習慣掩飾心中想法，只適合不斷變換豐富表情的小臉上，清楚浮現出感想：換做是我絕對無法忍受。

小亘代替咪娜發問：「一直待在這裡，不會覺得厭倦……或是無聊嗎？你們在這有被賦予什麼應盡的職責嗎？」

教王抬起頭，朝著他身旁的那面巨大的眞實之鏡看去。

「我們的職責，就是守護這個。」

「這是……眞實之鏡吧？」

奇・奇瑪朝鏡子走近一步，本想用粗糙的手觸摸鏡面，卻又作罷。

教王點頭。「所有的『旅人』都會在幻界的旅途中發現眞實之鏡。一人一個，一定會遇上。當旅途結束時，必須把那個還給女神大人，不能再重返幻界，不然那樣太危險了。」

「危險？」

「是的。因爲只要利用眞實之鏡，就能往返現世。」

小亘看著咪娜的臉。咪娜聰明地醒悟：「我雖然從小就聽大人說這個鏡子是全家的護身符所以必須隨身攜帶，但是關於鏡子的功用卻毫無所悉，恐怕連我爸媽也不知道。」

「因爲那是遭到封鎖的知識。」教王說著，對咪娜投以微笑。「可是現在，妳也已經知道了吧？」

咪娜帶著遲疑地點頭。「不過，我並不打算用那個做什麼。」

「在這幻界中，不見得人人都像妳這樣。」

教王看著掉落腳邊的槌子，猛然挑起雪白的眉毛，緩緩撿起槌子，放在膝上。彷彿直到前一秒，他都沒發覺槌子早已從無力的手中滑落。

「這面眞實之鏡，是原本居住在這兒的十二名『旅人』的鏡子集合而成的。眞實之鏡各自擁有自己的靈魂，當他們融合爲一，就在此形成這個樣子。而我們守護著它，不讓任何人——來往現世與幻界之間、企圖搞鬼的人接近。」

十二個人。剛才他明明說十一個人。小亘心中閃過不祥的悸動。

「好像多了一個人。」

教王看著小亘，對他微笑。「是的。就在最近有一個人逃走了，現在還在逃亡。他是逃犯，違背了我們跟女神大人的約定，背叛了女神大人，在我們之中出現了這樣的叛徒，所以我們必須接受女神大人的懲罰。」

「所以這個……」話卡在小亘喉嚨。「都市才會凍結？女神大人爲了懲罰你們，把這個都市凍結，想要毀滅你們？」

教王點頭。下巴一直垂到胸前，他閉上眼。

「這未免有點過於嚴厲了吧。」奇．奇瑪開口說。大概是酷寒令他麻痺，他的發音有點怪異。「我們的女神大人是很慈悲的。只因爲一個人不守信，就想毀滅你們全體，這未免太過火，是不是哪裡搞錯了？」

「神本來就很嚴厲。」教王依舊閉著眼睛。「而人卻很軟弱。遲早有一天，會被自己眼前的慾望蒙蔽，企圖違背神的盟約。女神大人很清楚這一點。因爲這種事，過去已經重演過無數次了。」

十二人中的一人，逃走了，現在還在逃，女神因此發怒。小亘的心跳越來越激烈。

「地面上，現在已對高地人發出緊急指令。說要追捕某個逃犯。」

小亘的話令咪娜猛然瞪圓了眼睛。「對了！偷走重大國家機密，企圖偷渡到北方的逃犯。那該不會就是……」

小亘解釋給教王聽。教王的臉頰僵硬。

「發生了這種事嗎。那大概……嗯，應該不會錯。是嗎……女神大人親自下令了嗎……」

那個逃犯究竟是何方神聖，這個謎團這下子解開了。

他就是岱拉．魯貝西的脫逃者。

「我們也是高地人。」奇．奇瑪挺起胸膛說。眼中浮現來到此地後第一次好奇的神色。「既然那個脫逃者是你們的夥伴，那你知道什麼線索嗎？逮捕那傢伙，也是我們的任務。」

教王抓著椅背想站起來，大概是膝蓋無力吧，沒能成功。他死了心再次跌回椅上，對小亘說：「既然這樣，那就不用我多費唇舌了。我之所以請你幫忙，讓你特地來到此地，就是希望你逮捕那個脫逃者。我的確有線索，我可以告訴你們那個脫逃者現在在哪裡，指點你們正確的位置。」

「怎麼做？」

「映現在這面眞實之鏡中。幫我一下好嗎？」

奇．奇瑪的動作變得很遲鈍，小亘和咪娜只好從兩邊抱著教王手臂，好不容易才讓他站起來。教王一接近眞實之鏡，就站在鏡前，雙手輕輕撫過圓鏡的邊緣。

霎時，眞實之鏡中的教王影像，像融解似的開始模糊。小亘驚訝得猛眨眼，接著，他發現鏡中映出城鎭的風景，不禁倒抽了一口氣。

好像是個港都。從櫛比鱗次的倉庫建築之間，隱約可看見大海一角。只用鐵皮和木材搭建的簡陋倉庫牆上，用黃色油漆或是繪畫顏料，畫著人手握拳的圖案。好像是什麼標誌。

「這個地方是……索諾鎭。」奇．奇瑪瞇著眼，用謹愼的語氣說。「不會錯。建築物也很老舊殘破，對吧。在阿里奇塔，以前本來是個繁榮的漁鎭，不過阿里奇塔的工業興盛後，海水遭到污染再也捕不到魚，從此就變得很冷清，雖然也轉型爲商港，但那裡本來就只是個小漁港，畢竟比不上哈塔亞或達克拉的港口。」

「那裡有風船可以前往北方？」

「大船沒辦法。不過，中型船倒是不少。」
「脫逃者就是躲在那裡吧？」
聽了小亘的問題，白髮教王抓著眞實之鏡，一邊聳動肩膀喘息一邊點頭。
「我想，一定是在等風向變好吧。你們大概也知道，前往北方大陸的風船，如果沒請讀星者先觀察天空、閱讀風向以及預測天候，是無法出航的。」
「適合出航的風，什麼時候吹起？奇．奇瑪，你知道嗎？」
奇．奇瑪歪著粗壯的脖子，陷入沉思。「正確時間我不知道。不過，我記得現在好像就是風船渡航的時機。每年只有三、四次這樣的機會。」
「那，我們得快點了！」咪娜砰地彈起尾巴。「沒時間拖拖拉拉了，還得通知大家，只要找出這個有拳頭標誌的船公司或商家的船，就行了吧？」
「眞實之鏡是這麼告訴我的。或許脫逃者企圖偷渡，在時機來臨前先被船主藏起來了。」
奇．奇瑪和咪娜恨不得現在拔腿就走，可是小亘動也不動。他凝視著教王藏在白眉毛下的眼睛問：「那個脫逃者偷走的國家機密，到底是什麼？你應該知道那是什麼吧。」
「這種事等逮到當事人再問他就行了啦。」奇．奇瑪躍躍欲試。
教王搖搖晃晃，倚著椅子扶手。他一動，便可看出裹在白袍下的身體其實很瘦。
「脫逃者——那個男人，利用眞實之鏡回到現世，帶來了動力船隻和馬達的設計圖。他想把那個拿去北方大陸。」
那是什麼？咪娜的臉上，浮現這個天眞無邪的疑問。沒有絲毫做作。奇．奇瑪也一臉茫然。

只有小亘一個人，拼命撐著不讓自己被這可怕的事實壓垮。

「他打算把那個推銷給北方帝國？」

如果有了大批裝上馬達的動力船，就不會被「針霧」阻擋，也不用倚賴風向，北方大陸隨時都可以進攻南方大陸。

「欸小亘，那是什麼意思？推銷？推銷什麼？你的表情爲什麼那麼凝重？」

小亘轉身面對咪娜，把動力是什麼東西，動力船又是什麼東西一一解釋給她聽。

解釋完的效果驚人，咪娜的眼底似乎燃起熊熊怒火。

「怎麼會有這麼荒唐的事！」咪娜大叫。「曾經身爲『旅人』的人，爲什麼要幫北方大陸侵略我們？爲什麼？他對這個國家，對我們南方大陸的人有什麼仇恨嗎？擾亂幻界和平有什麼好玩的？」

教王看著小亘而非咪娜的臉回答：「他說那是幻界的工業革命。」

「工業革命？」

「那是在現世的歷史上實際發生過的事。」小亘一邊跟咪娜解釋，一邊咀嚼著這個名詞。動力，不靠人力的機械力量。小亘剛來時，也曾想過許多次。在幻界靠人力做的事情，大部分在現世都已由動力和機械代勞，這個差異曾多次令他目瞪口呆。「我是在想……」教王自言自語道。「我也常跟他談起這件事。也把意見告訴過他。工業革命和動力開發，只要時機成熟，自然會在幻界中產生。之所以至今尙未出現，是因爲時機還沒成熟。」

「現世以前也是這樣。」小亘說。「世界各地都產生智慧，經過不斷的努力、鑽研和研究，最後才能創造出改變歷史的偉大發明，這個我在學校學過。老師說，這一切都是一點一滴的小事累積而成的結果。」

「他說那樣太、麻、煩。」教王繼續往下說。「他還說，把現世的東西帶入幻界有什麼不好？他說這樣能讓幻界富強繁榮，應該是好事。」

「請問……有了那個什麼動力，我們眞的會繁榮嗎？」

咪娜坦率的疑問，小亘無法回答。那要看「繁榮」是怎麼定義。要看那種「繁榮」，是否能替幻界帶來幸福。

「他的說辭，當然只是表面文章。」

「那他的眞正意圖是什麼？」

教王轉頭面對咪娜。

「北方帝國想必會欣然接納他，他將會被帝國視爲上賓。喵族的小姐，妳擔心的沒錯，一旦有了動力船，北方帝國一轉眼就能征服南方大陸。這次，眞的會建立幻界的統一帝國。到那時，我們的脫逃者將是偉大的建國功臣，他將可以和北方帝國的皇室成員，一起君臨幻界的最高峰。」

「是的，就只爲了這個原因，他把現世的知識帶入幻界，只爲了一己私慾，所以女神大人才會發怒。」

咪娜的眼睛褪色。「就只爲了這個原因……」

小亘朝眞實之鏡看去。平滑的鏡面，現在只映出長袍男子和環繞在他身邊的小亘三人。

「逃犯眞能這麼簡單偷渡到北方帝國嗎？就算他說是動力船的設計圖，也不見得能立刻取信對方吧。」

「對方會相信的。」教王有點同情地垂下眼說。「就我所知，北方統一帝國早在很久以前就開始搜羅眞實之鏡。皇帝一族似乎知道眞實之鏡的功用。只要能打開現世通路，將會有多大的力量，他們很清楚。因此，爲了設法做出像這裡這樣的眞實之鏡，曾經有段時期他們想盡辦法，不擇手段到處掠奪。」

小亘看著咪娜，咪娜的小臉上已經失去了所有可稱爲表情的表情，她的心已飛回過去。

北方帝國的特種部隊「席格朵拉」，之所以會攻擊咪娜一家，也是爲了咪娜家代代相傳的眞實之鏡。他們綁架逃往南方大陸的人強行帶回國，可能也是跟尋找眞實之鏡的活動有關吧。

教王猛然皺起眉頭凝視眞實之鏡，一邊向小亘他們問道：「你們幾個知道這面眞實之鏡原本是什麼東西嗎？」

小亘很困惑。他不懂這樣問的意思。

「是什麼──當然是打開現世通路的──某種機關吧。」

「那當然也是重要功能之一。不過，眞實之鏡並非單爲這個而存在。」

正如字面所示，它掌管「幻界的眞實」，教王如此說道。他用枯瘦的指頭，輕撫眞實之鏡的邊緣。

「幻界之所以能成爲幻界的要素；也就是世界之素，它集合了所有構成世界的正確事物。大概可以這樣解釋吧。」

世界之素？還是聽不太懂。小亘搖頭。

「算了，你無法立刻理解也不能怪你。不管怎麼說，你畢竟還是個小孩。」

教王乾癟的臉頰上浮現些許諷刺的笑容。

「幻界，既虛又實，若有似無。是個雖然存在、但又並非眞的存在的空無世界。」

越聽越糊塗了，好像是在聽教王一個人發表演說。

「你連幻界的形成原因也不知道吧？」

小亘有點生氣。

「不，我知道。幻界，是現世人類靠著想像力的能量創造出來的世界。」

「嗯……這種說法也不能算錯啦。」

「你的意思是說但也不夠正確？」

「幻界啊，存在於兩面鏡子的夾縫間。兩面鏡子就是幻界要素。」

終於從衝擊中清醒的咪娜，緩緩眨著眼仰起臉。

「兩面鏡子。其中之一，不消說自然是這面眞實之鏡，而另一面被稱爲『常闇之鏡』。」

「常闇之鏡……」

「如果說眞實之鏡集合了正確的事物，那麼相對的，常闇之鏡集合的大概是邪惡之物吧。我說『大概』，是因爲我也沒親眼見過。不過，常闇之鏡必然存在，這我敢確定。因爲幻界是這兩面對鏡創造出來的『若有似無』。」

奇．奇瑪窺探小亘的表情。小亘看著教王的臉，連眨眼都忘了。

「眞實之鏡，執掌幻界眞實的集合體，被粉碎成無數碎片，散佈幻界各地。每當『旅人』來訪時，就扮演引導他們的路標。問題是，常闇之鏡在哪裡？」教王彷彿在自問自答地說。

「我想，應該就在北方大陸不會錯。北和南是對稱的，共同創造出幻界。」

「可是，這未免太奇怪了。」咪娜揚聲說。「我不是說，我的眞實之鏡是我爸媽傳給我的嗎？但我們全族都是來自北方大陸。這表示眞實之鏡的碎片，不只在南方大陸，連北方大陸也有。換言之，眞實之鏡散佈在幻界各個角落。既然如此，跟它成對的常闇之鏡，應該也變成許多碎片，同樣散佈各地，這樣想才合理吧。」

小亘有點嚇到。因爲這是他第一次看到咪娜這樣有條有理幾近好辯地陳述意見。咪娜突然變得好成熟。

教王對咪娜微笑。露出不負教王之名，彷彿在諄諄教諭無知信徒的那種表情。

「眞實粉碎成無數碎片，散佈在數不清的群眾之間。然而，相對的常闇——邪惡之物，依然保有一個完整的實體存於某處。妳不覺得這或許就是幻界目前的現狀嗎？」

奇．奇瑪猛搖頭，彷彿在說這對我來說太難理解了。他的臉色變得更加蒼白。

「所以幻界很幸福。至少目前還是。」

教王吐露出這句神秘結論，獨自點頭。

「不過，把邪惡聚集在某處，由某人來守護，這樣眞的是對的嗎？」

教王的問題，令奇．奇瑪產生反應。酷寒雖使他說話遲緩，但嗓門還是很大。

「你的意思該不會是說，北方統一帝國的歧視與虐殺，就是因爲有那什麼常闇之鏡在北方大陸搞鬼？」

教王沒回答，緩緩背對小亘三人，面向眞實之鏡。

「不知道。不過，常闇之鏡絕對在北方大陸不會錯。而且，對北方統一帝國來說，恐怕已成爲不堪負荷的重擔了。正因如此，皇帝不惜採用非人手段，也要搜尋眞實之鏡。爲了封鎖常闇之鏡的威脅，必須得到力量足以抗衡、形狀完整的眞實之鏡。或許，那才是皇帝想得到眞實之鏡的眞正原因，透過眞實之鏡導入現世知識這個部分，反而只是過程中產生的附帶因素也不一定……」

由於沉默了老半天，嘴皮子已經黏在一起，小亘無法順利開口，可怕的寒氣再次沁入體內。

「女、女神大人、關於這點、難、難道沒有對你面授機宜嗎？」

教王搖頭。「因爲，對於中止旅行的軟弱『旅人』來說，這本來就是無須傳授的無用知識。」

接著，他似乎爲了回到正題，轉身看著小亘。

「總之這就是我找你來的前因後果。脫逃者如果到了北方，事情很可能加速進展。脫逃者，是正好距今十年前要御門開啓時，來到幻界的『旅人』。他對現世政情的瞭解，比我們要新得多。說不定，打從他放棄旅行的時候開始，就暗藏著這個企圖，一直在等待機會。」

咪娜雙手摀嘴，蹲下身子。奇．奇瑪憂心忡忡地撫著她纖瘦的背，其實他自己看起來也很糟，但他的手勢卻充滿了關懷。

「拜託。」教王輕觸小亘手臂，其實他大概很想用力抓住吧。可是，他已經沒有那種力氣了。冰天雪地的酷寒、飢餓，可能再加上絕望與自棄，從他身上奪去了意志力和體力。

「在脫逃者偷渡北方前，你一定要設法逮捕他，拯救我們的靈魂。」

被比自己年長的人如此懇求，是小亘無法忍受的，但他也知道非忍受不可。

「脫逃者出走之後，我一直透過這面鏡子呼喚『旅人』。因爲現在正是要御門開放的時期，我知道正有新的『旅人』來到幻界，我一心希望自己的心聲能傳達出去。」

「你呼喚我時，曾經說『原來你也是個年幼的孩子……』。」小亘說。

「換言之，在我之前已經有另一個年紀和我相仿的『旅人』，聽到你的呼喚來到此地，對吧？」

教王靜靜點頭。

「那該不會是個叫美鶴的少年吧？不是像我這種劍士菜鳥，是個年紀雖小卻已本領高強的魔導士。」

「對，沒錯。」教王瞪大了眼。「你認識他？」

「對，他是我的朋友。」

「這眞是太意外了。」

「他……比我優秀多了。」

他說美鶴聽到呼喚後，短短數小時之後就施展風的大魔法來到此地了。

「可是，他不答應我的請求。」教王搖頭。「他不屑地說，他之所以來幻界，是爲了見女神大人，他對幻界的政情和南北大陸的對立既沒興趣，也與他無關。」

要說這很像美鶴的作風還眞沒錯。考慮到『旅人』想改變自己命運的這個目的，也可說是理所當然的反應。可是，小亘還是感同身受地羞愧不已，有一股想替美鶴辯解的衝動，但和對美鶴的氣憤，像鍋巴一樣在肚子底層煎熬。

「那時，他告訴我。如今幻界中，還有另一個『旅人』。他說那傢伙是個濫好人又愛管閒事，說不定會答應我的請求。可是聽他那時的語氣，我實在不覺得他跟你是朋友。」

小亘這次是眞的替自己臉紅，被美鶴輕視到這種地步令他感到羞恥，更因自己爲此羞恥而羞恥。

「美鶴他，該不會是想把小亘拖下水，讓小亘被這件事耽擱行程，好趁機先趕去命運之塔吧？」奇・奇瑪撐大了鼻孔說。雖然是在生氣，可是發音還是很古怪，動作又變得很遲鈍，所以看起來還滿可笑的。

幸好有他的可笑，小亘笑了出來。「他不會那樣啦，奇・奇瑪。」

「可是！」

「重點是，現在已經弄清原委了。我們快離開這裡，去索諾港吧。」

「是啊，如果讓喬佐等太久，他可要凍僵了。」

咪娜活潑地一邊敏捷站起一邊說。她這種根本性格的強悍，令人不得不佩服。

「立刻出發。你抓著我們，你還能走吧？」

教王把小亘伸出的手，緩緩推回去。

「這是什麼意思？」

「我逃不了。我不是說過了嗎？」

「可是……你不是叫我救你嗎？」

「我是請求你拯救我們的靈魂，我並不妄想逃過一死。」

教王抓著椅子一邊移動，一邊伸手去拿放在椅子上的槌子，結果拿不起來，頹然垂落膝頭。

「我們之中出現了脫逃者，違背盟約惹惱了女神大人，所以受到懲罰。夥伴們已經全都死了，我身為領袖自然不能苟且偷生，女神大人也不會答應的。」

「可是！」

「只要你們逮到逃犯，粉碎他的陰謀，我們的罪就會得到赦免，靈魂也會得到淨化，總有一天可以投胎轉世到下一個世界。像現在這樣，我，還有先我而逝的夥伴們，大家的靈魂都不得超生，只能永遠遊蕩在久遠谷。所以我才求你，救救我們。」

原來是這個意思，他做夢也沒想到。即使聽到了還是很難相信。

「你不想活下去嗎？你還這麼年輕。為什麼能夠這麼輕易地放棄現在的自己呢？」

不假思索地，這個質問從小亘口中衝出。教王以出乎小亘預料的驚人氣勢猛然轉身，歪著嘴角。「放棄自己？你說我？」

「對，沒錯。」

教王噗哧笑了出來。

「我才沒有放棄。反而該說，我想保護自己。死去的夥伴們想必也是如此。事到如今，我可不想墮落到污穢下界。無論是現世或幻界，兩邊我都不幹，我們的至福世界在這裡。這裡，唯有這裡。」

他張開手，一邊指著四周，一邊仰望天花板轉圈子，如同在跳舞。

「如果失去這裡，那我留著這條命也無用，還不如讓靈魂得到淨化投胎轉世，在下一輩子找到樂園，那才是我更大更大的心願。」

咪娜怯生生地緊挨著小亘。

「在現世……」教王沒拿槌的那隻手握緊拳頭，捶著胸口。「沒有一件事如我所願。努力盡付流水，夢想都被毀滅。沒有人理解我，也沒有一個地方肯接納我，我的人生從來都不肯愛我，我的人生也沒給過我任何東西。所以，我才會來到幻界。」

長袍底下，他正在使性子地跺腳。

「可是在這個幻界，我的心願也沒能實現。不僅沒有抵達命運之塔，連在各鎮之間旅行都受不了。就跟在現世一樣，沒有任何事稱心如意。所以我中止旅行，選擇跟女神大人交易。然後，窩居在此。」

在這人工打造的神之鄉？沒有人情的溫暖，沒有生活的生氣，雖然壯麗卻無比空虛宛如神殿的這個城市？

「女神大人很瞭解我們這種人。這裡是隱藏在女神大人外衣下的都市，我們是『選民』，是有神之盟約撐腰的雲上人。跟女神大人許下約定，肩負起守護眞實之鏡這個崇高使命後，我們這才終於找到安定的世界，我們跟污穢的下界毫無關係，這個佉拉．魯貝西才是我們的樂園。」

可是，如今卻因爲一個冥頑不靈、捨不下卑微俗世、貪欲的害群之馬背棄了盟約……

教王瘦骨嶙峋的拳頭抵著額頭。

「我們在這裡過著像天上眾神的生活。在這兒可以俯瞰幻界，過著孤高清靜的日子，這才是我渴望的，所以我才會被稱爲『教王』。我是地上無處容身、懷抱著無知世間芸芸眾生無法理解的教義之王。你明白嗎？」

教導什麼？遵奉什麼？司職什麼的教王？

「如果你……」奇．奇瑪慢吞吞地開口。「眞的是能夠傳揚那麼偉大教義的『教王』，爲什麼會出現背叛你們、只想自己過好日子，逃離此地偷渡北方的叛徒呢？」

教王沒回答，他沒聽見奇．奇瑪的問題。不，他的側臉看起來好像根本沒把這種問題放在眼裡。

過了一會兒，教王靜靜地低語。「不瞭解我們的人，不是我們的夥伴，那傢伙原本就不配待在這裡。」

「打從脫逃者還在這裡時，你就這麼想了嗎？」這次是咪娜發問。「你就已經看穿了嗎？那麼爲何你沒搶在事態演變至此之前設法阻止呢？」

教王轉身面對她，噘起嘴巴。「你們無權指責我。都是那種人害得事態變成這樣，我們受到背叛傷害有多麼痛苦，你們根本一點也不懂。」

「誰叫你……」

「更何況，這種說話態度對女神大人的『選民』太沒禮貌了。」

咪娜看著小亘的臉，既困惑又哭笑不得。

小亘驀然想到。我現在，應該能夠理解這個人爲什麼會中止幻界旅行。

這個人，想必一直都是這種心態吧，心裡想的只有自己的說辭。看到的，只有自己想看的；追求的，只有自己想要的；受傷的，永遠只有自己。

一旦無法如他所願就斷然捨棄，看不順眼的就劃清界線，即使在現場也假裝視而不見，一心一意追求的只有一個。那就是夠資格讓自己追求的東西。

像他這樣，不管去哪都不可能有容身之地。如果感受不到他人的親切，自然也無法感受到將被某人背叛的徵兆。

而且，這個好不容易才抵達的安息之地，只是憑藉跟女神的盟約，空有燦然光芒的虛無。選民。教王說出這個字。那是什麼？是從哪裡？基於什麼理由選出來的？這就是失魂落魄得到的回報嗎？

他根本不是教王，而是虛王（註），虛無的國王。原來如此，女神早就明瞭這點。正因如此，才會替他們創造這種冒牌的神之鄉。

完全凍結的身體還是竄過一陣寒意。

他終於想起來了。剛才，他還在想教王長得很像某人。靈光一閃，終於想到是誰了。他跟魯伯伯上街買東西時，在路旁撞到小亘，非但沒向摔倒的小亘道歉，也沒扶他起來，甚至踩著他的手就想揚長而去的那個年輕人。

當時魯伯伯大發雷霆，那個年輕人似乎也對魯伯伯很火大。可是事實上，魯伯伯爲什麼會那麼生氣，那個人似乎並不明白。只是一味氣呼呼的，覺得一個素昧平生的陌生人憑什麼指責他。那個年輕人是眞的「看不見」小亘的存在，小亘並不存在。至少就一個人類小孩的身分來說，並不存在。對那個年輕人來說，小亘只不過是擋路的障礙物。所以，他才會踩著小亘的手打算揚長而去。

註：兩者的日文發音相同

就像踩到路邊的空罐，或便利商店的空塑膠袋一樣。

如果那個年輕人來到幻界，他大概也會變成教王吧。他將會打從心底滿足，覺得這裡才是最適合自己的地方。

算了。想太多了。

「你的頭髮是……」

最後，小亘小聲問道。

「那頭白髮，是這個都市受到女神大人的懲罰遭到凍結，過於害怕才變成那樣的嗎？」

教王又逐漸恢復在這兒剛碰面時，小亘看到的那種疲憊厭倦又百無聊賴的神色。他疲憊地揚起嘴角回答：「這是我自己要求的，我根本不需要年輕。因爲年輕伴隨而來的幼稚，不適合神的選民。」

是嗎，那麼，就沒什麼好再多問的了。

奇．奇瑪和咪娜似乎已生根凍結無法動彈。小亘眼睛盯著教王的臉，說：「我們走吧。」

「可是，小亘……」

「沒關係，這個人希望留在這裡。我們……我們無權打擾他。」

「對，你們走吧。」

教王緩緩綻放笑容。然後愼重其事地拿起槌子，先把槌柄扛上肩頭歇了一口氣，然後轉身面對眞實之鏡。

「這是我最後的工作。敲碎這面眞實之鏡，我們搜集來供奉在此的眞實之鏡，將再次變回碎片，散佈在幻界中。然後，等著被新的『旅人』發現，完成他們各自的任務。女神大人認爲這才是幻界『眞實』的、最理想的形式。」

教王祈禱似的閉上眼。

「等這個結束了，女神大人就會降下最後懲罰。你們幾個如果不想遭到波及，最好動作快一點。」

最後，教王的眼睛再次對上小亘的眼睛。

「去吧。去完成你的旅行吧。希望你能完成我們無法完成的事。」

那一瞬間，唯有那一瞬間，教王撕下面具露出了本來面目。小亘看了，不禁想，爲了改變自己在現世的命運，懷著堅定決心和悲壯心願，毫無憑恃地來到幻界的，孤獨「旅人」。

由於太悲傷，小亘差點哭叫出來。叫我把你遺棄在這裡，我還是做不到。別讓我做出那種事。

然而，教王看穿了小亘的想法，不允許他眞的說出口。他死命盯著小亘的眼睛，命令道：「走吧。要小心『邪惡之物』。」

小亘緩緩後退。咪娜拉著小亘手臂。教王瘦削的手臂用力，試圖舉起槌子。小亘好似突然斷了線，拔腿就跑。衝上大廳階梯，在拱門前轉頭一看，教王踉蹌著，正朝眞實之鏡揮起槌子。那幅光景烙印在小亘眼中。教王的臉和他記憶中那個年輕人的臉重疊。可是，看起來已經沒有剛才想到時那麼相似了，或許是小亘的錯覺。

小亘撤退的步伐，越來越快。咪娜和奇．奇瑪也跑得飛快。即使這個城鎮不是瀕臨毀滅的安全場所，他們大概還是會一樣拼命逃離吧；大概還是會毫不回頭地拔腳狂奔吧。因爲他們非常確信，如果不逃，如果不離開，將會被遺棄者的沉重拖累，如同陷入沉船，自己也會一塊跟著毀滅。

「啊，是你們！」

喬佐的龐大身體跳起來。

「你們總算回來了，我擔心死了，事情辦完了嗎？」

「呃，嗯。」

小亘無話可說。待在地下的那段期間，這個像神殿般的城鎮變得更加酷寒。因為這樣，嘴唇又麻痺地黏在一起了，應該不是心理作用。

「我剛才提心吊膽的，眞怕你們來不及呢。我馬上起飛，你們要牢牢抓緊喔。」

「來不及？喬佐，出了什麼事嗎？」

喬佐鮮紅的翅膀尖端，指著天空一點。「你看那個，正朝這邊筆直飛來。」

覆蓋岱拉．魯貝西的雲層中，正放射出鑽石般的硬質光芒，就像正午閃爍的星星。仔細一看它在移動，看起來彷彿有翅膀，是因為眼花嗎？

「那是女神大人的僕人，一定是帶了懲罰之風來這裡。」喬佐說著，打了個冷顫。「我可不想待在這種地方。快，要走囉。」

一轉眼，喬佐已高高飛起。一口氣衝入雲中後，就加速遠離岱拉．魯貝西。

厚厚的雲層中，小亘看著逐漸接近的星星。那玩意兒根本就是有翅膀的冰。由無數的冰片聚集、疊合而成。是冰晶神鳥。比喬佐還大，每拍一下翅膀，就颳下刺骨難耐的寒氣。

冰晶神鳥，筆直地朝岱拉．魯貝西飛去。

「喬佐。」

「什麼事？」

「方便的話，先在這附近原地打轉好嗎？我不放心岱拉．魯貝西。」

「看了只會嚇到。我勸你還是算了吧。」

「拜託，我非親眼看到不可。」

真拿你沒辦法，喬佐嗤鼻嘀咕，不過還是掉頭回岱拉．魯貝西，慢慢地做一個大迴旋。

冰晶神鳥停在岱拉．魯貝西的雙重城牆內側停止，在那收翅休息。然後又張開兩片翅膀，開始鼓翼。拍一下，掀起風雪。拍兩下，空氣凍結。結冰的建築物、道路，超過絕對零度後紛紛開始瓦解，雪塊又變回從天而降時的細微結晶。支撐圓形天頂的雕像紛紛倒下。迴廊崩塌，冰粒在空中飛舞。無數圓柱環繞的神殿，宛如被海浪拍擊的沙堆城堡，從邊緣開始瓦解歸於塵土。城牆倒塌。先是外側，接著是內側，冰晶神鳥飛起，在岱拉．魯貝西的上空盤旋，並且繼續吹送寒氣。

「你看那個。」

咪娜在小亘身邊指著。

「圖案瓦解了。」

那是載過小亘他們的電梯。才見圖案的冰線全都高高地凸起，與地面之間的縫隙已經吐出了冰的嘆息，接著它緩緩地下降。起先呈水平下降，但不久就歪斜了一邊，缺角，出現一條、又一條裂縫，下降仍在繼續，瓦解也持續進行。最後，化成了數不清的冰晶碎片，伴隨著隆隆地震，沉陷崩塌於地底。

「女神大人發怒了。」喬佐說。雖然他不知道事情原委，卻好像了然於心，一副看透世事的眼神。「啊，眞悲傷。悲傷的味道越來越濃了。女神大人在哀嘆，這裡的人到底做了什麼罪孽深重的事啊？」

小亘抱緊喬佐的脖子，他感到嘴唇凍結，看著岱拉．魯貝西的末日，空虛的終究空虛，虛無的還給虛無。

不久，安德亞台地上，只剩下冰雪和原有的自然景觀。冰晶神鳥無聲降臨，也無聲飛去，消失在雲的彼端。小亘並沒有目送神鳥離去，因爲喬佐離得很遠，再也不願接近神鳥。

天空恢復靜謐。雲朵流動。視野逐漸開朗。懲罰時刻結束了。

「我們該走了。」

奇．奇瑪用沙啞的聲音低語。「我……已經不行了……嗯？」

小亘正要說「是啊，回去吧」，奇．奇瑪的手指笨拙地抓住小亘的袖子，把他的身體扳向一邊。

「怎麼了？」

「你看那個，那是什麼？好像有東西在發光。」

奇．奇瑪指的方向，如今已成爲一片無垠雪原的岱拉．魯貝西，的確閃著紅光。雖然微弱但光芒耀眼。

「喬佐，你把鱗片掉在那裡了嗎？」

「我才沒有咧。我才不會做那麼浪費的事。」
「不然，那是什麼？」
小亘的心在騷動。這幾個小時以來，第一次因爲吉兆而心跳加快。
「奇．奇瑪，你能再忍耐五分鐘嗎？」
「呃，好。」
「喬佐，你能降落嗎？」
喬佐骨碌骨碌的大眼睛往上看著小亘。「你說眞的？」
「嗯，對不起。」
傷腦筋……喬佐嘀咕著噗噗噴出鼻息，迴轉之後開始下降。安德亞台地上堆積的雪粒，每一顆凍到硬得不能再硬，像麵粉般輕飄飄的，風一吹則滿天飛舞。坐在喬佐背上時還好，一旦降落地面，小亘立刻被雪粒形成的薄紗覆蓋。
「奇．奇瑪你留在這裡。我馬上回來。」
他有一種期待，也有同等的確信。小亘一邊拂去臉上和肩膀上令人凍僵的粉雪，一邊朝著紅光撥開雪原前進。咪娜也緊跟在後。
「小亘，那該不會是……」
「嗯。我也這麼想。」
現在，原本的台座已經消失無蹤了。花草灌木也凍結粉碎，回歸虛無。可是，那個立體雕塑還殘留著，只是剩不到四分之一大小，圓球的輪廓還殘留一部分，就像是個碟子似地伶仃矗立在雪原上，紅色的光芒就是從那中央發出的。

小亘走近，一伸出手，紅光頓時飄然浮起。應該錯不了。是第三顆寶珠。小亘拔出勇者之劍，以右手高舉。寶珠閃爍，那團光芒在雪原上乍現，彷彿極小極小的北極光。在那團極光中，出現一個裹著火紅外衣，披著白銀護胸盔甲的少女。紮起的黑髮只有一撮不聽話，垂落在她美麗的額前。

——我已等候多時了，「旅人」啊。

精靈的呼喚，令小亘當場跪倒。

——我護育著這世上的希望，是執掌人們未來的精靈。疏遠我、畏懼我、不需要我的人，將我長年封鎖在這個台地。幸虧你釋放了我，謝謝。

小亘的心目中，再次浮現教王咬牙切齒地表示他「捨棄一切，好不容易才得以在此地安息」時的模樣。他們拋棄希望，藉由封印未來得到的虛假和平，就這麼了無痕跡地毀滅了。

——你回頭看看，勇者啊。

小亘向後一看，雪原上留著他和咪娜兩人的腳印。

——唯有在孜孜不倦勇往直前的旅者路途上，我才能夠存在。在駐足不前的人身邊，斷絕前方的去路，我將無法長存。無論何時都要心懷希望，仰望未來，抬頭挺胸向前進。這樣的話，我就會永遠與你長相左右。別忘了，留在你身後的路，正是你爲自己的去向所開拓的路標。

希望與未來的精靈莞爾一笑，旋即消失。第三顆寶珠閃出一道格外耀眼的光芒後，就像被吸附似地悄然嵌入勇者之劍的劍鍔上。小亘全身感受到勇者之劍又注入了全新的能量，精靈的守護威力頓時倍增。

閉上雙眼，兩腳穩穩踩在雪原上，把勇者之劍在頭上高高舉起。彷彿久違的一刻，厚重的雲層間射下一線陽光籠罩小亘，賜予他祝福。

剩下的寶珠，還有兩顆。

第四十章
背離的心

港都——索諾。

碼頭一角冷清並排矗立著由老舊牆板和白鐵皮屋頂搭建的倉庫。海風使得排水管嚴重銹蝕，扭曲如同死掉的昆蟲腳，懸垂在屋簷前端。隨著海風搖動，排水管又撞上牆壁，發出喀噹、喀噹的寂寥聲響。從街上俯瞰，大海藍得發黑，海潮的氣味濃濁得化不開，但這裡缺少港都的生氣，人們沿著迂迴街道行去的腳步，似乎也格外沉重。

索諾是個沒趕上好時機的城鎮，他們沒有與隨著風船航路的開發生意日益興隆、在累積了財富之後又一股作氣買下風船的大商人合作。另一方面，小規模風船商人利用中型風船進出口商品，但在陸路的運輸管道與運輸方式的確保也晚了一步。索諾原本是個規模雖小但生氣蓬勃的漁鎮，雖然在運送魚類和魚類加工食品方面頗有經驗，卻爲了因應北方大陸需要，同時相對銷往南方大陸的各種龐雜物品，卻顯得有點摸不清門道。他們無法將食品和雜貨放在同一間倉庫做好管理。北方統一帝國的特權階級賣給風船商人的古董家具，全都需要精密的修復和研磨，明知只要好好整理一番就能高價賣出，但索諾港做慣粗活的男人們卻束手無策。就算要拿到別的城鎮，也不知道該怎麼運送出去。於是就這麼乾等著一年僅有幾次的商機，令敏銳度強的風船商人對他們失去了信心，最後終於再也不跟他們打交道了。

歸根究柢，索諾的勞動人口本來就不是眞正的「海上男兒」，他們只不過是一群漁夫，一旦發現再也無法靠大海維生，就各自鳥獸散離開了索諾。留下來的人，則仰賴著索諾鎭日漸貧瘠的經濟，有一搭沒一搭地苟延殘喘至今。

然而，隨著時間過去，哈塔亞和達克拉之類的大型工業港和商港空前繁榮，也自然遭到聯邦政府的嚴密監視，受到強制控管，因此這個索諾小港終於兜了一個大圈子撿到一個很諷刺的差事。專門負責滿足那些拿不到交易通行證、缺乏資本、在聯邦政府沒有人脈、唯獨渡海的手腕和氣魄還有投機心理不輸任何人的黑市風船商人——或許稱之為地下掮客更合適——的需求。

也就是仲介偷渡。

如今，這已成爲索諾鎭的秘密資金來源。表面上沒人知道，不知道的人也絕對無從聽說。可是，如果有人迫於情勢想要知道，偷渡仲介者和船夫們會偷偷打開後門招你進去。說是家庭副業未免規模太大，說是經濟產業背後又有太多黑幕，但是爲了維繫鎭上的命脈，在索諾港討生活的人們，也只好扮演這個角色。更何況做這行還有其他城鎭用其他方法無法滿足的樂趣和一抹刺激，也算是個特殊的附加價值。

林立在海風中的倉庫街，洋溢著那種在路旁一邊打發時間一邊等工作上門的勞工風情。其中，有一家以握拳圖案爲商標的小型船公司。這家公司在擁有的唯一一間倉庫牆上，用褪色後依舊顯眼的黃色油漆畫著同樣的商標。位於二樓的辦公室，因滲入牆縫的海潮、發霉的臭味以及早已鬆動的窗框，瀰漫著一股非常窮酸潦倒的氛圍，不過倒是沒有半個員工在意。身爲這家公司的老闆同時也是旗下唯一一艘破舊中型風船船長的安卡族老人，住在繫在港邊的船上過生活。這樣既可以節省另外買房子或租房子的錢，又可以自己整修和看守船隻省下一筆經費。

同時，既沒有辦事員也沒有任何客人光顧的辦公室，在出航之前用來藏匿希望偷渡北方大陸的南方人，倒也發揮了相當便利的藏身功能。其實一開始，並非船長想做這種生意，因爲要藏匿一個人，實際上還頗爲困難。可以的話，他寧願跟企圖偷渡的人談妥交易收下訂金後，直到出航在碼頭碰面之前，彼此不打照面最好。只是，在出航之前如果客人還到處走動，不是在寂寥的小鎮引發騷動，就是因行爲鬼祟遭人懷疑而被送交分局。如此一來，不僅生意泡湯，可能連船長的買賣行爲都曝光。這種意外發生數次後，船長學乖了，在客人上船躲在船板底下航向地獄汪洋之前，還是把客人留在自己視線所及之處最安全。

放心，不管怎樣，一年頂多也只有三、四個時期適合航向北方。又不是一年到頭都得藏匿偷渡客。況且每一次他們頂多只會在辦公室待個一、兩晚，再長也不過是四、五天罷了。只要各地的讀星者一發出適合出航的信號，立刻就把客人塞到船底，一溜煙鑽過擠滿大型風船的外海就行了。到時就可以說拜拜了。

可是，這次的客人有點不一樣。

是個年輕男子，他似乎非常性急，還用威脅的口吻堅持，不管怎樣都得盡快前往北方。他來找船長時，距離最佳出航時機還有好幾天，但他卻要脅當晚就得開船，最後甚至連船長都火大了。

不起風，風船就走不了。即使渡航時期來臨，還得避開在港口周遭戒備的高地人耳目，所以出航的時間很難抓得準。船長雖然生氣還是如此向他解釋，叫他另找別的仲介，就想把男人打發走。

沒想到男人也火大了，朝著身邊的椅子、牆壁一陣亂踹後，正想走出倉庫，不料卻摔下樓梯。不是一腳踩空，是昏倒了。好像是過度激動導致暈眩。

船長這下子可頭大了。他當然可以就這樣把他扔在路邊，只是附近如果出現可疑的路倒漢，分局的高地人八成會在這一帶打探。在索諾鎮，和偷渡有關的船主和水手向來都會拉攏分局。他們很清楚該怎樣讓分局睜一隻眼閉一隻眼。不過高地人之中也有不吃收買這套的正派人物，索諾的分局也會顧慮其他分局，或是看首長的臉色，有時也會扮起黑臉突擊檢查，千萬不能大意。

無奈之下，船長只好把昏厥的年輕男人抬到辦公室照顧。男人幾乎沒帶任何隨身行李，不過，倒是小心翼翼地抱著一個紙筒。看起來瘦骨嶙峋，身上唯一的衣服也破爛不堪，鞋底也快磨穿了，腳上都是水泡，手上還有很多被繩索磨破的傷痕。船長很訝異，心想這小子該不會是去爬山了吧。

更令人不可思議的是，這個客人還沒清醒，就有別的訪客來找他了，而且是個小鬼。看他的穿著打扮好像是讀星者，或是在礦產與工業國家阿里奇塔極為罕見的魔導士，披著長及腳踝的黑色長披風，手上拿著鑲有堂皇寶石的手杖。不過怎麼看都只是個頂多十一、二歲的小孩。而且，他也說想去北方。

「小兄弟，你是這個男人的同伴嗎？」

對於船長的質問，這個小孩一邊冷眼側目臉色蒼白橫陳在地的年輕男人，一邊回答：「不是同伴。不過，我猜想只要跟這男的在一起一定能前往北方，所以才尾隨他而來。」

他的口氣感覺不出任何親密，看來他們真的沒什麼交情。即使看到年輕男人昏倒，眉毛也分毫不動。不不不，以這個小娃兒的情況，或許該說是眉毛文風不動才對。

看似魔導士的小孩說，他身上有錢。船長確認之後，收下訂金。本想問他是怎麼賺來的，想想還是作罷，總覺得有點陰森全身上下不對勁。

看似魔導士的小孩雖然再三宣稱既非男人的同伴也非朋友，卻擅自拿起昏睡男子攜帶的紙筒，檢查筒內的東西，還哼哼有聲頻頻點頭。船長問他那是什麼，他卻說不關你的事。船長說他是臭屁的小鬼，他卻回嘴說好歹仍是客人。

紙筒裡裝的似乎是一張圖，至少在船長看來是如此。

等到年輕男人終於恢復意識，看似魔導士的小孩開始跟他窸窸窣窣地交談。船長送食物和飲水到辦公室時，聽到交談的零星片段，多半是那個小鬼在講話。

「你的事我已聽教王提過了。」

「鏡子大概被破壞了吧。」

「我對你的目的毫無興趣。」

他用毫不客氣的口吻，淨說些莫名其妙的話。至於年輕男人可能是因爲身體還很虛弱，感到非常惶恐，似乎完全不是小鬼的對手，有一次甚至還拼命鞠躬，懇求小鬼帶他一起走。看來這個年輕男人，付給船長訂金後，身上就沒有半毛錢了。船長憤憤不平地說，我差點白忙一場。

在這種情況下，船長變得加倍謹慎，費盡心思要把這個客人留在辦公室，以便時時監視。然而，小鬼和年輕男人根本沒有外出之意，倒也沒給船長帶來太大麻煩。更何況，他本來就不想接近這種人。反正每次船長主動提起什麼話題時，看似魔導士的小鬼總是投以冷得令人凍結的眼光，令他很不愉快。

毛骨悚然的感覺與日俱增。事實上，看似魔導士的小孩似乎身懷鉅款，再加上他隨身攜帶的手杖實在太氣派了，船長在好奇之下，內心也曾動過歪主意。——乾脆幹掉小鬼，把那根手杖搶來。

當然，這種想法他暗藏心底，表面上不動聲色，對方不可能察覺。可是，就在船長不知第幾次送飯上去時，當他的眼睛朝靠在牆邊的手杖一瞥，辦公室簡陋家具之一的木桌，頓時從牆邊緩緩滑動，插入船長和手杖之間。沒人動過那張桌子，桌子自己就動了。船長差點沒嚇得腿軟。

聽到哼哼的冷笑，轉頭一瞧，看似魔導士的小鬼坐在破爛不堪連彈簧都彈出的沙發上，正抖著腳笑他。

「你最好不要胡思亂想。」

小鬼如是說。然後，桌子再次唐突地緩緩後退，回到原來的位置。桌上放的老舊筆插和墨水瓶，在顛簸之下順勢滾落地板。

牆邊，手杖頂端鑲嵌的寶石起先閃出紅光，接著變成淺綠，然後變藍，最後是琥珀色，就這麼閃爍著變換色彩，發出別有意味的光芒。

船長的嘴裡，一邊急急唸誦著讚美女神的頌詞差點咬到舌頭，一邊拔腿就逃。那是貨真價實的魔導士，是不得了的大法師。女神保佑，女神保佑。

就這樣——到今天已經過了五天。

船長打開倉庫大門一進去，就牢牢鎖上門鎖把門栓好。留宿客人的期間，他向來如此。然後才爬上二樓的辦公室。

今天日落之後要出航。他就是來知會這件事。老實說，他鬆了一口氣。那種客人，他只想趁早擺脫。另一方面，一想到要載著那個詭異的魔導士小鬼出海，在抵達北方大陸之前，必須朝夕相處將近半個月，又不免心情沉重。或許，我也該金盆洗手脫離這種生活了……

走到樓梯轉角的平台，頭頂上突然傳來「哇」的慘叫。船長當場愣住了，那是什麼？是誰的聲音？難道是那個小不點魔導士又幹出什麼好事？

他一個轉身急忙下樓，想要溜之大吉的念頭，和衝上辦公室好好怒吼一頓的衝動，令船長左右爲難，猶豫不決。再次傳來「哇——」的叫聲，這次與其說是慘叫，更像是哭嚎。辦公室房門的上半部鑲嵌的毛玻璃被炸得粉碎。接著整扇門也砰地一聲猛然向外開啓，撞到牆壁又反彈回來。玻璃碎片四散紛飛甚至噴到船長這邊。

船長呆若木雞。如果，玻璃破裂的地方，沒有颳下令人顫抖的冷空氣，他大概會繼續那樣愣在原地吧。冷空氣拂面而來，船長這才恢復清醒，他連滾帶爬地上了樓梯，期間還不斷抖落沾在臉上、頭髮、和鬍子上的玻璃碎片。

「剛、剛、剛才到底是怎麼回事？」

船長從辦公室門口，戰戰兢兢地伸進腦袋問。可是，這句話，說到一半就變成噴嚏。因爲令人刺痛的冷空氣直衝鼻腔。噢，冷死了！耳垂都快結冰了！

魔導士小鬼，站在牆邊，一手叉腰，一手持杖，正在看著什麼。蜷縮在小鬼腳邊的是……是冰塊。

外形像個人。看起來彷彿是某人受到什麼驚嚇，大叫一聲正想逃走，可惜遲了一步，一隻手貼在牆上正想要求救，就這麼被凍成冰塊似的。

「這是……什麼玩意。」

對於船長的問題，魔導士小鬼聳聳肩。「是你的客人。」

「那、那、那個、年、年輕男人？」

「沒錯。」

船長彷彿變成蹣跚學步的幼兒，爬到魔導士小鬼的腳邊。

「這、這到底是怎麼一回事。怎麼會被凍結？這股冷空氣是怎麼搞的？」

船長仰望魔導士小鬼，瞪大了眼。「是你幹的嗎？是、是你施了魔法。」

「不是我。」魔導士小鬼搖頭。

「我想想看喔……這個，硬要說的話應該說是天譴吧。」

「天譴？」

「嗯。我想，一定是女神大人對岱拉．魯貝西做出審判了。所以這個男人，逃來逃去終究逃不過這一劫。」

魔導士小鬼把黑披風的下襬倏地一掀，從那個年輕男子原本躺臥的枕邊，拿起那個紙筒。

「小兄弟，那個……」

「事已至此，這個男的算是坐擁寶藏無福享受，不如交給我利用。」

「可是，那是別人的東西耶，小朋友。」

船長忍不住冒出苛責小孩的語氣。可是，小魔導士用一點也不像小孩的眼神冷冷直視船長，

「這傢伙，」說著，用紙筒前端指著那個化爲冰塊的年輕男人，「還不是從哪偷來這個的。說

起來，也不是什麼光采的事。」他不屑地說。

「對了，什麼時候出航？」

「啊？噢，今天傍晚，本來半夜比較好，可是今晚沒月亮，如果太暗反而危險。等到分局的警備艇巡邏完畢我們就啓程。」

「是喔，害我等了這麼久。」

船長渾身猛打哆嗦。寒冷和恐懼，兩者皆有。

「請問……這個冰塊該怎麼辦？」

「隨他去，遲早會融解成水。」

可是，這原本是個人。「如果融解了，該不會流血吧。」

「我想應該不用擔心，不過你如果不放心我可以幫你收拾。」

船長用力吞了一口口水。他的喉嚨發乾，他很想說那就拜託你了，又怕一旦說出口對方不曉得會有什麼舉動。

「分局……不會發現嗎？」

「分局？噢，你說高地人之類的是吧。」小魔導士意興闌珊地冷冷說道。

「是的，如果在這裡被逮到，就別想出航了。你可別小看他們，否則會倒大楣喔。」

「放心吧。我會幫你消滅得乾乾淨淨不留痕跡。」

他冷冷一笑。船長又感到全身發冷。早知道當初就不該接這種客人，他咀嚼著悔恨的念頭……

這時，有人用力敲打樓下出入口那扇門使得門閂都變彎了，一邊還大聲呼喊著。

「喂，船長！你在裡面嗎？在的話就快開門。我是分局的人，有話要問你。」

船長看著小魔導士的臉。連他自己都窩囊地瑟縮在一旁，可是，小魔導士卻好整以暇從容不迫。

「看來好像有人來搗亂了。」

說著站起身子。

「你的船隨時都可啟航吧？」

「啊，對。都準備好了。」

「那，我們出發吧。」

「可是，在分局的追趕下我們不可能順利出港。」

「沒問題。我可以送你到外海。」

小魔導士一拿起手杖，寶石再次發光。

小亘他們在阿里奇塔與波古的國界，靠近關卡的驛道沿線的森林中跟喬佐分手。雖然喬佐提議要直接帶他們前往索諾鎮，本來都已飛上天越過國界了，可是才剛經過幾個小鎮上空，他們就發現下面引起軒然騷動。龍本來就已經是一種罕見生物了，在工業國家阿里奇塔，更似乎已變成一種神話傳說。根據喬佐的說法，阿里奇塔的空氣比南方大陸其他地方都要來得污濁，龍族也敬而遠之，所以他和他的族人幾乎都沒有飛來過。這也難怪每個人都露出驚愕的模樣。

本來就已人心惶惶，他們不想再引起無謂的麻煩，更不希望讓喬佐捲入危險，所以小亘他們折返回頭，讓喬佐自行返回龍島，然後才趕往關卡。到了關卡，如果要從代拉．魯貝西的現況開始說明反而耗時費事，所以他們宣稱是出處不明但極爲可靠的情報，然後將倉庫的事情通報之後，就請在場的卡魯拉族先火速趕往索諾鎮知會分局，然後他們也隨後趕去。

小亘他們抵達索諾鎮的分局時，除了擔任指揮官的所長和一名聯絡員留守，其餘的人都已出動前往那間問題倉庫了。以黃色拳頭作爲商標的風船公司，是一家只有一名安卡族老船長的小公司，過去也曾多次涉嫌仲介偷渡，聽到以上這番說明，小亘得以確認事實反而鬆了一口氣，但奇．奇瑪的臉色卻有點不滿。小亘小聲問他怎麼了，他才壓低嗓門告訴小亘：「這裡的分局，到目前爲止，除非眞的發生嚴重問題，否則八成都縱容偷渡。他們是見人說人話見鬼說鬼話。」

想必眞有其事吧。小亘在現實的世界中，也曾在新聞報導中聽說過這種事。

「不過，這次他們一定會全力以赴。因爲這是首長命令嘛。對吧？」

「也許吧。嗯。沒錯。」

沒等多久，一名派往倉庫的高地人就跑回來了。他說老船長的倉庫空無一人。不過，二樓辦公室似乎有人待過的跡象，而且……

「說來實在令人難以置信，有個人結冰了。或者該說，是有一塊酷似人形的冰塊。」

小亘三人面面相覷。咪娜赫然一驚舉起手，按住自己的心臟。

「是那個脫逃者……」

女神對代拉．魯貝西施以懲罰時，他也同樣遭到懲罰。不管他離得多遠，都無法逃過女神的怒火。

可是，既然女神有這種本領，爲什麼還要特地在首長們面前現身，命令他們追捕逃犯呢？既然女神自己就能夠懲罰他，應該沒這個必要才對吧。

小亘的心中騷動不安。

「那個辦公室裡有沒有留下罕見的可疑物品？是一張圖，也可能是一捆紙捲，說不定是裝在筒子裡。」

「不知道耶……因爲辦公室裡亂七八糟。總之我們的同仁已經趕往港口，既然找不到船長，起碼得調查他的風船。」

「那，我們可以去倉庫找找看嗎？」小亘拜託所長。

「好啊，當然可以……」

所長的話還沒說完，突然間，分局整座建築物都晃動起來。這裡的分局同樣也是一間用木材和白鐵皮搭建的小屋，已經相當老舊。起先那一晃，使得板子吱呀作響，晃久了之後窗框掉了，地板也翹起，連站都沒法子站。

「這、這是怎麼回事。」

本以爲是地震。可是，緊抓著窗框向外看的咪娜，突然發出悲鳴告訴大家：「是龍捲風！」

小亘他們衝到屋外。的確是龍捲風，而且不止一、兩個，直徑從五公尺到十公尺不等的龍捲風，正從四面八方，彷彿是支撐索諾鎮天空的風柱，扭動著相繼出現。

這些龍捲風朝著同一個方向緩緩移動，似乎正要集合。凡是它們所經之處，索諾鎮簡陋古老的建築物相繼遭到摧毀、捲起又散落，他們正朝著同一個目的地緩緩前進。

是海。

「那邊是港口吧？」

小亘指著龍捲風們的去向，扯高嗓門用不輸給風聲的音量問。分局所長也用尖銳的聲音高喊：

「對，沒錯。再這樣下去風船就危險了！」

特里安卡魔醫院的那幅光景，又在小亘心中復甦。捲起大批信徒，剷除密集的斯拉樹林，把小亘吹到悲嘆沼澤的那個龍捲風。美鶴施展的風的大魔法。

美鶴，就在港口。

「我非去不可！」

當小亘大叫時，分局的建築物如摧枯拉朽應聲倒塌。

小亘一邊沿著索諾鎮扭曲迂迴的坡道朝著港口跑下坡，一邊看到許多倉庫和住宅都被掀去屋頂，樑柱倒塌，窗戶破碎，排水管折斷吹走。從倒塌或歪斜的建築物中衝出的居民，抱頭鼠竄四處奔逃。晾曬的衣物連著繩子一起吹上天，有個大嬸張口結舌看著這一幕，嘴裡還語無倫次地唸著我的圍裙……。小狗小貓也被吹跑了，樹木迎風狂舞；還架著鍋子的爐灶，就這樣整個飛過空中。

龍捲風所到之處留下堆積如山的殘骸，並且仍然繼續前進。小亘他們用奇．奇瑪巨大的身體當擋箭牌，緊追不捨。龍捲風經過的地方，只留下瓦礫、呆若木雞的民眾和茫然的安靜。每當他們想稍微拉近和龍捲風之間的距離，就會被旋風阻擋，甚至難以前進。即便如此奇．奇瑪還是不動如山，半路上扛起不知從哪脫落飛來的一扇木板門，靈活地運用那扇門躲開飛來的障礙物，替大家開出一條路。

「你們要抓緊我喔！」

奇．奇瑪的大嗓門即使在風中也很響亮。小亘弓起身子，兩手緊抓著奇．奇瑪的腰，頭頂著他的背，咪娜也緊隨在後。咪娜的尾巴纏繞在小亘的身上。

距離港口只剩一個街口，從坡上可以看到碼頭了。

就在此時，風驟然停止。被風吹起的所有東西，都受到地心引力的影響紛紛往下掉。

小亘仰望天空。港口的上空。咪娜也是。奇．奇瑪還把木門擋在身體前方，就這麼呆然仰望。

十幾個龍捲風，現在通通都到海上了，聚集在一艘停靠港口某個碼頭上的風船四周。而且，已經失去了龍捲風的形狀，各自形成一團不停打轉的圓形風團，不明顯地上下飄浮在空中。

難怪港內風平浪靜。被風團包圍的風船，是一艘桅竿傾斜的老船，船身兩側畫的黃色拳頭標誌，已有一半以上模糊不清，到處都是鏽蝕的痕跡。船帆沒有張開，只有帆柱，如同落葉凋零的蕭瑟樹木般佇立。然而，緩緩晃動著那脆弱船體的只有安靜的波濤起伏。停泊在其他碼頭和船樁上的風船，彷彿沒發生過任何事，頹然垂落著桅竿上的旗幟。

小亘朝著那艘有成群風團簇擁的風船奔去。咪娜也尾隨在後。奇．奇瑪遲了一拍，也扔下拿來當盾牌的木門，緊追兩人而去。

碼頭很老舊，木板之間到處都是縫隙破洞。從縫隙間可以看到海。小亘被一塊腐朽碎裂翹起的板子卡住腳，在碼頭正中央向前仆倒。他上氣不接下氣地停下腳步。

「美鶴！」

他凝聚全身的力氣放聲大喊。

頓時，風船駕駛座後面的門一開，出現小小的人影，人影朝船尾走來。

黑衣魔導士，是美鶴。一手持杖，一手放在船邊，臉上浮現出半是驚訝半帶笑容的表情。

「怎麼，原來是你啊。」

四周傳來波浪沖刷碼頭的聲音。剛才颳起龍捲風，驚恐之餘逃往外海的海鳥現在又飛回來了。

「你在這種地方做什麼？」

「這句話該我問你才對！」

這麼吼回去時，駕駛座後方，好像有某人的腦袋在動，一定是船長。

「正如你所見。我搭上了風船。現在就要啓航了。」

雖然美鶴並未像小亘一樣大吼大叫，聲音依舊清晰可聞。

「你打算去北方帝國嗎？」

美鶴沒回答。他環視了一圈浮在空中的大批風團，好似在檢查機械的狀態。前一秒還在四處肆虐的龍捲風，現在乖順安靜得就像被封進透明珠子內，只是一逕無聲地滴溜溜繼續旋轉。

「不然還有別處可去嗎？」美鶴如此反問。

小亘朝風船走去。一步、兩步。看到咪娜和奇・奇瑪想跟過去，他舉手阻止。「爲什麼非去北方不可？」

「這還用說。當然是爲了蒐集寶珠。」

美鶴手中長杖頂端的寶珠，彷彿在附和他的說法，粲然發光。起先是紅光，然後變綠，變藍，最後變成琥珀色。

四種顏色，已經有四色了。

小亘的勇者之劍，和美鶴的手杖，在蒐集寶珠的設計上可能不同吧。勇者之劍隨著蒐集來的寶珠嵌入劍鍔會日漸成長。可是美鶴的手杖上，鑲嵌在頂端的那顆珠子，每當美鶴找到新的寶珠，似乎就會吸收那股能量增強它的威力。

「只差最後一顆了。」美鶴一面看著手杖一面說。「剩下的最後一顆在北方大陸，所以我非去不可。」

「因為急著趕路，所以沒時間答應代拉．魯貝西的教王懇求？」

美鶴的黑眼珠瞪大了。「噢？這麼說，你果然跑去代拉．魯貝西了？」

「嗯，我去了。」

「你可眞是濫好人。我還以為應該不至於，沒想到你眞的跑去那種地方了。」

小亘對美鶴揶揄的語氣不為所動，筆直仰望著他。

「代拉．魯貝西滅亡了，教王也死了。」

美鶴不發一語。

「脫逃者也死了，活生生地凍成冰塊，這你應該知道吧？」

沉默依舊。他的頭髮比起上次在特里安卡魔醫院重逢時更長了，在海風中飄揚。

「你和脫逃者在一起吧？你知道他想前往北方，所以打算利用他吧？」

「我只是把他當作情報來源加以掌握。」美鶴說。「況且他又苦苦哀求。那小子他說付給船長訂金後，身上就沒有半毛錢了。」

小亘的視線依然停留在美鶴臉上，問道：「脫逃者攜帶的圖在哪裡？」

不知爲什麼，美鶴瞇起眼莞爾一笑。這下子他懂了，這就是答案。

小亘朝著風船船尾伸出右手。「還給我。現在就拿來。」

美鶴間不容髮地反問：「爲什麼？」

「萬一那種東西落到北方統一帝國的手裡，南方大陸就會陷入危險了。」

美鶴的微笑更深了。「你這傢伙說話還眞可笑。」

「有什麼可笑的。」

「區區一張動力船的設計圖，有什麼好危險的？」

小亘很焦躁。「你不知道嗎？你眞的不懂嗎？應該不會吧？」

「北方統一帝國的事，我不清楚。」

美鶴故意轉移話題焦點。

「就連這個南方大陸，不瞭解的事也很多。」

他的視線倏然掠過索諾鎭。掠過這片被自己的魔法摧毀得亂七八糟，窮酸港鎭的光景。

「因爲我又不是來觀光旅行的。『幻界』國家的內情，我可沒法子一一關切。我沒那個時間，光是要努力完成自己的旅行目的，已經筋疲力竭了。」

然後，他笑了一下。

「不過你好像倒是繞了不少遠路。你那個手環是搞什麼。上次碰面時我就注意到了。那個，是什麼高地人的標誌吧？為了維護『幻界』治安全力以赴，是嗎？你可眞是從容不迫啊。」

這番話不僅超乎美鶴意圖的，也超乎小亘本人的覺悟，刺中了小亘的痛處。本以為自己已經不再猶豫，結果還是好痛。

「什麼北啊南的，那些我不懂。也沒興趣。可是小亘，你想想看。就算是在這個你最喜歡的南方大陸，比方說這個阿里奇塔吧……」

美鶴輕輕張開雙手。站在船尾好似要演講。

「這是個礦產與工業國家，兩者至今仍靠著人力，以極為原始的方式生產。可是，總有一天會有人發明動力吧，那只是早晚的問題，幻界一樣會進步。不，非進步不可。既然如此，你幹嘛這麼忌諱進步所需的要素？」

小亘毫不遲疑地回答。

「如果那是幻界自己產生的東西，那麼的確如你所說。問題是，那張設計圖不同。那是從現世帶來的。那樣是不對的！」

「為什麼不對？」

被這麼迅速反問，他無法回答。美鶴彷彿早已料到小亘的反應，間不容髮地繼續說：「好吧，算了。反正我本來就不想這樣跟你爭辯。總之，我需要這張設計圖，所以不能交給你。」

「你到底要它做什麼？」

小亘不由得發出苦苦哀求般的聲音。

美鶴的反應倒是很冷靜。「和皇帝嘉瑪·阿格里亞斯七世做交易。我尋找的第五顆寶珠，就鑲嵌在北方統一帝國的皇族代代相傳的王冠上。」

小亘感到全身失血，從腳尖汩汩流出。如果往下看，彷彿可以看到自己的血，從碼頭木板的縫隙之間滴滴答答地流入海中。

「皇帝的頭冠哩。如果光是懇求他，他絕不可能給我。所以，我需要對方求之不得的東西當作交換條件。老實說，在岱拉．魯貝西的教王呼喚我之前，我正愁找不到交易籌碼呢。所以這件事簡直是一場及時雨。」

小亘感覺到，曾經對美鶴抱持的——應該抱持過的信賴與親密感，正緩緩地如酒精般揮發消失。那份情感原本在心中佔據的位置，現在立刻被新生而起的猛烈怒火取代了。

「對方求之不得的交換條件？」

「對，沒錯。北方不是很想攻打南方嗎？我至少還知道這點起碼的常識。」

小亘的怒火爆發了。

「這麼說，你爲了得到第五顆寶珠，不惜出賣南方大陸的人們給北方統一帝國？你現在的舉動就是這麼回事，你知道嗎！」

美鶴臉上那種既像揶揄又覺逗趣的表情消失了。他的眼中浮現起懷疑和憂慮，還有那麼小小一匙、關懷小亘的神色。

「三谷。」美鶴喊著小亘在現世的名字。「你還好吧？」

美鶴是眞的在擔心他。但是小亘不明白，這是爲什麼。這傢伙到底想說什麼？

「你所說的都是夢話，是囈語。」

「才不是。」

「明明就是。我問你，你該不會忘記自己是爲了什麼穿過要御門的吧？是爲了當高地人嗎？爲了跟幻界的人一起快樂生活？不是吧？」

這次，輪到小亘緘默，沒有說出口的抗辯，從體內撼動著小亘的身體。

「你是爲了改變自己不合理的命運才來到這裡。幻界，不是我們的居所。如果不能改變命運回到現世，就算待在這裡也毫無意義。這才是最重要的吧？可是你好像已經忘個精光了。」

他無話可說。

小亘想起睽違已久的過去。當他被爸爸斥責，難以心服，陳述自己的理由回嘴時，每次也都是這樣。爸爸會耐心花時間瓦解小亘的立場，然後再三告訴他，錯的是他，只不過，因爲他實在錯得太深了，所以甚至無法看出自己的錯誤，直到他不得不俯首認錯爲止。

「我才沒有忘記目的。」

終於，他小聲如是說。可是美鶴似乎聽見了。或者該說，他早就料到小亘會這麼反駁吧。

「不，你忘了。把腦袋冷靜下來，好好想一想吧。」

美鶴嘆了一口氣，把手杖改拿到左手。

「很抱歉，我還要趕路。無法爲你久等。設計圖一旦交給北方，開始進攻將是遲早的問題。南方大陸現在雖然就已很混亂了，到時恐怕將會出現加倍的騷動吧。你已經蒐集到幾顆寶珠了？紛爭……，不，戰爭一旦開始，寶珠會比現在更難找喔，你最好動作快一點。」

小亘按捺不住紛亂湧起的思緒，脫口說：「如果你先抵達命運之塔，那我也用不著再找寶珠了，因爲剩下的那個人只好成爲『半身』。」
美鶴本來已經要離開船尾了，霎時驚愕地轉身面對他。「『半身』？你在說什麼？」
原來美鶴也有不知道的事啊。驚訝的同時，小亘嚐到一種諷刺的痛快。
「爲了重新建造『偉大的光之疆界』，現世也得提供一個人柱。」
在亢奮和混亂下，小亘的解釋雖然不算清楚，但美鶴很快就理解了。
他簡短說聲「是嗎」然後點點頭。眼睛瞪得很大。
沉默降臨，就那麼短短一拍呼吸的時間。海鳥鳴叫著。
美鶴的語氣分毫未變，他繼續說：「那麼，我就更得加快腳步了。我跟你，到這個地步已是利害截然對立了。既然這場競爭註定要分出勝負，那我們倆就不可能和和氣氣地共赴終點。只能說，是彼此運氣不好吧。」
連自己也不知道，究竟期待美鶴會有什麼反應。因爲小亘就算想破了頭，也無法想像美鶴動搖的模樣，更別說是膽怯的表情。所以現在這個答覆，比起其他任何反應，都更像美鶴的作風。美鶴歷經幻界的旅行已經變得更強，更像美鶴了。
好想哭，小亘連忙眨眨眼。不是因爲悲傷，是海風的關係，是龍捲風帶來的塵埃造成的。
「小亘。」
回過神才發現，咪娜早已來到他身邊。奇．奇瑪也是。小亘雖然回頭，卻無法正視他們倆的臉。
「剛才說的……是眞的嗎？」

咪娜的聲音在顫抖。小亘默默點頭。

「這太荒唐了。」奇・奇瑪低語。那麼魁梧的身體到底是從哪發出如此纖細的聲音？

「我不相信。我死也不信，小亘。」

奇・奇瑪大步向前跨出一步，扳著小亘肩膀令他轉身。

「小亘怎麼可能被選爲人柱，這種事我死也不信。」

小亘仰望奇・奇瑪的大臉，仰望他那總是親切、渾圓的眼眸。

「可是，你相信幻界的人柱規矩吧？那麼，其實是一樣的。」

「才不一樣！」

「一樣的。唯一的差別，只不過是從眾人當中選一個，和兩者之中選一個罷了。」

小亘握住奇・奇瑪的手。「沙卡瓦鄉的長老早就知道這件事了。但他告訴我，我不能遲疑。」

霎時，奇・奇瑪的身體，看起來好像縮小了一、兩圈，彷彿有一半的靈魂都出了竅。

「長老他……」

他說不下去了。小亘打從心底感到抱歉。對不起喔，奇・奇瑪。

「小亘你是什麼時候知道這件事的？爲什麼……爲什麼沒有早點告訴我們。我們幾個不是好夥伴嗎……」

「嗯。」

「要是早知道這件事，無論是我還是咪娜，不管怎樣都會加快旅程，讓你早點見到女神大人。我本來可以幫你更多更多的忙。」

奇・奇瑪的眼睛濕了。小宣感到這次眼淚眞的要奪眶而出，連忙用力一扭頭，正面面對風船。

「美鶴！」

「還有什麼事嗎？」

「如果我……」

爲什麼要問這種明知故問的問題呢。答案明明已經再清楚不過了。

「現在，如果我說根本不是爲了南方大陸的和平，而是爲了阻撓你得到最後一顆寶珠，爲了贏得這場跟你的競爭，所以才來奪回設計圖的話……這樣的話，」

「這樣的話？」

「那你打算怎麼辦？」

「我會跟你對決。」

美鶴沒有面露遲疑。聲音也依舊凜然。

美鶴的視線毫不動搖，貫穿小亘的眼眸。

「然後贏得勝利。因爲我比你強。這點你應該也很清楚。」

小亘頹然垂頭。咪娜似乎看不下去了，飛奔過來抱著小亘肩膀，口沫橫飛地對著美鶴高叫：

「你什麼意思啊！這樣也算是朋友嗎？你到底還有沒有人性？」

美鶴笑也不笑，默默用雙手抓著手杖。對咪娜不屑一顧。

「你倒是說句話呀！」

咪娜的聲音帶淚。小亘輕輕按住她。「算了啦，咪娜。」

「可是……」

美鶴頭一仰，把手杖的寶珠高舉過頭，開始念咒。雖然他的聲音很低這邊聽不清楚，但看他的樣子駕輕就熟，極為老練。浮在海上的風球開始蠢動，它們時而散開，時而聚集合一，旋即變成巨大的風袍，將風船密不透風地包裹起來。

美鶴搭乘的風船開始緩緩從海面浮起。乘著風的台座靜靜升空而去。

小亘抬起頭和從船尾俯瞰的美鶴四目相接。

「再見了。」美鶴說。

風袍大大掀起，變成朝汪洋大海彼端延伸的旋風導管，美鶴的風船一溜煙就滑入導管裡了。逐漸遠去。越來越小。然後，消失在海天交接、朦朧氤氳的遙遠天際。

他走了。

「出海了……」

奇・奇瑪呆若木雞。

「讓他那樣出了外海，我們的風船已經追不上了。一旦出了海，縱使不使用魔法，只要揚帆操舵照樣可以朝北方大陸筆直而去。」

咪娜哆嗦的手臂，緊抱住小亘。

（再見）

說這話時，美鶴的眼眸深處隱隱閃過光芒。小亘認為他的確看到了。是火花。不管剛才得知的「半身」真相帶來多大的衝擊，也不管歸納後的結論將有多麼殘酷，不，正因為如此，這時如果深思熟慮保留判斷，將會礙手礙腳動彈不得。美鶴心中另一半自己是這麼主張的，可是剩下的另一半卻希望拼命勸美鶴，停下腳步，聽從朋友的忠告吧，不能就這樣撇下朋友撒手離去，是這兩個念頭在美鶴心中產生衝突撞擊出火花。

不，好像不對。也許那根本不是美鶴眼底的光芒。美鶴是對的。錯的人是我。也許是我心中一半抱著這個念頭想妥協認輸，另一半卻仍做困獸之鬥堅持我沒輸，我才是對的。兩者衝突撞擊出的火花，映現在美鶴的眼中罷了。

第四十一章
嘎薩拉之夜

嘎薩拉鎮籠罩在夕暮中。

鎮上出入口的大門已經關閉，環繞四周的巨大圍牆上到處燃起火把，啪滋啪滋地噴濺著火星。和小亘之前離開時比起來，火把的數量大增。想必是因爲必須加強戒備吧。

即便如此，在「哈爾涅拉」引起的混亂之中，交易之城嘎薩拉內部並未發生明顯的騷動，生氣依舊蓬勃，原因之一可能是整體來說這個鎮畢竟還算富裕，比較沒有那種爛命一條沒別的東西可以獻給女神的窮人。

在嘎薩拉，原本就是靠著各種族努力做買賣，維持這個鎮的運作。撇開種族之分，在這個鎮上的人就是嘎薩拉的居民。出現危機時，以嘎薩拉鎮民的身分採取行動，被視爲理所當然之事。

正因爲是個交易之城，所以更擔心老神教教義是經常有機會從北方混入。不過，相反地，這也表示更容易得到瞭解北方統一帝國現況的情報。因此也就不至於像歷歷斯鎮那樣，任由「『哈爾涅拉』是女神爲了消滅安卡族救世主而設下的陰謀。唯有老神教才能拯救『幻界』」這種妖言邪說散播，導致安卡族人受到煽動，衝動之下引發暴動。因爲嘎薩拉的安卡族人，對於北方統一帝國的現況究雖說只是透過流亡者和商人獲得零星消息，但畢竟還是有機會得知最新情報，因此他們切身感受到，即便在那個遵奉老神教爲國教的地方，也不見得所有的安卡族都過得幸福快樂。

而且最重要的是，這裡的分局有「棘蘭的卡姿」這位強悍的所長坐鎮，這是此地與歷歷斯最大的差異。「哈爾涅拉」的眞相絲毫無法動搖她。當然她也絕不允許鎮民人心浮動。爲了保護幻界，倘若女神要召喚某人，那有什麼好抗拒的？女神所召喚的人，是雀屏中選被賦予神聖使命，應該感到驕傲才對，有哪一點需要畏懼呢。

如果有人還要抱怨不安，她會嗤之以鼻：「哼，你少自戀了。女神大人早已看穿一切。哭哭啼啼吵著不願當人柱、不想死的膽小鬼，女神大人怎麼可能指望他。像你這種人打從一開始就沒被列入考慮，你放心吧。」

小亘站在瞭望台上，如果拿現世的大樓相比，大約等於六層樓的高度吧。爬上梯子時，這裡的守衛曾對他提出忠告。

「小弟弟，你如果堅持非要爬到瞭望台頂端，那我也沒辦法。不過，一旦抓住梯子，絕不能在中途往下看喔。」

「嗯，我知道了。」

「不過，你還眞好奇。」

「我喜歡登高望遠。」

小亘聽從忠告，中途沒看下面，平安抵達瞭望台。當他正伸長手腳感受著晚風拂面時，才第一次因爲這嚇人的高度而目眩，不過幸好他牢牢抓著欄杆，也就沒發生什麼事。

緊跟在後的守衛腰上繫著繩索，肩上還掛了一個用敲平的銅片捲起做成的擴音筒，雙臂交抱。

每隔五分鐘，視線就移往東、西、南、北。一天三班交替，守望著鎮上，這就是他們的工作。

嘎薩拉鎮的無數窗戶亮著燈光。旅店和酒館，開始流洩出客人熱鬧的喧囂。家家戶戶的窗子冒出裊裊炊煙，飄散出晚餐的氣味。在達爾巴巴屋已經洗淨身體抖落旅途風塵的達爾巴巴們，正慢條斯理地吃著飼料葉子。一旁，水人族邊抽長長的菸管呑雲吐霧邊談笑。此時在某處有某人奏起樂器，應該在調音。那是十五弦，胴體渾圓酷似吉他的樂器，大概是走唱藝人正準備挨家挨戶走唱討賞吧。

目光朝鎮外一轉，環繞嘎薩拉的遼闊草原在視野裡無限延展。星羅棋布的岩石，蔥鬱的樹叢，所有的東西都染上夕陽，安詳地結束一天。鳥群化爲一團黑點越過天空，消失在遙遠的森林中。

小亘深吸一口氣，雙肘放在欄杆上，仰望向晚天空。

北方凶星。

它正鮮紅、耀眼地閃爍著。不過，可能是因爲罩了一層暮色薄紗，看起來不像危險的災光。如果伸手從空中摘下，送給咪娜當禮物，一定可以做成漂亮的項鍊墜子吧。

小亘和星星大眼瞪小眼。眨也不眨，比賽耐力。這麼用力一瞪，凶星倒是先眨眼了，感覺似乎在對他投以微笑。你在激動什麼啊，小傢伙？

在索諾鎮和美鶴分手後，小亘就和奇．奇瑪與咪娜一起回到嘎薩拉。他毫無遲疑。既已確定將成爲人柱之一，接下來只等那一刻來臨了。既然如此，他寧願在這個抵達幻界後最先造訪的城鎮，這個邂逅夥伴們的城鎮，這個立誓成爲高地人的城鎮等待。從索諾走來的路上，咪娜哭個不停。奇．奇瑪沉默不語，可能因爲如此，達爾巴巴也無精打采。

小亘拜託咪娜唱歌。剛開始旅行時，坐在顛簸的達爾巴巴車上妳不是常常唱歌嗎。咪娜答應了，用美妙的嗓音引吭高歌。可是，一首歌都還沒唱完，便已泣不成聲，抖抖嗦嗦地唱走了音。這時，小亘會自己唱。唱他以前聽咪娜高歌，模糊記下來的歌。或者，唱他在現世耳熟能詳的歌。

回到嘎薩拉後，奇．奇瑪一邊在達爾巴巴屋幫忙，一邊也從事高地人的警備工作。咪娜當起診療所醫生的助手，小亘又變回卡姿的部下，有時與奇．奇瑪外出巡邏，有時幫忙整理托隆一個人忙不過來的公文。

「最近這陣子太忙。根本沒時間管什麼公文。」

托隆爽朗地替自己辯解，露出他其實挺會使喚別人的本性。也許是察覺到一些事，眼鏡後面流露出詫異的目光，但他從來沒有開口問過什麼。

一回來，小亘就原原本本地把事情全都告訴卡姿一個人，並不是想博取同情。更何況，棘蘭的卡姿也沒那麼感性。小亘只是希望，即使自己奉召成為人柱的時刻來臨，不要引起周遭騷動，因此想讓最值得信賴、就小亘所知最有膽識的卡姿事先瞭解一切。

果然如他所料，卡姿不動如山。只撂下一句「知道了」。然後說：「住在旅館如果有什麼事可能比較不方便，當你奉召時，如果周遭有一大堆人探頭探腦的也會很麻煩。分局二樓有一間當倉庫的房間，你可以整理乾淨睡在那裡。如果缺什麼東西，直接跟托隆說他會幫你張羅。」

就只有這樣。

當你奉召時。卡姿說這句話時，就像在說「當你出門時」，完全一樣的語氣，淡淡地帶過。而且從那時起，關於「哈爾涅拉」或人柱，她再也沒有提過半個字，這大概也是她體貼小亘的一種表現吧，小亘很感激。

之所以渴望登上瞭望台，是因爲想在盡量接近天空的地方觀望北方凶星。我不怕……雖然並非完全不怕，但已有心理準備，他想傳達這點。也許是騙人的，也許其實很怕，自己也搞不清楚，正因爲如此，他才想這麼告訴北方凶星。他覺得，只要說了，心底就能下定決心。

自從在索諾相遇，今天已經是第八天了。美鶴大概已經抵達北方大陸了吧。就算再怎麼努力，小亘也不可能追上他了，二減一等於一。小亘滿腦子只想著這件事。不，應該說是努力這麼想。因爲，事情已成定局無法挽回了。

北方凶星明滅不定地閃爍著，它的光芒毫無變化，亮度也不見衰減。「哈爾涅拉」還沒結束嗎？幾時才會結束？明明只要再從幻界選出一個人就行了，這還眞是費事。

「咦。」

瞭望台的守衛揚聲，朝梯旁走去伸出一隻手。

「眞是稀奇。有何貴幹嗎？」

是卡姿上來了。距離瞭望台還剩最後三階，她沒抓住守衛的手，翩然一躍就輕巧地翻過欄杆。腰上掛的黑色皮鞭，沐浴在夕陽下閃閃發亮。不明白那玩意兒威力的人，可能會以爲這條鞭子只是搭配卡姿的服裝，有點奇特又刺激的裝飾品吧。

「我來欣賞夕陽。偶爾我也想浪漫一下嘛。」

小亘離開嘎薩拉的這段期間，卡姿換了髮型。原本幾近小平頭的短髮，變成短短的卷髮，很適合她。一身黑色皮革勁裝，因著右肘的護肘和左手腕的火龍手環，添上了火紅的點綴。

「幹嘛，瞧你一臉茫然的呆樣。」

卡姿一手叉腰，微歪著頭，調侃地笑了。

「是對我的美貌看傻眼了？那你也未免反應太慢了吧。」

小亘不禁臉紅。事實上，他的確是看得入迷。現在才說這種話的確是反應太慢，但卡姿還眞是個美女。倘若沒有來幻界，要想有機會認識這麼成熟的女性，而且是這樣的大美女，恐怕還嫌太早吧，小亘想。

卡姿對一起笑出來的男守衛說：「我跟這個小朋友有點話要說，這裡暫時借我用一下好嗎？」

「樂意之至。」男守衛點點頭，取下銅製擴音器遞給小亘。

「那麼，這玩意兒就先交給小弟弟保管。」

「好。如果發現什麼我會大聲通知你。」

「好，拜託你囉。」

男守衛爬下梯子後，卡姿就跟剛才的小亘一樣，把手肘放在欄杆上，看似疼惜地瞇起眼，眺望夕陽餘光中的大草原。

「你第一次爬上這裡？」

「對。」

「景色不錯吧，我最喜歡從這兒眺望的景致了。」

「我也很喜歡。」

「朝霞也很美，就連下雨和起霧的時候，也別有一番風情喲。」

卡姿甩頭輕輕撥開瀏海，撐著欄杆仰望向晚天空。

「我生長的故鄉是在深山裡一個小小的開墾村，四周環繞著層層梯田和枯瘦的樹林，到處是簡陋的小屋。當我來到嘎薩拉，第一次看到這片廣闊無垠的大草原時，簡直嚇呆了。沒想到世界竟然如此遼闊。」

這是第一次聽卡姿談起故鄉。她是獨自離開村子的嗎？在幾歲的時候？當時有什麼明確的目的嗎？這個話題並未繼續。卡姿陷入沉默，小亘也靜靜地和她並肩而立。那倒也是一種愉快的沉默。

過了很久，卡姿才唐突開口。「眞是的，眞是讓人火大的混帳。」

這是在說誰，小亘一頭霧水，還以爲是自己惹火了卡姿。

「啊？」

「那傢伙啦。」卡姿指著北方凶星。

「像寶石一樣發出美麗的光輝。像它那樣掛在天空那麼高的地方，叫人家要怎麼逮捕它啊。」

這實在太像卡姿會說的台詞了，小亘不禁噗哧一笑。「我倒覺得妳的鞭子應該搆得到。」

「要試試看嗎？」說著，卡姿的手放在腰間皮鞭上，然後咧嘴一笑看著小亘的臉。

那雙眼睛毫無笑意，認眞得嚇人，小亘的笑容也消失了。

「喂，你眞的已經覺悟了嗎？」

語氣不像是發問，倒像是在確認。彷彿在說她早就知道小亘的答案。

「嗯……大概吧。」

「你還眞容易放棄。」

「會嗎？我自己也不清楚。也許是覺得無奈吧。」

聳聳肩一手插進口袋，指尖就碰到龍笛。

「回來嘎薩拉的路上，有那麼一、兩次——我曾想呼喚喬佐，賭一賭運氣，叫他載我去追美鶴。如果乘龍而去，要抵達北方大陸不是問題。可是，就算我追上了美鶴，我也不覺得自己能贏他，那傢伙是個非常厲害的魔導士。」

更何況小亘在寶珠的數量上也略遜一籌。

「不管怎樣都來不及了。這樣也好，這麼一想，心情反而平靜多了。」

卡姿雙臂交抱。她的胸部豐滿，把皮背心前面繃得緊緊的，看起來雙峰好似沉甸甸地擱在手臂上。小亘看傻了眼，差點滿臉通紅。爲了掩飾，他急忙接著說：「跟幻界選出的人柱不同，不是芸芸眾生中的某一人，是二選一。所以可能反而讓我下定了決心吧。」

卡姿不發一語。從背心口袋取出紙捲菸和火柴，在晚風中俐落地點燃了菸。

「而且……之前我沒跟妳詳細說過，歸根究柢當初我能來幻界，就是靠我朋友——另一個『旅人』美鶴的幫忙。不僅如此。要是他沒有來救我，我早就死了。他在現世救過我一次，來到幻界後也救過我一次。」

媽媽在公寓開瓦斯時，以及在特里安卡魔醫院差點命喪斷頭台時。

「要是沒有他，我這條命早就沒了。所以，如果必須讓路給他。我覺得這樣也好。」

卡姿慢條斯理地抽菸，吐出長長的煙霧。然後把菸往欄杆用力摁熄，在指間玩弄著那根菸蒂。

「我啊，」

她的音調有點變了。眼睛筆直看著草原。

「可不想聽你這種藉口。」

這才不是藉口，我是眞心這麼想——本想如此抗辯，卻被卡姿的聲勢壓倒，沒機會插嘴。

「對於成爲人柱是否毫不畏懼，讓奇．奇瑪和咪娜傷心是否不在乎，見不到女神大人是否也無所謂，這些我都不打算問。你爲了改變自己的命運，來到這個幻界，一旦變成人柱，就無法實現那個目的。我也不打算問你會不會後悔。」

她那斬釘截鐵的一字一句，就跟腰上掛的鞭子一樣強悍。卡姿鎖定目標繼續說。

「你把媽媽留在現世。到時跟你媽也會永遠無法見面，而就在這一刻，你媽想必仍爲了你的安危擔心不已，但她卻將永遠無法得知你的消息。她將會痴痴苦等一去不回的你，寂寥虛度她今後的人生。讓你媽遭受這種下場，爲什麼你還能坦然自若，這點我也完全不打算問你。」

妳明明就問了。問的全是讓小亘最心痛的事。

「你是個聰明的孩子，也很有勇氣。」

卡姿用憤怒的口吻誇獎他。

「所以不管我問你什麼，想必你都能提出合宜的答覆。就像剛才一樣。你一定能夠準備出像樣的答案，讓我只能嗯嗯點頭。況且你本來就有這個必要。因爲在說服別人之前，首先你就必須說服自己。這點，對你來說再迫切也不過了。」

卡姿說到這裡終於喘了一口氣，但小亘找不出任何該說的話，只能沉默以對。

夕陽帶來了蒼茫暮色，天空的亮度開始讓位給藍色夜晚的深邃。就在前一刻，閃亮的只有北方凶星，可是現在其他星星也陸續現身了。

背對著這片天空，卡姿轉身面對小亘，筆直凝視小亘的眼睛。

「不過對我來說，只想問你唯一的一件事。」

小亘有點心慌，稍微離卡姿站遠了一點。

「喂，你打算放任美鶴不管嗎？」

「放任不管？」

「我的意思是，你眞的要讓他照他想做的去做嗎？」

小亘眨眨眼，他無法理解卡姿到底想說什麼？

「這是什麼意思？」

「還能有什麼意思！」卡姿單手啪地往欄杆一拍。「那個叫美鶴的小孩，根本是在爲所欲爲。你仔細想想看，他做了些什麼？現在又在做什麼？無論是在特里安卡魔醫院，或是在索諾鎭，他都用魔法搞得一大堆人非死即傷。索諾鎭和港口聽說不也被那孩子召喚的龍捲風夷爲平地？你對此有何看法？」

小亘狼狽不堪。他的心像整個外翻，露出鬆脫的縫線。

「可、可是。」

「可是什麼？」

「特里安卡那次是無可奈何，對方是老神教的狂熱信徒，如果他沒那樣做我早就被殺死了，美鶴自己也無法逃出那個結界。」

而且、而且，小亘在外翻的心中四處奔竄，尋找說辭。

「其實他也沒有一直給大家惹麻煩。在瑪奇巴鎮我就聽說，他施展魔法撲滅了嚴重的山林火災，當時如果放任不管後果將會相當慘重。」

可是在思考過程中，小亘也想起美鶴斷然拒絕了岱拉．魯貝西教王的懇求。他不屑地說自己沒時間，而且他明明尾隨著岱拉．魯貝西的脫逃者，但他不僅沒逮捕對方，還想利用那人前往北方……

「如果他眞的是那麼優秀的魔法師，無論在特里安卡魔醫院或是索諾，應該都有更溫和的做法才對。就算不殺傷幻界的人，不破壞城鎮，應該也能夠選擇別的方法前進。爲什麼他沒有這樣做？」

卡姿的詰問令小亘踉蹌退後一步。卡姿逼近他。

「讓我代替你來回答這個問題吧。那是因爲，美鶴這個小孩根本不在乎幻界會變成怎樣。只要能抵達命運之塔，見到女神大人實現目的，他就可以拍拍屁股就走人，再也不會來這裡。所以，就算傷害了人給誰帶來困擾，他也管不了那麼多。自己所到之處屍橫遍野也好，留下無數廢墟也罷，他都無所謂，因爲他認爲只要選擇最便捷的方法，趕快前進就行了。」

卡姿伸出手，抓住小亘的肩膀。

「這樣你不在乎？你認爲他的做法是正確的？」

究竟是正確……或是不正確……這種事……

「美鶴是我的朋友。」小亘囁嚅。搜遍心底也只能找到這個答案。

「我不是問你這個。我是問你，你能容許美鶴的做法嗎？」

卡姿手一放，用力將小亘一推，轉身背對他。小亘再次腳步踉蹌，背部抵著欄杆。

「即使到了北方，美鶴恐怕還是會繼續相同的做法。如果前方有障礙物，就連根剷除替自己開路。他將會製造出成堆的瓦礫，跨過滿地橫陳的屍骸，而這一切只爲了抵達命運之塔。」

「可、可是美鶴他，」小亘結結巴巴地說。「他迫、迫、切希望改變自己的命運，所以他非這麼做不可，因爲他的命運實在太坎坷了，不管怎樣他都要改變。這點他比我……比我更、更……」

卡姿猛然回頭，秀髮隨之揚起。「你的意思是說，因此就可以不擇手段？就能夠原諒？爲了奪回自己遭受悲慘待遇而失去的東西，就可以不管別人死活？我再問你一次。你認爲這樣是對的嗎？你能夠容許嗎？」

小亘的心底已經連自尊都不剩了，他什麼都答不出來。

「北方統一帝國對於現在的我們來說的確是一大威脅。可是，即便是在那個國家，一樣有無數人民在那裡生活，他們不見得全都贊成皇帝的做法。我相信一定也有人遭受凌虐，苦不堪言。你剛才說特里安卡那次是出於無奈吧？你說因爲對方是狂熱的信徒。如果照你這種說法，那麼北方人民遭受什麼下場也都是無可奈何囉？因爲是對方自己活該嘛。」

夜色越來越濃。不知不覺中，已是滿天星斗。天幕之下，卡姿憤怒的眼神也如一對雙子星炯炯閃爍。

「美鶴尋找的最後一顆寶珠，在北方皇帝手裡，對吧？聽起來美鶴是個相當聰明的小孩，那他八成會用動力船的設計圖當誘餌，順利與皇帝談交易，達成自己的目的吧。到時美鶴滿意，北方皇帝也開心。可喜可賀，皆大歡喜。可是，接下來會怎樣？北方將製造動力船，前來攻打南方。到時戰爭爆發。數不清的人民枉死。這樣是對的嗎？你能夠容許嗎？你要在這兒悶不吭聲，抱著腦袋假裝沒看到？」

小亘終於仰望卡姿的臉。

「卡姿姊，妳到底想叫我怎樣。」

然後，又忍不住撇開視線。卡姿微微垂落雙肩。

「這種問題，你要問我嗎？你應該捫心自問才對吧。」

捫心自問。答案就在我心中……

卡姿又將雙手放在欄杆上，遙望遠方說：「你說美鶴是朋友。可是小亘，即便對方是朋友、親人、情人，不對的事情就是不對。你的心既然覺得那是錯誤的，那你就有義務聽從你的心聲。」

卡姿纖細的手指緊緊握住欄杆。

「我以前也曾跟自己深愛的人對立。」

這番告白來得唐突。原本頹然垂頭的小亘突然看著卡姿。

「那已經是超過十年以上的往事了。有一個男人，是個殺人兇手，爲了自己的貪慾，殺了很多人。但他同時也是個狡猾得可怕的人，所以沒有留下明確證據，周遭的人也被他的三寸不爛之舌巧言哄騙，所以我們一直無法揪住那傢伙的狐狸尾巴。」

然而有一次，卡姿他們獲得寶貴的機會，佈下陷阱要逮這名殺人兇手。

「那是一次千載難逢的機會，就算我用言語再怎麼描述，恐怕也無法表達我的欣喜。」

沒想到，好不容易案子進入司法程序，卡姿他們卻遭到告發。說他們這種設下陷阱誘人犯罪的做法，違反聯邦政府的法令。

「這件事鬧了很久。最後，那個殺人兇手還是被釋放了。對，沒錯。我們的確玩了違法誘捕的把戲。但只有這個方法，才能讓殺人兇手接受合理的制裁。可是，人家卻說我們錯了，那個殺人兇手露出嘲笑的表情，大搖大擺地走出牢房。

然後，不到十天他又殺人了。他闖入商家劫財，把那戶人家全都殺光了。這次可能是他的報應來了，當場遭到逮捕。」

「你猜那傢伙後來怎樣？被吊死了。問題是，如果沒有釋放那傢伙，就不會發生最後一起劫財殺人血案。縱然違法，那時那樣做也是正確的。我至今仍這麼相信。」

小亘赫然領悟。「難道說……告發你們的人就是……」

卡姿點點頭。「波利斯．隆梅爾。那時，他跟我一樣都是高地人的成員，不過現在已經當上修騰格爾騎士團游擊隊的隊長了。你也見過他吧？」

托隆說過。卡姿以前曾經被隆梅爾隊長甩過。

「波利斯很守法，議會也支持他。分局的首長們也採納他的意見。可是我，我認為人命更重要。我的確違法，但我一點也不覺羞恥。所以，我說什麼都無法原諒告發我的他。同時，他也不肯原諒我。」

所以兩人就分手了。

「卡姿姊，妳那時很喜歡隆梅爾隊長吧？你們倆相愛過吧？」

卡姿瞥向小亘，嘴角挑起，微微一笑。「沒錯。可是，即便如此有些事還是無法原諒、不能原諒。我到現在還是認為他的行為等於親手殺了那倒楣的商人全家。波利斯也一樣，想必至今仍然堅信我的行為是錯的，因為他不是那種會輕易扭曲自己信念的男人。」

可是現在……，一定還愛著對方。

「在波利斯看來，是我錯了。所以，他做了自己堅信正確的事，兩邊都是眞實。到頭來，問題或許只在於你是站在哪一邊來看待眞實。我不肯讓步，波利斯也不肯讓步。我早就知道他八成不會退讓。因為我比這個世上任何人都瞭解波利斯，而波利斯也同樣瞭解我，他也知道我不可能退讓。正因為如此，他才會毫不遲疑地告發我。因為他知道只有這個方法才能阻止我。」

小亘想起隆梅爾隊長的藍眼。那雙眼睛散發出彷彿可以看穿小亘眼底的深邃沉穩和睿智。光是想像卡姿如烈火燃燒的黑眼撞上隊長的那雙眼睛，互不相讓的場面，令小亘心情激盪。

「小亘。」

卡姿無聲地靠近小亘，彎下身子，這次她把兩手放在小亘肩上。

「美鶴是你的朋友。我想一定是很重要的朋友吧。可是，即便如此，如果你認為美鶴的做法不可原諒，那你就必須行動，你不能緘默以對。雖然不能期待彼此諒解達成共識，但也不能放棄。假使你認為不可原諒，就得告訴他你絕不原諒。」

所以我才會問你，你是否容許美鶴這樣——卡姿如此做出結論，直起身子。

曾幾何時，草原已被夜幕籠罩。燃燒的火把化為遍地繁星，滿天星斗彷彿散佈天空的無數晶亮碎片，佇立在瞭望台上的卡姿和小亘，兩人獨處於天地的夾縫間。

「我……」

猶豫了很久、很久之後，小亘說。

「不希望美鶴那樣做。我不希望他爲了抵達命運之塔，採取那種傷害幻界人民的做法。因爲那樣……那樣是錯的。」

滿目瘡痍慘不忍睹的索諾鎮。

「可是……可是如果那樣說……我覺得有點卑鄙，好像是我不服輸，企圖阻撓美鶴，才找這種理由當藉口。」

「這你就錯了。」卡姿靜靜地說。「這種想法只不過是你爲了讓自己死心的藉口。既然不願讓美鶴那樣做，既然覺得美鶴錯了，不管美鶴會怎麼看待你，就算罵你卑鄙，你也得阻止美鶴。」

「因爲我們是朋友？」

「不，不對。」卡姿斷然搖頭。

「你忘了一件要緊事。」

「什麼要緊事？」

卡姿抓著小亘的左手，高高舉起。

「你是個高地人。」

一次，兩次，卡姿一邊用力搖晃他的手一邊說。

「你曾發過誓。要維護幻界和平，做個稱職的護法守衛。既然如此，你就不能放任他人擾亂幻界和平。如果你假裝視而不見，那你就沒資格戴著火龍手環。」

星光下，火龍手環隱隱發光。是錯覺嗎？他感到一陣暖意，就像上次在歷歷斯的西斯提娜教堂，和戴蒙祭司做生死決鬥時一樣。

「你是個『旅人』，或許將會奉召成爲人柱，美鶴變成了你的競爭對手，這些現在都已無關緊要。你是高地人，那麼，在女神召喚你的時刻來臨前，在你生命結束的瞬間到來之前，你就得繼續追趕美鶴。而且，縱使喊啞了嗓子你也得繼續大叫，警告美鶴。你必須不斷地告訴美鶴，他爲了達成目的公然破壞、踐踏而過的東西，具有什麼樣的價值，你必須讓他知道。你也必須告訴他，他錯了，你絕不允許他的做法，你必須阻止他。」

突然間，小亘回想起一種令人懷念的甜美情緒。在離開魯魯得的天文台時，隆梅爾隊長曾這麼說過。當時他就像卡姿一樣把手放在小亘肩上，直視著小亘的眼睛。

——你是個「旅人」，你該完成的是你的使命，別忘了這點。

——我想棘蘭的卡姿一定也跟我的意見一樣，她是你的主管。剛才這些話，你就當作是她的命令。

隊長錯了。卡姿另有想法。因爲她直到最後的最後，仍希望小亘以高地人的身分採取行動。你們倆再次錯過。雖然兩邊都是正確的，卻也僅止於正確。突然覺得有點好笑，又好像有點可悲。小亘感到眼皮發熱，雖然有這樣南轅北轍的差異，但你們倆都用同樣的眼神詢問我。

問題是，要從哪一邊來看待眞實。而我，要站在哪一邊？

小亘仰視卡姿，大大點頭。卡姿露出微笑，也對他點頭。

「跟我……，跟我們一起前往北方吧。」

我有個計畫，她說。

「我需要你的力量。助我一臂之力吧。」

第四十二章
深夜的對話

夜裡的雨把守門人小屋周邊的森林淋得濕答答，大顆雨粒敲在頭上使得樹葉不時猛然一墜，彷彿在打瞌睡。現在還得保持清醒，不能睡著。因爲，小屋裡的導師大人還沒睡，森林的樹葉們在拉烏導師沒有入眠前，一下又一下地打著瞌睡陪伴著他，雨聲是他的搖籃曲。

拉烏導師在桌上攤了好幾本厚重的書籍，一手拿著筆管修長的筆，起勁地寫著東西。他把油燈拉到腦袋邊，鼻端掛著小小的圓眼鏡。

寧靜的小屋內，筆尖在紙上滑過的聲音清晰可聞，油燈的燈芯滋滋燃燒，冒出油煙。

無意間，拉烏導師彷彿被誰喊住似的倏然停手，他抬起頭。小屋內已經夠小了，但油燈更小。油燈暈染出的光圈外，在明暗分界的邊上，佇立著某人。

拉烏導師拿下架在鼻樑的眼鏡，凝神一看。

「翁芭大人……」

導師一喊出名字，那個「某人」就渾身抖動地笑了。從光圈的邊上又往後退了半步。

「你也用不著這麼驚訝吧？」

是甜美少女的聲音。那個令小亘連想到「妖精」，惹人心癢難耐的聲音，曾經令他懷抱淡淡的憧憬……

「可是，您那副模樣……」

拉烏導師放下筆，拉開椅子站起來。

「不好看？我覺得偶爾借用一下人形也不錯。」

翁芭大人站在昏暗的小屋角落，原地轉了一圈，裙擺飄然蓬起。

是個纖細嬌小，散發著柔弱美感的少女姿態。就服裝看來，並非「幻界」中人。

「其實我平常也不喜歡變成那種醜模樣，偶爾也想換個心情。」

「您這副少女模樣，是從哪裡借來的？」

「就放在命運之塔。」

「這麼說，是現世的人囉。」

「是啊，一定是那孩子的朋友。」

翁芭大人說著，舉起這副假皮囊的假右手，輕觸自己的假臉頰。

「不曉得是不是他的女朋友。總之，是那孩子——小亘，一直掛念的女孩。」

翁芭大人的心緒難以捉摸，拉烏導師沉默以對。

「如果我以這個模樣出現在小亘眼前，你覺不覺得那孩子會更喜歡我？」

拉烏導師慢條斯理地說：「這似乎不是什麼好主意。」

「噢？我只不過是想討那孩子的歡心罷了。」

你以爲只要博得他的歡心，就可以拉攏他站在你這邊嗎？拉烏導師心想，人心可沒有這麼簡單，眼前這位大人顯然還不明白這個道理。

「我還挺喜歡這個模樣的。」翁芭大人又轉了一圈給他看，這次跟剛才轉的方向相反，裙襬飛揚。可是拉烏導師不認為翁芭大人的心情也同樣輕盈飛揚。

陷入沉默後，便聽見淅瀝淅瀝的雨聲。

「那孩子，要去北方喔。」翁芭大人說。

用不著他說，拉烏導師早就知道了。因為他發動幻界所有鳥兒分頭去調查「旅人」的情況，並且隨時向他回報。

「終於，走到了這個地步，距離命運之塔只差最後一步，馬上就要進入最後高潮了。」

拉烏導師緩緩回答。「從那兒開始的路途才是眞正的考驗。」

他接著說，翁芭大人應該也很清楚這點吧。但對方似乎充耳不聞，逕自小心翼翼地沿著光圈邊緣走，避免踏入光圈，然後走近窗邊。

「這雨可眞會下。我啊，最討厭下雨了。」

從略帶暖意的油燈光圈中望著翁芭大人的側臉，拉烏導師的心中汩汩湧起滿腔的悲憫與哀憐。

「你支持哪一邊？美鶴？還是小亘？你希望讓哪一邊贏，導師大人。」

「『旅人』的旅程，沒有勝負之分。」

「可是，一定得有一個人被選為人柱成為冥王。」

「那也全憑女神大人的裁決。」

「你每次都這樣，什麼都推給那個人來決定。」

翁芭大人說著，用暫時借來的美少女的玉手用力握緊窗框。

「不過，我是都無所謂啦。不管小亘是贏是輸，我的心意都不會變。那孩子如果成爲冥王，我就當女神，然後跟他一起治理幻界。那孩子如果說要回現世，我也不介意以這副姿態跟他一起去現世。」

反正我已經受夠了這個幻界，翁芭大人百無聊賴地夾雜著嘆息說。

「乾脆，這次眞的讓『魔界』把這裡消滅，不也很好嗎？用現世眾人滿滿的想像能量重新打造一個新的幻界就行了。混沌深淵裡還有很多未分化的幻界核心，對吧？只要其中一個成長開花，就能變成嶄新的幻界。太棒了。」

「您是眞心這麼說？」

「對，我是說眞的。」

拉烏導師一邊緩緩搖頭，一邊回到椅子。他朝油燈伸出手，正想拉出燈芯之際，

「住手！」尖銳的聲音立刻制止他。

「請你不要把燈光變大。」

「您對現在的模樣不是很滿意嗎？」

「我是很滿意。但是，我不想看。」

因爲變回原狀時會加倍痛苦。拉烏導師領悟到他的言外之意，手離開油燈，放在膝上。

「我決定戰鬥，而且這次一定會贏。」

翁芭大人的眼睛在油燈照不到的地方發亮。

「今晚，您就是來告訴我這個嗎？」

「對，沒錯。」

「爲此專程前來？」

「對呀，我只是想告訴你，這次你們的力量再也無法阻止我。」

「您認爲不可能被阻止？」

「對。我啊，要跟小亘攜手合作，我一定會做給你看。」

「美鶴不行嗎？」

拉烏導師這是明知故問。果然如他所料，翁芭大人一聽見美鶴的名字就慌了。

「在美鶴身上找不到任何機會趁虛而入。是這樣吧？」

隔了一會兒，翁芭大人才終於回答。

「那孩子不行。」語氣憮然不悅。

拉烏導師垂下眼。箇中經過他大致可以想像。美鶴優秀過人，那孩子的眼光很銳利。

「翁芭大人一呼喚美鶴，美鶴就看穿了翁芭大人的眞面目。然後毫不留情地拒絕了您。是這樣沒錯吧？」

翁芭大人沒反應。可是，拉烏導師知道，在他借用少女身體的此刻，那嬌弱的肩膀僵住了。

「……小亘比較溫柔。」

翁芭大人囁聲說。

「所以我要跟那孩子聯手。況且，那孩子的決心，似乎堅強到過去造訪幻界的『旅人』們難以比擬的地步，所以一定很值得依靠。」

拉烏導師拉緊長袍的領口，似乎被微微增強的夜晚寒意凍得直發抖，他說：「堅若磐石的意志不只是小亘才有，美鶴也一樣。他們倆的決心爲何如此堅定，翁芭大人難道不明白嗎？」

陰暗的彼端，翁芭大人瞥向拉烏導師。

「那是因爲他們倆年紀還小，翁芭大人。稚齡孩童爲了和己身糾纏的殘酷命運對峙，不得不用盡全身全力。正因如此，那些孩子才會如此果敢。」

這種果敢，就連你也不是對手。即便小亘再怎麼溫和……，導師沒把應該接下去的話說出口，只是默默藏在心底。

「精采。太精采了。」

嘴上雖然這樣說，但翁芭大人彷彿嚼著什麼難吃的東西要吐出來，語帶憤懣。

連綿不絕的雨聲，計量著漸深的夜色。

「我相信小亘就算知道我的眞面目，也絕對不會拒絕我。所以這次我會成功的，一定會。」

拉烏導師轉身面對桌子，拿起筆開始寫字，還沒寫幾個字，窗邊的翁芭大人已經消失。

拉烏導師沒有抬起頭，他繼續寫，但他仍然感覺得到，地板上有某種鈍重醜陋的生物，躲避著油燈放出的光圈，正慢吞吞地離去。

等到沒有動靜後，拉烏導師終於再次從椅子起身，走到窗邊，推開護窗板。細細小雨纏綿地灑落在導師的臉孔、長長的白眉毛以及山羊鬍上。

森林的樹木搖曳，樹枝簌簌摩擦，搖頭晃腦。大家都徹底清醒了。

「噢，不好意思。」導師小聲對群樹招呼。

「快睡吧。什麼都不用擔心，這個幻界不會發生任何事。所以你們放心，一覺熟睡到天亮吧。」

雨靜靜地持續下著。森林的群樹悄然並肩依偎，彷彿在畏懼什麼，哀悼什麼。它們沐浴著銀粉般的雨滴，懷抱著守門人的村子。

2
book

第四十三章
暗殺計畫

一覺到天亮，昨天和卡姿聊到深夜的對話，彷彿都是幻夢。小亘躺在簡樸的木板床上，不停地揉眼睛，窗口射入的陽光好刺眼。

我起來了，睡醒了，新的一天開始了，那不是夢。

昨晚卡姿把她那驚人的計畫全都告訴了小亘。她說要組成一支高地人敢死隊，潛入北方統一帝國，暗殺皇帝嘉瑪．阿格里亞斯七世。而且她希望小亘也能加入這個計畫。

「這個暗殺計畫，從很早之前我就開始籌備了。問題是，方法有限，只能趁著交易季節，混在商人們的風船之中偷偷潛入。可是，這樣風險太大，所以我一直無法下定決心。但你現在既然有了龍笛，情況就截然不同了。只要乘龍而去，可以從空中抵達北方，而且能筆直飛往皇帝的城堡。」

換言之，其實真正需要的不是我，而是龍。這點，倒是令小亘有點苦笑。

不過，昨天在瞭望台上，卡姿對我說的話沒錯，我必須去追趕美鶴。

小亘迅速換好衣服，取出藏在枕下的龍笛，悄悄放入口袋裡。用這個呼喚喬佐的機會只剩下一次。

「你先準備好，以便隨時出發。」卡姿說。「自從讓那個脫逃者跑掉之後，南方大陸的四位分局首長齊聚一堂，多次召開秘密會議。只要他們決定實行暗殺計畫，基爾首長就會拿著那份命令書，親自來到這裡。」

不是今天就是明天，總之數日之內便會有進一步發展，屆時就得出發。

「其他成員呢？」

「當初的計畫裡，有我，和另外三個志願者。換言之，就是那哈特、波古、阿里奇塔、沙沙亞四國各派一名代表。」

「那我等於是附贈品囉。」

「是強而有力的附贈品。另外三人會和基爾首長一起來，他們一個比一個厲害，你就拭目以待吧。」

這樣就是五個人，說好聽點就是精兵主義啦！

「還有，順便聲明一下，這支隊伍的隊長是我。」卡姿笑得豪氣干雲。「如果要問原因，那是因為這個暗殺計畫本來就是我提議的，指揮和責任一概由我一人扛起。懂嗎？」

「我知道了。呃……我知道這次任務，不可以隨便說出去……可是……」

「托隆知道。因為那傢伙是這裡的副主管，我不能瞞著他，他也知道我會帶你去。我想，你也不可能不告訴奇．奇瑪和咪娜吧。不過，千萬別傳入其他人的耳中。」

小亘用力點頭，昨晚就這麼懷抱著內心深處沉重的秘密，鑽進被窩。

說到行前準備，其實小亘的行李少得可憐。一旦時機來臨隻身赴陣，只要帶著勇者之劍就行了，小亘把掛劍的腰帶好好綁緊，走出房間。

來到樓下的分局勤務室一看，托隆正若無其事地閱讀公文。看到小亘後，說：「喂喂，你終於起來啦，眞會睡懶覺，快去吃早餐吧。」說話的聲音也極普通，對於秘密任務絲毫不動聲色。小亘如今才發現，其實他是個狠角色。

在附近旅館的餐廳，小亘一邊吃著早午餐，一邊陷入沉思。飯菜照理說應該很好吃，但他卻食不知味。這件事該怎麼向咪娜和奇・奇瑪說明才好呢？滿腦子都是這個念頭，好像顧不得舌頭和胃的工作了。

不能帶他們兩人去，太危險了。雖然奇・奇瑪身強體壯，咪娜動作輕巧，但這次的出擊和討伐螺絲野狼完全是兩碼子事。就小亘的心情而言，也不希望再把他們兩人拖下水。如果照實說，他們倆一定會堅持跟小亘一起去，而且絕對不可能妥協。所以他必須說謊，可是該說什麼謊？說他已經不再需要兩人的幫助？說他們合不來，還是趁早拆夥吧？他不喜歡這樣。這種讓奇・奇瑪和咪娜傷心的事，他做不出來。

「如果你開不了口，我可以幫你說。」卡姿說。「身爲分局主管，我可以命令他們倆留在這裡。因爲『哈爾涅拉』造成的混亂仍未平息。雖說嘎薩拉還算平靜，但是各地分局都忙得不可開交，欠缺人手。可以派給他們兩人的任務多得很。」

縱使這樣讓卡姿替他扛起責任，還是有問題。如果參與這次作戰前往北方，不管結果如何，想必小亘都不可能再回到南方大陸了。

究竟會有怎樣的結局等著自己，現在連小亘自己都不知道。也許美鶴搶先抵達命運之塔，時間到了，他就這麼成爲人柱。也或許他能勝過美鶴，前往命運之塔，見到女神改變命運，就此回到現世。又或者，作戰失敗，他將喪命於北方皇帝的城堡某處。

無論將來等著他的是哪個結果，總之，他都得在此跟他們倆訣別。不管任何形式都行，小亘想親口對他們倆道別。他要好好告訴他們，他們兩人的陪伴帶給他莫大的勇氣，他有多麼喜歡他們倆，然後才離開，他不希望在將就既定事實的情況下草草分手。

可是，他又不知道該如何啓齒。

正在茫然啃著麵包之際，旅館的大嬸出聲喊他。

「咦，你今天吃得很少喔。不用再來一碗湯嗎？」

餐廳裡看不到其他客人，大嬸剛洗好碗。她說今早小亘遲遲不來，她還在奇怪是怎麼了呢。

「對不起。」

「你用不著道歉。無論是誰都有早上爬不起來的時候嘛。」

待在嘎薩拉鎮內，「哈爾涅拉」掀起的混亂和騷動彷彿都變得很遙遠。爲了守護南方聯合國家的和平不得不暗殺北方皇帝的事，在這清潔又舒適的餐廳想起來，簡直就像虛構的故事。

餐廳窗外，達爾巴巴車正此起彼落地吆喝著來往穿梭。脖子上掛著鈴鐺的賣報男童，發出叮叮聲響急奔而去。報紙這種東西在現世一點也不稀奇，但幻界直到最近才剛剛「發明」，頗受歡迎。魯魯得的天文台公開「哈爾涅拉」的眞相時，某人對於政府公佈的通知不滿足，渴望知道更詳細更瑣碎的消息，於是想出了這麼一個主意，親自前往各地打聽，然後寫成報導，像版畫一樣刻版印刷之後，再賣給大家。這玩意兒頓時掀起一股風潮，短期之內就如雨後春筍般出現了許多家報社。報導的內容也不全然是「哈爾涅拉」，舉凡街道的交通資訊、各個城鎮的案件等新聞都會一併刊載，現在也開始刊登旅館和居酒屋的宣傳廣告。

現世的報紙說不定也是出於同樣的起源。再過不久，或許也會開始刊登起一些連載小說或四格漫畫吧。暗殺計畫如果成功了，當然也會變成報上新聞。肯定還是頭條。

這時候，現世不曉得怎麼樣了，報紙上又刊登哪些新聞呢？

媽！小亘的心在餐廳溫馨的氣氛中，脫離身體飄然遠颺。媽，魯伯伯。你們還好嗎？我身在如此遠方，還將去更遠之處。雖然我保證過一定會回去，但我說不定再也回不去了……

「小亘？可找到你了，早安！」

咪娜活力充沛的聲音讓小亘回過神來。

「怎麼，你現在才吃飯？是睡過頭了吧。」

咪娜從門口一跳，翩然落在小亘的座旁，明亮的眼睛望著他。這雙在陽光中看似灰色，隨著傍晚天色轉暗會逐漸發出深邃青灰色光采的眼睛，不知曾經鼓舞過他多少次。小亘感到鼻頭一酸，連忙低下頭，大口咬著吃到一半的麵包。

「瞧你吃得這麼急，小心噎到。」

咪娜揚聲嬌笑，並且摩挲著小亘的背。

「嗚，嗯。咪娜，怎麼了？妳好像很高興。」

「你看出來了？」咪娜在椅子上雀躍。「天大的好消息。布布賀團長他們要來嘎薩拉了！」

咪娜所屬的艾蕾歐諾拉飛天馬戲團，爲了在嘎薩拉鎮表演，據說正朝這裡趕來。

「今早剛到的達爾巴巴車夫，替團長帶了一封信給我。信上說他們已經到這附近了，今天就可以抵達！」

小亘心中沖刷過一陣溫暖安心的波濤。布布賀團長他們如果來到嘎薩拉，那他留下咪娜自行出發這件事會變得容易許多。就算咪娜堅持非要跟小亘一起走，布布賀團長一定也會幫著勸她。對小亘來說，這樣他更能心無罣礙地離開咪娜。

「太好了，咪娜。」

「嗯！不過，好消息不是這個。」咪娜緊貼著小亘身邊，壓低了嗓門。「欸，上次跟團長他們見面時，你不是有跟阿婆說過話？你還記得嗎？」

被稱為阿婆的安卡族老婆婆，曾問過小亘，如果見不到女神打算怎麼辦。小亘當時回答，他還沒想過見不到時該怎麼辦。於是阿婆說，既然這樣就沒什麼好問的了，除此之外沒再說過別的。

「記是記得啦……」

「那時我沒有詳細告訴你，小亘，其實阿婆是個很厲害的占卜師。阿婆可以未卜先知，雖然不是非常久遠的未來，但她的確看得見，因為她有神通法力。事實上，初次見到小亘那時，聽說阿婆就已看到北方凶星，也已經知道『哈爾涅拉』即將降臨了！」

正因為知道，才會對小亘提出那種質問嗎？因為她連「哈爾涅拉」來臨後小亘可能成為人柱的這件事也看到了嗎？

「噢……所以呢？」

咪娜的欣喜，小亘還有點反應不過來。可是咪娜雙手抓起小亘的手，用力握緊，更朝他湊過來。

「所以囉，小亘。我啊，在索諾鎮發生那件事後，就捎了封信給阿婆，請她告訴我你的未來，還有，如果有什麼方法能改變你的未來，也請她一併告訴我。阿婆收到那封信，就替你看了一下未來。她用占卜時使用的大水晶球看。結果啊，她說她看到了！她看到你走上通往命運之塔的樓梯！」

小亘身子一縮，重新認眞地凝視咪娜的臉。「這話，是什麼意思……」

「還會有什麼意思！是你的未來耶！你可以抵達命運之塔！你不會變成什麼人柱了！你將會順利見到女神大人，達成旅行的目的！」

所以布布賀團長才會急忙寫信，通知咪娜這個消息。同時爲了鼓勵小亘，替他打氣，讓阿婆親口告訴他這個消息，還專程朝著嘎薩拉趕來。

「怎樣？這是個好消息吧？我高興死了！小亘，你並沒有輸給那個叫做美鶴的小孩，你將會獲勝，因爲阿婆的預言從來不會出錯！」

在索諾鎮遇見美鶴後，咪娜和奇．奇瑪終於知道了「旅人」和人柱的眞相。從此，他和奇．奇瑪之間發生過多次爭執。每一次，奇．奇瑪都會提議說，現在還沒有結束，繼續去找剩下那兩顆寶珠吧。只要小亘一搖頭，他龐大的身體就會頹然瑟縮，爲了自己幫不上忙而愧疚傷心。這樣重複幾次後，兩人終於都承受不了那種痛苦，再也不提這件事。在嘎薩拉鎮安頓下來之後，奇．奇瑪也天天忙著工作，一直沒跟小亘好好地面對面溝通。

可是，咪娜不同。她還是跟以前一樣開朗活潑地跟小亘說話，寸步不離小亘身邊。然而只要小亘一提起人柱這個話題，她就會凜然給他碰個釘子，在笑容中瞪著頑強的眼睛，死也不肯跟他討論。原來在她這樣的態度背後，還隱藏了這麼一個理由。小亘再次爲咪娜內心的堅毅而折服。

「討厭，小亘你發什麼呆。」咪娜的手在小亘面前揮來揮去。「我說的話，你聽懂了嗎？欸，再沒有比這更好的消息了，對吧？聽說水晶球還映出了其他景象。我想，那一定是尋找剩下兩顆寶珠的線索！等我們見到阿婆問清楚之後，就立刻出發吧。一定會找到的。因爲小亘你將要去命運之塔耶！」

咪娜欣喜之下，從椅子站起，高呼萬歲。旅館的大嬸嚇了一跳，從廚房衝出來。

「出了什麼事？」

「啊，沒有，沒什麼啦，對不起。」

小亘連忙把咪娜拉下來，雙手牢牢按住兩肩，以免她又跳起來。

「咪娜、咪娜，謝謝妳。」

小亘也陷入混亂，不知道該從何說起。總之，他只能任由話語從嘴巴流出。

「讓妳爲了我這麼擔心，我眞的、眞的很感激妳。」

「你這是什麼話，太見外了吧。我們是夥伴耶。況且，我也決定了。我在魯魯得不也說過嗎？我啊，不管小亘去哪裡都會跟到底。」

咪娜激動得連小亘都差點跟著跳起來。按都按不住她。

「咪娜，妳冷靜點。妳先聽我說。好嗎？」

咪娜雀躍的眼睛雖然閃爍著喜悅和期待，卻猛然頓住了。她微微歪著頭，手疊在小亘放在她肩膀的手上，問道：「你怎麼了，小亘。你不開心嗎？」

「開心呀。」小亘爲了讓自己先鎭定下來，慢慢地愼選遣詞用字。

「我還有機會。阿婆的預言是這麼說的？」

「對，沒錯！」

「可是，咪娜。」小亘用力做了一個深呼吸，繼續說。「我啊，已經無法繼續旅行去找剩下的寶珠了。因爲我有其他事情非做不可。」

咪娜的眼睛，就像太陽在瞬間冷凍般凝結。

「其他的……什麼事？」

「我，要去北方。去北方統一帝國。」

說完以後，小亘環顧餐廳。空無一人。大嬸也鑽回廚房裡面去了。

「身爲高地人，我接到一個非執行不可的任務。要在卡姿姊的率領下，騎著喬佐去北方。我當然也希望任務圓滿達成能凱旋歸來，但這次工作很困難，我也不知道會變成怎樣。但即便如此我還是得做，因爲我已經下定決心了。」

在整整深呼吸三次的期間，小亘和咪娜都沉默以對。在這與其說是互相凝望，更像是在互相瞪視的緊繃沉默中，餐廳裡食物氣味瀰漫的詳和氣氛似乎顯得格外突兀。

「去北方？」咪娜小聲問。

「對。」

「不是以『旅人』的身分，而是以高地人的身分？」

「是的。爲了暗殺嘉瑪．阿格里亞斯七世……」

出乎意料的，咪娜竟然對著小亘的臉噗哧一笑。

「奇怪，幹嘛要做這種事？難道說南方聯合國家想對北方發動戰爭？這麼做沒有用啦。動力船的設計圖，都已經落到帝國手上了。南方肯定會輸。」

「這是為了爭取時間。」小亘如此解釋。

「假使皇帝遭到暗殺，北方統一帝國想必多少會陷入混亂。正因為是皇族專權的獨裁國家，一旦群龍無首，必然會變成無舵之舟。嘉瑪．阿格里亞斯七世據說年約四十歲，他的繼承人一定還很年輕，就算繼承了皇位，應該也無法立刻發揮力量。到時只要國內一亂，短期間內縱使開發出了動力船，也沒辦法渡海來攻打我們這邊才對。趁這個空檔，南方聯合國家可以加強防禦，準備迎擊帝國，也可以好好考慮用什麼籌碼在外交上談判。又或者，說不定還能製造機會締結和平。總而言之，現在需要的是時間。」

雖然這是按照卡姿告訴他的內容照本宣科，不過小亘對這個計畫倒也沒有異議。

「關於這個計畫，我也是昨晚才聽說。不過，卡姿姊說她需要我的協助。我也這麼想。只有我能呼喚喬佐，就算不是這樣，既然把喬佐也捲入這個任務，那我說什麼也不能不參加。」

咪娜的臉上已經失去所有表情。小亘覺得，她看起來就像個剛剛做好還沒有灌入靈魂的洋娃娃。心裡該想什麼，該從中揀選出什麼感情，由於太過突然，恐怕連咪娜自己也不知道吧。

隔了一會兒，咪娜依舊表情平板，開口說：「那好，我也一起去。」

話一出口，咪娜的臉上頓時恢復生氣，眼神炯炯燃燒。

「我也要跟小亘一起去北方，我要協助小亘。沒錯，就這麼辦。」

她的笑容復甦。疊在小亘手上的手有了力量。

「我不是說過了？我也決定了，只要是小亘去的地方，不管是哪我都跟到底。對，沒錯。我們去北方帝國吧。這樣最好。我想阿婆的預言，一定也包含了這件事。小亘會去北方，追上美鶴，比美鶴先找齊寶珠，然後前往命運之塔。沒錯，就是這樣……」

咪娜滔滔不絕的過程中，小亘只是一逕搖頭，而咪娜卻遲遲沒有察覺。等到說完了，她不可思議地瞪眼凝視著仍在頻頻搖頭的小亘。

「小亘？」

「不行。」小亘說。聲音沒有顫抖，這點連他自己都感到意外，他的聲音就像一個成年男人般穩重，語氣變得堅定不移。

「咪娜不能一起去。妳要留在南方大陸。」

空白。然後咪娜撲向小亘。「爲什麼？爲什麼？爲什麼我不能一起去？爲什麼你要故意作對？」

「這不是故意作對。」

「明明就是！」

咪娜猛然推開小亘。小亘差點從椅子上跌落，幸好這次輪到咪娜一把抓住他。

「我懂了！是卡姿的命令吧？一定是這樣。是她叫你把我留在這裡吧？那好，我自己去拜託她。我會緊緊纏著卡姿，除非她答應帶我一起去，否則我死也不放！」

「不是的，咪娜。這是我自己決定的。」

咪娜拉著小亘衣領的手開始微微顫抖。

「我……」

「對不起。可是咪娜，我不想再讓妳和奇．奇瑪遭受更多危險了，所以你們不能一起去。」

顫抖從手掌蔓延到手臂，最後連嘴唇都開始哆嗦。

「什麼危險……那算什麼……我根本不怕。」

「可是我怕。」小亘說。這是他的眞心話，同時他也領悟到，這個答案比什麼藉口或解釋都來得正確。

「如果帶妳跟奇．奇瑪一起去，說不定會害你們捲入危險因此喪命，我怕變成這樣。這比我自己可能死掉都還要可怕。如果是自己的事那我還能看開，坦然接受。可是你們不同。你們是我的重要夥伴，是朋友。我不能讓你們因我而死。」

又不見得一定會死，咪娜低聲說。

「妳說的對。可是，我總得先做個假設。這個可能性很大。」

小亘調整呼吸。這麼一來，他才發現自己內心裡也藏著一個跟咪娜一樣渾身哆嗦的小小亘。再一下就好，拜託你再撐一陣子，千萬要躲藏好別讓人發現喔。

「說不定一切都很順利，不但打倒皇帝，我還能搶在美鶴前頭，前往命運之塔。」

「對，是啊。」

「可是那時……，如果你和奇．奇瑪，爲了完成我這個目的不幸喪命，那我會後悔一輩子。縱使在命運之塔見到女神大人，如我所願地改變命運，平安回到現世，我今後的人生也絕對無法幸福。」

所以，明知這樣很狡猾，小亘還是說：「正因爲是朋友，是夥伴，爲了我，希望妳待在安全的地方。算我拜託妳好嗎！咪娜。」

咪娜雙手蒙著臉，靜靜地哭了起來。小亘再次將手放在她的雙肩上。

「什麼時候出發，現在還不確定。不過，鐵定就在這一、兩天了。等基爾首長一到嘎薩拉，馬上就得走，所以我想趁現在跟妳道別。這段日子謝謝妳，我對妳的感激實在難以用言語形容，眞的。」

咪娜從指縫間，呻吟著說：「奇．奇瑪那邊……」

「我現在就去說。」

看咪娜沒動靜，小亘悄悄從椅子上站起。

「謝謝妳，咪娜。妳要永遠永遠做個開朗的咪娜喔。要成爲飛天馬戲團的大明星，爲整個南方大陸，不，爲整個幻界的人帶來歡樂。好嗎？一言爲定喔。」

咪娜沒有回答。

第四十四章 逃出嘎薩拉

和咪娜交手後，小亘一時之間沒力氣去見奇．奇瑪。再等一陣子吧，幸好，還有工作要做。

嘎薩拉的周邊，散佈著一些規模雖比嘎薩拉小、但也是貿易中繼點的城鎮。這些小鎮也因爲「哈爾涅拉」導致治安混亂，不時出現一些扛著家產逃往嘎薩拉的居民。今天也有好幾組這樣的難民來到嘎薩拉門口，小亘不得不忙著招呼他們。

「與其讓這種騷動再繼續下去，我還眞希望乾脆讓我去當人柱，好讓這個國家早日恢復和平。」

一個手牽著稚齡孩子的避難男人，一邊斜眼看著妻子憔悴不堪的臉一邊如此低語。爲他們設置的臨時招待所雖然只有最低限度的設備，但他們還是很高興，還說已經四天沒有好好洗澡吃飯了。

「『哈爾涅拉』很快就會結束了。再忍耐一下就好。」

聽了小亘的勸慰，男人緩緩點頭。

「是啊……」伴隨著嘆息，他自言自語說。「可是，眞非選出人柱不可嗎。以女神大人的力量，就算少了那種東西，應該還是可以重建『偉大的光之疆界』吧。我最近開始覺得，女神大人帶來『哈爾涅拉』，說不定有其他的眞正用意。」

「眞正用意？」

「嗯。在這遼闊世上，這麼多的人當中，只有一個人會被選去獻祭……，光聽到這裡，我們就已經狼狽成這副德性了。人哪，其實很軟弱。到頭來，大家在乎的都是自己。可是世上一旦出現動亂，就想趁機大撈一筆，或是把看不順眼的人幹掉。這都是慾望、貪慾，醜陋得很，太不像樣了。可是平常，我們卻把自己這種醜陋的部分忘得一乾二淨。如果『幻界』繼續維持繁榮和平，那就更嚴重了。人們甚至會自大地以爲，人是偉大的生物。所以女神大人或許就是爲了不時提醒我們這些人，讓我們想想自己的軟弱與醜陋，警告我們不要再繼續自大下去，所以才故意設計出『哈爾涅拉』這種東西吧。」

這點小亘連想都沒想過。

「可是……如果眞是這樣，那女神大人對人好像有點惡意使壞，或者說太嚴厲了。」

「是啊，嗯。可是神，原本不都是這樣的嗎？因爲太過溫柔，治不了任何毛病。言語很空虛，就算再怎麼尊崇的教諭，在日復一日的繁華中還是會逐漸失去份量。人本來就是健忘的生物，所以就連女神大人也只能用這個方法，以千年一次的機率，這樣動搖世界，好讓我們回想起教諭。」

沒想到會談得這麼深入，等到小亘離開臨時招待所時，下午已經過了大半。一早就已沉甸甸的心，現在又加上了更沉重的疑問，回分局的腳步也變得凝重難行。

沒想到低頭在街上走著走著，卻發現一件詭異的事。路旁和店前擠滿了人，都在竊竊私語。每張臉都神情緊繃，略帶不安。到底是怎麼了？

正好這時，一拐過街角，就撞上診療所的醫生拎著出診的皮包，正在和鎭民說話。小亘立刻出聲招呼，可是醫生還是沒察覺，依舊跟對方談得很起勁。

「請問，出了什麼事嗎？」

「噢，是你啊！」醫生眨動著快要淹沒在茸茸長毛裡的小眼睛。「聽你這語氣，難道你什麼都不知道？」

「我只覺得鎮上有點怪怪的……」

包括醫生在內，聚成一圈交頭接耳的人全都露出驚愕的表情。

「看那個手環，你應該是高地人吧？虧你還說得出這麼悠哉的話。不到一個小時前，嘎薩拉就已經被修騰格爾騎士團的游擊隊包圍了！」

小亘大驚失色。「被包圍？怎麼會變成這樣？守門人和瞭望台的守衛在幹什麼？」

「還能幹什麼！只看到修騰格爾騎士團的小隊從草原遠處逐漸接近，還以為是順路來補給呢，等到發現眞相時聽說就已經被包圍了。」

「現在正門也關閉了。」醫生說。「禁止任何人出入。」

他完全沒察覺。「我剛才一直待在臨時招待所。」

「這表示修騰格爾騎士團一旦認眞起來，可眞是快如疾風，靜如游蛇哪。」

現在不是佩服的時候，必須先確定包圍的目的何在。

「我得回分局去！」

小亘正要跑，卻被診療所的醫生一把揪住後領。

「等一下！現在最好還是暫時觀望。」

「爲什麼？」

「剛才隆梅爾隊長率領部下已經闖入分局了，看來他們的目的，好像是分局。」

小亘瞠目。「是爲了追捕罪犯而來嗎？」

醫生搖頭。「你既然也是高地人，應該知道吧？之前分局的四大首長，未經聯邦議會同意就擅自出動高地人的事，已經釀成軒然大波。隆梅爾隊長的出現，好像也是跟那件事有關。」

小亘訝然想起。在魯魯得天文台前分手時，隆梅爾隊長率領的小隊，和在場的高地人之間瀰漫的險惡氣氛，還有隆梅爾隊長說過的話。首長和他們麾下的高地人一旦惹惱了聯邦議會，誓言效忠議會的修騰格爾騎士團，今後，說不定會被迫在哪裡演變成敵對立場。

他的警告已經成眞了。現在就是那一刻。

「看樣子隊長好像是來逮捕卡姿的。」醫生溫柔的小眼睛，看穿了小亘的驚愕。「聽說是聯邦議會下令逮捕她，說要把她送去首都。也不知道是出了什麼事……」

小亘知道。是那個暗殺計畫。一定是消息走漏，傳入聯邦議會的耳中，而且議會裡，有人不贊成暗殺北方皇帝這個策略。

卡姿說這個計畫是她提議的，她是主謀，如果被逮捕一定會被處以重刑。可是，基爾首長在哪裡？預定一起去北方的另外三個壯士呢？

寒氣從腳底往上竄，小亘冷得連骨子裡都在發抖。

「不管是什麼罪名，我們都不能輕易把卡姿所長交出去。」

一個鎭民張大了鼻孔毅然表示。

「什麼修騰格爾騎士團，根本是政府的走狗，一點也靠不住。更何況，他們通通都是安卡族。

那些傢伙，我們這些其他種族，打從一開始就沒放在眼裡。跟分局差多了！」

沒錯沒錯，議論紛紛的眾人振奮起來，還揮舞著拳頭。

「爲了保護卡姿所長，我們不惜和騎士團一戰！」

診療所的醫生爲難地垂下耳朵。「鎮民們的心情，無論是聯邦政府或騎士團應該都知道。所以才會採取包圍。如果我們擅自反抗，嘎薩拉鎮恐怕會有大麻煩。」

「那醫生，你是說要眼睜睜看著卡姿所長被抓走嗎！」

「我又沒有這麼說。」

「那不就結了！」

眼看快要演變成吵架，小亘悄悄開溜。

他一路跑到正門。眞的，大門已經被關閉封鎖，騎士們一臉嚴肅地並肩而立，門上還貼著什麼公告。大概是卡姿的通緝令吧。一群獸人族居民氣勢洶洶恨不得撲上去咬人地提出抗議，修騰格爾騎士團也用怒吼的語氣回應。馬路對面這頭，抓著媽媽裙子的小孩嚇得哭哭啼啼。

可能是正好要出城吧，一輛達爾巴巴車停在門口進退維谷。車上的水人族駕駛，同樣在接受一名修騰格爾騎士的盤問。雖然沒有演變成口角爭執，但駕駛看起來似乎很困擾。小亘躲在大車輪背後，豎耳傾聽兩人的對話。

「我說過了，我一點也不想反抗你們騎士團的人。問題是，我車上裝的可是最頂級的修魯修瓦。騎士先生，你沒吃過嗎？修魯修瓦生魚片是這個世界上最好吃的東西，可是鮮度頂要緊。就在我在這罰站的當口，貨色已經越來越不値錢了。」

「我們只要完成任務，立刻就能解除包圍。絕對無意隨便妨礙嘎薩拉通商，請你現在先等一下。」

「你跟我說這麼文謅謅的話有什麼用，萬一修魯修瓦餿掉了怎麼辦。」

「要抗議的話，去找分局。我們只是按照聯邦政府的意思行動。只要這裡的分局主管順從我們的要求，鎮上應該可以立刻恢復原狀。」

果然。卡姿在哪裡呢？總之他得先潛入分局，探探情況。小亘抓起勇者之劍。

分局門前出現了兩圈人牆，外側那一圈聚集的是鎮民，內側那一圈遠比外側的人數少，總計五名修騰格爾騎士圍成一個弧形而非圓圈屹立不搖。

托隆應該在裡面。小亘稍作考慮後繞到建築物背面。窗子全都關得緊緊的。小亘位於二樓的房間窗戶，今早出門時明明是敞開的，現在連護窗板都關起來了。

小亘回到分局正面，尋找機會混入人群。聚集的鎮民有人說得慷慨激昂，有人向騎士抗議並提出質疑，也有人對完全不回應的騎士投以怒罵嘲諷，總之現場一片鬧哄哄。

這時，分局出入口的門開了，門前努力執勤的高大騎士稍微退向一旁。有人從分局裡面跟他說話，騎士扭著身子，把頭伸進門縫，頻頻點頭。

小亘抓起勇者之劍，集中心緒，張起了隱形結界。就這樣穿過人群之間，迅速弓身一蹲，鑽過站在門口的騎士跨下。

「咦？」騎士詫異揚聲。「剛才好像有東西穿過。」

他俯視自己的跨下。這時，小亘已經到達分局勤務室的角落了。

雄踞正面的卡姿那張辦公桌，現在由托隆坐鎮，他的正對面杵著隆梅爾隊長。隊長的兩名部下，彷彿要包圍托隆，各自將雙手背在腰後站得筆直。

其他的高地人看來都順利躲起來了。看不到人影。還是已經被帶走了？

「我最後再問一次。」

隆梅爾隊長用宏亮的嗓音對托隆說。之前雖然聽過好幾次隊長的聲音，不過這還是頭一次聽到這樣語帶威逼的口吻。

可是托隆不為所動。鼻子上掛著眼鏡的他，整個往後靠在椅背上，吊兒郎當地歪著身子。看起來好像隨時都會挖起鼻孔。

「所長卡姿在哪裡？我知道她沒有出鎮。」

「應該就在附近吧。我不知道。我又不是所長的奶媽。」

「就算你不回答也不能保護她。我們一定會找出卡姿把她帶走。」

「那好，你們快去找呀！跟你說不知道就是不知道。」

「如果我們搜索全鎮，將會令居民更加不安。為了避免這種事態，我才請你協助我們。」

隆梅爾隊長的藍眼很冷靜，絲毫不顯焦慮。不過，看起來倒是有點累，眼角的皺紋很深。

「你是這個分局的副主管，卡姿不在時你有責任維護治安，你搞清楚自己的立場了嗎？我相信卡姿應該也不希望隨便替嘎薩拉鎮帶來混亂吧。」

「所長的想法，用不著你來說教，我清楚得很。」

托隆的話中帶刺。雖然姿勢依舊吊兒郎當，眼神卻在瞬間銳利起來。「更何況，憑什麼非得把所長帶去聯邦議會。我實在無法理解，這根本是非法逮捕。」

守在托隆右邊的年輕騎士，似乎忍不住心頭一把火，一掌啪地拍向桌子。托隆面前堆放的公文霎時飛起，筆筒發出刺耳的聲音滾落。

「你沒看見這張逮捕令嗎！」

從頭盔和護顎的縫隙間露出的眼部激動得泛起紅潮。隆梅爾隊長的視線依舊盯著托隆，當下舉起手制止年輕的部下。年輕騎士臉色通紅，恢復原來的姿勢。

「撇開那個不說，這還是我頭一次見到聯邦政府發出的逮捕令……」

托隆眞的開始挖起鼻孔了。毛茸茸的渾圓手指露出利爪，靈巧地插進鼻孔。

「什麼反叛罪，我連這條法律都是第一次聽說。所以，誰知道這份公文是眞的還是假的，搞不好是僞造的，對吧？」

這下子連隆梅爾隊長的眼神也不禁凶惡起來。「噢？有意思。你是說我們僞造逮捕令？」

「以你們的作風，那可說不定。」托隆咧嘴露出一邊的犬齒，冷冷嘲笑。「你們待在議會裡的主人，好像餵給你們不少油水。一隻被人養慣了早已失去膽量的走狗，還不是主人怎麼說就怎麼聽，只要主人一聲令下叫狗去撿東西，就算是糞堆也會一頭衝進去。」

眞是辛苦啊！這句話還沒說完，剛才那個年輕騎士已撲向托隆。可能是騎士守則不允許任意拔劍，又或者是空手撲上去太難看了。隆梅爾隊長和另一名部下連忙上前攔阻，大門一開又衝進來另一個人。分局一陣劈哩匡啷彷彿連地基都動搖起來，小亘趁亂滑到托隆腳旁，躲在桌子底下。由於這張桌子的下半部圍了一圈木板，所以可以暫時藏身。

爲了張設結界費了不少能量，呼吸又急促了起來。小亘兩手摀著嘴，小心翼翼地不發出聲音，一邊聳動著兩肩拼命呼吸。

一陣怒吼叫嚷乒乒乓乓的騷動終於平息，桌上砰地落下沉重物體。可以看到托隆的雙腳離開地面。看樣子，他似乎被制服在桌上。

「你要做下流的妄想是你的自由。」

隆梅爾隊長的聲音傳來，聽起來若無其事極爲平靜。

「我們宣誓效忠聯邦議會，根據他們的意向採取行動。」

即使托隆的臉被壓在桌上依然意氣軒昂。「那可不見得吧。」

「分局的四位首長不聽聯邦議會的制止，不僅擅自出動高地人，還企圖對北方統一帝國採取恐怖行動，這些我們都很清楚。基爾首長早已被我們控制住了。和首長同行的高地人，也已把暗殺嘉瑪·阿格里亞斯七世的詳細計畫招出來了。換言之，你們的陰謀已經曝光了，托隆。」

隆梅爾隊長的語氣，第一次變得這麼軟弱。小亘在桌子底下縮起身子。基爾首長遭到逮捕了嗎？連原本計畫一起前往北方的成員也……

完了完了。不管怎樣都得把卡姿毫髮無傷地救出來。

「你跟卡姿也認識多年了。」隆梅爾隊長說。「所以應該也知道她的過去吧。我也曾是高地人的一員，和卡姿是互相信賴的同袍。雖然因爲那起事件，不得不跟卡姿分道揚鑣，但我一直對她的工作表現充滿敬意，也不希望她遭到不當對待。更重要的是，如果她企圖做出違背國家的行爲，那我說什麼都得阻止她。」

托隆默然。只聽見粗重的呼吸。

「請你告訴我。卡姿在哪裡？我想幫助她。如果現在不投降，她眞的會被烙上叛徒的印記，連表達自己意見的機會都沒有，就這麼遭到整個幻界通緝，你想把卡姿逼到那種下場嗎？」

卡姿和隆梅爾隊長，這對情侶徹頭徹尾地背道而馳。小亘好不容易才平息悸動的心口，霎時一陣刺痛。

過了一會兒，托隆低聲說：「事到如今，卡姿根本不指望你來幫她。」

隆梅爾隊長的盔甲，鏗然一響。

「不管過去怎樣，現在的你和卡姿，立場與意見都截然不同。希望、信念、在乎的東西，也完全不一樣。卡姿很清楚這一點。而你……，似乎一點也不明白。」

接著他又自言自語地補上一句，男人大概就是這樣吧。他又繼續說：「聯邦議會那些膽小鬼，一聽說什麼動力船的設計圖落到北方手裡，好像就嚇壞了。他們一心只想大事化小小事化無，搶在北方帝國進攻之前，息事寧人，締結什麼友好和平條約。議會裡本來就潛伏著北方統一帝國的支持者，他們會有什麼想法，我們早就料到了。爲了息事寧人，他們打算送什麼東西給北方的人當作回報？你可別說你不知道北方皇帝都幹了些什麼勾當。他歧視非安卡族人，大肆虐殺、逼迫他們像奴隸一樣勞動，榨取他們的殘忍做法，你們應該也很清楚吧？」

「我們……」

托隆打斷隆梅爾隊長，提高了嗓門。「和北方帝國合作，暫時取回安穩的代價，將使南方大陸的非安卡族遭受何等待遇，對你們修騰格爾騎士團來說，想必是無關痛癢吧。你們本來就不是爲南方大陸效命的騎士團嘛。你們只爲多數民族安卡族而舉劍。」

「你誤會了！」

「我才沒有誤會！不信你看歷歷斯！你的夥伴賽澤克隊長打著聯邦議會維持治安的命令當旗號，在歷歷斯幹了什麼好事，你自己回想看看！」

令人用力屏息的短暫沉默之後，隆梅爾隊長的語氣又恢復了出乎意料的鎮定，他說：「我跟賽澤克不同。」

「有什麼不同，狗就是狗。」

「不，不一樣。因爲我不是北方統一帝國的支持者，壓根兒不想爲了實現他們的理想而舉劍。如果議會基於和平友好的美名，打算默許北方統一帝國的思想侵入這片南方大陸，那我絕對不會坐視不管，我一定會盡全力去對抗這種舉動。」

桌上又發出咚的一聲。這次好像不是騎士對托隆怎樣，而是托隆自己用身體去撞桌子。

「狗做得到這件事嗎？」

隊長冷靜地回答。

「有時，狗也會違抗主人。因爲狗也有狗的意志。」

托隆不語。隆梅爾隊長似乎在觀望托隆的反應。緊繃的空氣甚至瀰漫到小亘藏身的桌下。

托隆用略顯沙啞的聲音發話：「就算如此，縱使用不著奉獻什麼當作回報，我還是不打算跟北方統一帝國握手言和。我無法原諒那種把我們的同胞當奴隸，像垃圾一樣用過即丟的國家。與其這樣，我寧願戰爭。不斷戰鬥，奮戰到底。因爲我有比生命更重要、更不能妥協的信念。我們高地人的確有這樣的信念。你們騎士團也有這種東西嗎？」

「所以你們爲了那個比生命更重要的什麼大義名份，就想採取暗殺皇帝的恐怖行動？你們的目的眞的是那個？在我看來，你們企圖採取的行爲純粹只是報復。」

托隆沉吟。沒有回答。

「……把這個男的關起來。」隆梅爾隊長下令。「把他關進這裡的拘留室，讓他好好冷靜一下。」

「卡姿怎麼辦？」騎士部下問。

「兵分三路開始搜索全鎭。要是有居民敢阻撓搜索，就以妨害公務的罪名逮捕。增援部隊也差不多快到了，就用這個分局當作臨時司令本部。天黑之前一定要找出卡姿，準備將她帶往首都。」

部下們精神抖擻地應和，把托隆帶出了勤務室。

雖然僥倖混了進來，可惜到頭來還是不知道卡姿的下落。然而，躲在桌下的小亘，接觸到過去只有茫然概念的眞相一角，雖然現在沒有張設結界，他還是覺得幾乎快要窒息。

潛伏在聯邦議會內部的北方統一帝國支持者；佔有壓倒性多數的安卡族和屬於少數民族的其他種族。以安卡族爲主組成的「聯邦國家之盾」——修騰格爾騎士團，和在南方大陸漫長歷史中自然而然形成的自衛組織高地人，彼此相剋的根源所在……

小亘心中產生迷惘，由此衍生的念頭令小亘戰慄。

不能讓卡姿被捕。我們要一起去北方。究竟是卡姿正確，還是隆梅爾隊長說的有理，現在的小亘難以決定。一旦做出判斷，隨之而來的結果對他來說實在太過沉重。不過，正因如此，他必須確認事實，親眼看個清楚。

勤務室裡開始有騎士忙碌進出。小亘張起結界，偷偷鑽出桌下，貼著牆邊一邊學螃蟹緩緩橫行，一邊接近門口。

隆梅爾隊長正站在桌旁，攤開全鎮地圖迅速指點部下。他的視線落在地圖上，可以看到他五官立體深邃的側臉。距離門口只剩下不到一公尺。沒有任何人發現。雖然差點跟一個衝進來的騎士衣袖相觸，幸好沒事。

「隊長，增援部隊的傳令到了！」

騎士把通信筒遞給隊長。隆梅爾隊長仰起臉正要接過……

這時他那一雙藍眼，猛然和小亘對上。四目相接。

為什麼？他應該看不見才對呀？這個念頭閃過的下一瞬間，隊長連走幾步越過屋內，拔出的劍尖已經抵著小亘喉頭。只有疾風掠過小亘臉頰，這次連盔甲都無聲無息。簡直像在變魔術。

「難怪我從剛才就覺得有可疑動靜，原來如此。」

隊長笑也不笑。

小亘低頭看自己的身體。驚愕之下注意力分散，結界已經解除了。

「隊、隊長。」

「你什麼時候學會消影魔法的？這也是『旅人』的力量嗎？」

「這個，原來叫做消影魔法啊。我都不知道。」

小亘覺得非常尷尬，笑得很心虛。「隊長看得見我嗎？還是說，即使看不見人影，還是能感覺到？你眞厲害。」

隊長沒有笑，劍尖也依舊瞄準小亘分毫不動。

「你也曾是卡姿的部下，她現在在哪裡？」

「不知道。我連這場騷動發生都沒察覺。」

「那你也太遲鈍了吧。」

「……是。」

隆梅爾隊長扭過頭命令部下。「這個少年也是高地人。我要詢問他，先把他關到托隆隔壁。」

「知道了。」

騎士部下喀嚓喀嚓地踩著鋼鐵長靴走近。啊，要被捕了。萬事皆休。

這時，心中傳來呼喚聲。

——小亘。

——有了三顆寶珠。你又得到新的力量了。

——快，快念咒。阿茲羅．羅姆．羅姆，統馭大氣的風之精靈，以追過時速，超越光速的速度帶我走。

「追過時速……」小亘跟著唱和。

「什麼？」騎士停下腳步。

「超越光速的速度帶我走。」

離小亘有段距離的隆梅爾隊長看向這邊。

——快，做好準備！

「消失！」

朗聲唱誦的同時，小亘感到自己的體重消失了，整個視野裡充斥著耀眼光芒。

騰空飛起，飄然懸浮。小亘的腳下留下騎士們的驚愕聲，在光芒中上升。他牢牢握緊勇者之劍的劍柄。上升、上升、直到空中！

下一瞬間，他彷彿變成砲彈被射向空中，衝上了藍天。

「哇！」

身體浮起，瞬間靜止。他可以看到周遭的景色，是嘎薩拉的上空。他在飛。不，是在飄。不，開始下墜……

「要掉下去了！」

其實他並沒有飄得很高。咚的一聲屁股先著地，疼得他眼冒金星。

「這、這是哪裡？」

嘎薩拉鎮東端；他曾多次造訪的一家雜貨店屋頂上。他癱坐在紅色屋瓦上。有一片屋瓦破裂了，不知是否小亘造成的。

走在路上的人們都張口結舌，瞪視小亘。還有人指指點點，雜貨店的老闆，從店內衝出來。

「剛才是怎麼回事？」

第三種力量是扭曲時空的力量。瞬間移動。但是距離並不遠，這樣恐怕還是很危險吧？

——對不起喔，小亘。

傳來眾寶珠的聲音。

——現在你的力量似乎還無法控制。

「嗯。不過沒關係，多虧你們救我！」

小亘在屋頂上站起。大概是已經開始搜索全鎮了，幾名修騰格爾騎士，察覺小亘的出現，正朝這邊跑來。怎麼辦？

「喂，小亘！喂——喂——！」

是奇．奇瑪。他在騎士們身後，同樣也朝這邊跑來。

「你在那種地方做什麼？出大事了！」

「我知道！」小亘兩手合攏圍在嘴邊，放聲大叫。

「奇．奇瑪，你要小心！不能被騎士抓到！」

「啊？你說這些傢伙嗎？」

奇．奇瑪邊跑邊把騎士們撞開。被撞飛的騎士們有的滾落路旁，有的撞到牆壁。「臭、臭小子！我告你妨害公務喔！」

「你算老幾，我可是高地人耶！」

「那就更有問題了！你也要被逮捕。」

「奇．奇瑪，你快逃！」

小亘從口袋取出龍笛。朝著藍天吹響。喬佐，喬佐，你快飛來！

天空彼端，出現一個閃亮的紅點。小亘朝著那個光點揮舞雙手，然後在屋頂上又蹦又跳，還拼命大吼大叫：「卡姿姊！卡姿姊！妳快出來！快逃！我們騎著龍一起逃！妳在哪裡？」

奇・奇瑪爬上了屋頂。鎮上的十字路口出現好幾組騎士奔馳而來。拐過那邊街角追來的一群人中，帶頭的就是隆梅爾隊長。

「快抓住那個少年！」

突然，小亘的頭上一暗。是喬佐接近，逐漸降下來了。

「小亘，你叫我？」

「對，是我呼叫你的！快讓我上去！」

喬佐翅膀掀起的狂風，差點把他颳落屋頂。幸好被奇・奇瑪抱住才勉強站穩身子，小亘爬到喬佐背上，奇・奇瑪也尾隨在後。

這陣旋風穿過鎮上十字路口，宛如不合時節的龍捲風把騎士們也逼退了。居民們蜷縮身體，抱頭哇哇大叫，一片大亂。

「卡姿姊！」

小亘朝鎮上的四面八方呼喚。

「喬佐，請你在城鎮上空飛低一點！我要找卡姿姊！」

「知道了。不過這麼多人還真熱鬧，是在辦慶典活動嗎？」

「沒錯，是慶典活動！」

喬佐收起翅膀，掠過嘎薩拉鎮家家戶戶的屋頂低空滑行。雖然再次響起居民們的尖叫，不過聽起來好像大家都很高興。

「哇，是龍耶！」

小小孩從窗口探出身子，揮舞小手。

「媽媽，妳看妳看！是龍耶，眞的是龍耶，跟我在故事書上看到的一樣！」

嗨你們好啊，喬佐揮起翅膀打招呼，死命追來的騎士們頓時被這陣狂風擺平。路旁堆起的酒桶倒塌，跟騎士們一起滿地亂滾。

「卡姿姊——！」

他們飛過一隻驚訝得猛眨溫馴大眼的達爾巴巴面前。車夫從駕駛座跌落。

「小亘！」

卡姿從鎭上對面那頭的民宅二樓窗口，探出身子揮舞雙手。小亘一瞥向那邊，她點點頭，立刻開始從窗口沿著牆壁往屋頂上爬。

「是卡姿！她在那裡！」

騎士們爭先恐後。最靠近的那一組闖進那間民宅，啊，現在已經從窗口伸出腦袋。緊追在卡姿身後。

「唉，眞是的，你們很煩耶！」

卡姿一手抓著屋頂，優雅地懸在半空中，另一手抽出鞭子。黑色閃光咻地低吟，騎士發出悲鳴，從窗口跌落。

「喬佐，快讓卡姿姊上來！」

喬佐翅膀一拍，飛到民宅上方。卡姿跑過屋頂奔馳而來。好幾名騎士靈巧地爬上屋頂，逆著風七零八落地追上來。卡姿本想揮鞭，可是被翅膀的氣流影響，無法隨心所欲地操縱鞭子。

「喬佐，快噴火！」

「可以嗎？」

「可以，我特別准許你！」

喬佐鼓起胸膛，喉嚨咕嚕一響轟然噴出火焰。熱風撲面而來，騎士們四散奔逃。趁這機會，卡姿翩然躍上喬佐。

「連我的頭髮都燒焦了！」

即便如此卡姿依然哈哈大笑。

「好，我們走！」

喬佐一邊滯留空中一邊反轉翅膀，臉朝著上方天空。小亘緊抱著喬佐脖子。

「小亘，等一下！帶我一起去！」

是咪娜的聲音。他連忙四處張望，真不敢相信，咪娜竟然一家飛過一家的，從屋頂上追了過來。

「咪娜！」

「你們竟然撇下我一人，太過分了！」

還隔著兩戶人家的屋頂，咪娜就嘿地一聲用力縱身躍起。流暢翻轉的雙腿，畫出弧形勾住這邊屋頂的邊緣。這時，她的腿被一名騎士從下方伸出的手臂猛然一抓。

「哇！你幹什麼啊你這色狼騎士！」

竟敢亂抓小姐的腿太沒禮貌了，咪娜說著就從腰包取出某種東西，啪地揚手一灑。一串刺耳的碰碰聲響起。火藥味瀰漫開來。五顏六色的火花四射，在空中畫出美麗的花朵圖形。眞是的，她什麼時候學會這種把戲的？騎士被火花射個正著，不由得放開咪娜的腿，用手摀著臉。

「讓你們久等了！」

咪娜飛躍到小亘身邊。

「喬佐，快飛快飛！飛得越高越好！」

喬佐高高飛起。整個嘎薩拉鎮，歡欣雀躍的鎮民們以及呆然佇立的騎士們，全都變得越來越小。即便如此，小亘還是能感受到隆梅爾隊長追來的視線，大概是心理作用吧。

「我不是說過了？我啊，不管去哪，都要跟隨小亘一起去。」

咪娜的臉頰火紅，一邊因刺激的火藥味不停抽動鼻子，一邊浮現大大的笑容。

「小亘你知道嗎？你太自私了。」

「我、我是……」

「就像你會擔心我們一樣，我們也會擔心你呀。一想到你說不定會因爲少了我們的陪伴，在我們完全不知道的地方喪命，我就快要瘋了。我好怕。簡直片刻都無法忍耐。所以，就算再怎麼危險，我也要陪著你。我想跟你一起去。」

小亘啞口無言地凝視著咪娜，然後仰望奇．奇瑪的大臉。這個水人族一直猛點頭。

「雖然我不清楚是怎麼回事，但我也贊成咪娜的意見。」

「你們吵完了嗎？」卡姿說。「那我們就走吧。眞是的，雖然那戶人家讓我躲在他們地下室，可是躲躲藏藏終究不是我的作風。我本來已經憋不住要發飆了。波利斯那傢伙的呆樣，你看到沒？眞是太痛快了！」

這些女人眞是堅強又難纏。小亘一邊任由上空的風冷卻暈眩的腦袋，一邊乘著喬佐的翅膀而去。

第四十五章 皇都索雷布里亞

美鶴望著天空。

北方統一帝國的皇宮「水晶大宮殿」，位於皇都索雷布里亞的中央。沿著以城堡爲中心呈放射狀延伸的十幾條街道，能夠形成今天坐擁百萬人口的大都市風貌，也歷經了兩百年以上的歲月。

站在這個用像大理石般乳白色石頭打造——位於雄偉水晶大宮殿的主城，距離皇帝寢宮極近的頂樓客房陽台上，除了眼下廣闊的皇都景觀，北方統一帝國的歷史本身也能一目了然。因爲索雷布里亞的城市結構，如實反映出當今北方統一帝國的國民階層與生活情形。以城堡爲中心的官廳街井然莊嚴；外圍的商業區則繁華喧鬧；環繞四周的市民住宅街，雖然有效地設在規定範圍內，但仍洋溢著強調各自財富與個性的蓬勃生氣。

不過，離開這些中心地區後，城鎮便逐漸失去了色彩。中心街道與外圍之間有一條挖得很深的壕溝，形成分隔界線。從高處俯瞰，可以親眼看到內外之間的明顯差異。

皇都索雷布里亞本身就是一個要塞都市。打從第一代皇帝選定此地爲皇都起，經過不斷營造、增建和補強而成的都城外緣環繞的長城，總是令從南方大陸來到北方的風船商人大吃一驚。不過，這些風船商人只能穿過這條長城設置的唯一關卡，經由通稱爲「商人隧道」的唯一一條熱鬧馬路前往商業區，除了滯留該區不得涉足皇都其他地區，所以無從得知長城內雙重構造的皇都眞正面目。富人與窮人。君臨者與服從者。被侍奉者與隸屬者。都市型態竟然能將這種位階關係如此誠實地表露出來，在南方大陸簡直是難以想像。

距離水晶大宮殿最遠，被視爲不祥方位——根據北方大陸嚴苛氣候孕育而出的獨特曆法顯示——也就是城市北北東方向，有一座監禁著擾亂皇都治安者，充滿威嚴的監獄。這棟紅磚建築的背後還有另一個從長城出城的關卡。不管是誰從那兒通過，這都是個通往不歸路的關卡。從關卡再往北北東方延伸的道路被稱爲「囚犯大道」，位於這條路終點的強制收容所，在皇家國家地理院發行的地圖上並無記載。究竟有多大，也沒人知道。

過去在裡面人數最多、並且喪命獄中的「囚犯」，都是無辜的非安卡族人，關於這段歷史，存活下來的人都知道。雖然知道，卻不能說出口，也無力提出挑戰。早已過去的恐懼，只能用遺忘的方式去對抗。地圖上的空白就是方式之一。只要把發生過的事忘掉，就等於沒發生過。

即便如此，眞相終究是紙包不住火。縱使人們不說，建築物會說，大自然也會說。而這些洩漏出來的秘密，悄悄被人書寫下來。來到皇都已經第十天。美鶴對於北方統一帝國的歷史和現況，已有相當正確的掌握，絕大部分都是透過設於水晶大宮殿內部的歷史研究所館藏書籍得來的知識。

被皇帝親自當成貴賓迎接的美鶴，獲准在宮殿內部自由穿梭。他幾乎成天浸淫在歷史研究所，所裡的研究員也很歡迎這位求知若渴，智商極高的「旅人」，還傳授了各種知識給他。而美鶴明知他們貢獻的歷史知識，都已經過他們的美化粉飾，還是爽快接受。因爲他知道，只要刻意和對方保持良好互動，就能當作盾牌，藉機接近美鶴眞正想知道的典籍資料。結果，容易得令人失笑。雖然有些歷史書籍遭到魔法封印，但這種程度的小把戲，對於現在的美鶴來說，輕鬆解開封印，並在事後恢復原狀不讓對方發現，簡直太容易了。

就這樣，連南方潛伏此地的地下工作人員耗費五年仍無法探知的情報，美鶴都徹底掌握了。不過，他眞正尋求的情報至今尚未斬獲。只有隱約推測出如何接近的方法。

因此，他老是仰望天空，把心中的思緒映在空中。

在北方大陸仰望的天空，看起來比南方大陸的天空顏色淡一些。結了凍，褪了色。這個季節在北方雖然算是比較不冷的時期，但是站在陽台上，冷空氣依舊不斷從袖口和領口灌入。飛過天空的鳥群，也比南方大陸來得少。

不易生存的氣候打造出不易生存的社會。這是個惡意循環——美鶴的臉上浮現不像孩子的苦笑。不過，他沒有流露出更多的表情與感慨。

安卡族把非安卡族斬草除根，在這個北方大陸贏得霸權。同胞全都聚集在一起，終於可以和平生活了嗎？沒那回事，這次安卡族同胞之間開始舊事重演，最好的證據就是皇都的雙重構造。在這個迫害非安卡族的歷史上染上斑斑血跡的北方大陸安卡族，似乎已經變成必須時時刻刻迫害別人、壓榨別人，才能深刻感受到活著的滋味。到頭來，只是重蹈覆轍，卻無人發覺。

太可笑了。簡直是無藥可救的狂妄愚痴。

美鶴既無法產生任何共鳴，也激不起絲毫憐憫。沒有憤怒，也無意勸諫。不過，這是理所當然的。就算北方大陸的人民沒有愚蠢到這個地步，對美鶴而言也沒差。

「幻界」發生的事全都是幻影。一旦回到現世就會消失無蹤，只不過是一時幻夢。

得到「旅人」資格的瞬間，美鶴就已拋棄少年這個現世身分。不，是獲准將之拋棄。在現世囚禁美鶴的容器，到了幻界已無法再捕捉美鶴。

現在，美鶴說不定連人類都不是了。唯一的身分就是「旅人」，而「旅人」有的，只有目的。完全沒有多餘的同情、愛慕、友情或義憤。

好了，在這片天空下的皇都索雷布里亞，該如何料理呢？

必須講求具體手段。美鶴在冷風中瞇起眼，仔細思索。不能再繼續這樣乾等下去了。

美鶴抵達此地的一路上，幾乎沒遇過所謂的困難。在分隔南北大陸的海上，也只耗費了三天。把海圖搶過來，問清航路之後，風船船長就派不上用場了。因為出了汪洋大海，掌握住距離感，弄清楚方向後，他發現與其依賴風船這種靠不住的物理性移動方式，還不如施展魔法來得迅速確實。而風船船體就只剩下供他落腳的這個功用了。

等他一抵達北方大陸，就把風船沉入北方近海，只「攜帶」船長來。因為他覺得那傢伙應該多少還有一點用處。雖然年紀不小，倒是挺耐用的「素材」。

踏上北方大陸後，潛入附近港鎮洗去旅途疲勞，美鶴立刻朝皇都出發。正巧，他在驛道上遇到一群正要把今年徵收的稅貢運往皇都的徵稅吏，連問路都省了，順便也多了幾個「素材」。徵稅吏遭到殲滅的殘骸，被風的魔法化為微塵吹散，所以神不知鬼不覺。皇都的稅務廳或許會有官員側首不解徵稅吏怎麼遲遲不來，但那不是什麼大問題。

一抵達皇都，他就用消影魔法混入水晶大宮殿，觀察內部情況，找到皇帝的寢宮。接下來就簡單了。只須等到深夜，在呼呼大睡的嘉瑪·阿格里亞斯七世的枕畔現身，把目的告訴對方就夠了。

皇帝大吃一驚，滿臉畏懼，穿著睡衣就匍匐在美鶴腳下，他這種反應完全出乎美鶴的預料。在南方大陸時，沒機會讓人發現他是「旅人」，因爲美鶴不需要與幻界居民接觸，也能夠輕易旅行。所以直到跟北方皇帝面對面，美鶴才第一次感受到「旅人」對幻界人民帶來的衝擊。

我們對現世懷抱憧憬，皇帝說。

——對我們來說，那是聖地。是神的居所。我衷心期盼這塊北方大陸能夠逐漸發展成接近現世的國家。

聽到這番話時，美鶴不禁笑了。因爲他心裡想，如果回顧現世歷史中不斷重複的紛爭與殺戮，皇帝所言倒也不能算是完全錯誤。

不過，另一方面卻也有強烈的不協調感。之前他曾耳聞，統一帝國應該是否定創世女神，期盼打倒女神重建由老神統馭的世界，遵奉老神教爲國教才對。況且老神教把來自現世的「旅人」視爲女神的部下，稱爲「扎扎．阿克」也就是欺神者，據說對旅人恨之入骨，可是皇帝卻完全沒有那種神色。

一問之下，皇帝有點狼狽。

——「旅人」果然是消息靈通，對我們的國教也這麼瞭解啊。

皇帝表示。「在我們帝國裡，表面上的確是以老神教爲國教。可是，那純粹是爲了便宜行事，只不過是爲了統馭民心，和尊崇創世女神的南方聯合國家抗衡所採用的政策之一。」

「那麼皇帝陛下，實際上也是信奉創世女神大人嗎？」

聽到美鶴的問題，皇帝笑了。「不是的。命運之塔的確在這個幻界某處，那裡想必也住著執掌現世人們命運的女神大人。可是，那並非幻界的「神」。命運之塔和女神大人『只有在現世人們的面前』，才具有神的功能。對我們幻界居民來說，毫不相干。」

因爲，幻界的神其實就是「現世」本身。

「幻界的形成，美鶴先生應該也知道吧？幻界，是現世人發揮想像力創造出來的世界。那麼，幻界的創世之「神」就應該是現世的人們，不是嗎？」

就邏輯來說，的確如此。

「可是，既然這樣，爲什麼要宣揚這種在教義中強調要迫害現世「旅人」的老神教呢？就政策來說，也自相矛盾。」

美鶴的反駁輕易被擋回。「美鶴先生。每隔十年，要御門會開啓一次。每一次會有什麼樣的「旅人」從現世造訪，我們不得而知。如果是優秀人才當然最好，但有時來的也可能是邪惡之徒，或是軟弱之人。我們爲了辨認出眞正値得敬仰的現世「旅人」、來自現世這個聖地的使者，不得不設計出嚴苛的環境。」

美鶴雖感愕然，卻也同時想起負責守門的拉烏導師曾說過——旅途的嚴酷使得許多「旅人」受挫，中途放棄。在幻界某處喪命，無法返回現世從此音訊全無。

「不過，美鶴先生您卻抵達這裡。單槍匹馬來到了我的皇宮。」

皇帝再次恭敬行禮。

「光憑這點就能知道您能力之高強，歡迎您的光臨。我將把您視爲神的使者，當作我們的盟友迎入城堡。現在最要緊的是讓您消除旅途勞頓。」

就這樣，美鶴成了水晶宮的貴客。

美鶴曾問，目前爲止像我一樣抵達此地的「旅人」，大約有多少人？

在我國歷史上，僅在統一戰爭進行得最激烈的時候，有一人來過，皇帝回答。

「那位『旅人』據說也是個法力高強的眞正使者。他爲我國帶來了種族統一的思想。和平與繁榮，財富與力量，只有在血統統一的情況下才會出現。這個思想成爲我國的基礎，帶來統一戰爭的勝利，最後終於奠定了統一帝國……」

怎麼會這樣。北方大陸對非安卡族的迫害與虐殺，竟然是來自現世的「旅人」一手促成的。而且眼前這個皇帝居然還說那個「旅人」法力高強，是眞正的使者，並非邪惡之徒。

美鶴很驚訝自己竟然會受到衝擊。在現世殘酷命運的蹂躪下，他本來早已下定決心，今後不管發生什麼、聽到什麼，都絕對不會再驚訝了。

可是下一瞬間，他立刻給這樣的心態狠狠一鞭。我不能爲了這種小事動搖，幻界發生的種種，跟自己毫不相干，趕緊抵達命運之塔，達成目的返回現世吧，該努力的只有這個目標。

因此，就算採取任何手段也在所不惜。

翌日，當美鶴在豪奢的貴賓室寢榻上醒來時，他的貴賓生活早已開始了。心情大好的皇帝替他引見皇族成員和水晶宮的眾多臣子，告訴他已經開始籌備盛大的歡迎儀式。還帶他參觀宮內，向他說明城堡的由來，統一帝國的歷史……

可是美鶴渴求的，當然不是這種東西。美鶴難得心生焦慮，要求再次與皇帝私下密談。

他坦然說出自己來到北方的原因。皇族擁有的皇冠上鑲嵌的寶珠，正是他尋找的最後一顆寶珠，只要能得到那個，就能打開通往命運之塔的道路。美鶴恨不得趕快得到寶珠。

此外，他也解釋了自己在離開南方大陸前夕，才得知另一個令他不得不加緊旅程腳步的眞相。毋庸贅述，那就是「哈爾涅拉」。

前往命運之塔的競爭，他不覺得會輸給小亘。他完全不擔心這點。不過有鑑於兩人之中將有一人被選爲人柱的高危險率，能夠盡快離開幻界當然再好不過。

然而，沒想到美鶴這個訴求，竟被皇帝大笑置之。

「『哈爾涅拉』之類的事，我們統一帝國完全不知情。也沒有任何歷史學家承認這種東西的存在，也許那是南方大陸的聯邦政府捏造出來的惡質謊言。美鶴先生您受騙了。」

或許是如此。但是，也可能並非如此。說不定這只是因爲你們無知吧。美鶴在心裡咬牙切齒，他費了好大的力氣才沒讓表情洩漏心中想法。

「那麼皇帝陛下，您是說『哈爾涅拉』根本不値得掛慮囉？」

「一點也沒錯，美鶴先生。」

「可是，就算是這樣，我也急著趕往命運之塔。」

於是皇帝露出很爲難的表情。他端正淹沒在華麗繁複的衣裳中的身體，輕輕把手按在額上，嚴肅地表示：「您的心情我明白，不過，除了請您暫時等候別無他法。」

「爲什麼？」

「美鶴先生尋找的那顆皇冠上的寶珠——毫無疑問地，那皇冠應該就是我們全族代代相傳的寶物『封印之冠』。」

「封印之冠……」

「是的。現在很難交給您。因爲我們很清楚，一旦讓『封印之冠』離開存放之處，我們統一帝國……不，是整個幻界必然會降臨可怕的災難。美鶴先生您找的寶珠正守護幻界免於那個災難。也因爲如此，那頂鑲有寶珠的皇冠，才會被稱爲『封印之冠』。」

這下子就連美鶴都啞口無言。

「那麼，您叫我怎麼辦？如果那是鎭守幻界免於災厄的寶珠，那我豈不是永遠拿不到手。」

「不，這倒不至於。所以我才會說『現在』很難。老實說，還有別的方法可以封印那種災厄，另一個方法。可是如果要採用那個方法，很遺憾，光靠我們統一帝國的力量還不夠。也必須從南方大陸蒐集材料才成。」

這到底是怎麼一回事。

「如果是在前一段時間……」皇帝倚著寶座，憂心地說。「我們統一帝國和南方大陸相互對抗，處於膠著狀態，要蒐集那些材料幾近不可能。雖然我還是盡力嘗試過，卻沒有任何顯著進展。可是現在事態不同了。詳細情形雖然還不清楚，不過根據潛入南方大陸的我國工作人員報告，似乎有人把某種足以令兩國力量產生遽變的東西，偷偷從那裡帶入我國。只要能找出『某種東西』，我們就可以立刻進攻南方大陸，縱使無法立刻打敗對手，也應該能我們居於優勢。」

關於「某種東西」，美鶴先生知道嗎？

被這麼一問，美鶴抬起頭來。這隻老狐狸其實老早就知道了吧？

他是故作不知，在試探我嗎？

美鶴取出從現世帶來的動力船設計圖。

「我想，應該是這個吧。」

本來不打算這樣交易的。

設計圖交到皇帝的手裡。說到他那副高興嘴臉，簡直是膚淺極了。

「來自聖地的使者，神的使徒啊。有了這張設計圖，勝利已經屬於我們統一帝國了。我希望您跟我們一起分享這即將來臨的勝利。在那之前，還請您留在我們帝國，留在我的皇城，盡情地享受吧！」

於是美鶴只好被迫等待。等到皇帝壓制南方聯合國家，做好萬全之策直到可以移動封印之冠爲止。

眞是失策啊，美鶴恨恨咬牙。演變成這個局面都是自己失策造成的。不過，今後可不一樣。皇帝啊，如果你以爲我會傻呼呼地等到你攻陷南方聯合國家，那你就大錯特錯了。美鶴在陽台的欄杆上，猛然握緊拳頭。

如果不立刻交出皇冠，不用等那個什麼災厄降臨，我就會先把整個皇都毀滅喔。說完，還可以展現一下他的毀滅威力，讓皇帝嚇得屁滾尿流。管他封印之冠是在封印什麼，這種事跟美鶴無關。至於對策，你們自己去想吧。

不過，現在還不是時候……

「美鶴先生。」

聽到這聲呼喚，美鶴倚著陽台欄杆，轉頭回顧。

貴賓室的對開拉門開啓，亞居．魯帕立正行禮。他是水晶宮的勤務官之一，奉皇帝之命，負責服侍美鶴。年紀看起來超過四十五歲，但可別被他的年齡和學者般的溫和外貌所騙。美鶴研判他應該不是普通的政務官。

號稱「席格朵拉」的皇帝直屬特種部隊，打從他在南方大陸便已耳聞。旅途中在小村的旅店歇腳時，曾經聽說以前該村遭到「席格朵拉」襲擊，有個村民的房子被燒毀，家人慘遭殺害。當時，美鶴還不知道「封印之冠」的事，他只覺得奇怪，又不是戰爭，北方統一帝國的特種部隊，幹嘛在南方惹出這種事件。可是，現在他懂了。那大概就是皇帝說的什麼「蒐集材料」，沒什麼顯著進展的做法吧。

告訴他這段往事的旅店老闆，還壓低嗓門說：「北方帝國啊，利用『席格朵拉』把從北方逃到南方的難民抓回去，甚至殺掉。他們的目的沒人知道，倒是有各種謠傳，說是爲了奪回什麼東西，或是爲了封住難民的嘴巴。」

美鶴當時聽了就想，等他前往北方，一定要多注意席格朵拉的動向。

亞居．魯帕恐怕就是席格朵拉的一員，而且不是小嘍囉，八成是上級主管。皇帝很歡迎美鶴，這點應該不是僞裝的，可是話說回來，皇帝不可能因此就毫無戒備。現在既已明白皇帝是爲了個人方便讓美鶴苦等，還派幹練的席格朵拉成員跟在美鶴身邊監視可說是理所當然的處置。

「佐菲公主說，如果方便的話，想邀請您在『戰勝庭園』的涼亭共享下午茶。」

亞居．魯帕鄭重地說。

公主佐菲，是皇帝的獨生女。如果一切順利，現任皇帝過世後，應該會由她以嘉瑪．阿格里亞斯八世的身分加冕，成爲統一帝國第一位女皇帝。

當然，美鶴早已知道她的女帝之路似乎走得並不順遂，水晶宮的人嘴巴都不牢靠，喜說八卦，道人是非，動不動就竊竊私語。完全沒意識到自己說話太輕率，也沒發現這種輕率有可能洩漏了重要機密。眞是一個容易操縱的大嘴巴集團。

「正好有點無聊，那我就恭敬不如從命。馬上就過去。」

美鶴這麼回答後，爲了避免在穿過水晶宮前往「戰勝庭園」的路上著涼受凍，特地披上一件長達腳踝的毛織長袍。

水晶宮被許多綠意盎然的庭園環繞。每個庭園各異其趣，也都按上了不同名稱。大多是爲了紀念歷代皇帝或皇族某位要人的生日而建造的庭園，不過也有像「起源庭園」或「服從者的泉水庭園」這種外人無法立刻判別名稱由來的庭園。

「戰勝庭園」是三百年前，打敗散佈在北方大陸的眾多小國，贏得漫長慘烈的內戰，建立統一帝國的嘉瑪．阿格里亞斯一世，利用此地要塞的砲台基座，就地取材建造的庭園。涼亭的柱子和屋頂也都是把要塞的木材和紅磚回收後再次利用，初次來訪時美鶴便感到有些微殺氣凌駕在野趣之上。不過，佐菲公主似乎很喜歡這個庭園。這已是美鶴第四次受邀喝茶了，地點每次都是在這裡。

這個庭園是以耐北方大陸烈風與寒氣的灌木爲主體，原本水晶宮的庭園就缺乏繽紛景致。不過，多少還是有像歷代皇妃的庭園和被稱爲「光臨庭園」的玫瑰園這種洋溢花朵與色彩的庭園。但是，佐菲公主爲什麼偏愛這個殺風景的蕭瑟庭園呢？美鶴實在不明白。

此外，「戰勝庭園」在水晶宮境內，距離城堡最遠。美鶴都是騎著「帕荷」這種類似現世小馬的家畜前往，不過公主則是搭乘侍從駕馭類似三輪車的交通工具。說不定，佐菲喜歡的是這種交通工具，爲了製造機會坐這玩意兒，才刻意要來「戰勝庭園」。

（或者，她喜歡的是駕馭交通工具的侍從。）

這個侍從是個紅臉青年，既不是近衛騎士，連士兵都算不上，身分可說極爲卑賤。他的身上不准佩戴任何武器，只穿了綴有太陽——這是統一帝國的象徵——圖案的樸素短衣。他把公主送到「戰勝庭園」後，在公主結束茶會和散步完畢準備回城之前，就退到修剪成盾牌形狀的樹蔭下，安靜地等候著。就美鶴所知，公主從來沒喊過他的名字，他也沒說過話。

可是美鶴不只一次感受到，公主瞥向侍從的視線似乎別有含意。

第一次受邀飲茶，發現侍從單膝和單手觸地在樹蔭下行禮時，美鶴以爲他也是席格朵拉的一員。雖說是在水晶宮內，爲了預防萬一，公主身邊還是需要護衛，爲此，光靠耀武揚威在宮內巡邏的警衛和近衛兵顯然還不夠。公主身邊就算有僞裝成侍從的席格朵拉也不足爲奇。

可是，現在他不敢確定。美鶴拿的魔導士手杖，頂端鑲嵌的魔石早已吸收了四顆寶石的力量，蘊藏著各種威力。其中，也包含了只要輕輕往頭上一舉，便可透視對方的便利功能。比方說如果把手杖接近亞居·魯帕，偷偷帶在身上的武器就一覽無遺，連他的武藝高下也大致立判。手杖會根據劍士的本領化爲鬥氣光環包覆全身。根據光環的色調和亮度的強弱，就能知道對方的程度如何。

可是唯獨公主的侍從，他曾多次舉杖相向，卻找不出任何隱藏的武器，也察覺不到他的鬥氣。難道他特別擅長隱瞞自己的眞面目？還是他果然只是個無害的車夫？

這個問題侍從今天依舊恭謹地守在樹蔭下，一看到美鶴立刻站起來接過帕荷的韁繩，伸手扶美鶴下鞍。

佐菲公主坐在涼亭的靠背椅上，面帶笑容。這種椅子也是用以前修築要塞的日曬紅磚堆砌而成，直接坐起來會很不舒服，所以上面鋪著蓬鬆柔軟的椅墊。同樣是用紅磚打造的圓桌，上面鋪著精心刺繡的四角桌巾，銀器在陽光下閃閃發亮。

公主每次來這裡喝茶時，茶具和茶點固然不用說，就連煮開水的道具等必須用品都得全部搬來，因此至少有十名女官列隊跟來。她們在整個茶會過程中，一直勤快伺候著，就算是空著手，也要圍在一旁隨時待命，以便能立刻對應公主和客人任何細微的要求。在這樣大張旗鼓的款待下，剛開始美鶴實在很難安心品茶，而公主舉止自然到令人感到怪異。不過，這大概就是所謂的皇族吧。如果一生下來，就在將眾人伺候自己視爲理所當然的環境中長大，任誰都會變成這樣。

無聊透頂——他心底這麼想。讓十幾個人伺候一個人的特權階級。他們完全沒察覺，這樣白白浪費了多少本來可以善加利用的人才和人力。但這種情形過去在現世的歷史上也出現過。就這個角度而言，來到幻界等於是乘著時光機器回到過去，美鶴想。

「今天似乎特別冷。這種天氣好像不太適合在庭園喝茶。」

公主從椅子上起身，迎接美鶴。美鶴仿傚侍從膝蓋和拳頭觸地行禮之後，走近公主讓座的椅子。

「不過天空倒是特別藍，美得彷彿連靈魂都能得到淨化。」

「聽到這句話眞是太令人高興了。您知道嗎？我的名字佐菲，在古語中的意思就是青色。」

公主開心地指揮著女官們，把香氣四溢的熱茶和五顏六色的茶點放滿整張桌子。這段期間還一直吱吱喳喳地說個不停。從一早起床心情極佳說起，每次歷史學家授課的內容總是艱深難解啦，為了新添置的舞衣量身打版耗費了不少時間啦，關於在皇都廣受好評的歌劇新作，從女官那裡聽來的消息云云……

佐菲十五歲，雖貴為公主卻也是青春年華的小姑娘，浮躁輕率又饒舌的脾氣跟一般平民女孩沒兩樣。美鶴沉默寡言，除了不時適當地附和幾聲，完全成了公主喋喋不休的垃圾筒。

美鶴微笑頷首，忽而驚訝忽而感嘆。他的反應令公主打從心底開心，似乎很高興找到一個雖然年少卻善解人意的說話對象。美鶴也基於某個絕對不能讓她發現的秘密理由，享受著這片刻時光。

第一次看到公主時，他驚訝得幾乎屏息。因為她的面貌實在太像美鶴熟識的一個人了。

在現世的姑姑——美鶴父親的么妹。

美鶴的父親因為氣憤美鶴母親紅杏出牆，企圖拉著孩子們共赴黃泉。結果母親和稚齡的妹妹遭到父親的毒手，父親逃出家門後，也追隨母女倆自殺了。只有美鶴逃過一劫，沒被殺害免於一死。

美鶴在親戚之間輾轉流浪，最後終於被姑姑收養。不，照美鶴的想法來說，姑姑只是被迫抽中了籤王。年紀輕輕才剛剛大學畢業成為社會新鮮人的她，雖然同情美鶴的遭遇，想來一定不知所措吧。她想溫柔對待美鶴卻不得其法，想控制美鶴自己卻先失控，每次不是哭泣就是生氣發飆。

她是個不幸的人。眼神總是哀愁又充滿困惑。

美鶴知道，讓姑姑陷入不幸的，不是別人正是自己的存在。對於把美鶴逼到這種立場的亡父，他深惡痛絕，恨不得親手再殺他一次。就是這個念頭替他打開通往幻界的道路，使得要御門在那棟中途停工的大樓樓梯上出現。

隨便一個小動作如表情的變化、聲調，佐菲公主的一切令他想起姑姑。姑姑還是個無憂無慮的高中女生時，一定就是這樣的美少女吧，美鶴想。

守門的拉烏導師說過，美鶴在幻界旅行期間，也許會遇到長相酷似他在現世親友的人，到時千萬不可大驚小怪。

——即使再怎麼相像，那個人畢竟跟現世的人不同。沒有半點共通的要素。因爲，這只不過是你的精神能量創造出這個人的模樣罷了。

美鶴把這番告誡，跟導師的其他告誡一樣，牢牢刻在心版上。不過，不知該說是幸或不幸，自從來到北方大陸後，還沒遇過神似現世熟人的人，佐菲公主是頭一個。

而現在——這樣近距離眺望著佐菲的臉，他打從心底覺得，其實幻界也許並不只是現世人類用多餘的想像力創造出來的世界。現世和幻界應該是一體兩面，互補的關係才對。

在現世被割捨的東西，在現世沒能夠實體化的事態和無緣成眞的夢幻，型塑出幻界。一定是這樣。所以連「哈爾涅拉」都得要現世和幻界各派出一人當人柱。

如果眞是這樣，佐菲無憂無慮的笑臉和自由自在的幸福，本來應該是屬於美鶴在現世的姑姑才對。等美鶴抵達命運之塔把遭到不當扭曲的命運修正過來，回到現世的那一刻，現在佐菲在此享受的所有幸福都將屬於姑姑所有。

這對美鶴來說，是最淺顯易懂的路標。姑姑和佐菲的關係等於是一個樣本。因爲這個法則對媽媽、對妹妹，乃至對美鶴自己都適用。

眼看最後一顆寶珠就在眼前，在這必須絞盡智慧奪珠的緊要關頭，美鶴遇到與現世熟人相像的人，意義可能就在這裡吧。大概是命運之塔爲了召喚美鶴，激勵美鶴在最後關頭加把勁，所以才讓他遇見佐菲公主吧。

所以美鶴每次陪佐菲不著邊際地閒聊時總是任由思緒奔馳，再次體認到自己必須達成的目的有多沉重，目的達成時的收穫又將有多大……

「美鶴先生？」

被這麼一喊，美鶴眼睛立刻聚焦。佐菲正窺視著他，可能是他被心中的思緒分了心，和公主交談時恍了神。

「眞是不好意思。實在太心曠神怡了，我好像有點魂飛天外。」

佐菲莞爾一笑。用銀鍊串起的五彩石髮飾優雅地晃動著。

「您不用放在心上。我很清楚美鶴先生有心事。不，連您的心事是我父皇造成的也……」

美鶴的表情緊繃起來。

佐菲轉向並排站立的女官，下令說：「接下來，我有重要的事跟美鶴先生說。沒傳喚妳們前，就先退下吧。」

女官們靜靜離去，走出「戰勝庭園」。

「支開閒雜人等？」美鶴問。「這樣好嗎？」

「沒關係的。反正就算叫女官退下，亞居・魯帕的手下還是會躲在某處偷聽，不過無所謂，因爲勸我和美鶴先生談這件事的，不是別人正是亞居・魯帕。」

關於前者他並不驚訝。「席格朵拉」的耳目不管在哪都是雪亮的。不過後者倒是意外的發展。

「魯帕先生是怎麼說的？」

佐菲輕咬嘴唇，視線越過美鶴頭頂，望向那個侍從等候的樹叢。

「在談那件事之前——美鶴先生，您已經發現替我拉車的侍從眞正的身分了嗎？」

話題轉得過於唐突，美鶴噤口凝視公主的臉。

「亞居．魯帕說過，」

在美鶴的凝視下，佐菲浮現略帶羞澀的微笑後繼續說。

「美鶴先生憑著『旅人』具備的神奇力量，可以清楚看穿別人的眞面目。大概就是利用那支手杖吧。」

說著，望向靠在美鶴椅子扶手上的手杖。

「您對我的侍從想必也多次施展過那支手杖的法力吧，而且我曾看過美鶴先生露出訝異的表情。」

她出乎意外地敏銳。美鶴模仿公主露出微笑。

「您說的沒錯。公主殿下果然冰雪聰明。在下佩服之至。」

佐菲並不高興。「那麼，您看到了什麼？不，我就直說吧。您什麼都沒看見，對吧。所以才會面露訝異。沒錯吧？」

美鶴老實地點頭。公主到底想跟他說什麼呢？

「您看不見是正常的。因爲他……雖然外型像人，其實並不是人。」

那個侍從其實是所謂的「虛」，佐菲說。

「他沒有靈魂，雖然對主人的命令忠心耿耿，卻沒有自己的意志。也沒感情，連痛的感覺都沒有。但他會生病，被殺也會死掉，所以應該還是有生命。可是徒有生命，眞的能夠算是活著嗎？眞可悲！她低語。佐菲看著那名侍從的眼神原來隱藏著這樣的涵意，根本沒有什麼愛意。

「虛，我還是頭一次聽到。」美鶴說。「我在南方大陸沒聽過。」

「是啊，那當然。那是北方大陸才有的東西。」

「是因爲生了什麼病嗎？」

佐菲用力搖頭幾乎連髮飾都被搖落。「不是！」

美鶴瞇起眼。「那麼是藥物或魔法造成的？還是做了什麼外科手術？」

佐菲投向美鶴的視線首度夾雜著怯色。「您說話眞可怕。」

「我只是隨便想到的。」

公主在椅子上坐正，整理好髮飾，略微壓低了天生帶著甜膩的嗓音。

「人只要照過『常闇之鏡』就會變成虛。有人說是因爲靈魂被常闇之鏡吸走了，也有人說是因爲鏡中映現的景象太可怕，使靈魂逃出那個人的身體。而事實上，到底是怎麼回事我也不清楚。不過，不管是多強悍的人、多聰明的人只要看上一眼常闇之鏡，全都會變成虛。」

美鶴的腦袋開始忙碌運轉。看樣子佐菲現在似乎想把皇帝父親瞞著美鶴的事情偷偷告訴他，那是美鶴即使讀遍圖書室資料也無從得知，只屬於皇帝一族的秘密。

而且還是出於亞居．魯帕的慫恿。美鶴暗自在心中盤算，佐菲理解這麼做的意義嗎？亞居．魯帕有何企圖？

「那個所謂的『常闇之鏡』，我這還是頭一次聽說。噢……」

說著，美鶴對她搖搖頭。

「好可怕的鏡子。那個現在放在北方大陸的哪裡呢？」

他一邊表達好奇，一邊表現得好像純粹只是在延續之前的對話，慢條斯理地問道。佐菲就像野兔聽見猛獸獵捕食物的足音般緊張，只要稍微受驚就會嚇得逃回窩裡，再也不肯露出腦袋。我得慎重一點才行。

果然，佐菲緩緩抬起眼，窺視著美鶴的臉色。

「我父親……，沒跟美鶴先生提過常闇之鏡嗎？全長大約有我的身高那麼高，是面銀色的鏡子，外形非常美麗。」

「噢？我沒聽說過。」

「眞的？」

美鶴露出笑容。「是眞的。您的臉色如此凝重，莫非這件事牽涉到什麼重大的機密嗎？」

佐菲發出小小的嘆息，一手摸著喉嚨。雖然動作有點做作，但她的懊惱顯然沒有作假。

「美鶴先生，您的目的是要去創世女神大人居住的命運之塔吧。」

「這是『旅人』的使命，也是目標。」

「所以你需要最後一顆寶珠，而那顆寶珠鑲在我們皇族擁有的皇冠上。」

「對，就是封印之冠。」

「這個您已經知道了嗎？這樣啊。」

佐菲垂下長長的睫毛。

「我聽說那是很重要的皇冠，不能隨便移動。」

「您說的沒錯。所以我父親才會這樣讓美鶴先生久候。」

關於等候的原因，父親向您解釋過什麼嗎，佐菲問。

美鶴端正姿勢，把他和皇帝的交談經過加以說明。

說完他再次感到憤怒。怒火甚至已經高漲到只隔著一層臉皮就快要噴出。現在在此，如果能對著佐菲可愛的臉蛋說：「我被妳父親自私的藉口耍得團團轉，害我在這痴痴苦等，我已經忍無可忍了。所以來這裡赴會前，我從住處的陽台俯瞰城下，正打算要毀滅這個皇都。」不知該有多麼痛快。

可是正因爲美鶴聰明，而且怒不可遏，反而剝不下面具。佐菲專心凝視著美鶴說話時的柔和表情。等美鶴說完，正想端起已經冷掉的茶喝上一口之際，她小聲問：「您不覺得這樣讓人等得心慌嗎？」

「這什麼意思？」

「封印之冠有多麼重要，一旦移動將會降臨什麼災難，父親並沒有具體告訴您。」

「是啊。」美鶴慢吞吞地挑選字眼。「我也嚐試問過，可是他不肯更深入地告訴我。」

公主突然傾身向前，倏地伸手疊在美鶴的手上。

「請您原諒。不是我要替他辯解，但父親其實是爲了您著想，才刻意不談細節。因爲封印之冠的一切被視爲禁忌，是污穢的。父親一定是認爲，這些話不該傳入您這位來自現世聖地的神之使者耳中吧。」

美鶴任由她兩手相疊，並且用更溫柔的語氣問：「我知道了。可是公主殿下，現在您卻想把那個禁忌告訴我，是吧？」

佐菲睜著苦惱的眼睛點點頭。然後，突然驚醒般地將手抽離美鶴的手，從桌旁起身。

「您這份心意我很感激。」美鶴恭敬鞠躬。「可是，我很擔心。您這樣做，不會被陛下責備嗎？」

「這個……」

美鶴搶先替她說出想說的話，笑得更燦爛了。「您覺得只要我把您透露的事，藏在自己心底就不會有問題。是這樣吧？」

佐菲就像要共享小秘密的親暱朋友，臉上浮現笑容。她毛毛躁躁地用不熟練的手勢拿起茶壺，想替杯子加滿茶水卻灑了出來。美鶴拿起抹布擦拭時，佐菲小聲說：「是亞居・魯帕說的。他說您一人獨處時，表情總是非常哀傷。」

該死的間諜。美鶴在內心咒罵。

「我想那時候您一定正在緬懷現世吧。想起留在現世的親人和朋友，那些令您懷念的人，您一定感到心情沉鬱吧。」

美鶴噤口不語，表示默認佐菲所言。

「魯帕說，美鶴先生一定很想盡快抵達命運之塔，達成目的返回現世。我也是這麼想。因爲這是人之常情嘛。」

可是，即便如此，她激昂地說，

「父親之所以讓美鶴先生久等，眞的是有他的理由。魯帕認爲光靠陛下的說明美鶴先生恐怕無法充分理解。所以他才勸我出面來告訴您。」

一切都是爲了常闇之鏡，佐菲說。

「封印之冠封印的就是常闇之鏡。能夠抑制那面鏡子可怕力量的，只有鑲嵌在封印之冠上的那顆尊貴寶珠。美鶴先生尋找的那顆寶珠，我們稱爲『闇黑寶珠』。」

闇黑寶珠。美鶴心中一陣騷動。

「原本闇黑寶珠就是從『魔界』帶來『幻界』的。正因如此，才能夠封印住常闇之鏡。」

美鶴拋出一針見血的問題：「所謂常闇之鏡到底是什麼東西？還有魔界又是什麼？除了現世和幻界之外，還有這樣的世界嗎？」

佐菲生氣勃勃的臉色霎時一暗，變得語帶顧忌。

「事到如今才向您說明這種事雖然很奇怪，但還請您稍作忍耐。現世和幻界是成對的世界。可是幻界只有現世存在時才能存在，因爲是現世的想像力創造出幻界，而分隔在兩者之間的是『偉大的光之疆界』。此外，現世與幻界周邊同樣環繞著『混沌深淵』……」

美鶴點點頭，佐菲繼續說。

「更正確的說法，應該說現世與幻界都浮在『混沌深淵』中。飄浮在無垠的深淵表面，如同虛幻泡沫，但是再沒有比這個更美的泡沫了。

好，剛才我說過，現世與幻界是成對的世界。這點雖然沒錯，但雖說成對，實際上並非一對一。因爲，現世雖然只有一個，幻界卻同時存在著許多個。除了我們現在生活的這個幻界，在我們不知道的地方，還有許多個分秒刻劃著時間的幻界。」

雖然拉烏導師沒告訴過他這些，但美鶴並不驚訝。既然是想像力形成的世界，那便不足爲奇。現世有成千上萬的人，換句話說，就表示有對應這麼多人的想像力——思想、夢想與心。當然也就存在著複數以上的幻界。

「『平行世界』是吧？」美鶴說。他在科幻小說裡看過。

「平行？」

「不，沒什麼。結果呢？」

佐菲大概是恍了神吧，眼睛有點游移不定，她完全不習慣有人插嘴打斷她的話。

「大部分幻界都是和平的世界。」她邊思索邊往下講：「就如同我們現在生活的這樣，是吧？」

「是，您說的對極了。」

「可是其中也有被黑暗佔據、充滿恐懼的幻界。那是瀰漫著敵意與惡意的闇黑世界……」

「那就是『魔界』嗎？」

佐菲點點頭說：「是的。歷史學家是這麼告訴我的。所謂的魔界，也就是『沒能順利成爲幻界的世界』。正因如此，才會憎恨幻界，渴望將之毀滅。充斥在一旁的闇黑隨時想要侵略幻界，並且伺機而動。」

混沌深淵的底層沉積著許多將要形成幻界的未分化種子，這些種子如果能健康成長爲幻界當然很好，倘若哪裡出了錯，稍微歪曲變形，就會墮落成魔界……

佐菲說著仍不停打哆嗦顯得非常害怕，不過美鶴倒是一點也不怕。因爲他覺得既然是現世人類的想像力創造的世界，就算通通變成魔界也不足爲奇。反倒是這個悠哉祥和的幻界，就現世人類創造的假想世界來說才算是「異類」。因爲美鶴對人類的惡意和私慾非常清楚，足以做出如此冷靜的判斷。

「可是，幻界與魔界歸根究柢其實是一樣的。所以不論哪個幻界裡都含有一點近似魔界的要素，算是跟魔界的接點吧。天底下本來就不可能有那種毫無敵意、惡意與愚昧的世界。」

「原來如此，這是很正確的見解。」美鶴說著，決定從佐菲那裡搶回話題主導權。「而在我們生活的這個幻界，扮演接點的就是『常闇之鏡』，對吧？」

「對。」

「所以爲了防止魔界侵略，一定要用『封冠之印』封印，但如此一來，自然無法隨便動用『封印之冠』了。」

佐菲鬆了一口氣，終於又露出老半天沒出現過的笑容。

「以下是我個人的猜測啦，陛下一族該不會打從這個幻界起源之時，就一直扮演著奉祀『常闇之鏡』，藉此阻擋魔界通路的崇高角色吧？」

驚訝與喜悅，令佐菲的臉上充滿光澤。

「對，沒錯！您說的對極了！所以不只是統一這個北方大陸，甚至統一整個幻界，和平治理，是我們全族的心願，不，是使命。我們這一族的祖先在幻界創始時，受創世女神大人之託負責管理『常闇之鏡』，因爲我們是被特別選中的一族。」

「這是個任重道遠的使命。」美鶴嚴肅地說。「聽了您這番話，我的另一個小小疑問也解開了。」

「什麼疑問？」

「在南方大陸時，我聽說北方統一帝國的國教老神教，否定創世的女神大人。因此我一見到陛下，就立刻詢問是否眞有其事。因爲老神教認爲，像我這樣的『旅人』是欺神的卑劣小人。」

「對不起。」佐菲惶恐不已。

「哪裡，沒關係。陛下立刻就回答我。奉老神教爲國教，純粹只是爲了對抗將創世女神視爲『絕對』信仰的南方大陸。他說北方眞正景仰的其實是幻界的源頭——現世。」

「對，就是這樣！」

「可是，這樣並不代表否定創世女神。女神大人的確存在，而且住在命運之塔。然而陛下也說，女神大人對現世的人來說才是命運之神，並非幻界人們的神。這點令我當時有點難以理解。不過，現在聽了您的話令我茅塞頓開，陛下一族受創世女神的委託管理幻界，其實是神聖的管理者。女神大人並未統理幻界，而是將這個任務託付給皇帝陛下一族，然後安心地住在命運之塔閉門不出。是這樣沒錯吧。」

佐菲雙手在胸前合攏，浮現滿面笑容。「美鶴先生，您光憑我剛才拙劣的言詞就能有這麼深入的瞭解！眞是太厲害了。」

「哪裡，是公主殿下解說得好。」

佐菲用這個年紀的小女孩才做得到的角度聳肩，面露有點嬌嗔的表情。「如果，眞如南方愚昧的人們相信的，是創世女神大人統治幻界的一切，區區一面常闇之鏡，憑女神的力量應該可以立刻封印住吧？可是，女神大人卻沒有這樣做。那這樣豈不是眞正的神該有的表現。」

「的確是。」

「可是，南方大陸的人卻對這些眞相毫無所知。」

美鶴發現，佐菲公主的招牌表情中，也存在著所謂的輕蔑與嫌惡。

「可是，眞傷腦筋。」美鶴一手按著額頭。「如果封印之冠眞有這麼重要，那我只不過是一介『旅人』，怎麼可能拿得到。」

「所以說，這個……」佐菲又傾身向前。「正是重點。還有一個方法可以封印住常闇之鏡。美鶴先生，您知道『眞實之鏡』嗎？」

當然知道。出發前拉烏導師告訴過他，旅途一開始，美鶴就會遇見擁有眞實之鏡的人。眞實之鏡是替「旅人」指路的重要工具。此外，持著該鏡出現的人將會陪他一起旅行，成爲美鶴的得力助手。眞實之鏡和美鶴依序找到的寶珠的力量一旦結合，還可以讓他暫時回到現世。

的確如拉烏導師所言，一出了守門人的村子，美鶴在某地邂逅了擁有眞實之鏡的南方大陸人士。

那個人知道美鶴是個「旅人」且需要眞實之鏡後，就提議美鶴僱用他。他似乎是靠當保鑣賺錢糊口，是個獸人族男子。

美鶴壓根兒不想跟那種男人一起旅行。他本來就不需要什麼夥伴，況且對於這種要求僱用自己；換言之是在要求代價的人，他憑什麼相信呢？

所以美鶴殺了那個獸人族男子，並且奪走了眞實之鏡，現在依然掛在自己身上。

「對，我知道。可是眞實之鏡和常闇之鏡不同，好像沒有完整的形狀。它成了細小的碎片……」

「是的。眞實之鏡在幻界創始之初就被創世女神大人親手打碎，鑲嵌在整個幻界中，結果卻散佈到許多不瞭解它價值的人手中。」

「可是，如果把碎片找齊，讓形狀完整的眞實之鏡再次重生的話呢？」美鶴問。

「對。那個力量就可以封鎖常闇之鏡！」佐菲加強語氣。「常闇之鏡能打開通往魔界之路，眞實之鏡能打開通往現世之路。因此只要把兩面鏡子對照，就能相互抵消力量。」

所以歷代皇帝才會千方百地蒐集眞實之鏡。

「有時也用了殘暴的手段。可是幻界太大了，從北方渡海前往南方擴大搜索有一定的困難度。」

然而，現在情況不同了。有了動力船這種全新的力量，這一次統一帝國將可成爲眞正的統一國家。到時，要尋找眞實之鏡或是使其再生都將輕而易舉。

「只要用眞實之鏡的力量封鎖常闇之鏡，就不需要封印之冠了。到時將可如您所願，隨時取下寶珠。所以我父親才會這樣讓美鶴先生久等，不得不讓您久等的深遠理由，現在您明白了嗎？」

美鶴站起身，恭敬地彎腰。「完全明白了。公主殿下肯把這麼重要的事情相告，我打從心底感激您的寬大胸襟和深切關懷。」

佐菲一下子歡喜一下子害羞，一下子抓起美鶴的手一下又抱著自己胸口鬆了一口氣，忙著迸發各種感情。而這期間美鶴卻在心底異常冷靜地思考。

這個小丫頭──不，就連皇帝自己是否也已察覺到，一旦讓眞實之鏡再生，封鎖常闇之鏡，女神賦予他們保護管理的皇族特權的理由也將隨之喪失？難道只要平定了幻界，沒有人會在乎這件事，所以無所謂？

還是他們對於封印常闇之鏡的這個職責，已經疲了、倦了、開始嫌麻煩了？世界管理者這個頭銜聽起來是很好聽，其實說不定是苦差事。

然而，這些對美鶴來說都不重要。

「我能否再多問一點──爲了滿足我這個來自現世的『旅人』單純的好奇心，能再請教您幾個問題嗎？」

佐菲一邊顫巍巍地換上新茶，一邊用明亮的眼睛看著美鶴點點頭。美鶴溫柔地阻止她倒茶。

「讓我來倒茶吧。來，艱難的話題已經說完了，公主殿下請放輕鬆休息。」

「好，那就麻煩您了。」

「實際上，魔界的力量到底有多麼可怕？關於這點，強盛的統一帝國學者們是否有所認識？」

佐菲抿緊了嘴。「過去僅有一次……在統一戰爭的尾聲，非常短暫的期間，聽說曾經解除封印召來魔界的力量。」

「那又是爲什麼？」

「聽說是爲了弭平反抗我們帝國的強敵。他們是在原野上過著流浪生活的野蠻部落集團。他們不服從國家體制，緊咬著帝國大軍不放……。我方認爲不該爲了這種蠻族，讓帝國軍的人馬疲於奔命，所以決定借助魔界的力量。」

穿過常闇之鏡從魔界飛來的魔族大軍，一轉眼就把蠻族殺得片甲不留。

「眞可怕……。不過這樣做帝國軍應該也會受害吧？」

「聽說我方把蠻族引到原野，將常闇之鏡搬到那附近，事先擬妥了審愼的作戰計畫，將受害程度降到了最低。而且一弭平蠻族，就立刻恢復封印了。這段過程，聽說頂多只有一個小時。」

一封印一恢復，飛臨幻界的魔族，據說就在瞬間化爲黑塵消失了。

「魔族長得什麼樣子？」

「不知道。如果查閱圖書室的古戰爭史，或許還能找到一、兩張圖片吧……」

就美鶴所知，根本沒有那種圖片。這表示他們可怕到令人不敢留下紀錄的程度嗎？

「魔族攻擊蠻族的原野，至今依然寸草不生遍地枯野。由於距離這裡很遠，所以我也不清楚。」

說到這裡，佐菲又拋出不相關的問題來轉移話題。「美鶴先生，您知道這座石造城堡，被稱爲『水晶大宮殿』的由來嗎？」

美鶴一面仰望著雄偉的水晶宮一面搖頭。

「不，完全不知。被您這麼一說的確滿令人好奇的。」

「統一戰爭在三百年前結束，而將這裡定爲帝都，卻是過了一百年之後的事。據說在城堡建造完畢，安置好常闇之鏡後，霎時，城堡整體彷彿水晶般，放射出透明耀眼的光芒。爲了紀念那美麗的瞬間，才命名爲水晶宮。弭平蠻族的戰役，以及解除封印與重新封印時，據說也曾放出同樣的光芒。我想，那一定是常闇之鏡在顯現它的意志吧。」

是解放的喜悅？受人敬畏的滿足？鏡子的意志啊……

不過，出其不意的話題反而對美鶴有利。

「這麼說來，常闇之鏡就在水晶宮裡囉？」

「對。」佐菲隨意點點頭，但可能是被美鶴唯一藏不住的認眞眼神嚇到了吧，慌忙揮動著纖細小手繼續說：「可是到底在宮中的哪裡，我就不清楚了。只有家父和神官長才知道。」

「不過，應該有那種用來安置鏡子的房間，或是像聖堂一樣的場所吧？如果檢查城堡的設計圖……」

「被結界隱藏起來了。所以不管那個房間在哪都被結界擋住，誰也找不到。因爲肉眼看不見。」

佐菲回答得很明快，但對美鶴卻是沉重的答案，令他不禁重重地倒向椅背。

結界嗎——原來如此。難怪這段日子他怎麼找也找不出皇冠——最後一顆寶珠——的位置。

之前的旅程中，尋找寶珠幾乎沒費多大的工夫。起先是這支魔導杖指引找到他第一顆寶珠沉睡的地點。等他找到第一顆寶珠後，那顆寶珠就指示他第二顆寶珠的所在，找到了第二顆後，又指出第三顆寶珠的位置，就這麼一個接一個地指引他。美鶴只要豎耳傾聽寶珠的聲音，就連最後一顆寶珠在北方大陸，也是寶珠告訴他的。前往北方，去見皇帝，皇帝知道一切。寶珠如是說。

可是一旦來到北方，魔導杖卻陷入沉默。連最後一顆寶珠在哪裡，是在皇都還是其他地方，都不肯告訴他。要是能弄清楚地點，美鶴早就可以採取行動了。

現在總算知道原因了。心中的疙瘩消失了。

不愧是皇族代代守護的常闇之鏡。隱藏了安置地點的結界，想必是集合強大的魔法威力製造出來的吧。這就難怪連吸收了四顆寶珠的魔導杖也不是它的對手了。

「那個結界，據是由位在皇都各處的魔法石所形成的。」

佐菲一邊優雅地舉起茶杯一邊說。

「應該說，這個皇都本身就是爲了構成結界來隱藏常闇之鏡特地建造的。所以，皇都主要建築的地基礎石使用的一定就是那種魔法石吧，我想。」

美鶴費了好大力氣不讓自己笑出來。沒想到什麼都還沒問，對方就把這麼重要的秘密告訴他了。大嘴巴又沒腦袋的公主殿下啊，您可眞是我的貴人。

或許佐菲公主才是美鶴這趟旅程眞正的得力助手。

——既然皇都本身就是結界。

美鶴壓抑著興奮的心情，靜靜做個深呼吸。

——只要皇都被破壞，結界自然會消失。

現在破壞皇都已不再是威脅皇帝的籌碼，這個行爲本身已產生意義了！

美鶴在心裡對著正用天眞無邪的眼睛凝視他的公主說，妳眞是個善良體貼的大好人；妳對於正跟妳面對面的這個我究竟在想什麼，沒有片刻懷疑；妳連想都沒想過，慫恿妳把這件事告訴我的亞居·魯帕眞正的用意何在。

三百年來獨佔這個北方大陸的財富，繁榮至今的皇帝一族，當然也有很多親戚。其中，也有人屬於旁系，沒資格覬覦皇帝的寶座，但卻仍對現任皇帝心懷不軌，企圖奪取皇位。佐菲的女帝之路之所以會坎坷不平，當然也是因爲身旁潛伏著這種伏兵。

「席格朵拉」雖是皇帝養的狗，但走狗也有自己的意志。他們隨時準備倒戈投向實力更強大、給他們更好食物的那一邊。亞居・魯帕也是其中一人，他之所以慫恿公主，叫公主吐露秘密，或許是企圖藉此煽動美鶴，讓美鶴惹出什麼禍端，到時就可以指責皇帝失策。當然在他的背後應該還有個唆使他、用誘餌引他上勾的人……

不過那種事一點也不重要。

——我知道你在打什麼如意算盤了，魯帕。不過，我還是要謝謝你。

毫不知情的不只是公主，亞居・魯帕也一樣。他做夢也想像不到，一旦美鶴眞的採取行動，到時事態嚴重的程度恐怕不是歸咎於嘉瑪・阿格里亞斯七世逼其下台就能了事的。到頭來，是他太小看美鶴了。

不過，他是打錯算盤了。

「也差不多該喚女官回來了。開始起風了。」美鶴和顏悅色地說。「公主殿下要是感冒了，我也無法安心睡覺。」

佐菲高興地臉泛潮紅。她伸出手正要拿起召喚女官的銀鈴，美鶴卻阻止她。

「最後，請再告訴我一件事。常闇之鏡既然遭到如此嚴密地封鎖隱藏，爲什麼還會有人照鏡之後變成虛呢？」

「那是因爲……呃……」

頓時，佐菲的臉上出現前所未有的倉皇。臉上的紅潮也一下子退卻了。

「是一種刑罰嗎？」

美鶴的提問彷彿及時伸出援手，令她迫不及待地抓住。
「對，就是這樣。多半是這種情況。凶惡的罪犯和政治犯怎麼也無法矯正時……」
「就會暫時解除結界，故意讓那個人看到常闇之鏡？」
「是的。」公主眼看著沮喪起來。「很殘酷對吧。可是，這也沒辦法的事。」
「我瞭解。」
「況且，伺候我們皇族起居生活的人，還不如變成虛比較安全。反正城堡的傭人本來就……呃……跟武人或學者不一樣嘛。他們身分低賤。」
一邊說這種話，一邊卻又垂下睫毛說什麼「好可憐」，眞是自私！
「不過，這種事其實不常發生。而且要解除結界接近常闇之鏡必須我父親和神官長兩人都在場才能舉行儀式，還挺麻煩的。神官長爲了宣教和監督教會又常常不在皇都。美鶴先生，您也還沒見過神官長吧？那個人比我父親還要忙碌呢。」
美鶴頻頻點頭，暗自想像著。戴著手銬腳鐐的列隊囚犯，在近衛兵的帶領下，一個接一個被押到常闇之鏡前面去的景象。
這同樣也是無藥可救的狂妄與愚蠢。
「如此說來，之前只是我自己沒發現，其實水晶宮的下人當中有很多都是虛囉？」
「對……。不過，您用不著特地去找。」
「那當然，我沒那個意思。」美鶴莞爾一笑。「我不是說過了，我只是基於『旅人』的好奇心才向您打聽。」

公主喚來女官，命她們開始收拾茶桌。美鶴根據剛得到的知識仔細觀察這些女官。如果能在水晶宮內判別出混在人群中工作的虛……

他就可以省點力氣不用離開皇都專程去找「素材」了。

目送公主回返城堡後，好一陣子美鶴仍佇立在「戰勝庭園」，任憑逐漸增強的風吹拂著他的頭髮和長袍下襬，垂在身體兩側的雙手握得緊緊的。

握在手中的是決心。

皇都索雷布里亞的命運已經決定了。

第四十七章 龍族之島

前方開始出現南方大陸的海岸線，上空的風變得更冷，海洋的氣味也更加強烈。

「那個是……，是波古的漁港巴奇斯塔。」

咪娜伸長了手越過小亘肩膀，指著右手遠方出現的一小撮人家。

雖說是港口，卻與索諾差異極大。沿著平坦漫長的海岸線，蜿蜒著白色沙灘。海上雖然四處漂浮著小型漁船，但每一艘船都離海岸線不遠。沙灘上到處是女性和孩童正在從事某種工作，好像是在曬魚乾，或是挖貝類。

喬佐沒有像上次飛往岱拉·魯貝西時飛得那麼高，和地面的距離感就如同現世的新聞節目播出從直昇機上拍攝的實況轉播畫面一般。沙灘上的眾人驚愕地仰望飛過頭頂的龍，也有小孩揮手。爲了強調這隻突然出現的龍絕非什麼危險人物，小亘他們也揮手回禮。

「火龍可眞受歡迎。」

奇·奇瑪大爲感嘆。

「因爲是傳說中的生物嘛！」咪娜臉上發亮。

「不過，我還是快凍僵了。」

「要再飛低一點嗎？」

喬佐提議。他那大如小亘拳頭的漆黑眼珠眨了一下。

「欸，小亘。」

「什麼事，喬佐。」小亘騎在喬佐脖子上，湊近看著他的臉。

「我們馬上要出海了……不過，剛才說的是眞的嗎？你眞的打算去北方大陸？」似乎有點難以啓齒的語氣。

「是眞的。喬佐，有什麼不妥嗎？」

坐在最後面的卡姿，耳尖地聽見小亘的問題，直起身子。小亘轉頭瞄了一眼卡姿，壓低嗓門說：「如果有什麼不妥，你別客氣儘管說。」

「嗯……」喬佐又開始猛眨眼。「我答應過不管你去哪都要送你去的，這樣不太好意思。」

「你去不了北方嗎？對你的翅膀來說太遙遠了？」

「不是那樣。只要朝直線飛去，兩個晚上就可以送你到目的地了。」

只不過——他從成排的利齒之間，吐了一下舌頭。

「之前，我們不是一起去過岱拉．魯貝西嗎？後來我回了我們島上一趟。然後向龍王大人報告說，我在岱拉．魯貝西看到女神大人的懲罰之風。」

結果龍王頓時臉色陰沉，召集島上所有的龍，嚴格吩咐大家今後暫時不得擅自遠行，必須待在龍島附近，以便隨時集合。

「平常是不會這樣的。他還對我們這些小龍說，飛往各地見識各種東西是一件好事。當然，還是得遵守『不得隨便跟地上人交朋友』這項規定。你也知道，我們就如咪娜所說，是被人遺忘多年的傳說中生物，發威起來會很可怕，所以如果捲入地上人的紛爭就麻煩了。」

小亘深自反省。他不該只顧著可以使用龍笛，完全沒深思熟慮，一心只想靠喬佐的翅膀……

「對不起，我不曉得還有這一段。那你回應我的笛聲飛來嘎薩拉，該不會也害了你吧？」

「沒、沒關係啦。」

喬佐急忙搖頭。因此有點晃動，奇．奇瑪差點摔下去，幸好他抓住了翅膀根部。咪娜不禁笑了出來，而卡姿依舊注視著這邊。

「因為小亘是我的救命恩人。龍王大人也說，受了地上人的恩惠一定要報答，所以小亘你不一樣。」

「謝謝。可是，龍王大人既然這樣說了，還是會在意吧。」

「嗯。所以我想在去北方之前，先回我們島上一下。不會耽擱太久的，反正順路嘛。我想當面徵求龍王大人同意之後再出發，可以嗎？」

小亘無法立刻回答，他忍不住又轉頭看了卡姿一眼。她倏然站起，弓著腰走近小亘。

「有什麼問題嗎？」

小亘解釋給她聽。卡姿起先有點皺眉，最後傾身湊近喬佐的臉，輕拍著他的脖子說：「把你捲入這種事情，真不好意思。可是我們非得盡快前往北方不可。」

「妳是領隊吧？」喬佐問。「你們去北方的目的是什麼？我總覺得會有什麼危險。」

卡姿打算透露多少呢？小亘看著她的臉。然而卡姿還沒回答，喬佐卻說：「小亘，你把龍笛拿出來看看。」

小亘摸索口袋。取出的龍笛已斷成兩半。

「看吧，已經不能用了吧。吹不出聲音了。」

「是啊……」

「如果小亘你們是為了從事危險工作才去北方，那我會很擔心。把你們放下，我飛走了以後，萬一遇到什麼困難想呼喚我，到時就毫無辦法了。可是我如果在附近徘徊待命，又會非常顯眼，反而會拖累你們。妳說是嗎？領隊小姐。」

卡姿苦笑。翅膀捲起的強風撩起她烏黑的秀髮貼在臉上。

「龍先生，你真聰明。」

「我叫喬佐，請多指教。」

「我叫卡姿。說到這裡，我還沒自我介紹呢。我是那哈特國嘎薩拉鎮的分局主管，對你們的祖先非常尊敬。」

「嗯，看妳的手環就知道。」

「謝謝。你的意思我全都懂了。那就去龍島吧。不過，把我們這些地上人帶去你們的住處沒關係嗎？事後不會害你挨罵吧？」

「那倒是沒關係。」喬佐拍胸脯保證。「因為你們是高地人。而且龍王大人會說出那種話，一定有什麼深刻的理由，說不定讓高地人知道這個理由反而更好。」

「是這樣……嗎？」

「嗯。我爸媽也這麼說。他們說，也許又要發生那種必須離開龍島和人類攜手合作的大事了。」

小亘與卡姿面面相覷。

「以前，發生過這種事？」

「那是我出生之前的事了。據說大約三百年前，北方大陸發生某起事件，當時龍族也曾離開島上和地上人並肩作戰。」

到底是什麼事呢？

卡姿小聲咕噥。「說到三百年前，那正是北方大陸統一戰爭結束的時候。」

「那場戰爭龍族也有參加嗎？」

「應該不可能吧。地上人彼此之間的戰爭，火龍不可能替其中一邊助陣，更別說是北方的統一戰爭了。」

的確沒錯。「喬佐，你爸媽有沒有提到當時是跟誰作戰？」

喬佐立刻回答：「跟魔族。」

魔族？這個名詞還是頭一次聽說。卡姿也愣住了。

「那是什麼？」

「我也不太清楚。魔族的事不能隨便提起，因爲是禁忌。不過，好像是非常強悍可怕的敵人。當時如果放任不管，整個『幻界』都可能被毀滅。」

不過當時那起事件，就規模來說似乎並不大……，喬佐含糊地補充。

「北方大陸的歷史我們知道的並不多，看來只能去問龍王大人了。」

「他會告訴我們嗎？」

「那就要看我們怎麼跟他說了。」

對卡姿來說，對方是龍或是人似乎都無關緊要。

「那就這麼決定了。小亘，我要介紹我爸爸媽媽給你認識！我爸爸很厲害喔，比我強上三倍。」

喬佐自豪地瞇起眼。是啊，喬佐還是個孩子，爸爸媽媽一定很擔心吧，小亘心裡想。結果我們卻自私地只顧著自己方便。

「好了，我們終於來到外海了。馬上就要進入『針霧』了。各位，快把頭低下，躲在我的翅膀之間。絕對不能站起來喔。否則會被針霧狠狠刺傷。」

說話的同時，喬佐的翅膀拍得更用力，猛然加快了速度。

這個島看起來就像在濃霧瀰漫的大海一隅安靜沉睡的龍。

小島本身形狀眞的跟龍頭一樣，還有兩支角，一雙大眼睛正閉著，兩個渾圓的鼻孔朝著天空並列。長而突出的大下巴，還有尖銳獠牙。如果空氣沒有這麼寒冷，大海看起來不如此冰冷蒼白的話，應該可以形容爲「火龍悠哉泡澡圖」吧。

「這個不用說明一看就知道了。」

奇·奇瑪從喬佐的翅膀底下探出頭嘟囔著。

「那就是龍島吧？」

「嗯，就是我的故鄉！」

視線被濃霧所阻看不清楚。不過龍島周圍是無垠的汪洋大海，既沒有其他島嶼的蹤影，連岩石的影子都看不到，這幅光景如實反映出龍族在幻界的孤獨立場。

「各位，就跟你們說不能這樣把頭抬這麼高啦。」喬佐慌忙出聲。「現在還在針霧裡呢。」

「真的耶。」咪娜說著用手摸臉。「有點刺痛。」

一看，她的右眼下方正冒出小小的血珠。卡姿一邊說著「我也是」一邊按住頭髮。她的額頭，正淌下兩條血絲。小亘不禁一驚。

美鶴也曾行經這片針霧吧。不過以他的魔法威力，要張設防護罩或是製造風的氣流，想必有很多防身的方法……

有這種障礙，也難怪從南方大陸乘風船出海的時期屈指可數。迴避著針霧的同時，也不禁深深感受到，負責觀測往北風向的讀星者他們的力量有多麼重要。

當然也能體認到，不受風向左右，也不用揚起船帆，窩在船艙裡便可操縱自如的動力船，對這個幻界來說是何等劃時代的新發明。

不過話說回來喬佐的鱗片還眞堅固。

「喬佐你眼睛也不會痛嗎？鼻子不會癢癢的嗎？」

「完全沒感覺，只是有點冷。不過，到了島上就暖和了。」

據說龍島是個火山島。小亘小心翼翼地伸出脖子，在視野中搜尋到底哪裡有火山。結果正巧看到龍島的鼻孔處噴出白色蒸氣。

距離越近，大家對龍島的龐大都瞠目結舌。不過連年紀還小的喬佐都有這種尺寸的身材，成年的火龍想必更巨大吧。如果都擠在小小的島上一定會喘不過氣。

彷彿用堅硬的巨大灰岩，一刀雕出龍頭的形狀——就是這樣的島，看不見任何草木。

喬佐朝著這個巨大龍頭的兩角中間飛去。雖然被霧流所阻看不清楚，不過那裡似乎有個圓形的平坦廣場，也許那裡是火龍們的起降站。

喬佐緩緩地朝著廣場螺旋降落。針霧也終於散開，小亘發現廣場邊上等著兩隻火龍，正仰頭注視著他們。和鮮豔紅寶石般的喬佐比起來，那兩隻火龍的顏色較爲深沉，接近胭脂色或豆沙色。

「我回來了！」

喬佐朝著地上的兩隻龍發出活潑的聲音。

「爸爸，媽媽，我把小亘載來了！」

原來那就是喬佐的爸媽。小亘開始有點擔心，他們該不會責備他不應這樣使喚喬佐吧。和喬佐比起來，他爸媽的身體又大了兩圈，連牙齒都有小亘的手腕那麼粗。

不過，他是白擔心了。

「你回來啦，喬佐。歡迎你來，『旅人』先生。喬佐有幫上你的忙嗎？」

喬佐降落後，小亘他們戰戰兢兢地從喬佐背上下來，喬佐的爸媽就噴著熱風般的鼻息，用音量雖大卻暖如春陽的話語迎接他們。

先去泡個溫泉暖和一下凍僵的身子吧！聽到對方如此殷勤相勸，還眞嚇了一跳。

「島上有溫泉？」

「對呀。既然有火山，這應該沒什麼好奇怪的吧。不過溫泉有點鹹。」

被冷空氣凍得行動遲緩的奇．奇瑪不用說，就連咪娜也大喜過望地嚷著「我第一次泡溫泉！」可是卡姿卻很焦躁。眼看正要趕赴重要任務，這也難怪。

然而，喬佐媽媽說：「龍王大人現在正在休息，況且要召開『牙翼大會』也需要一些時間準備，我想等你們洗完溫泉出來應該就可以開始了。」

「牙翼大會是什麼？」

這次換喬佐的爸爸回答：「我們龍族的全體會議向來如此稱呼。平常統治這個小島的——其實也沒那麼誇張啦——是龍王大人和號稱『七柱』的各族族長。但是碰到要決定重大事項時，住在島上的龍會統統集合起來，大家一起討論。」

這個島上的龍當然都是火龍的後裔，不過翅膀的形狀和牙齒的數量還是各有些微不同。根據這些特色可以分為七種。一種就是一個「族」，每一族的族長叫做「柱」，所以合稱七柱。

此外，只比幻界稍微年輕一點的高齡龍王，一天當中半天以上都在打瞌睡，要叫醒他，據說還得費點工夫。聽了這些說明後，卡姿這才同意接受邀請一起去洗溫泉。

龍島裡面隱藏著錯綜複雜猶如迷宮的洞窟。沿著迂迴蜿蜒、有著無數岔路的甬道兩側，空著許多洞穴，這些成了龍的巢穴。基本上，各族彼此分開居住，不過群龍彼此之間感情很好，有時一個大洞穴住了三個家族，其他的龍也會照顧年老的龍，來來往往非常熱鬧。

島的外側雖然只有岩石，洞窟裡面卻長著茂密草木。隨處可見小規模的森林。有花、樹，也有看起來頗為美味的果樹。龍的主食雖是海魚，但就連洞窟深處也幾乎聞不到魚腥味，只有新綠盎然，夾雜著一丁點海潮的香氣。

溫泉是露天的，位於洞窟上半部，所以天頂洞開。滾燙的熱水，冰涼的戶外空氣，環繞露天溫泉的粗岩縫隙間生長著草木，在水蒸氣彼端搖曳。

「啊，眞是極樂啊極樂。」

小亘不由得咕噥起日本歐吉桑泡溫泉時一定會說的感嘆詞，奇．奇瑪笑了。

「你在說什麼啊，什麼是極樂？」

「嗯……這個嘛，極樂世界就是神住的地方。在現世有此一說。」

「就像命運之塔那種地方嗎？」

奇．奇瑪反問後，表情頓時變得很尷尬，大概是怕小亘又想起很多事吧。

小亘裝作若無其事。「有點不一樣。那是人死後去的地方。」

「死了以後，誰都可以去嗎？」

「不。做壞事的人不能去，他們會墜入地獄。」

說到這裡，幻界的人死了以後會去哪裡呢？至今，他從來沒問過。

奇．奇瑪將下巴以下的部分浸在熱水中，陶然地半閉著眼告訴他：「我們死了以後都會變成光。」

「光？」

「對。變成陽光，照耀地面。然後再依序投胎。不過，活著的時候如果做了壞事，就不能變成光，會墜入『混沌深淵』。那樣，要想投胎轉世就沒這麼容易了。」

說到這裡小亘不禁想起，代拉．魯貝西的教王也說過同樣的話。違背了女神大人的盟約，靈魂未得淨化就死掉的話，我們無法投胎轉世到下一個世界。

「幻界的人下次投胎轉世時，不可能變成現世的人嗎？」

其實他是在低聲自言自語，沒想到過了一會兒，奇・奇瑪回答：「要是能那樣就好囉。這樣的話，下次在現世又可以跟小亘做朋友，一定很好玩。」

是啊，小亘說著也不禁笑了。如果到了現世，奇・奇瑪搞不好會是個快遞送貨員。他的身材高大活力充沛，力氣大又親切，一定會成爲最受歡迎的快遞吧。

這時，卡姿和咪娜也在另一個岩石澡池裡。兩人雖然都覺得很滿足，但可能是溫泉暖透了身子吧，針霧造成的傷口裂開，又流血了。

「還蠻痛的。」卡姿皺起臉。

「剛才，喬佐的媽媽說有一種軟膏很有效，待會兒跟她要一點好了。妳眼睛下面的傷口都腫起來了。」

鹽水溫泉刺痛了傷口。

「欸，卡姿小姐。」

「什麼事。」

「剛才聽到的事——我是說龍的族長，七柱。」

「嗯。」

「用『柱』來稱呼倒挺稀奇的耶。不曉得和用來重建偉大的光之疆界的人柱有沒有什麼關係。」

卡姿沉默了一會，然後才說：「龍牽涉到幻界的創始，即使眞有關係也不足爲奇。不過，妳最好還是不要想太多。」

是啊，咪娜回答。可能是溫泉讓整個人鬆懈了吧，突然覺得很鬱悶，很想哭，咪娜連忙洗把臉。

大家洗完溫泉出來一看，喬佐正在等著。

「已經準備好了，請你們去開會的洞窟吧。」

喬佐帶他們去的地方是個前所未見的大洞窟。大約有機場的噴射機停機庫那麼大吧。雖然四處燃著火把，整體來說還是很昏暗，而且天花板又高，基本上無法看到天頂。不時可以感覺到冰冷的氣流，大概是因爲牆上有透氣孔吧。

放眼望去，所有稱得上牆壁和岩石的地方都擠滿了幾十隻龍。顏色和大小各有不同，細看之下連翅膀的形狀和尾巴的長短也有微妙差異。

他們巨大的黑眼珠，全都注視著小亘等人，並噴出轟然鼻息。

「有、有點可怕耶。」咪娜囁聲說，摸索到小亘的手用力握緊。

龍王大人坐在洞窟一端高聳岩石上。不，說不定還沒睡醒。他收起翅膀，腳壓在身體下面，尾巴頹然下垂。小亘他們被帶到中央廣場後，他才費力地抬起脖子。不過，眼皮還是半閉著。

龍王大人的身材和喬佐的爸媽差不多。身上的紅色幾乎已褪盡，幾近褪色的紫色。鱗片也已枯瘠沒有光澤，脖子和手腳與胴體相接處堆疊著層層皺紋，兩支角之間戴著綴有閃亮裝飾的皇冠。

龍王大人的座位兩旁，共坐著七隻龍，應該就是號稱七柱的族長吧。紅得泛黑的身體上各自掛著不同顏色的項鍊。

「歡迎光臨，客人啊。」

一隻龍站起來，直視著小亘他們，然後環顧聚集的群龍。

「按照規定，現在要在龍王大人御前，舉行『牙翼大會』。」

群龍一起垂下脖子，匍匐在地。就連比喬佐還小的小龍們，也乖乖地仿傚爸媽的動作。

首先，喬佐在爸媽的陪同下上前一步，把他帶來客人的事情向與會群龍報告。小亘也跟著走上前。

「雖然我們冒昧來訪，仍受到各位盛情歡迎，我等非常感謝。龍王大人，島上的各位，謝謝你們。」

舉座無聲。小亘的心臟越跳越快。

「靠著喬佐贈送的龍笛，已經兩次把我從危險的地方救出來。這次，又得借重喬佐的力量，必須乘坐他的翅膀……」

龍王大人抬起脖子，呼喚小亘。

「『旅人』啊。」

「呃，是！」

「你能不能當場證明一下你的確是『旅人』。」

小亘從腰帶取下勇者之劍遞上去，七杜當中最靠近小亘的那隻龍接過劍，恭敬地送到龍王大人面前。龍王大人的眼皮依舊半睜半閉。不過，他毫無窒礙地將劍檢查完畢，勇者之劍又回到小亘手裡。

「守門的拉烏導師還好嗎？」

龍王大人突然變得很隨和地問起小亘。雖然很難讀得出龍的表情，但他的嘴角似乎正在微笑。

「是，他老人家很好！」

「來到幻界時，導師沒有給你一個墜子嗎？」

因爲一直掛在身上，反而忘了，這個應該更能證明他是「旅人」。小亘連忙拉出墜子。可是，當他要從脖子取下時，龍王大人慢條斯理地阻止他。

「行了行了，不用拿下來了。我知道了，你的確是『旅人』。」

「是。」小亘立正站好。過度緊張之下，差點重心不穩。群龍發現後，似乎在竊笑。

「『旅人』啊，還有各位高地人。」

龍王的聲音重重響起。卡姿凜然抬起頭。

「我們火龍打從幻界創始就有了生命。現在在這大海一隅過著寂靜和平的生活。」

對小亘他們說話的同時，其實也是在對聚集的群龍說。

「不過，我們身爲幻界守護神的職責並未消失。我們必須在適當的時機，以適當的手段扮演女神大人的劍與盾，守護幻界的這個使命沒有絲毫改變。」

群龍一起點頭，七柱的視線似乎也變得銳利。

「『旅人』啊。即使你不說，我也知道你們前往北方大陸的目的何在。也知道那是根植於人們紛爭中的東西。」

龍王怎麼知道的？小亘處於惶恐之中，

「不是我要頂撞您。」卡姿陡然發出尖銳的聲音。「我前往北方，就是爲了根絕人們的紛爭。」

龍王大人的嘴角再次露出笑意。「果敢的高地人啊。妳有這種志氣很好，但是要根絕人的紛爭，靠人是不可能的。」

「不，我……」

龍王打斷她的話，繼續安靜地說。

「憎恨召喚憎恨，悲傷呼應悲傷，死亡帶來下一個死亡。因爲憎恨深植大地之中，悲傷比大海更取汲不盡，死亡厭棄孤獨，這才是虛無卻嚴苛的眞實。」

卡姿緊咬著唇。

「本來人與人之間的紛爭，我們龍族是不得參與的。但是『旅人』啊，高地人啊。我們早已知道你們將會來到這個島上，也知道你們一定得靠我們幫助才能抵達北方。」

小亘仰起臉。「我聽喬佐說，龍王大人您之前就已察覺幻界的異變。而且聽說您很憂心，或許將會發生某種事態，迫使龍族不得不離開島上和人們攜手合作。」

龍王緩緩地點了兩次頭。

「那是怎樣的事態？我們有這個能力阻止嗎？也是因爲如此龍王大人才會答應幫助我們嗎？」

龍王又點了一次他那皺巴巴的脖子。

「『旅人』啊。在這個幻界還有一面和眞實之鏡成對的『常闇之鏡』，那面鏡子現在在北方大陸皇帝的手中。我可以感覺到有人正想解除它的封印，這個預兆絕不會錯。因爲預先察覺、加以防止正是我們的職責。」

於是小亘這才知道，常闇之鏡和魔界，還有多年來封印常闇之鏡的封印之冠——最後一顆寶珠。

聽完這番話，原本小亘在溫泉泡得暖呼呼的手腳已經變得冰冷。不是因爲洞窟冷，而是因爲害怕。是美鶴。美鶴正想解除常闇之鏡的封印。爲了得到寶珠，就只爲了這個原因。

卡姿凝視著握緊拳頭的小亘。卡姿的憂慮成眞了，美鶴根本不把幻界的存亡放在心上。

「北方大陸的皇帝，三百年前也曾爲了壯大自己的武力，故意解除封印，招來魔界大軍。」

眞是可悲——龍王繼續說。「那次，我們龍族也飛往北方，爲了擊退魔界大軍，和人們並肩作戰。當時，北方皇帝雖然借重魔族之力，對魔族眞正的可怕之處其實很無知。他以爲解開封印，讓魔族殲滅敵軍後，只要再重新封印起來就行了。眞是愚昧啊。那是傾盡大海之力也無法洗淨的愚行。」

如果當時龍族沒有及時察覺封印解除立刻出動，現在幻界恐怕早就蕩然無存了，龍王大人說。

七柱也頻頻點頭。

「不過，三百年前那次，常闇之鏡解除封印的時間極爲短暫。可是這次恐怕沒這麼簡單了。封印將會完全解除，再也無法恢復，縱使集合幻界所有大軍也無法阻擋魔族。」

我們非阻止不可——咪娜用顫抖的聲音說。小亘站起來。

「我絕不會讓他那樣做。我一定會阻止。企圖解除封印的人是我的朋友，另一名『旅人』。我絕不能讓他做出這種事！」

龍王大人轉動脖子，環顧隨侍在他身邊的七柱。他們也站起來了。

『旅人』啊，跟七柱一起去吧。他們一定能助你一臂之力。人世有限，幻界卻無限。不能讓有限的人類力量，斷送幻界的生命。」

「我向您保證！」

小亘斷然表示之際，喬佐發出稚嫩的聲音。

「那我呢？龍王大人，我可以跟著一起去嗎？」

小亘連忙按住喬佐的脖子。

「不行啦，喬佐！你不能去。」

「為什麼？如果小亘要去，那我也要去。」

「你爸媽會擔心的。」

喬佐的爸媽悲傷地眨著眼，喬佐看了渾圓的眼睛也濕潤起來，但他還是甩著尾巴，頑固地表示：「可是我要去嘛。我要載小亘去，可以吧？爸爸，媽媽。」

喬佐媽媽無力地垂頭。喬佐爸爸說：「只要龍王大人答應就可以。」

「那怎麼行！」

小亘轉頭仰望龍王大人。龍王大人一直搭拉著的眼皮，微微抬起，看著喬佐。

「喬佐啊。這場戰鬥可不容易喔。」

「是，我知道。」

「我能感受到就在我們這樣說話的同時，封印解除的時刻已經逼近。危機迫在眉睫了。魔族很可怕，很難對付喔。即使如此你還是堅持要跟『旅人』一起去？」

喬佐打了個哆嗦，然後回答：「我的命是小亘撿回來的，我要跟小亘一起去！」

龍王大人再次垂下眼皮說：「那好吧。」

「一旦和『旅人』結緣，這也是身爲守護神後裔火龍的宿命吧。」

他惺忪半閉的眼睛看著小亘。小亘感到他的眼中射出強烈的視線。

『旅人』啊。就讓喬佐協助你，等任務完成了再讓他回到這個龍島吧。」

一定，我保證——小亘握緊拳頭發誓。

「先預祝你們出征成功。願命運女神大人庇祐你。」

所有的龍齊聲唱和龍王說的話，這股聲音最後撼動洞窟，化爲堅定祈禱的詠唱。

第四十八章 皇都毀滅

龍族的七杜揮動強壯的翅膀乘著海上氣流像侯鳥般列隊飛行。卡姿騎著領頭的那隻龍，載著小亘三人的喬佐雖然掛車尾，但也拼命拍翅以免落後。

目標是北方統一帝國的皇都索雷布里亞。龍王大人告訴他們，常闇之鏡就在皇都中心，皇帝的城堡內。

「統一帝國的皇帝爲了守護常闇之鏡，不僅用了封印之冠，應該還施展了魔法，非常謹愼地把鏡子藏起來，以免被人發現安放地點。在這種情況下，外人根本無機可乘。但是『旅人』啊，你的朋友；也就是另一名『旅人』，既然是優秀的魔導士，一定會設法解開那個魔法。當他找到安置常闇之鏡的地方企圖接近鏡子的那一刻，就是阻止他的唯一機會。」

群龍飛得極快，一不小心可能就被甩落。小亘牢牢抓著喬佐的背，口中唸唸有詞：快點，再快一點！飛往美鶴所在的位置！

北方大陸開始映入眼簾。風平浪靜的海洋與大地的色彩，和南方大陸一樣祥和遼闊，唯獨天空的顏色看起來就像結冰般淺淡，可能是因爲身體感受到的強烈寒意吧。

「那是……那是什麼？」

領頭的卡姿指著遙遠的前方大叫。

縷縷黑煙，正飄上天空。

「是皇都索雷布里亞的方向。」七柱龍紛紛表示。

「失火了！發生火災了！」

加快速度越過天空的小亘等人，眼中逐漸出現令人難以置信的景象。巨大的要塞都市——有城牆保護的百萬人都市索雷布里亞——發生異變了。城牆上的城門燒毀崩落，從那裡逃出的居民看起來就像渺小遙遠的螞蟻隊伍。城牆裡面擠滿五顏六色無數屋頂的城鎮，正冒出滾滾煙塵。

「怎麼會這樣！到底在搞什麼鬼！」

卡姿破口大罵，一頭亂髮探出身子。群龍張開翅膀放慢速度開始下降，隨著逐漸接近，皇都索雷布里亞在小亘的眼底下一覽無遺。到處都可看到建築物倒塌，烈火竄上屋頂。濃煙密佈撲面襲來，阻斷了居民的退路，到處都是斷垣殘壁，成排房屋倒塌。震耳欲聾的巨響和熱風中，混雜著人民的哀嚎。

「到底是怎麼了？」

小亘從喬佐的翅膀邊上伸出脖子，當他發現在遼闊得無法一眼望盡的索雷布里亞內，好像有許多具巨大物體，對，外型像人……，可是，遠比人來得巨大，甚至比龍還要大的灰色物體正在四處作亂時，不禁呆然。

那是……是什麼？簡直像岩石打造的機器人。

圓圓的腦袋，寬闊的肩膀，粗壯的身體，無骨的手腳隨意亂揮，定睛一看，那玩意每踏出沉重的一步，就有房屋崩塌，路上的人們急忙趴下。過沒多久，從倒塌的建物中又冒出新的火苗。當群眾被烈火逼得竄逃分不清方向之際，那沉重的大腳再次壓扁他們。叫聲和哭聲此起彼落，轟然響起的爆炸聲吞噬了這些哀嚎。

「這些傢伙是戈萊姆！」

和小亘一樣瞪著大眼俯視的奇．奇瑪，顫抖著龐大的身體怒吼。

「戈萊姆？」

「就是魔導士製造的石頭巨人！製造他們的魔導士就是主人，可以隨心所欲地操縱他們。」

「那種事……我還以爲是捏造的。」

咪娜花容失色渾身顫抖地低語。

「原來眞有其事，眞不敢相信。」

「我也是呀。可是，現在這些傢伙不正跑來跑去嗎！」

巨型石頭人偶平坦的臉上找不到類似眼耳口鼻的五官。他們一邊胡亂地破壞和前進，不時還機械性地左右晃動腦袋。簡陋的雙手幾乎看不出手的形狀，只是岩石塊。當那隻手用力揮落，街上的建築物伴隨著轟然巨響分崩離析。

「是美鶴。」

濃煙燻得眼睛睜不開，眼淚都掉出來了。

「是美鶴製造戈萊姆操縱著他們！」

他想破壞索雷布里亞。美鶴在哪裡？你在哪裡？

喬佐身邊轟然竄起火柱，受到熱風直擊的喬佐失去平衡，翅膀右端驚險掠過建築物的殘骸，差點被甩落的咪娜發出尖叫。

「到底有多少個？數都數不清！」

「你們看那邊！數量還在繼續增加呢。」

戈萊姆散佈全城。東西南北，每個方向都有。他們到處肆虐，大肆踐踏，胡亂破壞之餘，有些戈萊姆甚至互相掄起拳頭打成一團。即使因此掉了胳臂，缺了一塊腦袋，他們也不痛不癢，若無其事地繼續移動。而且正如群龍所高喊的，從慘遭破壞、一片狼藉的街巷中，到處都有新的戈萊姆隨著巨響拔地而起，高舉著兩手揮舞，一個接一個。

「一定要消滅他們！快動手呀！」咪娜大叫，不停拍打著喬佐的背。

「可是，要怎麼消滅？」

喬佐的聲音都快哭了，但他還是張開嘴巴想噴火。小亘連忙撲上去抱緊喬佐的脖子。

「不行啦！噴火會波及街上無辜群眾！」

降低高度忽左忽右不停盤旋的群龍，翅膀一在地面落下影子，火紅的顏色就顯得格外鮮明清晰。看到龍就在頭頂上飛來飛去，索雷布里亞的人們嚇得落荒而逃。可是前面又有戈萊姆在等著。

「救命，救命啊！」

「媽媽，妳在哪裡？」

因為飛得很低，連小亘的耳朵都能分辨出每個人不同的悲鳴。剛才喬佐飛過有三角屋頂的那戶人家時，一個年輕男人雙手抱著煙囪正在求救。小亘反射性地大叫「喬佐，回頭！」朝著煙囪伸出援手。年輕男人雖然畏縮地游移目光，最後一隻手還是鬆開煙囪，朝著小亘伸去。就在手和手逐漸接近，眼看只差一點小亘的手就能抓住年輕男人的手腕了，不料這時，逼近的戈萊姆發出一擊，三角屋頂頓時粉碎，煙囪緩緩傾倒。年輕男人整個呆住，就這麼緊抱著在空中畫出半圓形緩緩倒下的煙囪，下一瞬間，已經消失在地上的瓦礫堆中。

在滾滾塵埃裡，小亘無緣無故地放聲大叫。爲什麼，爲什麼，爲什麼？

「『旅人』啊，鎖定一點。看樣子他們的目標是宮殿。」

飛來身旁的七柱之一，對小亘如此喊叫。那隻龍載著卡姿，她抓著拿手的黑鞭，腳踩著龍的脖根處威風凜凜地站著。

「你仔細看，小亘！」

戈萊姆漸漸圍成一圈，一邊包圍索雷布里亞一邊繼續破壞和前進。隨著每一步前進，他們的圈子也逐漸變小。圈子的中央就是皇都索雷布里亞的核心，乳白色的大宮殿。

「那就是皇帝的皇宮。水晶大宮殿！」

卡姿一手擋在嘴邊，在火焰捲起的強烈上升氣流中扯高嗓門。

「你的好朋友美鶴正一邊毀滅皇都，一邊朝著水晶宮前進！」

「就算他操控戈萊姆的本領再怎麼厲害，如果距離戈萊姆太遠，應該還是無法操縱他們。他一定就在他們身邊。」七柱龍說。「我們會盡力而爲，盡量設法絆住他們。你就趁這時候去找那個叫美鶴的『旅人』。只要能打倒操縱戈萊姆的人，戈萊姆就會變回塵土！」

「知、知道了！」

小亘效法卡姿在喬佐的背上站了起來。突然一陣強風吹得他站立不穩，還被濃煙嗆到咳嗽。幸好有奇．奇瑪當小亘的盾牌，咪娜牢牢抱著小亘的腰。

「美鶴！美鶴，你在哪裡！」

喬佐掠過堆積如山的瓦礫，在戈萊姆們的面前飛來飛去。他一邊驚險躲開戈萊姆揮來的拳頭，一邊咬緊牙關操縱翅膀。小亘繼續呼喚美鶴。

「美鶴！」

這時，在塵埃與煙幕的彼端，步步進逼水晶宮的戈萊姆圓陣一角，小亘看到了。美鶴就站在一具戈萊姆的肩上，他一手觸摸戈萊姆的頭，一手拿著那支魔導杖，漆黑的長袍在風中飄揚。

「在那裡！」

隨著小亘伸手一指，喬佐連忙飛去。美鶴的身影越來越近，距離縮短到眼前時，小亘毫不遲疑地從喬佐背上縱身一躍，跳到美鶴站立的戈萊姆肩上。

「小亘，小心點！」

眼看小亘去勢過猛差點從戈萊姆肩上跌落，咪娜在背後呼喚著。

小亘好不容易站起來後，美鶴就像在學校走廊迎面相遇一樣，用幾近冷漠的冷靜眼神看著他。隔著——近距離看來分明是堆岩石——的戈萊姆腦袋，分別站左右肩上的兩個「旅人」正四目相對。

「你在這種地方做什麼？」

美鶴緩緩發問。帶著一丁點的打趣，同時也有那麼一點點驚訝。沒想到小亘竟然追上來了。

「那你又在幹什麼！」

「你看了也知道。」美鶴倏地將手一張。「還滿有趣的吧？」

事到如今，小亘發覺自己的膝蓋不停顫抖。不是因爲害怕，而是生氣。

「有趣？你說這些？這種慘狀？」

「在皇帝膝下的神聖皇都索雷布里亞，」美鶴謳歌似的說。「應該堅若磐石的皇都，原來也不堪一擊。」

身旁另一具戈萊姆摧毀了一座大宅。在這股衝擊下，從倒塌的建物中像變魔術似的飛出某個東西，劃過天空掉了下來。如果小亘沒看錯，那是一個大灶，上面還放著足可一人環抱的鍋子就這麼整個飛起來。

戈萊姆引起的破壞，和他們的龐然巨體移動時的震動，讓人站都站不穩。可是美鶴卻泰然自若，雙臂交錯抱著魔導杖。

「這種破壞和虐殺有什麼意義？你現在就給我住手。請你住手，算我求你！」

「意義？意義當然有，而且大得很呢！」

美鶴說。他的頭髮上也沾著從瓦礫揚起的塵埃和石頭碎片。

「因爲非得這麼做才能大功告成，所以我就做了。」

「爲了得到寶珠？你打算解除常闇之鏡的封印吧？」

美鶴的表情首次出現變化。「你連這個都知道了？」

「常闇之鏡的封印一旦解除，會引發魔族進攻，你知道事態會變得多嚴重嗎？早在三百年前這個北方大陸就……」

「我知道。」美鶴打斷他的話。小亘張著嘴當場凍結。

「你知道？」

「對。第一代皇帝為了收拾礙眼的蠻族，借助魔族之力。事實上，據說效果的確很不錯。」

小亘感到暈眩。「你竟然說效果不錯！要不是龍族及時趕來，『幻界』說不定已經被消滅了！」

美鶴煩悶似地瞇起眼，望著在戈萊姆之間飛來飛去的七柱群龍。

「就是他們嗎。喂，你什麼時候跟龍攀上了關係？」

「這種事不重要吧。是他們告訴我的。三百年前雖然封印解除的時間極短，但當時還是危險極了。而現在你想做的事，遠比那時更嚴重！」

「我想也是。」

「那你為什麼還……」

美鶴站立的這具戈萊姆，大概等於是發號中心吧。它本身文風不動，對周遭的哀嚎置若罔聞，就只是站著不動。不過地面還是晃動不止，熱風陣陣襲來，小亘無法越過它那顆大腦袋接近美鶴。只要打倒操縱戈萊姆的魔導士，戈萊姆就會化為塵土。只要打倒美鶴，就能終止這樁慘劇。可是，他無法拔出勇者之劍。放在劍柄上的右手無藥可救地抖個不停。

美鶴定定凝視著這樣的小亘。在他後方不遠處，又有一座大型建築物崩塌了。

「喂，看來你還沒清醒啊。」

美鶴說。彷彿在說「連這麼簡單的算數題你都不會解啊」，一副被打敗的不耐煩口吻。

「在索諾港我不也問過你嗎？你來幻界是爲了跟這裡的人交朋友嗎？是來保護幻界的和平嗎？」

他在心中試著回想在嘎薩拉時和卡姿的那番對話。即使是朋友還是得告訴他錯就是錯。

「不是。我是爲了改變自己的命運才來幻界。可是我不覺得爲達目的就可不擇手段。我就是無法這樣想。」

美鶴做出之前小亘每次在現世的學校和神社遇見他時，他都會做的那個動作。稍微聳肩，傲然抬起下巴尖，撇開眼睛。

「我倒是認爲不擇手段沒啥不對，所以這樣做。」

看來已經沒什麼好說的了。

「你錯了。」他只能發出連自己都覺得窩囊的細微聲音，在噪音掩蓋下說不定根本沒傳到美鶴耳中。

「美鶴你錯了。做這種事是不對的。皇都索雷布里亞的人過得好好的，不能因爲我們的自私就奪走他們的性命。」

美鶴迅速回頭。「這是你身爲高地人的意見嗎？」

小亘還沒回答，美鶴就在戈萊姆肩上砰地輕輕跺足。

「這傢伙是用什麼做成的，你知道嗎？」

沒頭沒腦的，他在問什麼。

「岩、岩石吧？戈萊姆是用魔法造出來的吧。」

「沒錯。是我用泥土和岩石搓揉而成的擬似生命，但材料不只是泥土岩石。」

還需要有人當「素材」，美鶴說。

「每一具戈萊姆都需要一個人。就算再怎麼擅長魔法，沒人也變不出把戲。你猜這麼龐大的數量我是怎麼湊齊的？」

小亘的眼睛無法離開美鶴的臉。他在說什麼？爲什麼可以說得這麼若無其事，表情簡直就像在聽無聊的講課一樣。

勉強移動視線，朝已成爲煙幕火海的皇都望去，戈萊姆的數量多到數不清。這些原本全都是人？現在變成了戈萊姆？

「只要照了常闇之鏡，人就會變成『虛』，也就是沒有靈魂的空殼子。皇帝一族爲了自己的方便，動不動就把人變成虛。強迫別人去照常闇之鏡弄成虛之後，不是當成傭人使喚，就是派往邊境工作。對於政治犯和罪犯也採取同樣的手段，因爲這比關進監獄接受教化，更加省事方便。」

「……眞的嗎？」

「這是公主親口告訴我的，我想應該不是謊言吧。而現在這些傢伙就成了我優秀的戈萊姆。」

在水晶宮中還有很多虛呢，美鶴繼續說。

「要打造戈萊姆，人是不可或缺的素材，可是人有靈魂。縱使再爛的人，也有他的靈魂。所以很難直接拿來製造唯命是從的戈萊姆，必須費一番苦心。可是在這裡就簡單了。這些四處徘徊的虛打從一開始就沒有靈魂，用來當素材是最適合不過了。」

美鶴直視啞口無言又臉色發青的小亘說：「你說我的行爲很殘酷。但是，虛可不是我製造出來的，是皇帝喔。你身為高地人對此有何看法？你覺得難以饒恕嗎？那麼，這種爛皇帝統治的皇都就算被消滅又有什麼關係呢？就算滅了全族又有什麼不對呢？索雷布里亞的市民——不，北方統一帝國的國民全都同罪。因為他們一直默許歷代皇帝的暴行，有時甚至還主動支持。只因為這樣對自己有利，或者是為了保全自身安全。像這種人受到懲罰是應該的。身為高地人的你對此有何看法？」

眼睛模糊是被煙燻的，頭昏腦脹是不斷震動造成的，耳朵幾乎聽不見是遭到破壞的索雷布里亞淒厲異常的悲鳴影響的。

到底哪一邊正確？何者才是正義？

「你說幻界很重要。可是這個帝國可不像南方大陸的聯邦國家那麼好應付。南方大陸反而應該感激我才對。因為我替他們消除了北方出兵侵略的危險性。」

美鶴微微聳肩露出笑容。

「現在皇都變成這樣，縱使製造出動力船，恐怕也沒空對南方發動戰爭了。」

身體先於感情採取行動，小亘撲向美鶴。

這時……

突然間，迸射出耀眼白光，籠罩了整個地面和天空。空中飛舞的群龍以及戈萊姆的巨大身體都成了清晰的黑影。

小亘反射性地用手護著眼，彎下身子。瞬間迸出的光芒也在瞬間驟然消失。

「很好。」美鶴點點頭。

小亘試著抬起頭來。那道白光雖然消失了，周遭的光景卻有點異樣。好亮。不是來自太陽的光源……

皇帝的皇宮，水晶宮。那座雄偉的城堡，從中央的尖塔頂端到鞏固根本的地基，乃至突出的裝飾翼廊，每個角落都彷彿是眞的用水晶打造而成，從內側放射出光芒。

「皇都瓦解了。」

美鶴仰望著燦然生輝的水晶宮說。

「也代表著結界消滅。」

失陪了！美鶴簡短說完，就倏地揮起魔導杖。美鶴的身影從小亘眼前消失了。

這是瞬間移動的魔法，美鶴去水晶宮了！

「小亘，這邊！」

正當小亘呆立之際，喬佐破風飛到他的身旁。咪娜伸出雙臂。

美鶴離去的瞬間，之前一直扮演發號中心的戈萊姆，也加入戰鬥行列揮舞雙臂。小亘往旁邊一跳抓住咪娜的手，戈萊姆的拳頭險險擦過喬佐的翅膀劃過空中，喬佐雖然重心不穩，還是在千鈞一髮之際躲開，飛上天空。

「美鶴呢？」

載著卡姿的龍追上喬佐。龍的身體被不斷舔舐著索雷布里亞的烈焰映照得分外火紅。卡姿的臉上滿是烏黑的煤灰。

「去、去水晶宮了……」

「快追呀！你還在磨蹭什麼！」

卡姿抓住龍角，放低身子。人龍合一，龍收起翅膀筆直朝著水晶宮開始滑翔。

「喬佐，你還行嗎？」

「包在我身上！」喬佐說著，咬牙緊跟在後。其實他已經遍體鱗傷了，大概是燒傷吧，到處都有鱗片剝落。

戈萊姆巨人邊包圍索雷布里亞，再次朝著水晶宮縮小圈子。轉身一看，瓦礫堆熊熊燃燒化爲壯觀火海的索雷布里亞，在迷宮般的狹小夾縫之間，倖存的民眾正躲避著火舌，尋找逃生之所；也有人蜷縮著身體或迷失了方向呆若木雞。小亘朝著在他四周飛行的群龍大聲說：「請讓皇都的民眾遠離水晶宮！引導他們逃到城外！」

「知道了！」

領頭的卡姿和龍看起來只有小亘的拳頭那麼大。宛如殷紅的隕石朝著水晶宮筆直飛落而去。

這時，小宣感到一股「氣」，有人在使用魔法。和美鶴在特里安卡魔醫院及索諾港鎮，施展風的大魔法時出現的氣流一樣。

「卡姿姊，小心！」

高叫的瞬間，水晶宮的輪廓彷彿籠罩在陽光蒸騰的熱氣中，變得扭曲模糊。突然間。城堡內部以及某中心深處，出現了巨大的龍捲風。急流般的狂風化爲漩渦，不斷旋轉，在轉眼間急速膨脹。小亘看到載著卡姿的那隻龍正面受擊，像是當場氣絕，如飛機失事般往下墜落。

「小心危……」

喬佐也被龍捲風外圍的強風彈開，小亘的聲音消失在空中。也分不清上下左右，就像洗衣槽裡的手帕不停旋轉，一路被吹送到天空的彼端。

奇・奇瑪與咪娜的叫聲中，夾雜著喬佐的悲鳴。天空和地上像打了馬賽克般看不清。巨大的戈萊姆在強勁的龍捲風中踉蹌了一、兩步。斷垣殘壁的瓦礫飛起，瀕臨倒塌的建物被吹走；整棟石造房屋就像變魔術一樣飛上天邊，一邊瓦解一邊飛向遠方。還有一個隱約可見內部樑柱的巨大火球（可能是燃燒的瞭望台之類的），經過完全無招架之力被吹著走的喬佐頭上，撞上城門旁的城牆冒出火花後消失。

「抓緊我！」

喬佐幾乎是哭著大喊。奇．奇瑪一手抓著咪娜，另一手吊在喬佐的翅膀上，猛然伸出腿說：

「小亘，加油！」

小亘連忙用雙手抓住，腰部以下懸在空中。要墜落了，逐漸墜落，快速逼近地面。墜落，墜落……

彷彿被大手一把撈起，小亘的視野險險掠過地面再次上升。喬佐恢復平衡了。衝上開闊的天空。可能是因爲實在太驚險，把喬佐嚇壞了，他發出狂吠的哭聲，噴出一團火焰。

「沒事吧？沒事吧？大家都在吧？」

「都在，喬佐！」

回過神才發現，他們已經被吹到城牆邊。群龍，正在龍捲風外圍拼命拍翅。小亘數著七柱的數目。一隻、兩隻——大家都在。卡姿平安無事嗎？她在哪裡？

「卡姿姊！」

呼喚聲也被風吹走。

「在這裡，我在這裡！」

卡姿的龍可能是一邊的翅膀受傷了吧，飛得歪歪倒倒，在遠比小亘他們更低的地方擺盪。喬佐逐漸下降，小亘爬到他脖子的地方，從他的大腦袋上探出身子，這才發現喬佐的眼中蓄滿淚水。

「好、好恐怖喔。」喬佐說。「剛才那是什麼？」

「是風的大魔法。美鶴他為了不讓我們接近，用龍捲風把水晶宮包起來了。」

小亘拚命摸著喬佐的頭。後來才發現自己也快哭出來了。

總算保住平衡，並肩飛行一看，才發現卡姿也受傷了。不僅全身燒得焦黑，右眼上方也破了個傷口正在流血，傷口周邊煤灰反倒是被血沖乾淨了。

「可惡，那樣根本無法接近！」

她緊握鞭子的那手也有血跡。

「難道就沒辦法對付那種魔法嗎？」

「靠我的力量不可能。」小亘拚命調整呼吸。「看來只有使用瞬間移動魔法了。我試試看。」

卡姿連受傷的那隻眼都瞪得大大的令人替她心疼。「既然你會這招，幹嘛不早點使用！」

「我沒把握。我無法像美鶴那樣正確控制！會被送去哪裡，連我自己都不知道。」

「就算這樣，還是得試試看呀！」

說著，卡姿輕輕一躍，跳到喬佐身上。

「快，我們走吧。」說著一把抓住小亘的手臂。

「我們走？」

「我跟你一起去！只要抓著你，我應該也能移動吧？」

小亘轉頭看奇·奇瑪和咪娜。咪娜掙扎著站起來。

「小亘……」

「你們兩個去幫助皇都的人。」小亘說。他說得很快，完全不給咪娜任何反駁的機會。「美鶴那邊，我和卡姿姊會設法解決。其他拜託你們了，好嗎？」

咪娜青灰色的眼眸，映照著已經染紅皇都天空的火焰。

「好、好吧。」

「小心點。」奇．奇瑪屈膝而立。「好，喬佐！等小亘他們施展魔法消失，我們就繞行皇都。從上空引導那些無路可逃的人。」

喬佐大幅拍動著翅膀。「嗯！」

小亘拔出勇者之劍。鎮定心志，聚精會神。回想一下在嘎薩拉瞬間移動的情景。你應該做得到的，一定可以。水晶宮，去水晶宮。

集合三顆寶珠的力量。

閉上眼睛一念咒，身體突然一輕。視野充滿了光，再也感覺不到火焰的熱氣和狂風的強勁。這是魔法砲彈，朝空中發射。上升，上升，飛過天空畫出弧形，掠過戈萊姆們的頭上，掠過皇都索雷布里亞的上空，前往水晶宮。

猛然回到現實。小亘浮在空中，卡姿也一起。兩人在空中飛，腳下雄偉水晶宮近在眼前。寬敞的陽台，雕著裝飾的瞭望台，環繞城堡的石欄杆，陽光反射在中央尖塔閃了一下。

剎那間，他看到陽台四處，還有通往城內的拱門陰影處，都倒臥著騎士。血，血，血。到處噴濺著鮮血，那種地方怎麼會有銀色頭盔滾落？那種場所怎麼會有鋼靴散落？四分五裂，騎士們慘遭分屍而死。死在風之魔法的利刃下……

「要下去囉！」

卡姿高叫。兩人像石頭一樣墜落，落向血肉模糊的鋪石陽台。

然而，就在此時。

「別來礙事！」

美鶴的聲音轟然響起。小亘的眼睛深處閃過光芒。正要著地的身體彷彿撞上隱形牆而被彈開。魔法和魔法的激撞使得包覆小亘的世界扭曲爆炸。

卡姿發出憤怒的悲鳴，抓著小亘的手臂……

砰的一聲，兩人墜落，落在地面上。腰部先著地，頭暈目眩。

「這、這裡是？」

卡姿癱坐著，環顧四周。小亘雙手抱頭，彷彿要壓住不停旋轉的視野，用力閉上眼。

然後抬起眼，試著睜眼一看，才發現身處綠地。這是哪裡？

比起剛才的確離水晶宮近多了。雖然還有一段距離，但是閃爍的尖塔和城牆，比起之前在皇都街上看起來更清楚了。也可以看出城堡某些窗戶正飄出股股濃煙。

「這是……是庭園。」卡姿發出洩氣的聲音。

環繞水晶宮的無數美麗庭園。其中之一就是兩人降落的地方。簡陋地基支撐的涼亭，還有砲台遺跡，這是戰勝庭園。是美鶴和佐菲公主會面的那個庭園。這點小亘當然無從得知。

「怎麼這麼安靜。」卡姿站起身，把流入右眼的鮮血不耐煩地隨手一抹。「連一個騎士也沒有。」

「我們已經進入風的大魔法裡面了。」

小亘想起身，膝蓋差點一軟。幸好卡姿扶住他。

「那，這裡什麼事也……」

卡姿本來大概想說「沒發生」，說到一半卻噤口不語。庭園滿目瘡痍。強風掃過的痕跡殘留在傾倒的樹木、散落的花瓣、倒塌的柵欄、凌亂的地面上。

樹蔭下，有兩個看似警備兵的人，手腳大張倒臥在地，身體流出的血把砂地染成一片漆黑。龍捲風外圍的狂風掃過時，城堡周圍的人被那利如鐮刀的風刃斬斷了性命。

「剛才，妳看到沒有？」小亘問卡姿。「本來我們已經移動到城堡的陽台了。雖只有短短一瞬間，但我看到城內的情形。騎士斷了頭，到處都是血，城堡裡面在狂風掃過的瞬間，也發生了跟這裡同樣的慘劇。」

朝著封印之冠一路猛進的美鶴，凡是阻擋他去路的人，管他是騎士還是城堡的文官，全都毫不留情地用風之大魔法的刀刃砍盡殺絕。

小亘背對城堡，朝著皇都的方向環視一圈。大魔法製造的巨大暴風圈把廣大的水晶宮整個包在裡面。將索雷布里亞燒個精光的火焰，隔著風的防護罩正在另一頭搖曳不定如同鮮紅極光。

「為什麼剛才不能直接降落在陽台上？」

「我們被美鶴趕回來了。那傢伙知道我用瞬間移動，所以用魔法把我們彈開。」

一說話，嘴角就抖個不停。卡姿的腳下滴落一滴又一滴的鮮血。

「卡姿姊，妳得包紮傷口。妳流了好多血。」

「這點小意思，不算什麼。」

話雖然說得豪邁，但她的右眼幾乎已經睜不開了。

「我再試一次。妳還行嗎？」

「你是在問誰？」

卡姿把鞭子重新捆好，牢牢綁在腰上後，抓起小亘手臂。

小亘閉上眼。胡亂念咒沒有用，我必須靠三顆寶珠的力量，讓魔法送我到封印之冠——闇黑寶珠的所在之處。不是靠我自己的意志，是順從寶珠的意志請他們引導我。

「拜託，請帶我去吧。」

小亘小聲低語。

「這次一定要成功！」

小亘和卡姿從戰勝庭園倏然消失。

化為虛無，化為光線，時間暫停，劃過天空。

這次的墜落很漫長。也不知道是頭先落地，還是腳先落地，雙手無意識地在空中亂抓。

小亘和卡姿糾纏在一起著地。落地的衝擊剛過，卡姿的腳又遲了一拍狠撞上小亘的背。有那麼兩、三秒，他好像暈厥了過去。回過神時，正俯臥在光滑平坦的地板上。這片透明泛著藍光的地板是怎麼回事？是岱拉·魯貝西？怎麼跟那個凍結的都市一模一樣。

小亘赫然一驚，用雙臂胡亂撐起身體，視野頓時豁然開闊。

四周環繞著圓柱，這是個大廳。每一根圓柱上都有頭戴寶冠，身裹厚重長袍的人像浮雕。這大概是歷代皇帝的雕像吧——正當他這麼想時，他看到了美鶴。

美鶴在大廳中央，獨自佇立。

一切事物都透著晶瑩藍光的大廳。美鶴的魔導士黑袍，倒映在腳下的地板、高聳的天花板、以及圓柱與圓柱之間的平滑牆面上。鏡子——這是放出聖潔藍光的鏡子。

是鏡廳。

「小、小亘。」

卡姿的手搭著小亘肩膀，踉蹌了一下後，立刻拼命站直身子。

兩人的視線被美鶴吸去——被美鶴和他俊美的側臉正在仰望的東西。

常闇之鏡。

那個東西被安置在大廳北端，左右皆有圓柱屏障。全長超過小亘的身高，是個毫無瑕疵的完美圓形。在那鏡面朝著斜上方豎立的鏡子裡，

——是闇黑。

充滿著闇黑。闇黑漲滿直到銀色圓框的邊緣，無聲地翻滾沸騰著。

美鶴緩緩跨出一步，接近常闇之鏡。這時小亘察覺，常闇之鏡的腳部繪有小小的星形圖案；圖形中央、簡單的圈內描摹著波浪圖紋。頂端則安放著那頂鑲有寶珠的皇冠。

封印之冠和闇黑寶珠。

闇黑寶珠也像常闇之鏡的闇黑一樣，閃爍著漆黑的顏色。

美鶴垂下眼，看著封印之冠，接著往前跨出一大步。這時，之前一直藏在他身後的人，映入小亘的眼簾。

是個女孩。身穿優雅的白色長裙，頭髮插著綴飾編結成髻。她側身坐在地上，將倒臥地板的某人腦袋抱在她的膝上。

那是——那不就是皇帝嘉瑪·阿格里亞斯七世本人嗎！綴滿刺繡的豪華長袍已變得破爛不堪。手腳完全失去力氣，疲軟地垂在地上。少女的臉上滿是淚水。仔細一看，她的長裙染滿了血，也不知是她的血，還是皇帝的血。

「美、美鶴先生。」

女孩用顫抖的聲音呼喚美鶴，可是美鶴連眼睛都沒眨一下。他似乎已被封印之冠和闇黑寶珠迷住了。

那個少女的臉——好像在哪看過。施展瞬間移動耗費的體力使得小亘頭昏腦脹彷彿喝醉了，但他還是努力思索。很像某個人，到底是誰？

「你眞煩人。」美鶴說。雖然他的臉仍朝著正面，但聲音卻是對著小亘而來。

「這就是常闇之鏡。」

彷彿爲了呼應美鶴的話，幾乎溢出鏡框邊緣的闇黑蠢動起來。

「而這個就是最後一顆寶珠，我尋找的闇黑寶珠。」

美鶴緩緩蹲下身子，單膝跪地朝皇冠伸出手。

「求求你，不要這樣。住手。」

白裙少女哭倒著懇求他。

「請你不要解開常闇之鏡的封印。我求求你。」

少女的身體一晃，皇帝的頭便從她膝上滑落。發出難堪的咚地一聲，他已經變成物體了，完全死透了。小亘還來不及做出反應，卡姿已抽出鞭子躍向美鶴。她的鞋跟往地上一踹，隨著強力的跳躍雙肩一挺，黑髮揚起。美鶴依舊看也不看這邊，握著魔導杖的手毫不客氣地朝卡姿伸出。就只是這樣，卡姿便如彩球在空中反彈回來，越過小亘頭頂被轟得老遠。

「早就警告過你們別打歪主意了。」

卡姿發出呻吟。小亘抓起勇者之劍，立刻射出魔法彈。美鶴揮動魔導杖，魔法彈化為火花，殘光噴到四周牆面上。

「住手！」

小亘持劍衝上前，光滑的地板，使他腳下一滑。緊接著他也被輕而易舉地彈開了。他傾身向前畫出弧形橫切過大廳，一頭跌落到白裙少女的身旁。

「常闇之鏡的封印一旦解除會發生什麼事，到了這個地步用不著你說我也知道。」

美鶴的視線終於定著在小亘身上。他的眼睛在笑，嘴角扭曲成前所未見的模樣。

「爲什麼？」少女啜泣著。「爲什麼要做這種事？」

「我可是個『旅人』，公主。」

美鶴俯視著少女回答。

「只要得到這最後一顆闇黑寶珠，就能打開通往命運之塔的路。我就是爲此來『幻界』旅行，同樣的話到底要我講多少遍？」

小亘隱約可看到卡姿直起上半身，拼命想抓住鞭子的模樣。視線時而對焦時而模糊。剛才撞到地板的衝擊幾乎令手腳都散了架，光是牢牢撐住勇者之劍便已筋疲力竭。卡姿大概也一樣吧，過於焦躁之下好不容易抓住鞭子又差點弄掉。她的血越流越多，整張臉都變得血紅。

「爲了改變命運？」

少女任由淚珠從下巴邊緣滴落，向美鶴問道。

「沒錯。」

美鶴的聲音非常穩靜。刹那間，他的眼中閃過某種對少女親密的感情。

「佐菲公主，朝妳這一頭不當傾斜的幸福之秤，現在就讓我把它扳回正確位置吧。」

這番話像在打啞謎。少女哭得花容失色的臉上又增添了一分困惑。

這張臉孔——果然很像某人。我認識這個少女。

記憶的片斷翩然降臨到惶惑的小亘伸手可及之處。

「是她。」他忍不住說。「是美鶴的姑姑，長得跟她姑姑好像。」

我也才二十三歲呢。這種擔子我實在扛不起。她的眼中含著淚水如此呢喃……

美鶴尖銳地回顧小亘。

命運實在太不公平，厄運從天而降。就是爲了改變，才會在幻界一路旅行至此。

憑什麼可以阻止？誰有權利阻止？小亘的心中，在一瞬間——然而卻是無法挽回的一瞬間，產生了極大的猶豫。

美鶴的手一碰到封印之冠，便輕輕拿起它。比他對任何人的任何手勢都溫柔。恐怕，也比他碰觸自己靈魂時慎重。

「住手！」

小亘的喊叫聲在空曠的大廳迴響。一手拿著皇冠，一手持著魔導杖，終於完成任務的「旅人」美鶴，猛然將魔導杖伸向空中念起咒語。

「這是我最後一次盡到朋友的情分。快，快逃吧！」

轟然捲起的狂風，籠罩著小亘他們。腳離開地板，身體飄了起來。小亘拼命揮舞著雙手，緊緊抓住身邊那個少女的白色長裙。

「抓緊！」

大廳的光景霎時消失。

崩毀、燒垮的皇都索雷布里亞吞噬了無數死者，爲數不多的倖存者列隊從破損的城牆各處，就像傷口淌血般汩汩而出。

中央，是靜謐異常的水晶宮。

現在，水晶宮尖塔頂端豎起一道光筒，朝著蒼穹高處延伸而去。遠離污濁的地面，直達天上伸向天空。

那就是只有湊齊五顆寶珠的「旅人」才能找到的，通往命運之塔的道路。

身裹黑袍的美鶴在光筒中一路往上爬，再也無人能夠阻擋他，誰也沒辦法擋住他的去路。

倖存的民眾，抬頭向天，仰望著光筒，最後只能目送在光筒中拾級而上的小小黑影，像被吸入藍天般漸漸消失。

在此同時，風也停了，龍捲風走了。擠滿索雷布里亞城內的戈萊姆巨人們，頓時靜止不動。

極小的震動，在戈萊姆的體內撼動著。美鶴操縱他們的魔法已經被切斷。在他們自己掀起的滾滾塵埃中，戈萊姆們陷入沉默。有的從頭頂，有的從肩膀，還有的從身體裡面，就像在一股無形浪濤的沖刷下逐漸崩塌瓦解的沙堡，戈萊姆們開始回歸塵土，嘩啦啦的鬆散土石流，眼看著聲勢越來越浩大，吞噬衝破了他們。

單膝跪地，腦袋碎裂掉落肩上，拳頭消失，無聲毀滅，混入瓦礫，了無痕跡。

戈萊姆們不見了，只剩下成堆的泥土和岩石碎片。除了火舌仍固執地舔舐著皇都的瓦礫，再沒有其他的東西會動。如紅蓮熊熊燃燒的火焰也逐漸失去威力，化成如片片碎布的紅舌，仍在飢餓地吞吐舌頭四處爬行，尋找任何可食的獵物。

以破壞為名的盛宴過後留下的空虛……

然而人們感到腳下又開始震動。像是來自地底，凶猛來襲的轟隆足音，像波浪一樣逐漸逼近。

水晶宮正名符其實地放出水晶般的硬質光芒。光芒消失後，城堡開始變形。四角突出的屋宇倒塌，正門的拱形扭曲，尖塔傾頹，陽台歪斜。

人們不敢相信自己的眼睛。他們本來還以為已經看盡了人間不祥的景象。衝擊超過了容忍的極限，人們本來陷入啞然，甚至連失去親友的痛楚都還覺得不眞實，不料現在連麻痺的心都受到更大動搖，可怕的光景又在眼前展開。

水晶宮開始瓦解。不只是逐漸瓦解，在城堡內部深處，瞭解的人就知道那是設有皇帝寶座的大廳——瓦解以那一點為中心正在收縮。閃耀著乳白色的巨大石城，逐漸傾倒縮小，被吸入中心點。空蕩蕩的無數窗子就像發出無聲悲鳴的嘴巴，漸漸遭到吞噬。

短短數十秒鐘，水晶宮便從地上消失了。

取而代之的，是從剛才吞噬城堡的那一點，開始冒出漆黑的濃霧。就像成群的黑鳥不停蠢動擴展，一轉眼已經覆蓋了剛才被水晶宮佔據的空間。

黑霧在天空中畫出一雙漆黑的翅膀。翅膀緩緩拍擊、浮起，原本沉眠在地的某種東西被運往上空……

是常闇之鏡。

出現在空中的常闇之鏡，看起來就像天上的另一個太陽。它和依舊對著傾頹殘破的地上廢墟放射明亮光芒的太陽正好相反，是充滿闇黑的異類太陽。它孕育出來的是無限黑暗。

常闇之鏡的鏡面蠢動著，彷彿正為解除永久封印而歡喜得發抖，接著鏡子內部開始吐出黑色奔流。

這時，在魯魯得國營天文台的研究室，巴克桑博士鼻頭掛著眼鏡，視線正落在厚重的書本上。他輕巧地站在用慣的木頭靴子上，置身在周遭努力工作的弟子的擾嚷說話聲中，小手緊握迷你羽筆一邊運筆如飛，一邊打算解讀某個耐人尋味的章節。

突然間，彷彿被誰吼了一聲，博士陡地抬眼，臉上霎時失去血色。

「您怎麼了，博士？」

羅蜜察覺後連忙問。

巴克桑博士茫然張著小嘴。他的目光游移，瞥向窗外。

「糟、糟了。」博士咕噥。接著羅蜜還來不及抱住他，他已從靴子上跌落。

來到修騰格爾騎士團頒佈戒嚴令的嘎薩拉，被迫滯留的飛天馬戲團正忙著準備傍晚的公演。在基爾首長遭到逮捕、分局已失去力量的嘎薩拉，別說是進出城鎮時了，就連在鎮內行動也受到限制，大家都垂頭喪氣畏怯不安。布布賀團長打算利用有限的時間和器具盡量演出熱鬧的節目，替嘎薩拉的人們打打氣。

正當團長盯著帕克他們練習高難度的特技之際，一名團員慌慌張張地跑來找他。

「阿婆說，請團長立刻過去一趟。」

團長雖感訝異，還是急忙趕往阿婆的帳棚。掀起入口的簾子探頭進去一看，阿婆面對著算命用的水晶球，微微瞇起雙眼癱坐著。

「阿婆，有什麼事嗎。」

「封印解除了。」

聽到團長發問，阿婆抬起眼。

阿婆的眼瞳映著水晶球放出的微光。她的聲音在顫抖。

「是常闇之鏡。噢，魔族要來了！」

同一時間，龍島上。龍王正從洞窟的裂縫，仰望被針霧封鎖的天空。別人看不見的標記龍王卻清楚看到了。

伴隨著恐懼，龍王衰老的身體竄過一陣決心的顫抖。

「各位同胞。」

龍王緩緩起身。

「封印解除了，常闇之鏡已在地上現身，戰鬥的時刻到了。現在爲了守護『幻界』，讓我們祈求女神大人庇祐我們的鋼鐵之翼吧。」

群龍的憤怒和嘆息、誓言和決心的咆哮，從島內轟然迸射，連籠罩海上的針霧都受到震動。

這裡是……，是哪裡？

臉頰貼著地面，有塵土的氣味。

小亘睜開眼。平坦的地面，眼前伸出的是疲軟、沾滿塵土的雙手。可是右手依舊牢牢握著勇者之劍。

他用手肘撐地抬起頭來。緊靠在他身旁躺著那個白裙少女，像個壞掉的洋娃娃一樣趴著，鞋掉了一隻。長裙髒得慘不忍睹，和小亘一樣沾滿了塵土。

他們從水晶宮的鏡廳被美鶴轟了出來。小亘試著屈膝而立，眼前冒出金星，他無力地跌坐在地。搖搖頭，再次試著起身。

索雷布里亞的城牆看起來遙遠迷濛。眞不敢相信他們竟然被轟到這種地方來。放眼四周盡是星羅棋布的森林。荒草枯朽、裸露出地面的草原上，隨處可見岩石兀然凸起。

好冷。北方大陸的風撲面颳來。但這是自然的風。

水晶宮變成怎樣了？美鶴又怎樣了？在我昏倒的期間，發生了什麼事？

看不到卡姿。她被轟到哪裡去了？

白裙少女疼痛地呻吟，蠕動手腳。小亘一扭一拐地跑過去，把她扶起來。

「振作點。妳不要緊吧？」

少女茫然地瞪著眼，費了好一番工夫，這才總算把焦點鎖定在小亘臉上。

「這、這是哪裡？」

「索雷布里亞附近。不過，是在連路都沒有的森林和草原中央。」

最後一刻，美鶴叫他「快逃！」是什麼意思。

「常闇之鏡……」

小亘瞥向皇都索雷布里亞那頭，不禁屏息。那團黑霧是什麼東西？它正嗡嗡蠢動著，籠罩著索雷布里亞的上空。

龍還在索雷布里亞上方飛來飛去。他們在跟那團霧戰鬥——現在，正有一隻被霧纏住，不支墜地。

小亘不顧一切，拔腿就往索雷布里亞跑，同時對空舉起勇者之劍，射出魔法彈。

「喬佐，喬佐，你在哪裡！」

連續射出多發魔法彈後，天空的低處出現一個紅點。是喬佐，他正朝這邊飛來。速度好快！一團黑霧緊跟在他身後窮追不捨。

「喬佐！我在這裡！」

小亘邊跑邊揮舞雙手大聲呼喚，可是瞬間，他不禁愕然駐足，因爲隨著喬佐的接近，他終於看清那團追著喬佐的黑霧是何模樣。

翅膀，長著漆黑的翅膀。數量怎麼會這麼多！每一個都跟人一樣大，但卻有鉤爪銳利的手腳，和瘦骨嶙峋的身體，而且全身上下都是黑的。

這些傢伙就是魔族嗎！

「小亘！」

喬佐筆直滑翔而來，隨即降低高度幾乎掠過地面。

「上來，上來，快點上來！」

眼看小亘就要撞上喬佐的翅膀，幸好他及時一頭跳到喬佐身上。落腳的同時，他緊抓著翅膀根部，後座力使得喬佐的身體晃動，腳差點踩到地面。

「還有她！讓那女孩也上來！」

白裙少女還癱在剛才的位置。小亘探出身子趁著喬佐掠過她身旁時，用雙手把她抱起。

少女的上半身靠在喬佐背上。這時，追來的魔族之一，伸出噁心的手臂抓住少女的一隻腿，弓身向前的小亘和魔族臉對臉碰個正著。

是骸骨，黑到心子裡的骸骨。咯咯大笑的骷髏頭，眼睛的地方只剩兩個空洞，該有嘴唇的地方，只裸露出那一塊白得異樣的整排大牙。每一根手指與其說是瘦骨嶙峋根本就是骨頭。他一邊拍翅，一邊發出像摩擦金屬般的高亢聲音。腿被抓住的少女，被這麼猛力一扯後，回過頭來看到魔族，這才發出淒厲的悲鳴。小亘一手抓著她在空中擺盪，一邊扭動身體揮起勇者之劍。魔族的胴體只見一層污穢的皮膚下包裹著成排粗大的肋骨，他瞄準肋骨之間的縫隙一劍刺出。

魔族不像在喊叫，倒像是在嘔吐似的濁聲亂噴，一邊放開少女的腿。小亘把少女拉到喬佐背上，再次揮劍砍向依然緊追不捨的傢伙。

「喬佐，快上升！甩掉他們！」

喬佐猛然升高高度。自從在悲嘆沼澤被小亘砍斷尾巴尖，喬佐的尾巴變得半長不短，現在正有兩隻魔族咬住他的尾巴尖端不放。小亘揮起勇者之劍將他們砍落，朝著後方大批追兵射出魔法彈。光彈一命中目標，魔族頓時哇哇大叫四散奔逃，距離也因此拉開。

「喬佐，快噴火！」

喬佐張開翅膀，把頭扭向成群的魔族。「小亘，快趴下！」

火焰奔流緊貼著小亘臉蛋旁邊飛過。魔族被射個正著，在烈焰包圍中冒出縷縷黑煙墜落而去。追趕而來的魔族開始畏縮卻步。

「喬佐，大家在哪裡？」

「咪娜和奇．奇瑪跟族長他們在一起。」喬佐猛喘大氣。「因爲我太累了差點掉下去。啊，怎麼辦，小亘。」

七柱群龍還在索雷布里亞上空。剛才好像有一隻掉下去，不曉得怎樣了？

喬佐累壞了，身上到處都流著血。他的眼中溢出淚水，飛得也很不穩定，忽上忽下地蛇行。

白裙少女嚇得全身僵硬，只有嘴角不停哆嗦，看來連話都說不出來了。

「喬佐，你載這個女孩到那個森林。」小亘指著前方右手邊茂密的叢林。

「只要在森林降落就能躲開魔族的追捕。在我跟大家會合之前，你就躲在那兒別動，知道嗎？」

喬佐的淚珠串串滴落。「呃，嗯。對不起喔小亘。那你要怎麼辦？」

「我不要緊。快，快逃吧。」

小亘再次向勇者之劍祈禱。帶我去找咪娜，把我送到搭載咪娜的那隻龍背上！

瞬間移動成功了。回過神才發現，小亘已經跳到七柱之一，頭頂戴著雞冠型頭冠的族長背上。咪娜本來緊抱著龍的脖子，發現小亘後連忙跳起，飛奔過來。

「咪娜，妳有受傷嗎？」

「我、我沒事！」

她臉色蒼白哭了出來。

「你、你看那個，小亘。看那個！」

於是小亘看到了。靠著一雙巨大翅膀飄在空中的常闇之鏡，以及從中湧出的黑色魔族軍團。那是源源不絕的惡意之泉，覆蓋了索雷布里亞上空，飛向東西南北四面八方。

飛向整個幻界。

載著小亘兩人的龍族族長，果敢地試著朝常闇之鏡飛去。他噴著火，揮動強壯的翅膀，擊落逼近的魔族。可是終究寡不敵眾。

「這樣不行，無法接近常闇之鏡！」

「可是……就算一擊也好，一定要給它一點顏色！」他強韌地彎著長長的脖子，甩落咬著他不放的魔族。

「先逃走再說吧。寡不敵眾，先保護下面的人們避開魔族，呼籲他們逃進森林，然後我們也躲進森林吧！」

「眞不甘心！」

龍族族長露出利齒低吼，連續吐出大型火球逼退魔族後，隨即轉換方向。小亘在他背上站起來，用盡全身力氣放聲大喊。

「各位，快去森林！先撤退！否則這樣下去會全軍覆沒！」

「小亘！」

奇．奇瑪在另一隻靠近的龍背上，一邊揮著巨斧，一邊用嘶啞的大嗓門回應。這是事態演變至此小亘第一次聽到依然抖擻的聲音。奇．奇瑪身後還坐了好幾個受傷的索雷布里亞居民，他挺起龐大的身軀保護畏縮的人們，一邊揮斧斬落那些像煩人的小蟲一樣叮著不放的魔族，一邊破口大罵。

「你是哪來的小渾蛋！像你們這種敗類就該這樣對付！這樣，這樣，這樣！」

一隻魔族發出含糊的悲鳴，從頭被砍成兩半。可是如果仔細看奇．奇瑪的肩膀和上臂也已傷痕累累。

「森林！去森林！」

「知道了！」

覆蓋眼前整個視野的無數魔族，密密麻麻地在天空穿梭。小亘一邊呼喊卡姿的名字一邊繼續飛，一隻又一隻撤退的龍背上都看不見她的身影。說不定是恐懼和焦慮使得目光倉皇，明明就在眼前卻視而不見。冷靜，我要冷靜。小亘用魔法彈擊退來襲的魔族，咪娜替龍指點方向。這時，他看到前方的瓦礫堆間，卡姿正在揮鞭的身影。她在保護索雷布里亞的居民。一人倒下，另一人縮著身子。而且是小孩！

「卡姿姊，這邊！」

小亘一邊滑翔接近卡姿，一邊射出魔法彈掩護她。卡姿奔過瓦礫一邊往下跳，一邊忽左忽右地揮舞鞭子。從四面八方來襲的魔族被卡姿一鞭打中，頓時可笑地翅膀斷裂，腦袋落地。

小亘讓龍低空盤旋，自己跳到卡姿身旁。咪娜立刻用尾巴捲著龍的翅膀，身體懸空用雙臂抱住其中一個小孩，一個翻身就將小孩抱到龍身上。接著又是另一人。

「孩子們沒事，都坐上來了！」

聽到咪娜的聲音，小亘回顧卡姿。「卡姿姊妳也快點！」

「等我把這些傢伙收拾掉！」

她咻地水平甩出鞭子，擊落前方的魔族。卡姿的右眼已經完全血肉模糊。左手的情況也不太對勁，看來幾乎無法動彈。也許是被美鶴的魔法轟出鏡廳時受了傷。

「交給我處理！妳快坐上龍背。」

小亘抓著卡姿的背心後背，用力一扯。

「你幹什麼！」

「快上去！」

他用勇者之劍制服那些露出獠牙飛撲而來的魔族。龍族族長噴著火，趕走前方那一群。

卡姿爲了坐上龍背把鞭柄咬在嘴裡。她的左手已經使不上勁。全靠右手撐起身體。小亘一邊將魔族驅散一邊全身冒冷汗。

「撐著點，卡姿小姐。抓緊！」

咪娜抓著卡姿手臂。這時孩子們在咪娜背後發出悲鳴。兩隻魔族突然從死角衝出，攀上龍的身體冒出臉孔。

「咪娜，小心後面！」

卡姿情急大叫，鞭子頓時從口中掉落。卡姿來不及去撿，躍上龍背，便赤手空拳地撲向魔族。她抬腿踹落其中一隻，緊抱住另一隻。魔族雖被卡姿推著一路後退，卻露出利齒，抓住瞬間機會，一口咬住她的脖子。鮮豔得令人驚愕的鮮血啪地狂噴出來。

「你幹什麼啊，你這豬頭！」

卡姿狂怒之下右手掐著魔族脖子。咪娜也猛踹魔族身體，用爪子抓花他的臉。卡姿失去重心頹然倒下，魔族竟然又趁勢壓在她身上。

「色狼！」

卡姿大叫一聲，光用右手就扭斷魔族脖子，順手摘了下來。失去腦袋的身體，從龍的身上滑落。小亘對著逼近龍四周的大批魔族不停發射魔法彈，然後立刻跳到龍背上。

「好了，飛吧！」

龍騰空而起，咪娜緊緊抱著哭叫的孩子。小亘爬到仰天倒下不起的卡姿身旁。

卡姿還抓著她扭下的那顆魔族腦袋。她把那玩意兒拿到臉前一看，

「離帥哥還差得遠呢。」說著咋舌隨手一扔。

「竟敢吻我的脖子，也不去照照鏡子看看自己什麼德性。」

她脖子上的傷口很深，血汩汩流個不停。小亘脫下上衣，揉成一團替她止住傷口。鮮紅的血逐漸暈染了被塵土煤灰和汗水弄髒的上衣。相對的，卡姿的臉頰也逐漸失去血色。

「我好得很。你幹嘛那副表情。」

說著咧嘴一笑，卡姿就帶著那豪放不羈的笑容，突然昏了過去。

原本應該是七柱的龍隊變成了五柱。喬佐橫躺在地，發出痛苦的鼾聲睡著了。

小亘他們逃入的森林中，也躲著索雷布里亞的人們。不曉得有多少人獲救——頂多只有二、三十人，其他的地方應該還有逃過一劫的人吧。

擁有百萬人口的要塞都市，短短半天就變成這副光景。

沒有人毫髮無傷。有人連坐著都有困難，也有人朝天空睜著空虛的眼睛，不管誰跟他說話他都沒反映。一個小孩正在安慰另一個哭泣的小孩。

即使想包紮傷口，也沒有藥。群龍雖也滿身瘡痍，只能舔舔傷口先止血再說。他們頹然垂首收起翅膀，閉著眼睛。

已過黃昏，夜色慢慢逼近。唯有細如絲線的新月是唯一光源。森林裡籠罩著彷彿深海海底的靜謐，以及令身體動作遲緩、如同水壓的沉重悲哀。

北方大陸的針葉樹林密密麻麻長滿了深綠色尖葉，在寒氣中彷彿縮在一起取暖似的並肩聳立。如果光從上空眺望和南方大陸豐富的森林景色比起來，大概會覺得欠缺色彩和趣味，看起來單調陌生吧。可是現在多刺樹枝的樹林，好像正努力張開手，盡力保護著小亘他們。他們是寒冷國度的沉默哨兵，把逃來此地的人們藏在懷中，若無其事地將靜謐的臉孔朝向天空。

有時，仍會傳來魔族飛過森林上空的拍翅聲，但都是零散的，看來他們的進攻已經暫時結束了。那些奇形怪狀的怪物在黑夜裡不便行動嗎？或是需要時間休息？又或者他們只是藏身在黑暗中，伺機而動？

「等休息夠了恢復體力後，就暫時先回我們島上吧。」

龍族的族長們向小亘如此提議。

「封印解除時，龍王大人一定已有所覺，做好了應戰準備。說不定有些夥伴已經朝這裡趕來了。」

「不管怎樣，總之目前的情勢根本無能為力。」

咪娜和奇．奇瑪，穿梭在傷患之間招呼大家。其中似乎有人熟悉地形，咪娜回來之後說：「聽說附近有泉水。穿過森林往西走有座岩山，他們說如果躲在那裡的洞窟，應該會比這裡更安全。能不能在天亮之前，設法帶大家逃到那裡呢？」

如果要移動，最好趁現在魔族停止活動（不論是基於什麼原因）的時候進行，說不定這是森林裡的人活命的唯一機會。

「也好。把這裡的人平安送抵洞窟後，我們也回龍島去吧。然後，還得回南方大陸，因為我們得盡快通知大家這個消息，做好迎戰魔族的準備。」

聽了奇．奇瑪的話，小亘點點頭。可是心中卻有問號，懷疑這樣是否來得及。不，現在沒空管這個了，就算來得及，那又怎樣？縱使集結整個南方大陸的高地人，聚集所有的修騰格爾騎士，恐怕也不是魔族的對手吧。

已經，完蛋了——這句話，在嘴唇裡面顫抖。他沒能守住常闇之鏡的封印。他失敗了。

一切都已結束了吧。背部倚著樹林，他感到體內逐漸漲滿了絕望。

好想拋開一切就這麼逃走，在地上挖個洞躲起來。反正小亘已經沒有時間了。

他輸給美鶴了。這次是決定性的敗北。

「小弟……」

有人有所顧忌地呼喚他。仰臉一看一名矮小的老人正望著他，身上的衣物破破爛爛，頭髮也燒焦了。

「有事嗎？」

「那邊那位你的同伴……」

說著，他悄悄轉頭朝那頭草叢的方向看了一下，卡姿正睡在雜草中。

「她叫我喊你過去。」

小亘手撐著樹幹，勉強站起來。一個踉蹌，老人連忙扶住他。

「謝、謝謝。」

「哪裡哪裡。你能走嗎？」

小亘自己也有數不清的小傷。不知是否扭到了，左腳腳踝陣陣刺痛。

老人壓低聲音說：「雖然我不是醫生，但我年輕時在帝國軍當過衛生兵。多少還看得出傷患的情況。」

小亘看著老人的臉。

「你的同伴情況似乎不太樂觀。這樣下去恐怕……」

他不由得抓住老人的手臂，停下腳步。老人沉默無語，輕拍小亘的手臂安慰他。

「難道眞的沒辦法了嗎？我想救她。」

「她傷得很重，出血過多，已經回天乏術了。看樣子她自己似乎也已察覺。」

所以才會喊小亘嗎？

可以的話他眞不想面對那個現實。他不想知道。小亘本來就已跛著腳，他的步伐步步沉重。

即便如此，走著走著還是看到了躺在草叢下的卡姿。

她的身上蓋著不知是誰的襯衫。傷口用撕開衣物權充的繃帶包裹著，旁邊還陪著一個老婦人。

「那是我內人。」老人說。「我們倆能夠逃到這裡多虧你們的幫助。」

卡姿的臉色比月亮還蒼白。小亘悄悄走近拉起她的手。那隻手變得比森林的露水還冰冷。

卡姿清醒地睜開眼，眼眸一動，看著小亘。光是這樣小亘就好想哭出。

「喂，你沒事吧？」

還是卡姿平常的語氣，只是沒了氣力。

「嗯。我還好。」

小亘說著，對她做出一個笨拙的笑容。

「妳也是，雖然掛了一點彩，不過不會有事的。」

呵呵，卡姿好像被人搔癢似地笑起來。

「這個嘛……看來這次恐怕不行了。我自己知道。」

她的語氣很平淡，不是因爲身體虛弱。卡姿非常安靜，要是換做平常，就算她不動的時候、就算她只是坐在分局的椅子上，體內的血液也是騷動不安的。她應該是那樣的人才對，可是現在卻沉靜下來了。

「妳別說這種喪氣話嘛。」

小亘故意吐槽說。

「只要休息一晚就會恢復精神了。等我們回到龍島再請人幫妳療傷。好嗎？再忍耐一下就行了。」

卡姿鬆開小亘握著她手指的指頭，舉起那隻手輕觸小亘的臉頰。

「對不起。」她溫柔地低語。

「是我勉強你，把你帶來這種地方。結果卻一件事都辦不好。」

「這不是妳的錯。」

聲音無可救藥地顫抖，眼睛深處發熱。

「事到如今，先走一步的我……好像沒資格請求你原諒……」

「妳別說這種話！」

卡姿向小亘露出微笑，緩緩撫摸他的臉。

傳來踩過草叢的腳步聲。本以爲是咪娜，扭頭一看原來是那個白裙少女。她的雙手緊抱身體悄然佇立。

「皇帝他死了吧。」卡姿的聲音嘶啞。

「嗯。」

倒在美鶴身旁，在常闇之鏡的大廳，的確死了。

背後的白裙少女垂著臉。

「可是我的計畫……算不上成功。連鞭子都搞丟了。」

卡姿的手指輕觸小亘臉頰。那柔滑的觸感，小亘以前竟然一點也不知道，她是個雙手如此溫柔美麗的人。

「說不定是我犯下了大錯……不只是這次，從很久之前就錯了好多次。」

小亘本想否定，卻又閉上嘴。卡姿不是在對小亘說，她是對著心中浮現的另一個人說話。她的眼神好遙遠，早已飛回南方大陸了。她的耳朵或許正聽見嘎薩拉鎮令人懷念的喧嚷聲。

「卡姿姊，妳是我的分局主管。」

小亘說著，把自己的手疊在卡姿的手上。

「妳是個了不起的高地人。妳向來就是忠於任務，稱職地扮演著幻界護法使者啊。」

卡姿微微一笑。

「謝謝。」

她的眼眸中倒映著小亘的臉。

「小亘。你一定要……活下去。你絕不能死。」

小亘點頭。眼淚奪眶而出成串滑落。

「你的旅程還不算、結束。」

千萬不能放棄喔，卡姿說。說到最後，聲音已經夾雜在急促紊亂的呼吸中，幾乎聽不清楚了。

剛才那位老人和陪伴卡姿的老婦人並肩而立，靜靜地屈膝彎下身子。

「我們夫妻是承蒙你們救助的索雷布里亞居民。妳聽得見嗎？」

卡姿微微動了一下脖子，視線轉向他們臉上。

「妳現在將要奉召前往女神大人座前，在妳投胎轉世的時刻來臨之前，妳將會化爲光芒照耀幻界。」

卡姿閉上眼，做個深呼吸後，用沙啞的聲音低語：「是，我已做好心理準備了。」

「啓程離開地上前，妳想禱告贖罪嗎？如果想的話，我們應該可以幫上忙。」

卡姿點點頭。嘴唇顫動，好像是在說拜託你了，可是發不出聲音。

老人拉起卡姿的一隻手，然後把自己的一隻手放在胸口。老婦人也同樣一手撫胸，空著的另一隻手輕輕放在卡姿額頭，彷彿是在撫慰她。

「吾等，身爲女神之子，遠離地上塵芥，如今將升天至神的面前。」

沉穩的禱告聲，從老人口中源源而出。

「身爲吾等祖先起源的聖潔之光啊，請引導我們，爲這個啓程者，照亮昏暗的腳下，滌淨污穢，將聖潔的靈魂迎向天空。」

老婦人撫摸著卡姿的亂髮。

「幼小的孩子啊！地上的人子啊！妳懺悔違背過神的意旨嗎？」

卡姿閉著眼，微微顫動下巴點頭。

「妳懺悔有時與人爭鬥，有時惡言爭論、競逐虛僞，受蒙愚煽動，犯下諸多人子之罪嗎？」

卡姿再一次點頭。

「妳懺悔有時虛僞，放縱己欲，背棄過神賜與人子的榮光嗎？」

卡姿第三次點頭。老人也跟著用力點頭彷彿在鼓勵她。

「在此深自悔改吧！妳在地上的罪已獲赦免。安息吧，人子啊。受召而去的妳，將被永久之光和安穩包覆。維斯那·艾斯塔·荷里西亞。人子的壽命有限，生命卻將永遠。」

卡姿的眼中，滑落一線淚水。沿著眼角，流進她的黑髮中。

小亘的手中，卡姿原本觸摸小亘臉頰的那隻手，頹然失去力氣。

她的臉上帶著淺笑，雖然傷痕累累，但卡姿面容安詳宛如熟睡，就這麼嚥了氣。

老人的眼睛也濕了。老婦人一邊哭，一邊久久不停地溫柔撫著卡姿額頭。隨著他們的唱和聲，小亘也低語：安息吧，人子啊。安息吧。

第五十一章
「旅人」之路

他既不想看到別人流淚，也不想被人看到自己流淚。小亘獨自踱向森林的出口，走進樹蔭下，躲開新月細瘦的視線，放聲哭泣了一會兒。

心就像泡了水的濕衣服，明明已用雙手抱著拼命扭乾了，淚水還是不斷湧出。好沉重好痛苦，幾乎已無法支撐了，卻又不能丟出去。

如此沉重的悲傷究竟是打哪兒來的？

和離家出走的父親在公園重逢時，當然也很悲傷；當媽媽和那個叫做理香子的女人爭吵，他想逃離躲到床底下時，心裡也好悲傷。後來，魯伯伯來找他，當他看到伯伯一邊試著安慰他一邊哭出來時，他傷心得以爲再也不會有比這個更悲傷的事了。

是的。當初小亘就是因爲不想再悲傷下去，爲了改變命運，才會來到「幻界」。沒想到在這個幻界，現在他卻哀傷得幾乎心碎，如此放聲大哭。

早知道如此，還不如打從一開始就什麼都別做。就算在現世默默忍耐，結果可能也是一樣吧。不管去哪裡悲傷都如影隨形。無論過了多久，悲傷依然不會消失。心只有一顆，出生的時候就被賦予，之後既不能更換也不能修理。能夠源源補充的恐怕只有悲傷吧。長此以往，到底要把更多的悲傷往心中哪裡放呢！

哭了一陣子，他幾乎感到窒息。雙臂環抱樹幹，臉頰壓著粗糙的樹皮，就這麼靜止不動直到呼吸平靜爲止。

——我的命運。

試圖改變，卻又撞上新的悲傷。如果再試著改變，前面不曉得還會遇上什麼事。

——應該改變的、應該改變的、是我的命運、是我的命運！

——到底怎麼會變這樣？

在這可能遭到魔族毀滅的幻界一隅，我應該怎麼做？

踩著雜草的細微腳步聲接近，小亘抬起頭，連忙用手背擦拭眼睛四周。

是咪娜，果然也是滿臉淚痕。

「原來你在這種地方。」

一旦出聲，恐怕又會像決堤似的啜泣不止吧。那是在嘆息中只伴隨了一點點聲音的，很小很小的招呼聲。

「嗯。」

「我也……去跟卡姿小姐道別過了。」

咪娜的眼裡是森林的夜色。現在我的眼睛看起來一定也是同樣的顏色吧，小亘想。爲了不讓我們在彼此眼中發現失去卡姿的傷痛、一切終告失敗的失落感，森林好心地掩蓋了我們。

「大家呢？」

「在休息。」

「那就好。」

小亘突然想藉故離開。

「把索雷布里亞居民送去洞窟之前，我先去偵查一下，說不定還有人活著。要是被遺忘了那未免太可憐。」

咪娜搖頭。「不會有任何人了。」

「可是總得確認一下。」

「你要去哪裡偵查？回皇都太危險了。」

「我會小心的……」

話還沒說完，奇．奇瑪龐大的身影已經緩緩出現在咪娜身後。他的表情依舊凍結著。一切都太冰太冷，他已經累壞了。酷似蜥蜴的水人族皮膚似乎出現了不該有的皺紋。

小亘想。無論何時，卡姿的熱情總是帶給我們雄心萬丈，有這種本領的人少之又少，再也無人能取代卡姿了。

奇．奇瑪開口說：「要去偵查？那好，我也去。」

他的耳朵好尖。小亘嘆了一口氣。

「我想回皇都的城門附近看一下。說不定還有人被困在那裡動彈不得。」

「那倒是。」奇．奇瑪抓起揹在背上的斧頭柄，倏然緊握。瞥向咪娜說：「我們是高地人。就算在北方大陸我們的職責也不會改變。」

咪娜低著頭。

奇‧奇瑪說：「如果是卡姿一定會這樣做。她會提議去檢查一下有沒有人來不及逃走。所以我……」

咪娜的眼角眼看著逐漸蓄滿淚水，奇‧奇瑪將大手放在她肩上。

「妳怎麼打算？如果妳要留在這裡負責守衛，那也可以。」

「我跟你們一起去。」咪娜猛然抬起下巴回答。幾滴淚珠順勢滑落臉頰，閃閃發光。

「好，那我們要謹慎行事。現在雖然好像很安靜，但魔族那些傢伙可是有翅膀的。誰也不知道他們正從哪裡偷窺，最好盡量選擇往暗處走。頭要放低。」

「奇‧奇瑪你自己才是最顯眼的。誰叫你塊頭這麼大。」

「好啦好啦。」

幽微的新月光芒。似乎在小亘他們環顧周遭時照亮四方，當他們藏身在草叢和灌木叢中時，纏裹雲層刻意降低光度。雖然我身在如此高處，什麼忙也幫不上，但我最起碼是站在你們這邊的喔！它彷彿如是說。

皇都崩塌的城牆，本身似乎就已變成巨大的石頭海嘯，勾畫出迂迴的曲線。這是破壞創造出的怪異再生。用爬行的速度一邊緩緩接近一邊眺望著，甚至會懷疑，這該不會是基於皇帝個人品味打從一開始就造成這種形狀吧。

「看不到常闇之鏡耶。」

咪娜瞇起眼囁嚅。

「本來應該浮現在天空的那一頭，水晶宮原先所在的位置。」

咪娜說的沒錯。或許連新月，也不想照亮那種不祥之物。

「可能是被夜色遮掩了吧。」

飄來火場遺跡的氣味。火終於滅了，在夜風中感受不到熱氣，只覺得好冷，卻又帶著一股令人作嘔的惡臭。

惡臭的原因之一，應該是屍臭吧。瓦礫堆下，火場遺跡中，不曉得有多少具遺骸。

美鶴一個人，就奪走了數不清的人命。雖然他明知會有這種結局，卻不肯改變方針。也不肯稍微動動腦筋撿選手段。

枯草在鞋子下面沙沙作響。

「我當時被美鶴轟走昏倒了，所以沒看到。」

小亘唐突地開口。奇．奇瑪和咪娜都停下腳步。

「沒看到什麼？」

「剛才我聽見索雷布里亞居民的談話。他們說在常闇之鏡現身前，看到水晶宮的中央尖塔，朝天聳起筆直的光筒。還說也看到像柱子的東西。而且有個小小的人影在裡面拾級而上。」

咪娜逃避似的轉身背對他，眼睛瞥向森林。他們已經離得很遠了。草叢和灌木，在夜風中搖曳。

「那個——你們倆看到了？」

奇．奇瑪邁步走出，來到小亘面前巡視四周後，方才回答：

「看到了。」

「看起來的確是朝著天上攀昇。」

「噢。」

說完，彷彿要甩除什麼，奇．奇瑪刷地揮斧。

「可是，就算是這樣也不能確定美鶴是否真的順利抵達命運之塔。我要是女神大人，像他那種傢伙，我一定會把他攆出去。把幻界搞成這樣，虧他還好意思實現自己的心願。」

這番話，刺激了小亘的片段記憶。沙卡瓦鄉的長老說過，跑得快的人，不見得能夠搶先抵達命運之塔。

事到如今才在這裡想起來，或許已是於事無補的空虛慰藉。

小亘仰頭，望著夜空。透明如網的淡薄微雲，緩緩越過新月前方飄去。還有，閃爍紅光的北方凶星。它仍在那裡。沒有消失。「哈爾涅拉」還沒結束，人柱尚未選定。

至今尚未。這是更殘酷的保留。

突然間，咪娜壓低了嗓門叫喊：「誰？是誰在那邊？」

小亘和奇．奇瑪都提高戒備轉身回顧，小亘拔出了勇者之劍。

三人後方，以奇．奇瑪的步伐大約十步距離之處，矗立著扭曲糾纏的枯瘦樹叢。樹叢後白色洋裝的裙襬蕭瑟地若隱若現。

「是那個女孩。」小亘抬手制止奇．奇瑪，對著白色洋裝呼喚。

「妳在做什麼？」

少女僵著臉一露面，便用雙手摀著嘴蹲下。小亘連忙跑到她身邊。

「妳爲什麼跑出森林？」

「你、你們要去皇都吧？」

少女渾身哆嗦。這件洋裝擋不了寒氣，她的牙根微微作響。

「請你們帶我一起去。說不定有人，城堡的人還活著。」

小亘遲疑了一會兒，然後脫下自己的外套遞給少女。本想替她披上，但少女的身材比小亘高出太多。

「我們只是去城牆附近看一下，如果進不去只能死心放棄。」

「那也沒關係。」

少女顫抖著，把小亘的外套披在自己肩上。雖說是紳士風度，但這次輪到只剩一件襯衫的小亘幾乎被寒意凍僵。

「妳沒聽見大家在森林中的談話嗎？水晶宮已經不存在了。聽說是被常闇之鏡吸進去了，城裡不可能還有人倖存。」

少女蒼白的臉頰因爲寒冷、恐懼與孤獨，起了雞皮疙瘩。但當小亘轉身回到奇．奇瑪他們那邊時，她還是一起邁步跨出。

加起來變成四人，咪娜走在最後面，她一直凝視著白裙少女。然後邊走邊從後面喊她：「喂，妳是城裡的人？」

少女有點畏縮。沒回話。

「妳那身衣服可是高級洋裝耶。妳是貴族？」

少女依舊無語。大概是察覺咪娜的話中帶刺吧。

「妳的身分一定很高貴吧。那妳能不能告訴我？皇都被破壞得亂七八糟時，皇帝的軍隊到哪去了？現在又在哪裡？為什麼不來幫助國民？」

小亘還來不及阻止，奇．奇瑪已經先插嘴：「戈萊姆巨人肆虐時，可以看到從城內出來好幾隊騎士團。不過他們完全不是對手，一下子就被踩扁了，就算還有剩下的部隊守衛城堡，當常闇之鏡出現時，恐怕也一起……」

咪娜不待他說完就咄咄逼問。

「那，其他的軍隊呢？北方皇帝的直屬特種部隊席格朵拉呢？他們上哪去了？妳知道嗎？」

在常闇之鏡的鏡廳看到的景象，使小亘早已猜出少女的身分。這個人大概就是皇帝嘉瑪．阿格里亞斯七世的女兒，應該稱呼她公主才對吧。

而且，她和美鶴在現世命運坎坷的年輕姑姑長得一模一樣。

就像小亘遇見長得跟爸爸和理香子一模一樣的人，美鶴也遇到了現世親友的分身。臨去之際美鶴對公主撂下的那番話，小亘不太明白意思。遭到不當傾斜的幸福之秤？這是什麼意思。小亘在悲嘆沼澤邂逅的那對偷情男女，和現世的爸爸及理香子，基於同樣的理由幹著同樣的勾當。可是，這跟何者比較幸福或不幸無關。美鶴在美鶴的幻界裡，究竟遇到了些什麼人，經過何種見聞，是怎麼想的呢。

「席格朵拉，不是軍隊。」

公主終於用低得幾乎消失的聲音回答。

「所以在這種時候……」

「派不上用場？哼。」

咪娜搶先打斷她的話，發出嗤之以鼻的聲音。

公主像躲在奇·奇瑪背後似的走著，她的嘴唇顫抖，縮著身體。

「守衛城堡的近衛騎士團，如果按照這位先生所說，想必早已全軍覆沒了。阿賈將軍率領的帝國軍精銳部隊，不巧離開了索雷布里亞。或許現在正朝這邊加速趕來，但是如果在半路上遇到魔族，一定會就地戰鬥。」

「妳想說他們應該會爲了救助國民而戰？」咪娜的語氣，不懷好意地尖銳起來。「即使索雷布里亞已經毀滅了？即使皇帝也已經死了？從今以後，誰來掌管統一帝國，對帝國軍發號施令？」

如果按照血統，這位公主正是應該挑起擔子的人。或許正因爲她自己也明白這點，才會想去搜尋城堡的倖存者。

「別這樣，咪娜。」

奇·奇瑪委婉地勸她。

「妳的心情我懂。不過，現在還是算了吧。」

「什麼東西算了？我只不過是問個問題而已。」

「我就是叫妳別再問下去了。萬一嗓門太大，小心會被魔族發現。」

城牆的殘骸已清晰可見。矗立在前方，擋住視野。城門所在的位置，應該要從這邊再往東——

有一條大馬路，應該一看就知道吧。可是，他們不想貿然現身在如馬路般開闊的場所。

「又不能爬上去。我們姑且先沿著牆邊走，找找看有沒有哪裡進得去。」

這次由奇．奇瑪殿後，小亘領頭。公主緊跟在小亘手肘後面。或許是因爲這樣吧，咪娜身上朝她放射出來的敵意，輕易地屏除夜晚的冷空氣，直達小亘這邊。

「剛才……替卡姿小姐禱告的那對夫婦說……」

咪娜發話了。奇．奇瑪和小亘，正忙著窺視瓦礫縫隙，或是豎起耳朵，搜尋活人的動靜，她卻似乎忘了自己的任務。凝重的小臉，瞪視著公主纖細的背部。

「大約十年前，他們的孩子帶著孫兒，逃往南方了。那對夫婦說，他們也一直在找機會逃往南方。我這才明白。那段禱詞，是獻給女神大人的禱詞當中的一段。我本來還在奇怪，那好像不是北方老神教信徒該說的禱詞。」

跟我的家人一樣。突然變得很小聲。

「生活在統一帝國的人，即便比較好命得以住在皇都索雷布里亞，其實還是很痛苦。眞正享受到的，只有皇帝一族，和他們的跟班。國民全都飽受折磨。結果這樣還不夠，現在，連常闇之鏡的封印都解除了，別說是北方大陸，整個幻界都陷入危險。那種皇帝，根本派不上半點狗屁用場！就連現在，我看他搞不好早就自己拍拍屁股開溜，在哪兒躲起來了吧？」

公主似乎忍無可忍，轉身對咪娜說：「我父親死了！」

「父親？」奇．奇瑪瞪大了滴溜溜的眼珠。「那，妳是……」

「嘉瑪．阿格里亞斯七世的女兒，我叫佐菲。」

少女帶著顫慄，毅然立正，來回看著奇．奇瑪和咪娜的臉。

「我就是皇位繼承人。父皇現在既然已死，我就有責任保護國民、指揮大軍。」

可能是太意外了吧，咪娜張口結舌。不過，她立刻站直身子，灼灼目光變得更加好鬥。

「那麼，妳還賴在這種地方幹什麼！妳應該趕快去做妳該做的事！」

小亘插入兩人之間打圓場。

「好了啦。」

「可是！」

「這種語氣，太不像咪娜的個性了。」

彷彿被潑了一頭冷水，咪娜的表情萎縮了。眼中的怒火也消失無蹤。

「就算貴爲公主，在這種狀態下孤身一人，束手無策也是無可奈何的。你不覺得嗎？」

奇．奇瑪小聲地嗯了一聲。咪娜憤憤不平地背過身子，尾巴尖順勢打到小亘的側腹。

奇．奇瑪仰望如波濤起伏的城牆殘骸。

「重點是，我們到底要走到哪裡？我覺得進城還是太危險了。」

「就算一下子也好，能不能爬上城牆窺探一下？」

「這裡太高了沒辦法。不曉得有沒有崩塌得更嚴重的地方。」

他們再次沿著城牆邁步走出，過了一會兒，傳來咻咻的顫動聲。霎時，他們還以爲是人的哭聲，可是豎起耳朵再仔細一聽，似乎只是風聲。

「可是這聲音好怪。說不定是哪裡出現了風洞。」

是那個嗎？奇．奇瑪說著指向前方。城牆崩塌而成的瓦礫，高高在眼前堆起。燒焦的樑柱殘骸，就像殘渣剩飯裡的魚骨頭，朝著四面八方胡亂刺出。或許是因此形成空隙，才會讓風呼嘯鑽過。

「能不能踩著那個爬上去？」

走近後一踩上去，瓦礫頓時倒塌。就好像是在爬沙堆。

「奇怪了……」

房屋和建築物的殘骸，應該再堅固一點才對。那這些沙子泥土碎石堆究竟是什麼？

他赫然醒悟。是戈萊姆。這樣一堆，應該就是一具戈萊姆，在魔法解除靜止不動後的屍骸吧。美鶴的話活生生地浮現腦海。每一具戈萊姆，需要一個人當「素材」。破壞皇都的石頭巨人，說穿了不過是被美鶴利用的犧牲者。

「小亘。」咪娜拽住小亘的袖子。「那裡面……是不是有東西在發光？」

朝咪娜指的方向湊近一看，戈萊姆遺骸化成的泥砂土塊的縫隙間，的確有小小的光芒在閃爍。

難道是……不，那怎麼可能。當小亘帶著猶豫，抓住勇者之劍的劍柄時，那個光芒頓時變大、變強，璀璨地照亮他的臉。

光芒飄然浮起，接近小亘。

沒錯。這次小亘鎮定地拔出勇者之劍，舉到眼睛的高度。

藏身在寶珠中的精靈，對著他的心開始說話。

——我在永恆的監牢中已經孤獨地等候多時了。「旅人」啊。

聖潔的光幕，在小亘面前展開。簾幕開啓，浮現一名身裹銀白色曳袖長袍，用同色薄紗覆蓋頭髮，高眺修長的男子。

是第四顆寶珠。在這種走投無路的狀況下，無底的絕望中，寶珠依舊沒有放棄小亘。

——我是掌管人們求眞、互惠與友愛的信義精靈。在這北方大地，雖有人滿腔熱血，長久以來卻遺忘了應該互相尊重諒解的正道。我被迫埋在凍土裡，在岩石的環繞下陷入沉睡。

小亘向精靈致敬，單膝跪地，穩穩地仰起臉。

——勿賭命冒險，勿奪人性命，信義所在處，有親愛伴隨寬恕，有寬恕之處才有難能可貴的眞正平等。沉迷私慾，只求安樂，逸出人道正軌易如反掌。人心軟弱，往往在不知不覺中違背正道。但是，那種以爲萬人墮落處乃天上極樂的說法，其實是虛僞的慰藉之詞。「旅人」啊，對於阻擋你去路的人，要本著信去寬恕。不過，如果那人的腳步違背眞理，你要秉持著義去阻止他。

第四顆寶珠，如貴客光臨翩然降落，收入勇者之劍的劍鍔。勇者之劍霎時發光，把強大的波動送進小亘身體。

「這、這是……」

奇．奇瑪掙扎著長吸一口氣，緩緩伏倒地面深深叩首。

「是寶珠的指引！」

說著他蹦起身，雙臂抱起小宣，高高舉起。

「看到沒？看到了吧？女神大人還在等著小亘呢！旅程還沒結束！」

經過那麼慘烈的戰鬥後，他怎麼會還有這麼大的力氣。小亘被他甩來甩去，幾乎眼冒金星。

「好、好了啦，奇·奇瑪！快放我下來！」

連卡姿死的時候奇·奇瑪都忍著沒流淚，這會兒淚水卻濡濕他的臉頰。這個大塊頭水人族的眼淚，溫暖得彷彿在一瞬間驅散了北方大陸夜風的寒冷、魔族蠢動的不祥。

「原來你也是『旅人』。」

佐菲公主，驚訝之下幾乎失焦的眼眸，凝視著小亘。

「是的。美鶴和我——來自現世的同一個地方。我們是朋友。」

「這麼說來你也正要去命運之塔？你會緊追美鶴先生而去？」

昂揚的心情霎時冷卻。

要達成目的還差一顆寶珠。勇者之劍尚未完成。

美鶴的最後一顆寶珠，就是闇黑寶珠，藏在水晶宮的鏡廳。那麼小亘的最後一顆寶珠又在哪裡呢？他還有時間去尋找嗎？

再一次，風聲咻咻嗚咽。

咪娜猛地豎起耳朵。

「這是什麼聲音？」

咻嚕嚕嚕——

「這次不是風！是某種叫聲。」

他們各自做好戒備，四下環顧，企圖鎖定這不可思議的叫聲是從哪傳來的。城牆上？瓦礫那頭？沉沒在夜色中的草原彼端？

這時，遮住新月的一片流雲飄去，變得明亮多了。某個動作極快的小東西，橫切過清澈的月光，筆直飛來。

風破空而過。

啪嗒啪嗒的拍翅聲清晰可聞。還來不及思索，一隻純白小鳥，已飄然降落在小亘左肩。

「喂喂喂，這麼慌張幹什麼。」

紅嘴一張，鳥說話了。

「這、這是搞什麼？這隻鳥是什麼玩意啊？」

咪娜忘了身處險境，發出驚愕的尖叫。奇・奇瑪啞然張著大嘴，佐菲躲在他背後。

「是我啦，是我啦。」

鳥回答，同時砰地被一陣白煙籠罩。小亘不由得倒退三步。

眼前，站著拉烏導師。

整整好幾秒，沒人說話。拉烏導師可能是在期待誰先開口吧，一臉嚴肅地保持沉默。

悄然無聲。

「你們幹嘛這麼沉默。」

小亘嘴巴開開合合說不出話。拉烏導師上下聳動著長眉毛，說：「枉費我特地登場，你連炒熱氣氛都不懂嗎？」

「炒、炒、炒、炒熱氣氛？」

聲音完全破嗓。因爲整顆心都翻過來了。

小亘他們一起開口：

「拉烏導師大人！您怎會在這裡？」

「小亘，這個老公公就是導師大人嗎？」

「引導『旅人』的導師大人，就是這個老爺爺嗎？」

佐菲似乎無話可說。

拉烏導師舉起手杖，敲了小亘腦袋一記。

「你還問我怎麼會來這裡？當然是因爲你喊我，我才會來。沒事的話我可要走了。」

「是、是我呼喚您？」

「你明明就喊了。你很想知道最後一顆寶珠在哪裡吧？」

這句話，頓時使現場鬆懈的氣氛，籠罩在緊得發疼的緊張中（雖然和拉烏導師期待的那種熱切氣氛不同）。

「您會告訴我嗎？」

小亘的聲音嘶啞。心雖然又翻了個面恢復原狀，卻還是不肯在胸中安穩下來。

「如果你還有意願繼續旅行，那我就告訴你。」

導師用慢條斯理的口吻如此表示後，朝著漆黑夜色的彼端瞥了一眼。

「再不快點，魔族恐怕就要嗅出你們的氣味了。沒時間在這悠哉囉。」

現實感驟然回來。背上竄起一陣寒意。「請告訴我！拜託！」

拉烏導師明明前一秒還在催他快點，現在卻定定凝視著小亘的臉。小亘想起在守門人的村子初次見到導師時的情景。那時，導師不也曾露出這種彷彿把小亘放在無形天秤上，估算斤兩的眼神嗎？

不，跟那時不同。現在導師的視線，更加嚴肅。天秤的種類不一樣了。是因爲小亘變重了？以前的秤不能用了？

「你還能追趕美鶴嗎？」

「啊？」

「我在問你是否有這個心理準備追上美鶴跟他對峙。」

小亘轉頭看咪娜的臉，仰望奇．奇瑪的眼睛。然後才回答。

「我有。這段日子也一直是這樣過來的。」

「接下來，跟之前的情況不同。」

拉烏導師說著，杖尖咚地往地面一戳。

「因爲，你的第五顆寶珠讓勇者之劍成爲退魔劍所需要的最後一顆寶珠——同樣也是『闇黑寶珠』。旅人雖有兩個，最後一顆寶珠卻只有一顆。」

這樣的話我豈不是已經沒機會了。因爲美鶴已經搶先一步，這麼重要的事，爲什麼不早點說一聲。

拉烏導師把小亘直覺的反感看得清清楚楚，他再次舉起手杖敲了小亘一記，跟在「測試洞窟」時一樣。

「對我這個守門人，不准露出那麼沒禮貌的表情。沒錯，最後一顆現在在美鶴的手裡。換句話說，你如果想要那個，這次就得從美鶴那裡搶過來才行。聽懂了嗎？要『搶過來』喔。」

到目前為止，他跟美鶴雖然在時間上要比快，卻沒有為了寶珠爭執過。這種你搶我奪的行為從沒發生過。

來到最後的最後，面臨了最大的困難。

「我非和美鶴戰鬥不可。我必須戰勝他。」

這句話半是疑問，半是告訴他自己。不過，拉烏導師沒回答。

你會贏的——有人這麼說。起先不明白是誰的聲音，因為這是個陌生的高亢聲音。是咪娜。她的眼睛在纖纖新月的光芒下，閃閃發亮。

「會贏的。小亘會贏的。一定會贏。所以非去不可。」

這股確信是從何而來？在小亘體內，心正怯懦地萎縮。站在那具戈萊姆肩上對決時，我在美鶴面前，說什麼都拔不出劍。連說話駁倒他都做不到。

咪娜大概沒看到那一幕吧。她是沒看到軟弱的我吧。

「就算贏不了也要去，非去不可……，如果沒有這種決心，我不會替你開路。」

聽到拉烏導師的聲音，小亘抬起眼。導師的眼。老爺爺的眼。濕答答的。然而，這種刺痛心靈的視線又是什麼？

雖然導師噤口不語，卻能聽見他質問的聲音。

——你在命運之塔會許什麼願？現在這一刻，你最想實現的心願是什麼？

我最想實現的心願……

卡姿的話鮮明清晰地響起，彷彿她現在仍在身旁。你是個高地人，你發過誓要守護幻界和平，如果你違背誓言，就沒資格戴上火龍手環。

小亘的視線落在左手腕的手環上。他輕輕的，用指尖碰了一下手環。

現在，我最想實現的心願是什麼？

他明白導師這個問題的用意了。他知道自己在追求什麼了。

不知道才有鬼呢。因爲，只有唯一一條路怎麼可能弄錯。

然而，一旦選擇那條路，就再也不能更改。這樣你無所謂？你不會後悔？

你能實現這趟旅程的目的嗎？

慈悲與睿智，勇氣與信義，都集結在這把劍上。

該改變的不是我的命運，

——是我自己。

小亘正面迎接導師的眼瞳。

「我要去。我會追上美鶴，我保證一定會得到闇黑寶珠。我非去命運之塔不可，導師大人請替我開路。」

第五十二章 小亘一人

夜空中出現一道光柱。

新月似乎也吃了一驚，眼睛眯得更細了。流雲也放慢了腳步，只有北方凶星依舊冷漠地散發出紅色光輝。

就在小亘眼前有一輪淨光，只要踏出一步便可進入，步向拉烏導師替他打開的道路。

導師退到一旁，身體倚著戳在地面上的手杖，靜靜守望著小亘。

「那麼，要走囉？」

小亘點點頭。然後回顧咪娜和奇．奇瑪。

他們倆超越種族，超越年齡，超越性別，只不過是基於「小亘的同伴」這個關係相識，卻浮現一模一樣的表情。

這一刻雖然非常非常接近訣別，卻因著一個微小理由和訣別有了決定性的不同。

「你要一個人去，是吧。」

咪娜問道。小亘不由得莞爾一笑。

「嗯。這次，就算妳再怎麼生氣使性子，我也不能帶妳一起去了。」

「我這人真的那麼愛生氣使性子？」

「沒有啦，是妳罵醒了我。」

「我也常常挨罵。」奇．奇瑪一臉認真地說。「不過，我覺得每次好像都是咪娜對。」

「我也這麼覺得。」

來回看著兩人的臉，小亘現在才慢半拍地察覺，這不是出發，是離別。今後將是我一人獨行，不管會有什麼結果等著，都得在這裡跟夥伴分手了。

他伸出手，握著兩人的手，想要說謝謝。可是，卻在最後一秒打住念頭。現在還太早。要感謝兩人，向他們話別，應該等我完成自己的任務後再說。

縱使，這份感謝與惜別，已經無法化作言語直接表達。

現在該說的、能說的只有一句話。

「我走了。」

咪娜突然衝上前緊抱住小亘，她全身顫抖。

「小心點，懂嗎。一定要小心喔。」

「嗯。」

小亘也用力回抱住咪娜溫暖苗條的身體。奇．奇瑪一走近，就把他們倆都攬在他寬闊的懷中。

他不發一語，哭了。魁梧的身體流下小小一滴淚水。

「幫不上忙，對不起。」

「不是的，不是那樣的。」小亘輕拍了一下奇．奇瑪的胸膛。「在我抵達命運之塔實現心願之前，大家不是還肩負著守護『幻界』奮戰到底的使命嗎？接下來，我們要各自達成不同的任務，這還是等於互助合作。」

咪娜瞪大了淚水盈然的眼睛。「小亘……你，想對女神大人許什麼……」

小亘不讓咪娜說完就微笑著打斷她。「這個先保密。晚點再說，咪娜。」

放開兩人的手臂，小亘立正站好。

「奇・奇瑪！」

「呃，有！」

「我對水人族來說還是『幸運標記』吧？」

「嗯，那當然！」

小亘露出更大的笑容。「好，那，我現在就把幸運賜給奇・奇瑪。讓你在任何戰役都絕不會輸。」

奇・奇瑪握緊雙拳。「包在我身上！凡是我眼睛看得到的，我這雙手碰得到的，我都不會讓魔族碰他們一根寒毛！」

佐菲公主離小亘他們有段距離，獨自沉浸在寂寞與寒冷中。可是，小亘一瞥向她，她卻唐突地說：「請原諒我。」

她雙指交握，低垂著頭。

「告訴美鶴先生闇黑寶珠在哪裡的人是我。是我告訴他，只要解除隱藏常闇之鏡的封印就能接近寶珠。結果卻變成這樣。」

體內湧起的苦惱與痛楚，令聲音斷啞。向外傾吐的越多化爲言語的思緒就越折磨佐菲。

「我做夢也沒想到事情會變成這樣。我只不過……，只是想安慰美鶴先生。因爲他被軟禁在水晶宮內，看起來實在太悲傷太寂寞了。」

拉烏導師緩緩開口：「是美鶴騙了妳吧。他操縱妳，利用了妳。」

佐菲拼命搖頭。「我不這樣覺得。可是，可是，結果還是一樣。對我來說，我並不懂美鶴先生的想法。我只是自作聰明，自以爲很瞭解他的心事，結果我根本什麼也不懂！」

其實小亘並沒有安慰她或安撫她的念頭。但等他察覺時，他已經這麼說了：「妳和美鶴在現世的姑姑長得很像。」

拉烏導師應該明白這句啞謎是什麼意思。小亘仰望導師瘦削的臉龐，導師靜靜點頭。幻界會反映出「旅人」的心靈隨之變換姿態。

「如果見到美鶴，我一定會告訴他，妳有多受傷。事情的經過我們不知道，但是妳很傷心這是事實，妳失去父親的悲痛，一定要讓他知道。至少我是這麼想。」

佐菲用雙手蒙住臉。

小亘最後再一次溫柔地觸摸咪娜和奇・奇瑪的手，露出微笑。然後他再也不說話，一腳跨入光圈中。

好刺眼。

光柱高得無盡、遠得無限地竄起。起先什麼都看不見。但，高鳴的悸動數著數著，就看到一條階梯通往天上，是來自光中、用光製造的階梯。

他拾級而上。一步，又一步，最後變成用跑的，小亘喘息著，頭也不回地往前跑。

和美鶴那時一樣。他既未駐足也無遲疑，只是拼命在光柱中往上跑。小亘把雲踩在腳下，追過新月，將假裝漠不關心的北方凶星拋在身後，他的背影變得越來越小。

最後消失在夜空彼端。

「他走掉了。」

咪娜的低語，隨風而去。

「這就是訣別了。」

「不，不對。」奇．奇瑪搖頭。「小亘說過的，妳忘了嗎？我們是要出發去完成各人的使命，雖然各分東西，但並沒有訣別。」

可是，咪娜似乎失去了依靠，開始陷入混亂。「那是騙人的！嘴上當然什麼都能說。但我們已經再也見不到小亘了。就連小亘發生了什麼事，我們都無法知道！」

拉烏導師走向咪娜。「喵族的姑娘，妳真的這麼想嗎？」

光柱的輪廓開始模糊。從下方開始緩緩融入夜色中消失。

「小亘如果順利抵達命運之塔，向女神大人許願，實現了心願，妳一定也會知道的。小亘不是這樣承諾過嗎？」

「承諾？」

晚點再說，咪娜。

這麼說小亘他果然……咪娜和奇．奇瑪仰望著光柱即將消失在上空的最後光環。

「好了，幻界的孩子們，快去吧。你們眼前也有考驗在等著。」

拉烏導師的聲音令兩人回過神時，導師已經不見了。就像他出現時一樣唐突，只留下隱約的拍翅聲。

第五十三章 失而復得之物

明明是一路跑著往上爬，卻一點也不累。雖然很喘但那是因為心情亢奮，鬥志激昂引發的顫抖。

他滿腦子只想著往上衝，在光柱中不停往上跑。閃亮的台階，在他大步跨出的腳下，如流水般退去。

最後，終於抵達一個遼闊的空間。小亘兩腳一停，調整急促的呼吸。

已經來到天上了嗎？

亮度並無變化。只見放射出白光的霧氣在小亘四周流動。抬手一揮，霧氣雖飄然散亂卻仍纏繞不去，在指尖和掌心留下輕飄飄的觸感。

頭上整個被霧氣的圓頂覆蓋。腳下也瀰漫著濃霧，連自己的腳尖都看不見。一邁步跨出，彷彿正掀起緩緩波紋涉水走過這片迷霧淺灘。什麼都看不見，沒有任何人。雖然置身無窮廣闊之境，身體卻被一種溫馨的安心感包覆，心悸逐漸平息。

不意間，從某個高處傳來鳥鳴。

——來者是何人？

小亘驚愕之餘瞪大了眼。

——來者是勇者？

跟他之前造訪拉烏導師的守門人村落時，在林中聽到的鳥鳴一模一樣。

——來者是何人？

這次聲音是從後方傳來的。小亘猛然回身，對著流霧的彼端回答。

「我的名字叫小亘。在『幻界』旅行，找到了四顆寶珠，在拉烏導師的引導下抵達此地。」

看不見的小鳥們，在霧中啁啾著。

——小亘，小亘。

——小亘來到這裡了。

——還帶著勇者之劍。

——歡迎你來，小亘。

——你可來了，小亘。

鳥群的聲音彷彿是個暗號，濃霧開始散開，緩緩蒸騰而起，吸入空中消失不見。視野頓時隨之開闊。

小亘不禁屏息。

他正站在天上另一個嶄新世界的入口。

是水晶之都。一切都晶瑩剔透，閃爍著藍光。怎麼會如此遼闊，怎麼會這麼廣大，還有填滿都市的無數建築物、建築物、建築物。密密麻麻，櫛比鱗次，敞著窗子並排聳立。簡直像是用最頂級最大塊的水晶礦脈雕刻出來的巨大都市雕塑品。

而小亘的正面，前方的遙遠彼端，以靜謐得發藍的天空爲背景，聳立著一座令人聯想到貴婦筆直佇立的美麗尖塔。那是以水晶都市爲裙襬，自水晶之中誕生的優美高塔。頂端是一個人祈禱的模樣，雙掌合十，正朝向天上這塊淨土的天上更高處。

那正是命運之塔。

在那頂端，雙手合十的指尖上，正有命運女神等著。

好一陣子，小亘就這麼仰望著高塔甚至連眨眼都忘了。那美麗得令人難以接近卻又溫柔的造型正在召喚小亘。快！快過來，這裡就是你的目的地。

他邁步跨出，緩緩起步。小亘的身影在水晶打造成的房屋、牆壁、腳下道路，忽隱忽現地映出無數分身。分身也跟小亘一起緩緩走去。

還沒在都市裡走上幾步，小亘便察覺了。他看過這種房屋的屋頂形狀，這個街角，我認識。

啊，這是懷念的嘎薩拉鎮。而那片彼此相連的平坦屋頂，不就是提亞茲赫本的街景嗎？一旦發現了，小亘頓時一股腦地拔腿跑去。那個是？緊靠在右手邊，並排聳立著和拉烏導師在守門人村落的住處一模一樣的小巧木屋。那間懸垂著折斷的排水管的倉庫，是索諾港鎮。還有瑪奇巴鎮的畜廄。更遠處是讀星者們的學舍，環繞著與魯魯得國營天文台一模一樣的建築物。連那棟陰森的特里安卡魔醫院，被晶瑩剔透的水晶改頭換面後，也美麗得令人失神。

這個天上都市將小亘這段日子走過的城鎮鄉村的模樣聚集、重整、再現。只不過這裡的一切都是用水晶做的，而且除了小亘之外沒有任何人。

穿過這個水晶之都，就等於是重現小亘自己走過的旅程。

小亘的身影映在提亞茲赫本的房屋牆面上。和莎拉交談的記憶復甦。走在令人想起索諾港鎮的坡道，回想起海風的氣息。咦，這是歷歷斯的紅磚工匠街嘛！方隆的工作坊，在這裡依舊大門緊閉。

路就只有這麼一條，不可能迷路。小亘在水晶製造的回憶雕塑中肅然前進。雖然越走越深入都市內部，卻一點也沒有接近命運之塔。不管什麼時候仰望，那佔據整個視野的孤高身影，和小亘之間依舊保持著不變的距離。

經過小小的陸橋，前方頓時變成提亞茲赫本獨特的「通道之家」。在親切的鎮長帶路下，第一次經過這裡時，沒有家具的屋內曾讓他吃了一驚。這是建來只供穿過的連綿屋宇。

穿過一間，步入下一間，接著又一間。當初應該就是這樣去探望莎拉臥病在床的母親莎塔米吧……

眼前沒有病房，只是一間空盪盪的四方形房間。但好像有什麼東西。房間角落立著形似燭臺的東西。

是鳥籠。一個同樣是用水晶製造的鳥籠，孤伶伶地懸宕著。

一隻雪白的小鳥站在橫竿上歪著小腦袋。小亘走近輕觸鳥籠邊緣。

大約有金絲雀那麼大，翅膀是一塵不染的純白，渾圓的眼珠帶著令人心醉神迷的蔚藍海色。

吱吱吱……小鳥啁啾，牠飛到小亘手指碰觸處的旁邊，定定凝視小亘，頻頻歪起腦袋再次展翅，這次牠試圖停在小亘的手指上。

「你想離開籠子？」

小鳥吱吱應聲。牠是在回答。

「那我放你出來。你等一下喔。」

鳥籠的門上掛著約有小亘指甲蓋那麼大的小巧扣鎖，用指尖往上一撥，門便無聲無息地開啓。小白鳥縱身飛起停在門上。然後再次大幅展翅，在小亘頭頂上盤旋一圈後，毫不遲疑地落在他的右肩。

小亘有點驚訝，往後退了一步。幾乎完全感覺不到重量，但肩上的確有小鳥的體溫。

就在這時——眼睛深處出現了幻影。

是現世的情景。小亘站在深夜的「幽靈大樓」前，出現了大松父子的臉，而且旁邊還有一輛輪椅，上面坐的是……坐的是……

是大松香織！

漆黑的眼眸。目光中除了她以外誰也看不見。那個失去語言，斷絕了與外界的關聯，臉頰光滑秀髮閃閃動人，眞的很漂亮的女孩。

一眨眼，幻影便消失了。小鳥的眼睛看著小亘。

這隻小白鳥——就是大松香織的心嗎？

「妳一直在這裡？」

小亘戰戰兢兢地舉起手，輕觸小鳥的小腦袋。

「妳被關在這裡？」

被小亘撫著頭，小鳥閉上了眼。

「是這樣沒錯吧。香織的心，脫離身體被關在這裡吧。」

連「爲什麼？」這個疑問都撇到一旁，小鳥獲釋的喜悅，傳達到小亘心中。這樣就夠了。

「那就跟我一起走吧。我們一起回現世去。」

把小白鳥放在右肩，小亘再次邁步。沒想到一進入下一個房間，又有一個鳥籠，關著另一隻小鳥！

這次的小鳥全身漆黑，連嘴尖都是黑的，只有眼睛是紅色。

小亘呆立了一會兒，努力思索。這會是誰的心？

小黑鳥張開嘴，呱地發出完全不搭調的濁聲。雖然體型跟金絲雀一樣大，叫聲卻跟烏鴉沒兩樣。

小亘彷彿啓動了電源開關，靈光赫然一閃。啊，對了！

「你是石岡吧！是石岡健兒。」

在幽靈大樓中被他和他的同夥痛毆的美鶴，喚來芭芭蘿內——後來，據說石岡就像丟了魂似的。對，跟大松香織一樣。

「原來你在這裡。」

小亘連忙打開鳥籠的門，小黑鳥如子彈迅速衝出，拍著翅膀在四方形房間裡飛來飛去，動不動就撞上牆壁和天花板，飄落黑色的羽毛。

「喂，不可以這個樣子喔，快過來。」

小亘挺出左肩。小黑鳥飛到小亘頭上，啄著他的頭髮，嘰嘰大鬧了一番後，這才在左肩駐足。

「你還眞麻煩。」

忍不住脫口這麼一說，小黑鳥立刻用嘴尖戳小亘的耳朵。

「好痛！別鬧了啦。」

小亘不由得笑了出來，看來眞的是石岡。

「你如果不安分點，我就不帶你回去喔。」

小黑鳥淚漣漣地眨著眼，小亘呵護般地用掌心一撫摸，可以感到牠在顫抖。

「你嚇壞了吧。」

眼睛深處，現世所發生的事霎時化為幻影再次浮現。他看到美鶴咬牙切齒漲紅著臉，凝視著自己召喚的漆黑怪物芭芭蘿內。畏縮的石岡健兒，扭曲變形的臉孔。

「已經沒事了。你也一起回去吧。」

綿延在命運之塔腳下的水晶之都，囚禁著兩個現世的靈魂。現在，他們站在小亘的兩肩上。

走著走著，穿出了提亞茲赫本的建築物，來到歷歷斯的住宅街。他想起那時在潘所長的帶領下來到此地，歷歷斯對於非安卡族的強烈偏見，曾經令他作嘔。

來到一個看似小公園的廣場。有長椅，有灌木叢。這應該也是歷歷斯吧。一切都變成了水晶。包括灌木叢中綻放的一朵花。

小亘不經意往腳下一瞥，頓時止步。

有圖案。隱約發光。好像是用什麼尖硬物體刻在水晶地面上。越打量輪廓就越清晰。

能夠從這裡暫返現世？對了，因爲得到第四顆寶珠了。

可是，現在只剩小亘一人，擁有眞實之鏡碎片的咪娜已不在身邊。這樣如果踩上圖案，還是一樣會出現光之甬道嗎？

吱吱吱，小白鳥在右耳畔啁啾。是在對他說話。

「啊，是嗎。這樣啊。」

小亘點點頭。「可以先讓你們回去，對吧？」

在這個都市的盡頭，和美鶴的決鬥正在等著他。一定要贏——雖然他非贏不可，但是如果輸了呢？雖然不願去想，但是如果輸了呢？伴隨小亘的兩隻小鳥，也將被留在這個都市。

那麼，該去見誰呢？對小亘來說，剩下的時間已經不多。就在此時此刻，魔族正對整個幻界擴大進攻。有誰能夠不用交代細節，在倉促之間託付兩隻小鳥——

小亘的臉綻放笑容。啊，這段時間居然把他忘了。怎麼會沒想到他呢。這樣他會生氣的。就是阿克。我的朋友。我最重要的現世夥伴。去找他吧！

在現世，似乎正是向晚時分。

阿克待在二樓房間，坐在自己的桌前，兩腿晃來晃去。桌上雖然攤著教科書和筆記本，但他好像沒有在用功。他正托著腮幫子。

窗外可以看到晦暗夜色，和赭紅晚霞的最後一絲光芒。小村媽媽似乎已經把洗好的衣服收回去了，曬衣竿上空無一物。悶熱的空氣凝滯地浮動著。

樓下，傳來「小村」居酒屋忙碌工作的動靜。

「好，好，兩杯生啤酒是吧！」

是小村媽媽的聲音。哇，她還是一樣活力十足。小亘露出微笑。

穿過光之甬道，小亘來到阿克的身後。有那麼一會工夫，他看著懷念的好友，曬得黝黑的後頸。暑假期間，阿克大概天天去游泳池報到吧。

「阿克。」

喊了之後，阿克並未立刻回頭。他有一搭沒一搭地晃著腿，正在沉思什麼。

「阿克。」

小亘又喊了一次，把手放在他肩上。

阿克從椅子上彈起來。由於動作太猛，小亘踉蹌後退差點站不穩。

阿克的眼睛彷彿兩顆在這個季節不該有的橡樹子。他滴溜溜地瞪著眼，連嘴巴都張得好大。

「對不起嚇到你了。」

聽到小亘的聲音，阿克的臉上驟然失去血色。臉曬得這麼黑，原來還是會變色啊。

「三、三谷？」

三谷嗎，你是三谷嗎……他反覆說。嗯，是我呀，小亘回答。

阿克撲過來。想不到小亘自己竟哭了出來。

「搞什麼鬼，你幹什麼去了？出了什麼事？你上哪兒去了？」

阿克一邊像連珠炮丟出成串問題，一邊抓著小亘手臂搖晃。

「這、這個、這個嘛……」

「害我好擔心！眞的擔心得快死了！我爸我媽，對呀他們也跑去你媽那裡，然後，然後……」

語無倫次的阿克眼中溢出了淚水。

「對不起，阿克。我現在沒時間跟你詳細說這些。」

「啊？啊？你說什麼？」

跟你說喔阿克，這次輪到小亘抓著阿克的雙臂。

「我想拜託你。這兩隻小鳥。」

兩隻小鳥拍動著翅膀，一邊拼命緊抓著小亘肩膀。爪子都陷進肉裡了，有點刺痛。

「你幫我從窗口放走好嗎。只要這樣就行了。這件事只能拜託你。你願意幫忙嗎？」

阿克的眼珠游移。不是因爲爆炸般滾滾湧出的淚水，是快要頭昏眼花了。

「阿克，你振作一點。」

阿克的脖子軟軟地晃來晃去。然後用尖銳的聲音問：「喂，你的打扮是不是有點怪？」

小亘笑了。「嗯。」

「這是角色扮演遊戲？根本就是『復活邪神』嘛。」

「就是啊。改天再告訴你。等我好好回來了，再全部告訴你。不過我現在趕時間。對不起。」

小亘先溫柔地抓住小白鳥，遞給阿克。喜歡動物的阿克，雖然現在腦袋一定亂七八糟一團混亂，但他還是比小亘懂得怎麼應付小鳥。

「這隻鳥你是從哪抓來的？」

「是被別人抓住，我救牠出來。」

阿克手也曬得黝黑，只有指甲是粉紅色的。那隻手一邊撫摸小鳥，一邊咕噥：「我是不是在做夢啊。」

「你要這麼想也可以。把窗子打開，去啊，快點。」

阿克像夢遊病人一樣搖搖晃晃地走去，讓小白鳥站在他右手背上，用左手小心翼翼地打開通往曬衣場的窗戶。

手一輕輕伸出，小白鳥拍了兩、三次翅膀，就啪地飛起。掠過曬衣場的欄杆，消失在向晚天空。

「還有這隻。」

小亘遞上小黑鳥。小鳥發飆，不肯安分停在阿克的手背上，啄著阿克的頭。

「搞什麼，臭傢伙！」

阿克手忙腳亂地揮著手，一把抓住小鳥。

「哇！會被你捏扁啦，小心點。」

小亘覺得好笑得不得了。

「不過給牠一點教訓也好，誰叫這傢伙之前老是闖禍折磨人。」

「這隻鳥？折磨我們？」

阿克的眼睛又滴溜亂轉。

「對呀。不過，還是得把牠放走。」

小黑鳥飛得很笨拙，不是撞到曬衣場欄杆就是被曬衣竿擋住，狼狽不堪焦頭爛額。阿克把身子探出窗外，雙手攏成扇形把小鳥趕到空中。

終於，小黑鳥也飛走了。

「這樣行了嗎？」

「嗯。」

鬆了一口氣，心情豁然開朗。小亘做個深呼吸，把小村家的阿克房間，這股熟悉的氣味深深吸入。

「三谷……」

阿克用力吸了一下鼻涕。

「謝謝。好了，我也該回去了。」

光之甬道的深處，響起鐘聲。

「你要回哪去？喂，你到底是怎麼了。」

對不起。現在只能這麼說。小亘再次下定決心，為了向阿克解釋，為了把幻界的所有冒險說給他聽，我也一定要回來才行。

「再過不久就能回來了。我一定會回來，到時再說。你要等我回來喔。」

他向後退到光之甬道，阿克霎時伸出手想抓住小亘，但他的手失去力氣頹然垂落。

「三谷！」

奔回光之甬道的過程中，他還聽到阿克的呼喚聲。

一回到圖案上，再次置身水晶之都。小亘又恢復徹底的孤獨。

好，走吧，去見美鶴！

第五十四章 決鬥

小亘走在宛如「幻界」城鎮拼圖的水晶之都，最後終於來到一個放眼盡是廢墟的地方。

那是皇都索雷布里亞。

崩塌的城牆、壓壞的屋舍，在折斷的樑柱和斷垣殘壁的瓦礫堆之中也摻雜著戈萊姆巨人的殘骸，當然這些都是用水晶做成的。在斷裂的柱面及斑駁的屋瓦上折射出閃閃發亮的光，形成一種不可思議的景觀，比小亘之前看過的城鎮風景還要美麗。

透過水晶造型一旦被抽象化之後，廢墟才是最美的。對小亘而言，雖然還沒有適當的詞彙可以揶揄，但他可以感受到傷痛。地上毀滅的索雷布里亞和那場殘酷的戰役，在小亘心中尚未化爲雲淡風輕的記憶，即便透明的水晶沖淡了瓦礫堆的悲慘，卻無法把他在現場感受到的恐懼、憤怒與悲哀也一併淡化。

地面上的咪娜和奇·奇瑪此時不知怎樣了，他們平安回到龍島了嗎？南方大陸的居民應該已經察覺到魔族的侵略吧。

小亘垂眼，加快腳步跑了起來，跑了又跑，眼前突然出現某個龐然大物，害他差點撞個正著，他一邊喘息一邊仰望著擋路的東西。是一扇巨大的門，大概是水晶宮的正門吧，在毀滅的索雷布里亞模型正中央端坐著一扇通往皇帝城堡的對開拉門。霎時，他想起了要御門，可是此門的規模差遠了，和大到看不見頂端的要御門比起來，這扇門等於是迷你版。門扉中央的浮雕應該是皇族的徽章吧，四周環繞了一圈眾星運行的精細紋飾，再配上劍與盾、騎士與龍以及皇冠的圖案。

無論小亘用推的或拉的，這扇門都文風不動。無路可走了，他環顧四下，在閃閃發亮的瓦礫堆中看不到任何出路，如果不通過這裡，就無法繼續前進。

也不能用爬的，這扇門光溜溜的沒得抓，一定要想辦法把門打開。

該怎麼辦？

小亘苦惱地抓著頭，在附近走來走去，一氣之下踹了門一腳。

噢，好痛！他搗著腳尖一蹲，才發現門前的地面上好像有什麼圖案，好像能夠打開光之甬道的那種花紋，不過這個小多了，把現世的下水道人孔再縮小兩圈差不多就是這個大小。

一、二……一數之下，有五個，排成半圓形。

小亘試著把腳放在其中一個圖案上面。

頓時，他心中萌生喜悅，耳畔聽到了笑聲，是誰在笑？這是怎麼回事？他大驚之下跳離圖案，笑聲馬上消失，那種喜悅的心情也沒了。再試一次，還是出現同樣的現象。這次他試著踩踏旁邊的圖案，頓時怒由心生。果然，一離開圖案怒氣就消失了。再換旁邊的，一踩上第三個圖案，就覺得內心充滿悲哀。踩上第四個，心情好得想要蹦蹦跳跳。

第五個卻什麼也沒發生。

小亘小心翼翼與五個圖案保持距離，雙臂交抱胸前。

喜怒哀樂。每一種圖案代表一種感情。

他的眼睛一亮。

對了，拉烏導師住過守門人村莊的小屋！拉烏導師說過，待在憤怒小屋裡就會生氣、在悲哀小屋裡就會傷心、在歡笑小屋裡就會笑容滿面。他還說要避免私人情緒影響到來訪的「旅人」。

這就跟那個一樣吧。站在喜怒哀樂的圖案上，必須充滿著與之相應的感情，這就是謎底。

喜悅。小亘站上第一個圖案，閉上眼開始探索內心，回想在幻界的快樂經驗。此刻，小亘的腦海中浮現奇．奇瑪的臉。在他離開守門人的村莊之後，在遼闊無垠的草原上初次遇見奇．奇瑪的情景。

「喂……喂……那邊那個人！」

奇．奇瑪以開朗的大嗓門向他打招呼，還有那輛揚起塵土的達爾巴巴車。奇．奇瑪曾告訴他吃太多巴庫瓦果會拉肚子，還有得知他是「旅人」時毫不掩飾的狂喜。「旅人」是我們水人族的福星耶！奇．奇瑪說著一把抱起他，那魁梧的體格又蹦又跳的模樣，絕對是他來到幻界初次嚐到的喜悅。徬徨的旅程才開始，奇．奇瑪就立刻讓他豁然開朗。

咻地一聲，腳下的圖案消失了，小亘眨眨眼，同時，水晶宮的大門也傳來喀嚓的開啓聲。

這表示已經過了第一關嗎？

接著是憤怒。小亘一踩上圖案，眼前立刻浮現那兩個欺騙咪娜的安卡族少年，潛入咪娜療傷的診所脅迫她，光是想起那一幕，小亘的腦袋就猛然發熱，他想起自己爲了保護咪娜，不顧一切從診所窗口衝進去的情景。

咻！圖案消失了，那扇門又響起喀嚓聲。

第三個。悲傷呢？喜怒哀樂的哀，連想都不用去想，那記憶實在太生動，到現在傷口仍在流血，那是卡姿的死。直到最後的最後，小亘依然記得卡姿用手輕撫他臉頰想要安慰他的溫柔觸感。

第三個圖案也消失了。小亘的腳移到第四個圖案上。

快樂。啊！多得數不清。在達爾巴巴車上聽咪娜引吭高歌、在沙卡瓦鄉與水人族大擺筵席、在旅館吃到的美味餐點，就連大夥兒休息時的閒聊全都閃閃發亮。

從這些片段中，小亘回想起在瑪奇巴郊外，觀賞飛天馬戲團公演時的情景。雖然咪娜向來活潑好動，但是她在舞臺上才發揮了眞正的本領，她和帕克搭檔表演的各種特技、令人屏息的漂亮高空翻轉。在表演結束前一邊撒花一邊唱歌時，咪娜熟悉的容顏竟然令他癡迷到害羞的地步，他還記得那時用力鼓掌到手發疼。

回想起來，喜悅與悲傷全都在與夥伴共度的時光中。

咻！第四個圖案也消失了。傳來第四次的喀嚓聲，緊閉的大門，發出震耳欲聾的厚重聲，緩緩地從內側開啓。

成功了！

他不由得握緊拳頭，當場跳了起來。解開之後，其實這只是很簡單的機關嘛。

但是，還剩下第五個圖案。

爲了愼重起見，他再度試踩那個圖案，但還是毫無感覺，這該不會是爲了迷惑小亘刻意製造的陷阱吧。喜怒哀樂，人的感情，除此之外還有什麼？既然對方沒要求，應該不用在意吧。

況且門也已經開了……

小亘雖然有點猶豫，但想到已經沒時間了，便邁步走進門內，心臟撲通撲通地跳個不停。穿越大門時，四周倏然暗了下來，僅有幾步路的時間吧！可是，當眼前再度亮起時，周遭的景象已經截然不同。

這裡是悲嘆沼澤。

用水晶重現的悲嘆沼澤全景，平靜無波的水面，底下隱藏的不是靜謐而是陰濕的不安。這也難怪，水中潛伏著怪魚卡隆，露出鋸齒般的利牙，正在等待獵物。四周濕地的銳草叢生，倘若有人不慎接近會割傷手，如果絆倒了，沼地的泥濘將會凍僵身體，沼澤裡溢滿的黑水更會麻痺人體，恐怖的毒水也會奪取自由。

意思是叫我走過這個沼澤嗎……

小亘戰戰兢兢地跨出一步，沼澤的水面穩穩地承接了他的腳步，彷彿凍結般堅硬。對，儘管外型再怎麼酷似，這也是水晶打造的模型。即便如此，小亘還是擔心在這片散發著蒼光的沼澤底下是否也有卡隆在巡游，每跨出一步都忍不住提心吊膽，說不定這片水晶沼澤隨時會裂開，躍出卡隆。

沒問題、沒問題，不會有事的。小亘就這樣瞻前顧後地走了一陣子，最後終於相信只要繼續往前走，走到對岸就行了。

小亘曾經在地上的悲嘆沼澤遭遇可怕的幻覺襲擊，這經驗想忘也忘不了。當時，從他體內分裂的另一個小亘，殺死了酷似爸爸的雅可姆跟爸爸情婦的莉莉·楊努，而且還被莉莉·楊努所生下的石頭嬰兒追殺。

那大概也是沼澤的毒性吧。他遇到兩個長得跟爸爸與理香子很像的人，發現對方在幻界也跟爸爸一樣出軌，還振振有詞地強調著同樣自私的藉口，這個衝擊使得黑暗之水趁隙滲入他的心靈，才會產生幻覺。他以為再也不會造訪悲嘆沼澤，沒想到會在這種形式下再度路過。

趕緊過去吧！緊閉心靈之眼，盡量別去想莎塔米和莎拉的臉，也不要想起那個一邊咒罵他一邊蹣跚學步卻緊追不捨的嬰兒。然而，記憶依舊甦醒過來，小亘停下腳步，用力甩頭試圖擺脫記憶，他已經走到沼澤的正中央了。

這裡的景色在眞正的悲嘆沼澤看不到，在濕地和草叢的環繞下，悲嘆沼澤的形狀看起來幾乎是個完美的圓形。突然間，他腦中浮現一個怪念頭，這簡直就是一個圓形舞臺嘛。他好比舞臺上唯一的演員。

觀眾呢？是陰森的濕地空氣和昏暗的草叢嗎？這未免太冷清了吧。

此時，不知從哪裡傳來呼喚聲。

「旅人」啊！

小亘頓時提高警戒。

年幼的「旅人」小亘啊！

是一個無生命、無感情的聲音。倘若水晶能夠開口說話，一定就是這樣的聲音吧。

如果你眞心期望來到我的膝下，就得用你的身體證明自己是一個勇者。

我的膝下？這麼說，這就是命運女神的聲音嗎？

就像向晚天空中的金星，把嬉戲野外的孩子帶回母親手中，你要把分裂的靈魂、徬徨之徒喚回故鄉，把它帶回你身邊。

該把什麼帶回來？叫我證明又是怎麼回事？

不容小亘有片刻猶豫，女神已經向他宣告：

快，你必須克服！

愣在原地的小亘，赫然看到了。

在悲嘆沼澤的對岸有某個東西正朝這裡接近。

是一個小小的人影逐漸走近，一步又一步，走得很堅定，那個步伐似乎有點熟悉，那腦袋、肩膀的角度，那外型熟悉得令人悚然。

那是鏡中的倒影。

是另一個小亘。

脫去上衣的身體、插在痲腰帶上的劍、連那雙舊靴鞋跟磨損的程度都一模一樣。唯一不同的只有臉上的表情，那冷笑的嘴角、炯炯有神的雙眼、顴骨突出的瘦削臉龐。啊，仔細一看，在襯衫的前襟上還噴濺著點點血跡。

那是在悲嘆沼澤的幻覺中出現的小亘；是那個殺了人、殘害嬰兒的小亘。

那應該是幻覺，根本就不是真的，那是惡夢，那種事壓根兒沒發生過，是假的！假的！假的！

小亘害怕地緩緩後退，另一個自己正一步步進逼，對方走到他可以看清彼此面孔的距離，連睫毛落在臉頰上的陰影都清晰可辨時，突然間，另一個自己毫不遲疑地拔出了勇者之劍，然後開口了，衝口而出的是在悲嘆沼澤追逐小亘的那個嬰兒的聲音。

「我等你很久了，殺人兇手。」

小亘被嚇醒了，這是悲嘆沼澤的情景再現，這裡根本不是舞臺，沒那麼簡單。是競技場，決鬥地點。在此，小亘必須和擋在面前的另一個自己——他的分身一決高下。

你必須克服！

另一個小亘的腳往沼澤表面一蹬。

小亘根本無法思考，甚至還來不及碰觸腰際的劍柄，他的分身在下一瞬間已經逼近，對方手中的勇者之劍，咻地掠過他的下巴，他頓時腿軟，仰面跌向沼澤，身體順勢一滑，甚至無法控制方向，手腳正亂揮亂踢之際，撞上了繞到他面前的分身的腳，終於停了下來。對方從正面揮劍砍向他，他驚叫連忙往旁邊一滾，分身的劍尖刺入沼澤表面，水晶碎片四散紛飛。

小亘好不容易爬了起來，這次分身繞到他的身後，揮過來的劍捲起一陣風，光是那股劍風便已銳利得足以削下小亘耳朵，當場血花四濺。

小亘已無暇感覺疼痛，只覺得臉上一股溫熱，襯衫上沾染了點點血跡，小亘和分身，分身與小亘，到底何爲主何爲從，誰是本尊誰是鏡中倒影，一陣混亂與恐懼令他頭暈腦脹，連他自己都無從分辨了。

他想逃跑，卻被分身從後面一把揪住襯衫，他在被拖回去的同時，突然用全身的重量壓向分身，分身和他一起倒下，分身疊在他身上的冰冷軀體令他感到驚愕，這傢伙是什麼玩意？怎麼好像是用冰塊做的？

明明是一具實體，明明跑來跑去，卻既非生物也非幽靈。

分身舉起手臂，用勇者之劍的劍柄往他頭上狠狠一敲，正想起身的他痛得眼冒金星、腳步踉蹌。

「我要宰了你！」

分身用小亘的聲音和語氣來罵他，那股恨意令他全身發抖。他抓著勇者之劍，一時之間也想不出該說什麼，只是一心祈願，飛起來！

他使出瞬間移動魔法，一眨眼就被移到沼澤邊，背部先著地，他掙扎著站起來。好不容易拔出了劍，發抖的雙膝幾乎讓他跪倒，像個傻子般雙手直打哆嗦，肩膀隨著喘氣劇烈起伏。

分身站在沼澤中央，高傲的模樣令人火大，臉上依然掛著扭曲的冷笑，笑得連嘴巴都快裂了。我怎麼會笑成那樣子？

「你、你是……」

小亘抖著說道，雙手緊抓著勇者之劍。這根本不是迎戰的架勢。他彎著腰，像是抓著繩索般緊握著勇者之劍。

「你……不是我，不是我，你根本不存在，你是幻影！」

小亘射出魔法彈。拖曳著光尾飛向天際的魔法彈被分身輕易閃開，最後一發光彈被分身的劍擋回來，宛如降錯地點的流星遁入沼澤上空。

「你是幻影！」

小亘放聲高叫，朝分身衝過去，而分身也朝著他跑過來。正當他以爲手中的劍會砍到分身之際，分身大步躍起，往他握劍的手上一點，然後越過了他，跑到他背後。糟了！當他閃過這個念頭時，背部已被狠狠一踢，狼狽地向前仆倒。

好可怕的速度。這樣他根本束手無策，絕望與無力感被恐懼取代，他甚至沒辦法顫抖，接著要怎麼辦？該怎麼做才好？到底要怎樣才能打敗對方？

結界！

不管怎樣先隱身再說。小亘憋著氣唸起咒語，劇烈的心跳爲了維持結界更添負荷，心臟和肺臟都快受不了了。他的身影一消失，分身便瞇起眼，一手叉腰，一手提著勇者之劍，冷冷地笑著。他躲在結界中緩緩移動，只要能維持這樣，設法接近分身出劍攻擊就行了。

體力逐漸消耗，窒息感幾乎令他眼珠凸出，腦中一片空白，快失去意識了。

分身以鬆懈的姿態站在原地，背對著小亘。他看不見我，只有趁現在，加油，我要加油！

只差三步……只差二步……只差最後一步就能一劍刺中分身的背部。

當小亘舉起劍時，分身帶著滿臉邪惡的冷笑驟然轉身。

「這是白費力氣！」

伴隨著嘲諷，對方已經迅速出劍。毫無防備的小亘雙手握劍高舉著，胸口頓時被分身的劍深深刺入。小亘頹然張口，憋了半天的氣咻地呼出，就這麼舉著雙手，視線緩緩地落在分身刺過來的劍上。

鮮血涔涔滲出，逐漸染紅了小亘的襯衫，分身的劍整支沒入小亘的胸口。感覺不到痛楚，只是非常冷，分身的劍尖深達小亘心臟，彷彿把分身的冰冷直接注入小亘體內。

我要死了。

結論就這麼簡單。我將在這裡被自己的分身擊垮，流血而死。

力氣放盡，雙膝跪倒。小亘的膝頭碰到沼澤水面，頹然癱坐，雙臂垂落，雖然仍抓著勇者之劍，但是劍尖已無力地垂落在兩膝之間。

對方粗魯地從他胸口倏然抽出那把劍，那股後座力使得小亘往旁邊倒下。一陣大笑傳來，是分身，起先是笑得肩膀抖動，最後似乎再也忍不住，彎腰抱著肚子開始大笑。

「可悲的傢伙，窩囊的傢伙，你已經玩完了。」對方說著便轉身背對小亘，走回對岸，他的步伐很輕快，一邊踮著腳一邊蹦蹦跳跳。

分身提著勇者之劍的劍尖上還滴著小亘的血。

小亘。

藏身在小亘劍柄上的寶珠們正在呼喚他。

振作一點，小亘。

回想一下女神的聲音。

不可以打鬥。

那個分身就是你自己。

回想一下女神說的話。

從傷口流出來的血，逐漸在水晶沼澤的表面蔓延，小亘躺在自己的血泊中。

女神說的話？

小亘在逐漸模糊的意識中拼命伸出手，企圖在墜入黑暗前抓住清醒的邊緣。

你要把他叫回來。

喚回分裂的靈魂，喚回徬惶之徒。

喚回充滿恨意的小亘分身。

小亘在悲嘆沼澤看到的幻影，原來不是幻影，那是小亘的一部分。那時，小亘對於那個酷似爸爸的男人和爸爸情婦的女人，還有他們即將誕生的嬰兒的確充滿了恨意，而且親手殺了他們。

他只不過是不肯面對這個事實。

把他叫回來。

喚回分裂的靈魂。

喚回那個在極度憎恨下奪走人命的分身？

對，就是這樣，因爲那就是小亘。

一抬起頭，嘴角便淌血，使不出力氣。啊，周遭已是一片血海。

但他還是撐起身體，寶珠們正在呼喚他。小亘，小亘，你不能死。你不能放棄。不能讓你的分身，就那樣孤獨以終，你要承認他，接納他。

小亘總算在沼邊坐穩，他的分身早已抵達對岸，眼看著就要消失在濕地的草叢中。

「喂！」

小亘呼喚，用盡剩餘的力氣喊出聲。

分身停下腳步，彷彿一條改變行進方向的蛇，悄無聲息地倏然回頭。

「我還……沒輸呢。」

小亘這句話令分身臉上的微笑消失了，分身再次舉劍。

你要接納他。

分身發出勝利的吼叫便衝了過來，逐漸接近，速度快如疾風。劍尖一閃。小亘閉上眼，靜靜地朝分身張開雙臂，做一個深呼吸。又有新的鮮血噴出，但是小亘毫不退縮，他對著分身呼喚，心情很平靜，沒什麼好怕的，因爲只是要把它喚回來。

喚回自己分裂的靈魂。

好了，回來吧！

分身撞上小亘的身體，在一瞬間消失，他被吸入小亘體內，與小亘合而爲一。分身的衝擊力道揚起了小亘的頭髮，強烈的反彈令小亘仰面翻倒。

悲嘆沼澤又恢復了靜謐。

小亘睜開雙眼時，在地上仰躺成大字型，望著天空，身體感受到悲嘆沼澤表面的堅硬觸感。他輕輕觸摸胸口，襯衫是乾的，抬起頭一看，全身上下沒有任何傷口，滿地的血泊也消失了。

他試著站起來。雙腿穩穩地撐起他。

還活著。

笑容浮現，溫暖的感激洗滌著體內，把手放在胸口就能感受到心跳。

自從離開了悲嘆沼澤，小亘身上那個獨行的「恨意」終於回來了，終於回到小亘身上。

他總算理解了，爲了來到這個決鬥場地，不得不穿越那扇門。那五個扮演開門鑰匙的圖案，除了喜怒哀樂之外，毫無反應的第五個圖案就是「憎恨」。

長久以來，小亘一直迴避著它，一直在欺騙自己，一直認爲那不屬於自己。因爲他實在不願意承認自己竟然恨著爸爸，他無法承認自己會有這種情緒，他一直在欺騙自己。

然而，他的自欺卻催生了滿懷「憎恨」的分身，任它獨行。

「歡迎你回來。」

小亘對著自己的心，如此溫柔低語。

猶帶顫抖地嘆了一口氣，他站起來，把勇者之劍收回腰際。

然後，他才發現四周籠罩著濃霧，剛才明明沒有，這是從哪冒出來的呢？濃霧籠罩整個悲嘆沼澤，彷彿靜靜濕透的淚水發出淡淡的光輝。

小亘瞪大了眼。

在濃霧密佈的悲嘆沼澤中央有一件黑色長袍，那件長袍皺巴巴的，衣角露出了鞋尖，隱約可見亂髮。

是美鶴。

小亘跑了過去，宛如在夢中奔跑，遲遲無法前進，光滑的水晶絆住了他的腳步，他急著用雙手撥開濃霧。

「美鶴！」

邊叫邊縱身一躍，他撲向倒臥的美鶴。起先，他摸不到東西，只是在空中亂撥，明明看到黑色長袍，卻好像在捕捉影子。

「美鶴！美鶴！」

他一邊喊叫一邊摸索著。逐漸的，美鶴的實體清晰浮現，原本只有影像的身軀附上了血肉。焦點對上了。

小亘終於用雙臂抱起美鶴。

美鶴的臉色好蒼白，雙眼緊閉著，臉上傷痕累累，雙手頹然垂落，兩腿無力地伸直，左腳的腳踝異常扭曲，也許是折斷了。

「美鶴，你振作一點，美鶴。」

小亘搖晃著美鶴的身體，從那件黑袍底下滾出了斷成兩半的魔導杖。失去血色的臉孔、癱軟無力的身軀，比起美鶴在小亘懷裡悲慘的模樣，反倒是這支折斷的魔導杖讓他接受了事實。

美鶴輸了。

美鶴同樣也在他的悲嘆沼澤，和他的分身戰鬥，結果美鶴輸了。

「美鶴……」

如今，就連小亘也明白，雖然他不想知道卻無法逃避。

一直形單影隻的美鶴，自己的恨意已經茁壯到超越了他自己，所以他已經喚不回來。美鶴的恨意擊敗了他自己。

什麼幻界，是死是活都不關我的事。

只要能抵達命運之塔就行了。

爲達目的即使不擇手段也在所不惜。

頑固的決心、堅強的意志，還有憑著「旅人」得到的寶珠力量、強大的魔法。美鶴一直隨心所慾地操控著，繼續著自己的旅程。他傷害了無數人、破壞城鎮、製造不幸，最後甚至解除了常闇之鏡的封印。

小亘原本以為這些全都是美鶴幹的，不只是小亘，連美鶴自己也這麼認為。然而真相並非如此。破壞、殺意、踐踏他人、肆無忌憚的態度都不屬於美鶴，而是充滿恨意的美鶴分身。只不過這股恨意的份量與美鶴的心靈勢均力敵——不，因為美鶴一直欺騙自己，告訴自己除了恨意別無其他，也不需要其他，所以不知不覺中，美鶴已經無法區分自己與分身的差別了。

正如小亘一開始想嘗試的，美鶴也試圖打倒自己的分身吧。可是那樣做其實只是自己在打自己。

小亘沒頭沒腦地流下了眼淚，淚水滴在美鶴瘦削的下巴上，美鶴顫了一下眼皮，睜開了雙眼。

小亘無法吭氣，光是強忍淚水就已經費盡了力氣。

美鶴睜著漆黑的雙眸，費了好大一番工夫才集中意識，把視線移到小亘臉上。

「……是你啊。」

小亘點頭，他拼命點頭，每點一次頭，淚水就跟著滴落。

「搞什麼啊？」

抱怨的口氣就像被老師留校察看的學生一般，這一點果然還是很像美鶴。

「好不容易來到這裡……怎麼會變成這樣？太糗了吧。」

只差最後一步了——美鶴用沙啞的聲音說，他望著天空。

「命運之塔就在眼前了，勝利近在眼前了，結果卻……」

你別說話了，小亘說。這樣抱著美鶴，他能清楚地感受到美鶴的身體被徹底摧殘到復原無望的地步。

「三谷。」美鶴喚道。小亘看著他，窺見另一個「旅人」清澈眼眸的深處。

「到底是哪裡不對？我到底是哪裡做錯了？」

跑得快的人不見得能搶先抵達命運之塔。沙卡瓦鄉的長老這麼說過。「女神大人還在等你……，在那個索雷布里亞的廢墟前。」奇．奇瑪也曾如此鼓勵我。

「小亘不管去哪我都要跟，我絕不會讓小亘落單，因爲我早就決定了。」總是這樣倔強地守在小亘身邊的咪娜；到了終於要分手的時刻，緊抱著小亘，仍不忘祈禱似地唸著「小心點，一定要小心喔！」的咪娜。

這一路上我有好友爲伴，也得到替我照亮去路的光芒庇護。但美鶴卻是隻身獨行，他在旅途上孤零零的，縱使美鶴走錯路，也沒有人會提醒他。縱使這是美鶴自己選擇的方式，但還是太不幸了，這樣的結果未免太殘酷了吧。

「對不起。」

我現在，只能說這句話。不是爲了請求寬恕，而是爲了讓自己承認，沒有跟美鶴同行，沒有和美鶴一起旅行（即便是遵照拉烏導師的訓示），這是多麼大的錯誤。

「你幹嘛道歉啊！」

美鶴想笑，勉強擠出那種好像要敷衍小亘的倔強笑容。

「你贏了，你應該開心點，哭什麼哭啊！到最後……的最後，你還是這樣……眞是濫好人。」

「你不要…說什麼……最…最後嘛。」

「不用騙我了。」

美鶴的語氣突然變得很溫柔。

「我輸了，我將死在這裡，我沒辦法改變命運。」

這算是自做自受吧，他小聲咕噥著。當然，他也跟小亘一樣得到相同的結論。

「可是我……眞的好想去命運之塔。」

眞的好想…眞的好想，無論如何都好想去。

「我知道。」小亘說。「就算別人不瞭解，但是我懂，我都懂，美鶴。」

美鶴閉上眼，露出微笑。

「好了，你去吧。帶著寶珠，別管我了，快去吧。」

「我……我不要，我不要丟下你一個人。」

「笨蛋，你別鬧了。」

美鶴的身體開始痙攣，呼吸忽然變得急促，開始粗聲喘息。

「我喜歡……一個人獨處。」

這不是死要面子，只因爲是美鶴，所以直到最後一秒都得表現出他的作風。

即便是臨死之際。

小亘盡量溫柔地、小心翼翼地移動，以免晃動美鶴的身體。他放下美鶴，讓他躺在悲嘆沼澤。

美鶴失去支撐，閉上眼在地上躺平，看起來似乎面臨瀕死狀態。

小亘已經不能做什麼了，美鶴渴望獨處。
這時，小亘腦中突然浮現一幅光景，與卡姿訣別時，在那靜悄悄的森林中……
「美鶴。」
「又怎麼了。」
「最後，我能不能爲你禱告。」
「什麼禱告……我不需要。」
「可是，我想這樣做。」
美鶴睜開眼，盯著小亘。拜託！小亘說道。
「哼，隨便你。」
小亘伸出右手拉起美鶴的手，左手放在美鶴額上。
禱告詞應該還記得吧。
小亘結結巴巴地開始背誦。
「吾等，身爲女神大人之子。遠離地上塵芥，如今將升天至神的面前。」
美鶴再次閉上眼，小亘撫摸他的額頭。
「身爲吾等祖先起源的聖潔之光啊！請引導這個即將啓程的人。」
手指交握，牢牢地握住美鶴的手。
「幼小的孩子啊，地上的人子啊，你懺悔自己違背了神的旨意嗎？」
嘴唇顫抖，話語斷斷續續。一出聲，喉頭深處便發熱。我不能再哭！小亘拼命壓抑著自己，一陣沉默。

在漫長的沉默中，只聽見小亘紊亂的呼吸。這時，美鶴的嘴巴蠕動。

「是。」他說，回應禱告，開口稱是，他說他懺悔了。

眼淚洶湧而出。小亘哽咽著說，「你懺悔有時與人爭鬥、有時惡言爭論、競逐虛僞，受蒙愚煽動，犯下諸多人子之罪嗎？」

短暫地停頓之後，美鶴回答：「是。」

「你懺悔有時虛僞，放縱己欲，背棄過神賜與人子的榮光嗎？」

「……是。」

再也按捺不住。淚水奪眶而出。

「在此深深悔改吧，你在地上的罪已獲赦免。安息吧，人子啊！奉召而去的你，將受永恆的光芒包覆。」

淚珠串串滾落，小亘一邊哭一邊結束禱告。

「維斯那，艾斯塔，荷里西亞。人子的壽命有限，生命卻將永遠。」

美鶴枯瘦的臉龐緩緩地綻放笑容。

「最後的……」

「啊？」

「維斯那，艾斯塔，荷里亞西。是什麼意思……你知道……嗎？」

小亘搖頭。

「意思就是，『直到再次相逢時』……」美鶴閉上眼低聲說道。「再見。」

這是第幾次說再見呢？

這次是眞正要訣別了。

美鶴的身影逐漸淡去，濃霧再度籠罩著，彷彿要擁抱他，溫柔地裹住他。美鶴在霧中消失，濃霧也隨之逐漸散去，它正在吸取美鶴的生命，逐漸淨化。

小亘跪倒在地啞口無語，只能垂淚凝視著美鶴的身形逐漸淡去。這時，他發現頭頂上緩緩地射下一道光芒，約有巴掌那麼大，如同聚光燈的淡金色光芒，洋溢著溫暖的感覺，彷彿照向溶解在霧中的美鶴。

美鶴也察覺到那道光芒了，籠罩在霧中的他，稍微仰起臉，微微地睜開睏倦的眼皮。小小的光圈，彷彿窺看似地溫柔地照著他的眼睛。

這道光……這個是……這個，該不會是……

瞬間的領悟讓小亘不禁抽了一口氣，然後他感到自己笑了，受傷的心靈充滿了喜悅與安祥。

人死了會變成光，變成光，照亮地上，直到投胎轉世的時刻來臨。這道光，一定是美鶴的妹妹，美鶴年幼的小妹，他無論如何都想帶回現世的小妹，不惜扭轉命運也要讓她起死回生的小妹，現在來到了美鶴身邊。

是來接他的。

美鶴也明白這一點，他淺淺微笑，失去力氣的指尖朝著那細小的光圈移動，就像要跟稚齡的小妹牽手。

「妳要跟哥哥一起去吧？」

小亘朝著光輕聲呼喚，金色的光霎時閃了一下彷彿在點頭。美鶴的身影終於消失，變成一團耀眼的光霧，金色的細小光圈包裹著它，一邊引領著它，一邊靜靜地上升。

小亘仍然跪著，像要保護脆弱的小鳥那樣張開手掌，目送兄妹倆的靈魂之光不斷地升上天際。等到一切都結束之後，籠罩悲嘆沼澤的霧氣也散去了，小亘留下了最後一滴眼淚。

他撿起落在腳邊的魔導杖，緩緩站起身。魔導杖頂端鑲嵌的寶珠，散發出淺紫色光芒。逐漸地，那顆寶珠出現一個、二個、三個、四個光點，追隨著美鶴，也升向天際。

只剩下最後一個光點，飄浮在小亘眼睛的高度，小亘拔出勇者之劍。

勇者啊，黑暗與光明，都與你同在。

闇黑寶珠蘊藏的力量，如此對小亘低語。

最後一顆寶珠沒入劍鍔上的星星圖案中。

一股強大的力量從劍身的尾端竄過劍尖，最後沿著小亘的手臂，直達他的內心。勇者之劍已集合了五顆寶珠，這下子「退魔劍」已大功告成了。

小亘仰起臉。橫渡悲嘆沼澤時，他早已知道那裡會有什麼出現。

命運之塔正敞開著，通往塔頂的幽長螺旋梯的入口正對著小亘，安靜地召喚著他。

狹窄的螺旋梯沿著中空的巨塔壁面向上蜿蜒，感覺好像永無止境，勉強可容納小亘一人步行，這令他想起在科學圖鑑上看過ＤＮＡ雙重螺旋的模型。雖然這裡的階梯只有一重，但是驚人的高度搞得他頭暈腦脹，眼前頓時出現疊影，好像有雙重或三重，越來越像了。

而命運之塔也和小亘之前穿越的城鎮與都市拼貼圖一樣，是用由內散發出藍光的剔透水晶做成的，沒有欄杆的階梯通體透明，好像一不小心就會喪失距離感。小亘用右手摸著牆壁往上爬，以免自己踩空失足跌落。

那光芒雖然冷冽，卻散發出溫熱的觸感，小亘抬眼一瞥，看到壁面上映照著自己的臉。

不……不只是小亘的臉。旁邊，在水晶壁面的深處還有一張笑臉，那是誰？

是媽媽。小亘駐足，牆上映著媽媽的模樣。

那是比現在更年輕的媽媽，頂著不一樣的髮型，穿著粉彩毛衣，滿臉笑容地抱著一個嬰兒。嬰兒？那又是誰？

是我，是我自己。那個襁褓中的嬰兒挺起柔軟的脖子，小手想去摸媽媽的下巴，媽媽用手蒙臉再扮個鬼臉，嬰兒高興得手舞足蹈。在幾階之上的壁面浮現另一個模糊的影像，緩緩移動。小亘趕緊衝上去。這次又是誰？是爸爸。在夏天的市立游泳池，他正要教小亘游泳。爸爸伸出雙手握著小亘的手，鼓勵正在拼命踢水的小亘，爸爸正緩緩地往後退……，對！再加把勁就能游到對面了，小亘，加油。

妝點壁面的過往情景宛如走馬燈般一一浮現，彷彿爲小亘一個人準備，專門播映往事的電影院。他不停地爬著樓梯，眼睛卻無法離開壁面，他想將每一幕影像烙印在眼底。

接著出現的是阿克，他和小亘穿著一樣的幼稚園制服，揹著黃書包。片刻也靜不下來的阿克，不是和小亘打鬧就是被小村媽媽喝斥。我記得這幕情景，開學典禮結束以後，我們還在幼稚園門口拍照。

往事歷歷再現。

在下雨天遠足；在運動會上吃便當；冬天，窩在阿克家的暖桌一起做功課；把撿來的小貓帶回家，結果被媽媽臭罵一頓，只好哭著用紙箱裝著貓咪，拿到公園裡丟棄。那天深夜爸爸回來以後，答應他只要他自己能照顧就准許他養，爸爸還陪他一起去公園找，可惜裝小貓的紙箱已經不見了，爸爸說一定被人撿走了，叫他放心。當時是爸爸背他回家的。

他老是調皮搗蛋，結果被媽媽關在陽台哇哇大哭；有一次感冒還引發肺炎，半夜被救護車送去醫院，當時的情景化爲鮮明的影像逐幕播映出來——媽媽陪在他身旁，臉色蒼白，阿克和小村媽媽一起來探病，小村媽媽頻頻道歉：「都是我們家阿克害的，硬拖著小亘淋雨。」對，下雨天不該踢足球的。

他在公寓中庭和爸爸練習投接球，媽媽正巧拎著購物袋經過，便從爸爸手上搶過球，說也要扔一球，結果是個大暴投，還把一樓後面住戶的窗戶打破了，三人一起去鞠躬道歉，媽媽在爸爸的調侃之下惱羞成怒，那天一直氣呼呼的。爸爸和他背著媽媽互使眼色，兩人忍了好久才沒笑出來……

小亘雖然才度過了短短十一年，這段歲月卻已經塞滿這麼多回憶。人的心眞是一個不可思議的無底容器，什麼都裝得進去，隨時都可以取出。

他再繼續往上爬，美鶴出現了。他在神社遇到美鶴時，對方臉上露出不屑的表情，還用一副大人的口吻對他說：「這裡是神域。」

咦，神主爺爺也出現了。他向神主爺爺出言挑釁，然後抓起書包拔腿就跑，那是……，對，他應該是問說：「眞的有神嗎？如果有，那祂到底在幹嘛？在摸魚嗎？」的時候吧。

接著又換了一幕。那是美鶴姑姑的臉，他還記得她手腕上戴著一條細銀鍊，她一邊擔心美鶴的安危，一邊像個迷途小孩般驚慌失措，這樣看來，她眞的和佐菲公主好像。

在命運之塔的透明牆面上也映照出魯伯伯的身影。那是他們在千葉的奶奶家院子裡一起放煙火的情景，魯伯伯曬得好黑，整個人幾乎融入夜色中，只有在咧嘴一笑時，露出了整排雪白堅硬的牙齒，讓他笑得半死，現在回想起來還是忍俊不禁。

可是，在接下來的影像中，魯伯伯的臉孔扭曲著，伯伯在呼喚躲到床底下的他，叫他趕快出來。心痛的感覺再度甦醒，那時候，我讓魯伯伯受到如此沉重的悲傷……

在上面晃動的是什麼？是小亘。被卡魯拉族拎著衣領懸在半空中，那時候他在未知的「幻界」迷了路，誤闖螺絲野狼群居的不歸沙漠。

奇．奇瑪駕著達爾巴巴車在草原上奔馳，小亘就坐在旁邊，彷彿隨時都會被顛簸的馬車甩下去。尾隨著在牆面上奔馳而過的達爾巴巴車，小亘加快腳步衝上樓梯。

此時，牆面突然變暗。那不是夜色，那是漆黑的東西成群結隊在空中穿梭，數量多得數不清，那是覆蓋整片天空的魔族大軍。令人聯想到骷髏頭的獠牙，幾乎還能聽到鉤爪喀喀作響的摩擦聲。

這是……，幻界現在的景象。

恐懼與不祥，讓小亘試圖遠離壁面，他的雙臂無力下垂，腳步踉蹌踩到階梯邊緣，差點失去重心，這時才猛然回過神來。

他在不知不覺中已經爬到這麼高的地方，塔樓的入口處遙不可見，眼底盡是遙遠而模糊的下界，只有隱約吹起的微風提醒他這中間的距離和空間。

再度邁步登塔，重現回憶的影像也一路伴隨著他變換。

是嘎薩拉鎮。到處都是用家具、木箱或酒桶之類的東西堆成的簡陋路障，瞭望台上站著守衛，臉色凝重地仰望著天空。率領修騰格爾騎士團在街上奔馳的正是隆梅爾隊長。

在嘎薩拉草原的彼端出現一團黑雲，眼看著逐漸膨脹，步步逼進。隊長他們拔出劍，燃起火把。奇·奇瑪站在屋頂上一夫當關，握著斧頭。咪娜，那是咪娜，她正在引導老人和孩童逃往安全的地下室。

牆上浮現的影像逐漸模糊，接下來出現了龍島，群龍正從狀似龍頭的火山島起飛，那火紅般的身軀充滿了鬥志，噴出連天空都會燒焦的火燄，衝進鼓譟的魔族軍團中。

在索諾鎮，人們正駕駛船隻逃往外海。在被美鶴施法摧毀的鎮上，魔族如醜陋的蟻群般蠕動聚集，每一艘船上連船尾都擠滿了人、人、人！

小亘所熟悉、懷念的幻界城鎮，正遭受魔族的侵襲。現在，就在這一瞬間，彼鎮、此村都在進行毫無勝算的殊死決戰。命運之塔的壁面把這個事實血淋淋地呈現在小亘眼前。

我得快點！綿延不絕的戰爭場面揪著小亘的心，他拼命衝上樓梯。

突然間樓梯沒了。這裡就是終點嗎？已經到了塔頂嗎？

他來到一間大廳，大廳的形狀仿照幻界與現世的連接圖案，星形的頂點，各自閃爍著不同的色彩。小亘邁步走到中央。

星形圖案頂端所指的地方，有一扇半橢圓形的拱門。仔細一看，和塔頂一樣是狀似雙手合十的拱門。這裡是中繼點，只要穿越這扇門，應該就能抵達女神所在的地方吧。

當他正要朝拱門邁步之際，背後傳來一個聲音。

「小亘。」

聲音甜美，是女孩子的呼喚聲，小亘頓時身體一僵，然後回頭。

到底是從哪冒出來的？在星形圖案的角落，佇立著一名少女。

「小亘，我們終於見面了。」

這個聲音很耳熟，曾經多次和小亘說過話，無論在現世或幻界。小亘曾以為這個甜美聲音的主人是個小妖精，然而他並沒有忘記這個溫柔可愛的聲音在沙卡瓦鄉的海邊唆使他打倒女神的經驗。

究竟是敵是友？這個目的和身分不明、一直纏著他不放的聲音……

嚇得他睜大了眼，屏息看著少女。因為那名少女簡直就是大松香織的翻版。修長的手腳、纖細的脖子、大而圓的黑色眼眸，美麗的臉龐綻放著笑容。

「我總算沒有白等，太好了！我一直深信你絕對有辦法抵達這裡。」

少女親密地說著，朝他走近。但她每走近一步，小亘就謹慎地退後一步。少女停下腳步，臉上那兩道曲線優美的眉毛宛如新毛筆般微微挑起。

「怎麼了？你幹嘛板著臉孔。」

小亘從無數個疑問中挑了一個丟出來。「妳是誰？」

「我嗎？」少女故作天眞地攤開雙手說：「這副模樣你不喜歡？我還以為你會很高興咧。」

她拎著裙襬，輕輕屈膝彎下腰來，就像盛裝出席舞會的少女向第一支舞的舞伴行禮，可是這裡不是舞池，少女也沒有穿晚禮服。雖然小亘印象模糊，但應該就是第一次在大松大樓前邂逅香織時，她身上穿的服裝，簡單整潔，是一般國中女生的居家服。現世的香織就是以那身打扮坐在輪椅上，眼神失焦，連周遭有誰在都沒發覺。

那是理所當然的，因為香織的靈魂被囚禁在幻界的水晶都市，直到前一刻才被小亘釋放出來。

少女輕快步行，然後在原地轉了一圈。眼前的大松香織，裙子翩然飛起，渾圓的膝頭散放出艷光，小亘還是第一次見到這副模樣。看起來分明很像香織，但是絕對不是香織，這是誰？

她的眞面目到底是什麼？

「妳曾多次主動跟我說話，對吧。」

少女欣喜地嬌笑，含羞帶怯。「你還記得啊？我好高興。」

「我怎麼可能會忘。」

一開始他還滿懷好感，甚至覺得此人很可靠……，就在他一心以為對方是小妖精的時候，可是現在的感覺完全不同。

「妳的目的是什麼？爲什麼要接近我？妳要我做什麼？」

「你跟人家講話怎麼凶巴巴的。」

「那當然。」小亘握緊拳頭。

「竟然以香織的模樣出現，未免太低級了！」

「怎麼，你不喜歡？可是你心中不是一直想著這個女孩嗎？你明明一直很在意這個女孩。」

是這樣嗎？在意香織？我嗎？這怎麼可能。我早就忘了……，亦或只是自己沒有意識到而已？

「遭到剝奪的無垢靈魂。」

少女倏然立正，像神明附體似地開始謳歌。

「命運遭到不當傷害、扭曲的犧牲者。對，就是這個和你境遇相同的現世少女……」

所以心中才會對香織念念不忘。

小亘調整呼吸並做好防備。這個終於現形（雖然是借來的）的神祕聲音，縱使能敏銳地看穿小亘內心，縱使臉上的笑容再怎麼甜美，也絕對不是小亘的朋友。

「我再問一次。」小亘提高了聲調。

「妳的目的是什麼？妳又想叫我打倒女神？」

少女彷彿畏冷般，雙臂緊抱著纖細的身體，臉上依舊掛著淺笑。

「你想知道？」

「對，我想知道。」

「想要我告訴你？非知道不可？」

「非知道不可。」

「那你得先答應我。」

那雙漆黑的眼眸燃起火焰。

「即使看到我的眞面目也絕不能討厭我，你得保證不會看到我的外貌就遠離我。」

這句話聽起來不像懇求，反倒語帶威脅，少女不等小亘回答便緩緩低下了頭。她的身體開始急劇收縮，香織的身形逐漸消失，小亘看得瞠目結舌，赫然發現少女剛才站立的位置，只剩下一個不規則的圓形小影子。那個影子緩緩地伸出手，大約有木棒粗細，先是右手，然後是左手，宛如團扇般的手掌在空中亂動，那不像是人的手，醜陋的指尖絕非人類所有。

伸出的雙臂像是在做伏地挺身一樣撐起地板，「這就是我的臉。」

從影子中逐漸冒出一顆腦袋。

小亘不由得吸了一口氣，倒退三步。

「這就是我眞正的長相，你不喜歡？」

甜美的聲音依舊悅耳，然而發出那個聲音的是……，是一隻大蛤蟆，血盆大口、雙眼凸出，青綠色的皮膚上還有點點凸起的醜陋疙瘩。

「怎樣？你倒是說話呀。」

蛤蟆一邊說話，雙臂一邊使力，從影子裡拉出全身，粗短的後腿重重地落在地板上，覆滿全身的斑紋，無論是顏色或形狀都令小亘想起某種生物。

那是魔族的模樣，有翅膀的骸骨，這是身披魔族圖案的巨大蛤蟆。

原來這就是妖精的眞面目嗎？

「你好像很驚訝，可愛的小亘。」蛤蟆抖動喉頭上層層堆疊的皮膚說道。「這就是你要的答案，是你一路追溯出來的眞相。來吧，你好好看清楚，這就是我的眞面目。」

「你是……」

「拉烏導師沒告訴你嗎？他沒提過我的存在？沒提過我這個在幻界遭受與你在現世一樣遭遇、一樣悲哀的人物？」

「我的名字叫翁芭……」巨大的蛤蟆繼續說。少女的甜美音色混和著沙啞的不協調雜音。「我是當年這個幻界誕生時，遭到創世女神摒棄的所有負面事物化身。」

負面事物的集合體……

「幼小的『旅人』啊，你既然抵達這裡，應該明白『負面』的意義吧。『負面』就是不值得這世界期盼的一切，與美麗相反的醜陋、與幸福相違背的不幸、和公平背道而馳的不公、渴求匱乏之物、懊惱己身不足的憤怒與慾望，就是我的眞正面目。」

小亘直視著翁芭大人，一邊緩緩後退，一邊搖頭。

「我聽不懂。」

「不，你應該懂！」

在不協調的雜音中，粗啞的聲音蓋過了一切，這才是翁芭大人眞正的聲音。

「可悲的人子啊。我知道你在現世的悲慘遭遇，正因爲如此，我才會接近你，因爲我知道你在無理命運的捉弄下，最後必然會詛咒現世，來到『幻界』。」

的確，那個甜美的聲音初次呼喚小亘時，他還過著安逸的生活，完全不知道爸爸和田中理香子的事。當時他做夢也沒想到，這樣的生活即將出現破綻。

「小亘，你眞的很可憐，所以我想幫助你。」

突然，翁芭大人的聲音又恢復少女的甜美，那個熟悉悅耳的嗓音。

「住口！」小亘大叫。「別再用那種聲音對我說話！」

翁芭大人開始發笑，從銀鈴般的少女嬌笑聲，逐漸變回原本的嗓音，最後他張開血盆大口，發出源源不斷地大笑聲。

「我相信你應該明白，爲什麼只有某些人獲得眷顧，其他人卻得身陷不幸？爲什麼只有你非得遭受雙親失和的痛苦折磨？爲什麼偏偏是你？爲什麼不是其他人？你應該爲此忿忿不平，應該充滿怒火，只想糾正這種不公平待遇！」

小亘不斷地搖頭。翁芭大人重重地往前跨出了一步。

「渴求人有我無的東西，不滿上天的不公平，憎恨我失人獲之物，滿懷焦急的渴望與嫉妒，這才是人的本性。如此說來，原本的『負面』也應該和眞實之鏡一樣，散落幻界各地，每一片都化爲無害的碎片，在無數人之間找到安身之地。可是愚蠢的人們不願承認『負面』也是己身的一部分，刻意疏遠，對於『負面』視而不見，人們也模仿創世女神的作爲，企圖驅逐『負面』！」

翁芭大人的聲音像在狂吼。

「失去安身之處、徬徨無主的『負面』除了墜入魔界別無選擇，但是魔界給了『負面』力量，創造出我這個化身，於是我又回到了幻界。」

原來翁芭大人也是來自魔界，來自那個對幻界滿懷憎恨與羨慕、隨時伺機而動的黑暗世界。

「所以我只好寄望人類，對於原本應該棲息在人心的我來說，人心才是故鄉。」

翁芭大人歪著巨大醜陋的腦袋，深深地看入小亘的眼中。

「你之前不也跟我很親密嗎？我幫過你，你應該沒忘吧？」

小亘不停地發抖，究竟是害怕還是難過，如果是難過又是爲什麼，心裡雖然明白卻如鯁在喉說不出口，他只能拼命搖頭，緊閉雙眼，握住拳頭。

「當時我並不知道你的眞面目，也不知道你的目的。」

「我的眞面目。」翁芭大人低語。「那就是你，因爲潛伏在你內心的『負面』也是我的一部分，你之所以能夠與我交談，看到我的眞面目，簡而言之，就是因爲你內心也有我。」

小亘內心的「負面」。

他從來沒意識到，也沒有那種餘暇，然而那的確存在著。所以他內心渴望改變命運，才會悲憤地吶喊「爲什麼只有我受到這種待遇」。

正如恨意獨自化爲分身，在不知不覺中，小亘心中的「負面」喚來了翁芭大人，所有「負面」的化身被小亘的內心吸引過來。

「好了，睜開眼吧。去把那個帶給你悲慘命運的現世攪個天翻地覆，你只想改變一個人的命運，這心願未免太卑微，現在既然來到命運之塔，你可以親手抓住自己想要的世界了。」

然後把悲運扔到一旁？創造如己所願的世界？

「這也是你的心願吧？」

聽見小亘的問題，翁芭大人頻頻點著大腦袋。

「這才是我的勝利，這是所有『負面』的勝利！」

翁芭的嘴角滴淌著黏液，伴隨著充滿憤恨的字眼，不停地吞吐著漆黑舌頭。

「我一心渴求我的世界。一個奉我爲神、將憎恨疏遠我的一切壓在膝下的世界。」

這就是他的目的嗎？所以他不惜呼喚小亘，動搖小亘的心，唆使小亘打倒女神……

「旅人啊！現在我問你，你想不想打倒創世女神，和我一起佔領命運之塔？你要不要把幻界與現世都納入你的股掌之間？」

小亘雖然不停地發抖，但內心卻毫不遲疑。

「不想。」

他的回答沒有絲毫顫抖，他的意志力戰勝了全身的惡寒。

「你的期望是錯誤的。」

翁芭大人的大嘴變得更大，佔據了半張臉，發出冷冷的笑聲，喉頭咕嚕作響。

「可愛的小旅人啊，你不明白我是在給你最後機會嗎？你現在只要點個頭，用不著跪求女神，你馬上可以坐到命運之塔的頂端。」

「我不要。」小亘扯高嗓門。「我沒辦法跟你合作。」

翁芭大人眨著眼，用舌頭舔舐著自己的臉。

「這可是個愚蠢的選擇喔。」

那死白的手黏答答地伸向小亘，小亘連忙躲開。

「爲什麼？爲什麼要排斥我？因爲我太醜陋？外型這種虛無的東西，對你來說難道比神的寶座還重要嗎？」

「不是的。」小亘搖頭。「不是因爲你醜，是因爲你想騙我。」

你應該一開始就告訴我，應該立刻露出眞面目，應該把身爲「醜陋」化身的痛苦老實說出來。如果我們能達成共識，說不定還能攜手並進，一起來到這個地方。

小亘的話令翁芭大人猛然張開大嘴說道：「這只是你隨口說說吧！如果我一開始就用這副模樣接近你，你早就嚇跑了！」

「我的確會嚇到，但是如果能更早聽到你的眞心話，早一點感受到你的沉痛，我絕對不會逃。」

「你騙人！」

翁芭大人憤怒地吼著，雙手拍打地板。「背叛我的旅人啊，你的命運到此爲止了。現在，你只能慶幸你自己將在我手中化爲魔界的塵土啊！」

伴隨著吼叫聲，翁芭大人挺起龐大的身軀朝著小亘襲來，覆滿濕黏皮膚的魔族圖紋彷彿也像有生命似地蠢蠢蠕動。

小亘拔出勇者之劍，跳往旁邊繞到翁芭大人的側面，劍尖迸出光芒，霎時令小亘眼花繚亂。這是何等的光輝，而且劍身輕如羽毛。

翁芭大人扭動身軀，張開大嘴噴出腥臭的氣息，那股疾風般的吐氣令人踉蹌窒息。小亘感覺臉部和手腳都像被燒傷似地緊繃刺痛。這是毒氣！

「過去，你一直都是這樣誘惑旅人？」跌落地板的他一邊站起來一邊高喊著，「你每次都重複同樣的台詞，在命運之塔阻擋旅人的去路嗎？」

這是多麼徒然的重複，多麼痛苦而錯誤的歷史。

「你怎麼會如此可悲。」「身為卑微的人類，也配來憐憫我！」

翁芭大人狠狠地揮出一記重拳，把小亘打到另一端。快窒息了，連眼睛都睜不開，這樣下去一定會中毒。

「你的生命比塵埃還輕，看我一口吞掉你！」

長長的舌頭彷彿有生命似地蠕動著，咻地飛過空中，企圖纏繞小亘的身體。小亘立刻揮動勇者之劍往旁邊一砍，翁芭大人哇地發出悲鳴。

鮮明的劍軌上發出冷光，退魔劍的力量在引導著小亘。他現在才知道登上命運之塔晉見女神，何以需要退魔劍。原來是為了擊退阻擋在旅程終點的惡魔誘惑。他必須克服那耳畔的負面低語：「你既然擁有改變命運的資格，乾脆奪下神位，那不就可以隨心所欲重新改造整個世界。」這就是最後的考驗。

既然如此，那就沒什麼好怕的。小亘跳到翁芭大人面前，雙腳站穩並舉起寶劍。

「你贏不了我，贏不了這把劍。」

翁芭大人發出野獸般的咆哮，皮膚上的魔族圖紋狂亂地張牙舞爪。

「別得意！」

毒氣隨著咒罵聲噴出。

「在心靈不相通的情況下不斷地犯錯，現在正是糾正的時刻。翁芭大人。」

勇者之劍——退魔劍發出強烈的光芒。

「你哪裡也去不了！也用不著再回魔界或四處徘徊，這個幻界才是你的安身之處，你應該像創世之初，變成塵土回歸人類！」

小亘奮力衝向怒吼撲來的翁芭大人，退魔劍的劍鋒穩穩地瞄準翁芭大人的眉宇之間；瞄準那燃著怒火的雙眼之間。

手上有反應，劍身深深地刺入，翁芭大人的悲鳴聲響徹八方。煞時，翁芭大人渾身發出如太陽般的耀眼光芒，覆滿皮膚的魔族圖紋，因著垂死的痛苦而扭曲。然後爆炸，化作無數塵埃飄散，如細雪滿天飛舞，看不到翁芭的原形，他已融入空氣中消失。

唯有長長的悲鳴聲，直到最後還在空間裡縈繞著。

小亘把退魔劍收回劍鞘，用手抹去額上的汗水。

「謝謝。」

也沒有特定對象，這句話就脫口而出。

小亘橫越大廳，踩著星形圖案的頂點光芒，雙手合十，穿過最後一道拱門。

第五十六章 小亘的心願

再度出現綿延不絕的階梯，不過這次不是呈螺旋形蜿蜒而上，而是沿著平台忽左忽右地呈Z字型迂迴。

最後，終於看到終點。

周遭的光景並非塔內的樣子，那些播映歷歷往事的壁面也消失無蹤，那空間好像黎明前的微藍天空，眼前只有透明樓梯以及樓梯終點的圓形女神寶座，這簡直像是外太空，飄浮在半空中的階梯勾勒出未知的星座圖形。

小亘衝上前去，那寶座在視野中逼近，坐在寶座中的女神身影遙遙可見，小亘已做好心理準備，他的內心深處鞏固著不可動搖的決心。

終於……，登上了最後一階。

女神的寶座。

在水晶打造的圓盤中央坐著一名身穿純白禮服、裙襬曳地的優雅少女。她垂著臉，雙手慎重地並放在膝上，長髮整齊地盤在頭上，從耳朵到下巴、脖頸的優美曲線清晰可見，苗條的身體籠罩在聖潔的光圈中。

少女一抬起臉，一縷黑髮便垂落在曲線柔和的白晰額頭上。

又是大松香織。

「小亘。」她開口呼喚，美如櫻花花瓣的朱唇笑了開來。

「你終於來了，這裡就是你的旅程終點，你已經抵達命運之塔的頂點了。」

小亘大為慌亂，他輪流跺著左右腳，既不想後退又害怕靠近。

大概是明白小亘的心情吧。大松香織清麗的臉龐綻放出光輝。

「我跟翁芭大人一樣，這副模樣也是借來的，我從你心裡所想的現世人類當中借用了這個少女外形。不過，我和翁芭大人不同，我不打算欺騙你，也不會陷害你，你放心吧。」

我是命運女神。雖是少女的嗓音，卻充滿了凜然威嚴。

「為什麼……」小亘開口說。總覺得自己的靈魂好像融化了，變得像水銀般濃重，在腳踝附近凝結成一灘。要這樣，才能勉強把飄散的身體固定。

「為什麼要選擇香織？」

女神再次微笑。「這個答案你應該早就知道了吧，翁芭大人不是已經告訴過你了。」

「是因為我……」小亘一手撫胸。「心中一直惦記著香織嗎？」

女神點點頭。「她也跟你一樣是個犧牲者，稚嫩純潔的靈魂遭到殘酷命運的傷害，在你企圖完成這趟旅程來拯救自己的同時，心中也渴望能拯救所有像你一樣痛苦的人們，這才是你最後的目的。」

你都沒有發現嗎？女神溫柔地問。

「在這些犧牲者當中也包括美鶴嗎？」

「對，那當然，因爲他也在你心裡。」

從一開始就在了——女神低語般地補上這一句，可是小亘聽不清楚。

「現在，你只要把心裡的願望說出口，我就可以替你實現。我就是爲此才在這裡的，你明白嗎？」

我明白——回答的聲音嘶啞，臉頰發燙，身體卻發抖。

這一刻終於來臨了，實現我心願的時候到了。

「來，你過來。」

命運女神呼喚他。

「拉起我的手，說出你的心願，把你的心願交到我手上。」

此刻，少女修長柔美的手臂；大松香織的手臂朝著小亘伸出。

完全的靜謐；沒有任何雜音的沉默；一種說不出來的安祥，只有小亘好不容易鎮定下來的呼吸任時間緩緩地流逝。一次、兩次、三次，每呼吸一次心臟就跳動一下。活著的小亘；身在此處的小亘。

所有不在此處的人們。

小亘向前走一步，一移動就出現一連串動作，沒人教過他這套禮儀，就連拉烏導師也沒吩咐過他見到女神時該怎樣做。不過小亘卻自然動了起來，跪倒在女神膝下，右手便恭敬地拉起女神的手，左手放在胸口，低下了頭。

「我的……心願是……」

「你的心願是什麼？」

溫柔的聲音摧促著他，輕輕撫過他的頭髮。

把心願，說出來。

在小亘察覺這才是自己的眞正心願之前就已經料想到，所以一直耐心地等待，彷彿從一開始就已經這麼決定似的，沒有絲毫遲疑，話語就從小亘嘴裡流暢地說出來。

「女神大人，請用您的力量打碎常闇之鏡。常闇之鏡也應該像眞實之鏡一樣，化成與人類數量相同的細小碎片，散入人類居住的大街小巷。請把常闇之鏡打破，我希望您斬斷魔界的侵略之路，拯救幻界。」

女神白皙的手指在小亘的手中動也不動。

「這就是你的心願嗎？」

「是。」

「你明白這是什麼心願嗎？」

「是，我明白。」

「我能替你實現心願的機會，只有這麼一次，可沒有第二次喔。」

「我知道。」

「你不後悔嗎？一旦實現這個心願，你在現世的命運將不會改變。你來到幻界，克服無數困難來到命運之塔，眞的是爲了實現你剛才所說的心願嗎？」

女神丟出質問，彷彿不斷地拋出軟布來纏裹小亘。小亘把這一切仔細地記在心裡。

「你想清楚了嗎？救了幻界就不能救你自己喔。」

小亘仰起臉。女神美麗的臉龐已不見笑容，表情誠摯而嚴肅，漆黑的眼珠定定地凝視著他。

「不，不是那樣。女神大人，幻界如果得救了，我也會得救。」

女神緩緩歪起脖子。

「你來這裡之前看盡了幻界的慘狀，看到魔族大軍襲擊那些陪你旅行的夥伴，所以這件事強烈地烙印在你心上，令你覺得幫助夥伴、守護幻界比什麼都重要。可是小亘你想想看，你再也不會回到幻界，幻界不是你的世界，那些夥伴今後也無緣再與你見面，你將從這裡回到現世，回去之後你會驚醒，到時候你恐怕會後悔自己來到幻界，難道你面對殘酷的命運不會咬牙切齒嗎？到時候你就算後悔也來不及了。」

小亘竟然對女神展顏一笑，連他自己都覺得驚訝。

「正如您所說，起先我爲了改變現世的命運來到這個幻界。在旅行一開始時，我也曾經下過很強烈的決心。那時候，我認爲要扭轉現世不合理的命運，必須找到命運之塔。」

可是現在不同了，一切都不同了。小亘已經看得很清楚。

「那是我的誤解，之前我錯了。因爲女神大人，這個幻界就是我的幻界，我在幻界一路走到這裡，我同時也一邊旅行一邊創造幻界，創造出我的幻界。」

保護這個幻界不受魔族侵擾，等於是小亘在保護自己的心。

「回到現世以後，我的坎坷命運還是跟我離開時一樣，仍然在等著我吧。這一點我很清楚。可是，現在的情況和以前不同了。現在的我已經不再是來到幻界以前的我。」

「你是說，你變強了嗎？」

小亘搖搖頭繼續往下說。「我不認爲我變強了。現世的我，是個無法獨立生活的小孩。正因爲如此，面對坎坷的命運我只能哭泣，因爲我無能爲力。」

現在也一樣，光靠自己毫無辦法，因寂寞而哭泣、爲害怕而顫抖、畏懼心愛的東西遭到剝奪、害怕受到傷害。

「來到幻界之前，我在現世經歷了前所未有的悲傷，我滿懷憎恨與難過，以爲這輩子再也不會這麼恨人，我覺得自己不幸到了極點，所以才會渴望改變這種命運。

這趟幻界之旅發生了好多快樂的事，邂逅了許多很棒的人。這麼多快樂的事，有時甚至讓我忘了這趟旅行的目的。可是另一方面，還是有很多讓我難過得要死、怕得要死的遭遇。難過時，我哭泣，我放聲大哭；恐懼時，我顫抖，也曾有過害怕到站不穩的經驗，但是我不能逃避，因爲我想繼續旅行，因爲我想抵達命運之塔。

現在，當我終於抵達這裡才明白，幻界之旅的意義並不在於抵達命運之塔這個終點，這趟旅行的本身對我來說才是無價之寶。是這趟旅行讓我明白，縱使我能靠著女神大人的力量改變命運，終究只限於一時。今後，除了喜悅與幸福，想必還會遭遇無數次的傷心與不幸吧。那是不能逃避的，更何況，我也不可能每次一碰上悲傷或不幸就要求您改變命運。」

小亘在鑽到床底下哭泣時，曾以爲這輩子再也不會哭成這樣。然而，卡妥死去時他哭了，目送美鶴遠去時他也哭了。

別離、失落、受傷，今後想必還是會不斷地重演吧。縱使每次都改變命運試圖逃離，但改變命運以後的前方還是會有失落與別離在等著。

正因爲有喜悅才會有悲傷；正因爲有幸福才會有不幸。

「幻界之旅，透過無數喜悅與悲傷的體驗讓我明白了這一點，我終於明白自己不能平白無故地改變命運，忽略重要的東西。眞正的東西只存在於女神大人也無力改變的東西之中，能夠改變的只有我自己。如果，我不改變自己的命運，開拓自己的道路，就算時間過得再久也只會原地踏步，只能重蹈覆轍，就這麼結束一生。」

正因爲如此，小亘要保護自己的幻界，不能任由被憎恨製造的魔族毀滅。

「單靠軟弱的我……，靠我們的力量無法打倒魔族，如果這樣放任不管，幻界將會被魔界吞噬，所以我請求您拯救我的幻界，讓憎恨的黑影遠離，賜給我，賜給我的幻界一個未來，賜給我的夥伴們一個未來。」

小亘說完話後抿著嘴，凝視女神的臉。女神的眼皮在微微顫抖，彷彿隨時都會睜開回視著小亘。然而，女神依舊閉著眼，女神的雪白玉手在小亘手中，沒有流露出任何情緒，就像人偶的手一樣文風不動。

「即使現在擋下了魔界的進攻，幻界也不見得會有未來。」

女神說著，緩緩搖頭。

「你應該很清楚吧。北方統一帝國和南方的聯合國是不可能輕易和解，紛爭將會繼續，種族歧視思想恐怕也很難杜絕。即便如此，你還是堅持要爲幻界眾人讓出改變自己現世命運的唯一大好機會嗎？」

小亘毫不遲疑。

「是！我希望這樣。」

無論是紛爭不斷的愚昧、只看得到自己所相信的狹窄心胸、只貪圖眼前安逸的急性子，這一切的一切都是小亘的幻界。

因爲這就是小亘自己。

「即使不斷發生錯誤，只要能回到原點重新思考，活著，拼命活下去，開創自己的道路，那麼一切便有意義。請給我的幻界一個機會，求求您。」

小亘的內心很平靜，該說的他通通都說了，內心不再不安。他任憑這宛如卸下重擔的寂靜籠罩全身。

他再度深深一鞠躬。終於，感覺女神修長的手指握緊著自己的手。

「我明白了。」

女神傾身向前，輕輕捧起小亘的臉，然後又笑了，祂頭上的光環好耀眼。

「那我就答應你的心願，你站起來。」

小亘起身立正站好。

「把你的劍，把你完成的『退魔劍』交給我。」

小亘從腰帶取下劍，用雙手獻給女神。

女神也翩然站起來。

「看著你的腳下。」

小亘垂下視線，吃了一驚。在女神寶座的圓圈映出影像，原本是水晶宮的所在位置，現在飄浮著由黑霧之翼支撐的常闇之鏡，黑暗的鏡緣仍源源不絕地湧出魔族軍團，雖然只是影像，但還是令人避之唯恐不及。小亘的視線遲遲無法離開，他緩緩後退。

女神拔出退魔劍，拉起純白禮服的下襬，邁步向前。她倏然伸出手臂，把退魔劍舉向腳邊常闇之鏡的正上方。

『旅人』小亘啊，現在，命運之塔在此，將你找到的解答還給地面上。」

女神將退魔劍的劍尖朝下，靜靜地鬆手，劍掉下去了，貫穿女神的寶座，退魔劍往下墜落，墜向幻界，墜向常闇之鏡。

就在這一瞬間……

原爲皇都的索雷布里亞中心，常闇之鏡正以詭譎的姿態降臨，被鏡中湧出的魔族大軍嚇得發抖的人們，突然看到一道光從天而降，那是筆直落下的光劍，拖曳的光尾閃閃發亮，瞬間的軌跡將天空劃爲兩半。

然後那把光劍就被吸入常闇之鏡。

支撐常闇之鏡的黑霧之翼猛烈拍動，踉蹌地揮過天空一次，再一次，旋即從鏡緣消失。失去支撐的常闇之鏡開始傾斜，正當人們以爲漲滿的黑潮會溢向地面之際，鏡子中央竄過一道閃電般的光痕，彷彿要抑制那股黑潮。

常闇之鏡開始碎裂，裂成兩片、四片、八片，隨即崩碎瓦解，變成碎片，化爲微塵。原本正要飛出常闇之鏡的魔族大軍，隨著鏡子的瓦解一同被拉回魔界，群魔掙扎的手臂與翅膀在一瞬間化爲漆黑的塵埃。

無論是北方大陸或南方大陸，在常闇之鏡散裂的一瞬間，正在襲擊城鎮、村落、街道的黑壓壓魔族大軍，彷彿被一隻看不見的巨手給捏扁，發出爆炸般的聲音，霎時化爲黑塵；正掄起武器迎向魔族的人們、正躲避魔族的人們、正懼怕魔族而哭號的人們，發現這些可怕的敵人突然消失了，原本正在追殺他們的魔族消失了，悲鳴聲嘎然而止，魔族化爲無數黑塵，從他們頭頂簌簌落下，落在眼神呆滯的他們面前。

灰頭土臉的人們面面相覷。

消失了，不見了，魔族不見了。

不久，響起一片歡樂聲。

在嘎薩拉鎮，奇·奇瑪正在分局屋頂上企圖斬除三隻來襲的魔族；一個用利爪抓住他的頭，一個想咬他的喉嚨，還有一個騎在他背上。正當奇·奇瑪與他們扭打之際，咪娜也從旅館廚房抓起一只平底鍋趕來助陣。

「給我放手！你這個笨蛋！奇·奇瑪，你振作點！」

「這些傢伙還眞煩人！」

奇·奇瑪雖然遍體鱗傷，鬥志依舊旺盛，他露出尖牙對準不留神的魔族手指咬下去。

「我怎麼可能輸給這些傢伙！」

奇．奇瑪甩落一隻魔族，咪娜立刻用平底鍋一敲。

霎時……，那傢伙消失了。

全都消失了。襲擊嘎薩拉鎮的無數魔族都消失了，奇．奇瑪與咪娜在黑塵中呆然佇立。

「這是怎麼回事？」

奇．奇瑪本想回答咪娜，但他還來不及說話，就得先把飄進嘴裡的魔族殘骸吐掉。兩人相視，然後同時仰望天空，望向天空的更上方，望著天上的命運之塔。

「是小豆……」

修騰格爾騎士團的士兵們守著嘎薩拉鎮的大門，讓行動緩慢的老弱婦孺躲進鎮上的地下室。他們一定要死守鎮門，設法阻擋這波攻勢，搶在下一波攻勢來襲前，讓老弱婦孺逃往安全的岩山和森林裡。有些士兵索性扔下斷劍，揮舞著火把應戰，在路障後面，有些同袍已力盡氣絕，連盔甲也沒脫便倒下，護膝和頭盔散落一地。

「別退縮！推回去！」

隊長的聲音激勵著部下，士兵們個個傷痕累累，在寡不敵眾的情況下，士兵們一個接著一個倒下。

「隊長，危險！」

連續斬落多隻魔族的隆梅爾隊長，才剛舉起手臂擦拭流入眼中的汗水，魔族便逮住這一瞬間從背後偷襲，隊長腳步踉蹌，一名士兵飛身上前解圍，卻被急速降落的魔族用力一撞，整個人撞上路障。魔族成群鼓譟，摩擦著爪子彷彿在誇耀勝利，不祥的翅膀在空中亂拍，那股噪音幾乎令耳朵發狂。

「隊長！」

從路障中掙扎起身的騎士，在衝撞中掉落頭盔，露出了臉孔，視野頓時開闊，眼前瀰漫著一片漆黑的細小粒子。

這是什麼？

魔族大軍消失了，整座嘎薩拉鎮，不，整個幻界的大城小村彷彿在同一時間打掃煙囪，遍地瀰漫著滾滾煤灰。

不是煤灰……，這是魔族的殘骸。

這唐突的勝利令騎士們不敢相信，然而掛念隆梅爾隊長安危的那名士兵卻像發狂似地用雙手推開路障。

「隊長，隊長！」

卻不見隊長的人影，倖存的同袍們渾身沾滿了黑塵，身上的銀色盔甲也黯然失色，他們目瞪口呆地仰望著天空。剛才還在跟魔族纏鬥的地方，現在只見塵埃四起，士兵們茫然地用手揮開灰塵。每個人都灰頭土臉好像小丑，原本因戰鬥而緊繃的臉部表情鬆懈下來。

結束了嗎？結束了，就跟開始時一樣唐突。

某人開始誦唱讚美女神的禱詞，大家立刻跟著唱和。然而，隆梅爾隊長依舊不見蹤影。

那名騎士在撞上路障的前一秒親眼所見的景象依然烙印在他的腦海裡——隊長毫無防備的後頸，被魔族狠狠咬住……噴出的鮮血把魔族的獠牙染得血紅……

魔族消失了。士兵們開始發出安心的嘆息和歡呼聲，四處都聽得到勝利的鼓譟聲，但是他還在尋找隆梅爾隊長。

魔族消失了，可是隆梅爾隊長也消失了。

常闇之鏡化爲塵埃，魔族大軍也化爲黑灰，乘著幻界的風四散紛飛，遍佈北方大陸、南方大陸，散入人群中，而小亘，靜靜地守望著這幅光景。

皇都索雷布里亞又出現了藍天。小亘看完以後，才把目光轉向女神。

女神嫣然微笑。

小亘也笑了。

小亘再度拉起女神的手，屈膝跪倒。「您實現了我的心願，我打從心底感謝您。」

突然間，女神彷彿變成了那名暫借外型的少女，盈盈地屈膝，用雙手抱住小亘。

「謝謝。」

用香織的聲音……啊，這一定就是大松香織的聲音。那樣的低語令小亘頓時心情放鬆，他忘了拘謹，拋開羞怯，甚至忘了對方是命運女神，也用力回抱著對方。他們就這樣相擁許久，女神臂彎的體溫和小亘記憶中的許多人重疊——媽媽、咪娜、奇．奇瑪的肩膀、卡婺觸摸他臉頰的指尖、替美鶴做臨終禱告時，緊握著美鶴的手。

「好了，旅人啊！你返回現世的時候到了。」

女神溫柔地按著小亘肩膀，彷彿在告誡他。

「是。」

「沿著你的來時路回去，只要沿著女神寶座一路走下樓梯，應該就會看到拉烏導師在等你。」

小亘起身整理凌亂的衣服，女神的指尖輕輕略過小亘的頭髮。

「再見了，小亘。」

小亘朝著那張溫柔的笑臉用力點點頭，激昂的心情讓他說不出道別的話，就這麼轉身離去。

他覺得自己好像變成了空殼。

明明很高興，感覺很安心，卻又很難過，不忍別離，感覺所有的情緒不像是自己的。他一步一步、一級一級地走下樓，宛如踩在空中飄浮不定，雙眼雖然睜著，卻什麼也看不見，在蒼茫的空虛中游移，所以並沒有立刻發現，直到眼前出現了沾滿泥濘的銀靴鞋尖；直到聽見喀鏘、喀鏘的腳步聲。

是隆梅爾隊長，就站在下一個轉角的平台處，他看著小亘臉上驚愕的表情，點了一下頭，再次舉步緩緩上樓，逐漸走近。隊長將銀色頭盔夾在腋下，一頭凌亂僵硬的金髮沾滿了血污和泥濘，盔甲上的護胸有無數條長長的刮痕。他拖著疲憊沉重的步伐，略垂著右肩，脖子上也有一個很大的傷口，沾滿了半乾的血跡。

「隊長你……怎麼會來這裡？」

隆梅爾隊長走到小亘站立的轉角平台處便停了下來。

「你怎麼會來命運之塔？」

隆梅爾隊長眨眨眼，沉靜地吐出一口氣，然後回答：「因爲我被選中了。」

小亘聽不懂。在他心中，才剛剛卸下一個大包袱。

「我被選中了，我是半身，是人柱。」渾厚的嗓音繼續說道。「我將和另一個人柱；另一個半身，成爲冥王，重新整合偉大的光之疆界。今後這一千年將要負起守護幻界生命的重責大任。」

人柱——哈爾涅拉。

「另…另一個人是誰？誰是半身？」

隆梅爾隊長把他那污損不堪的護甲包覆的大手放在小亘肩上。

「你完成了旅行。那麼，答案應該不問自明了吧。」

是美鶴嗎。

「我將前往女神大人的寶座，很高興在這裡見到你，能夠享有在旅人的目送下離開幻界的特權，看來當人柱也不壞嘛。」

隆梅爾隊長很酷地揚起嘴角朝他一笑。

失去的感覺，因著隆梅爾隊長放在他肩上的那隻手又逐漸被喚醒，雙腿也恢復了力氣，心也找到了焦點。

「不許哭。」

隊長先發制人。隆梅爾隊長的一雙藍眼嚴厲地直視著小亘。

「這不該悲傷，所以你不可以哭。」

小亘發不出聲音，只能癟著嘴角，一逕地點頭。

「是你替我們打碎常闇之鏡吧？」

他又點了一次頭。

「謝謝。我代表幻界的所有人向你鄭重致謝。」

小亘終於想起該說的話，雖然有千言萬語，但是現在該說的話搶先脫口而出。

「隊……隊長。」

我不能哭。

「我……我沒能……保護卡姿姊，讓她死了。」

隊長倏地眉頭一挑，然後垂下雙眼。

「是嗎？」

「她為了保護索雷布里亞的小孩，突然間……卡姿姊的鞭子掉了，但她還是徒手跟魔族搏鬥。」

「她就是這個脾氣。」

小亘點著頭硬是把湧上喉頭的嗚咽吞回去。

「在幻界，人死後會變成光。」

「是，我知道。奇·奇瑪跟我說過。」

「是嗎？那，他也跟你講過投胎轉世？」

「嗯。」

隊長的眼神放鬆，又恢復笑意。

「這麼說來，我將要守護卡姿投胎轉世，展開下一段人生幻界囉。這倒不壞，越來越不壞了。」

這不是逞強。

「我唯一的心願就是在千年過後，當我的任務結束，化爲光芒投胎轉世時，能與不知轉世幾次的她置身於同一個空間，因爲我和卡姿的爭論還沒有了斷呢。」

這是在逞強。

「其實你根本不想跟她爭執。」

隊長揚起下巴笑了一下。

「去吧！我想在這裡目送你。」

小亘沒有反對，說了聲好，便定定地凝視著隊長。

「勇敢的旅人啊。」

隆梅爾隊長將拳頭抵著胸口，向他行騎士之禮。

「願現世的你，也有命運女神大人的庇祐。」

「謝謝。」

小亘回以騎士之禮，邁步走出，他感覺隊長的視線正在催促著他，所以他沒有回頭。

一走下樓梯，看到了拉烏導師，雙手拄著杖，表情悠哉，彷彿只是在等跑腿的小亘回來。

「那麼，我們走吧。」

他只說了這句話，便領著小亘率先走出去。

悲嘆沼澤和村鎮的透明拼圖消失了。小亘一心一意尾隨在導師身後，安靜地走過宛如飄浮在宇宙的廣漠天空，就像通往女神寶座的階梯一樣，連腳下有沒有路都不知道。心，又恢復空白。

要御門已遙遙在望。那個高聳入雲、分隔現世與幻界的巨大疆界。之前穿越這裡的情景感覺好像過了千年。

離要御門還有一大段距離，拉烏導師便停下腳步，他歪著頭仔細打量小亘。

「退魔劍還給女神大人了嗎？」

「是的。」

「那麼，把證明『旅人』身分的墜子也還我吧。」

小亘拿下墜子，輕輕放在導師乾瘦的手掌上。導師將它收進懷裡。

「你做了一趟很好的旅行。」

「是。」

「你的旅程只屬於你，任何人都奪不走。」

「是。」

長長的山羊鬍搖曳著，也許是導師在微笑，但那只是電光火石的一瞬間。那位平易近人、像個囉唆老頭的拉烏導師，彷彿已經變成了另一個人。

因爲，我正要回去，因爲我已經不屬於幻界了。我不得不想起，我與拉烏導師之間隔著無法跨越的鴻溝。

導師把他那枯瘦如柴的手放在小亘頭上。

「活在現世的幼小人子啊！今後我們不會再見面了，你回到現世也要像在幻界一樣，走一趟美好的旅程。」

是，小亘回答，仰望拉烏導師。

「導師大人，我有個請求。」

導師倏地眉毛一挑。

「都到這個節骨眼了，你還有什麼事。」

小亘脫下火龍手環並遞給他。

「這個……我想請您幫我還給那些……一看到手環就知道我已經結束旅程回到現世的人，好讓他們安心。」

小亘看到拉烏導師的老臉頓時皺成一團，不禁有點慌張。

「不行嗎？這個請求太厚臉皮了？」

「這不是什麼困難的要求，不過就算不這麼做，你的夥伴們也應該發現你已經達成目的返回現世了。」

「就算這樣，我還是想交給他們。拜託您。」

小亘致上最敬禮，但拉烏導師文風不動。

頭上傳來一陣歎息聲。「唉，好吧。我答應你，畢竟這是你的一片心意。」

小亘打從心底感激。

「咦？」拉烏導師突然仰頭出聲。「喔，從這裡可以看得很清楚。」

小亘順著導師的視線抬起眼睛。

廣漠的天空。在遠方，璀璨的光幕彷彿裙襬般款款搖曳著；令人目不轉睛的聖潔光幕，佔據了整個視野；優雅的曲線，就像慈母觸摸幼子腦袋的手指，溫柔地撫過天空。

「那是新的『偉大的光之疆界』。」拉烏導師靜靜地說。

守護幻界的光幕，帶著未來千年的光輝洗滌天空，眼看著漸行漸遠。

「『哈爾涅拉』結束了，你親眼看到它結束了。」

小亘點點頭，握緊拉烏導師的手，什麼也沒說，只是緊緊握住。

然後轉身，仰望著要御門。

要御門無聲無息地緩緩開啓，送出小亘，大門一旦關上，下次再開啓將是十年以後，那已經跟小亘無關了，下一個「旅人」將會抱著哀切的心願造訪此地。

「小亘。」導師喊他。「最後，你將會忘記幻界，忘記這趟旅程。但是，眞實會留在你心中。」

「眞實……」

這是小亘在這趟旅程中所得到的結論。

「只有在你離去時才能獲得眞實。」

拉烏導師嚴肅地說著，退到一旁爲他開路。

「回去吧，旅人啊，你有義務以現世之子的身分活下去。」

一步一步，小亘踩著已經無法回頭的步伐前進，要御門將迎入小亘。

現世會有什麼在等著他？回到現世將有什麼感受？今後該如何在現世生活？一切都依照他的心意。

當初來到幻界時，小亘是一個人，現在不是一個人了，還有大家一起。有美鶴和卡姿，咪娜與奇．奇瑪。

命運女神的美麗身影也在他心中。

在魯魯得的國營天文台，巴克桑博士伶俐地蹬上木頭靴子，靠在頂樓研究室的窗邊，身旁有羅蜜陪伴。

「博士。」羅蜜喊他。

「我知道妳想說什麼，可是現在先別說話。」

我的不肖弟子們，想必此刻正在認眞觀測吧，博士想。

「逐漸消失了耶。」

博士並沒有回答羅蜜，兩人默默地凝視著天空。

最後，博士說：「要御門也該關上了。」

在他說話的同時，還打了一個特大號的噴嚏，羅蜜連忙揪住他的後領，以免他摔落靴子，甚至從窗口跌出去。

在嘎薩拉鎮外，飛天馬戲團重新搭起了大帳棚，充當臨時醫院兼避難所。診療所的醫生忙得不可開交；剛才還拿著平底鍋奮戰的咪娜，現在扮起小護士，和醫生一起在傷患之間穿梭。

她害怕一旦靜下來會想起什麼，一心只想忙於眼前的事情，讓一樁接一樁的急事追得自己團團轉；那邊有小孩在哭、這邊有傷患在呻吟、繃帶呢？藥呢？

「咪哪！」

布布賀團長在大帳棚的入口喊她。

「妳過來，阿婆好像有事找妳。」

咪娜迂迴穿越傷患區，不時還絆到腳，好不容易才走到團長身邊。

「眞希望我有三頭六臂。阿婆找我有急事嗎？」

「妳自己去問她。」

布布賀團長的眼神很和藹。

「妳也順便休息一下，就算是做個深呼吸也行，不要一臉心事重重的樣子。」

咪娜走到外面。

阿婆就在大帳棚旁邊擺著一付桌椅，桌上放著一顆水晶球，端正地坐著。光是看她遠離周遭喧囂的背影，就感覺幻界與嘎薩拉彷彿什麼也沒發生過。

就這麼忙著忙著，已經傍晚了，頭頂上的天空一整片緋紅，到處都看不到魔族的惡翼陰影。是小亘救了我們，是他懇求女神大人驅退了魔族。

（晚點再說，咪娜。）

這是小亘在崩塌的索雷布里亞城牆旁對她說的最後一句話。
那是一個承諾，那個承諾實現了。
可是小亘的心願呢？小亘的旅行就這樣結束眞的好嗎？拼命不讓自己去想的疑問，這時不斷地湧上心頭。
於是咪娜就會責備自己，撇開無數紛亂念頭，最震撼她的心靈是……，今後再也見不到小亘了嗎？
是這份哀傷。
是我一廂情願。因爲小亘本來就是現世的人，因爲他是「旅人」。
阿婆聽到咪娜的腳步聲，原本駝著的背變得更駝，她轉身一看。
「喔，妳來啦。」
阿婆輕撫著水晶球，然後朝咪娜伸出手。
「即使不用這個也看得見，把妳的手給我。」
咪娜伸出手，阿婆拽著她離開大帳棚，然後仰起臉。
「好了，妳看。」
咪娜乖乖照著做，但是向晚的美麗看在她眼裡卻暗淡無光。
「阿婆，什麼也沒有呀，只有無邊無際的天空。」
「逐漸消失了。」
阿婆的指尖指向天空的某一點。

那是一個紅色光點，在這段日子一直存在著，就算不想看也會自動映入眼簾。對咪娜來說，那個光點有時候感覺比魔族還可怕。

北方凶星的光輝逐漸淡去，看著看著，就被吸入向晚的天空裡。

哈爾涅拉正在結束。

幻界的下一個千年現在正要開始。

大家都看到了，大家都看著整個過程結束。

在悲嘆沼澤的水畔，辛·森西摘下眼鏡，頻頻敲打著酸痛僵硬的肩膀；在提亞茲赫本，守門人停下清掃魔族殘骸的工作，仰望著天空；陪在莎塔米病床前的莎拉，把小手放在窗上；群龍正要返回龍島，受傷的喬佐被爸媽牢牢夾緊，望著岩縫之間露出的天空；佐菲公主在終於會合的阿賈將軍部隊駐紮地，掀起沉重的帳幕，看著天空，腦海裡浮現美鶴在水晶宮的寂寞側臉；曾經存在著特里安卡魔法醫院的斯拉森林中，一陣和風吹過剷平的樹木，小動物們四處奔跑；路經此地的水人族，坐在達爾巴巴車上望著天空的夕陽。

哈爾涅拉結束了。

偉大的白光疆界重新張起，女神聖治，千秋萬世。

咪娜！咪哪！這次是帕克在喊叫，咪娜轉身，看到他正在大帳棚旁邊不停地蹦蹦跳跳，奇·奇瑪也在，但臉上充滿了疲憊哀傷的表情，粗壯的體型似乎瘦了一圈。

咪娜的心中一陣不安。

「帕克，怎麼了？」

奇・奇瑪用大手抓抓頭，彷彿對自己露出那種表情很不好意思。帕克在空中一個翻身，然後跑到咪娜身旁。

「剛才有一隻白鳥飛過來喔。」

「白鳥？」

「嗯，停在我肩膀上，才剛停下來就不見了。然後，這玩意就掉在我手中。」

帕克啪地攤開手掌，掌心躺著火龍手環。那是小亘的手環！咪娜用手摀住嘴。

「這個，是之前妳那個朋友戴的手環吧？是高地人的手環吧？」

「是小亘的。」奇・奇瑪說，「這是在跟我們打招呼，小亘已經平安抵達命運之塔了，他去見女神大人，拯救了幻界，然後就回去了……，回到他的世界。他爲了通知我們，才留下這只火龍手環。」

「明知這是好事，爲什麼我還會這麼難過呢……」奇・奇瑪說著，然後用力抹著臉。

咪娜拿起手環貼在臉上，淚水奪眶而出。

「咪娜，妳哭什麼？爲什麼要哭？」

帕克慌了手腳，咪娜緩緩屈膝，蹲下來埋著臉。

小亘走了，他離開幻界了。

旅程結束了。

「該說什麼才好呢？」

奇・奇瑪的眼睛濕了，這個魁梧的水人族用全身的力氣在哭泣。

「這種時候該說什麼？結果還是得說再見？我們還沒跟小亘說再見呢！」

咪娜抱住奇·奇瑪。

「幹嘛說再見啊！」帕克這次來個後空翻，好勝地嘟起嘴巴，「咪娜，妳不是說過嗎？妳不是教過我嗎？分手的時候不可以說再見。」

咪娜抹去淚水仰起臉。「有這回事嗎？那我有沒有告訴過你，這時候該說什麼？」

帕克得意洋洋地挺起胸膛回答：「要說多多保重！」

咪娜和奇·奇瑪面面相覷，露出微笑，夕陽的餘暉映照在淚痕交錯的笑臉上。

「是啊！那是最好的答案。」

暮色逐漸籠罩著嘎薩拉鎮，在向晚的天空中，北方凶星已經完全消失，隨著夜幕降臨，群星即將要綻放光芒，如降雨般點綴著天幕，溫柔地哄著幻界入睡。

咪娜與奇·奇瑪緊抱在一起，仰望著天空，他們各自在心中低語，他一定聽得見，請轉告小亘。

我們的旅人；我們的旅途夥伴；小亘，正如你曾爲我們做的，我們也要祝你幸福。

保重！

有一股瓦斯味。

小亘從某個遙遠的地方跑回來，從無法測量的距離飛奔回來，衝力過猛，使他跳了起來。

是自己的房間，書桌上堆滿了筆記本和參考書，彈簧鬆脫的椅子上鋪著媽媽替他縫製的拼布座墊，不銹鋼書架上排列著百科字典和科學雜誌，後面除了藏有電玩攻略指南和漫畫書，還有爲了買「復活邪神III」存放零用錢的秘密存錢筒。

是我的房間，我的家。

但是有一股瓦斯味，冷氣已經停了，這股令人不悅而危險的氣味夾雜在悶熱的夏夜空氣中。

小亘推開棉被，從床上衝出去。

「媽！」

他一邊大聲呼喚，一邊衝進客廳。媽媽的臥室房門開著，廚房飄來一股強烈的瓦斯味，媽媽特地把房門打開，好讓瓦斯湧入她的房間。

小亘屏息衝進廚房，情急之下本想開燈，摸到開關之際突然想到，不行不行，太危險了！萬一冒出火花會爆炸。他猛然抽手，摸索著找到瓦斯開關並扭緊，然後又衝回客廳，把所有窗戶打開。

他急忙衝進媽媽房間，看到媽媽毫無血色的睡容，媽媽枕著枕頭仰面而睡，雖然只是蓋著夏天薄被，卻幾乎看不見被子底下的身形，才短短幾天就瘦了這麼多。因爲太痛苦、太傷心。

然而，那也用不著尋死，想要自我了斷是錯誤的。

臥室裡的窗簾又厚又重，焦急的小亘一直抓不住，索性整個人撲向窗簾掛在上面，啪答一聲，他和窗簾一起掉落，糾纏成一團。即便如此，內心還是發出歡呼聲，他掙扎著站起來打開窗戶。

總算及時趕上，老媽沒事了。我會救妳！我可以救妳！

從幻界回到現世就在這個時間點，而當時美鶴趕來協助小亘的起點也是在這個時間點。

瓦斯味逐漸散去，但小亘還是小心翼翼地，在牆壁和家具之間跌跌撞撞地經過漆黑的屋內和走廊，從玄關跑向大門外。鄰居們應該會被我吵醒吧！

「對不起，請借我打電話！對不起，我是隔壁的三谷，我想叫救護車，請借我打通電話。」

在現世的這個夜晚沒有月光，公寓走廊上的日光燈靜靜地守候著小亘。

魯伯伯從千葉老家飛車趕來。凌晨三點，兩人在急診室外的走廊上並肩坐著。

醫生說，幸好及時發現。

「在你媽清醒之前，還需要小心觀察，不過應該沒有生命危險。小弟弟，你立了大功喔。」

是一位年輕醫生。當救護車開到急診室入口前，睡眼惺忪的醫生一看到擔架立刻振奮起精神。

原來如此，醫生跟高地人一樣嘛，小亘想。

小亘也接受診療，眼睛有沒有不舒服？不會；胸口悶不悶？不會；頭會不會痛？不痛。

我不要緊，我可以在這裡等我媽醒過來嗎？

於是他和伯伯就一直這樣坐著，走廊上的長椅是供成年人坐的尺寸，小亘一坐進去，腳尖就懸在半空中碰不到地板。我明明是個有模有樣的高地人，怎麼會像個小朋友似地坐著？

接著才想起來。我已經不是高地人了，也沒有勇者之劍，寶玉的力量也消失了，我又變回了三谷亘。

「都市瓦斯其實毒不死人。」

魯伯伯突然沒頭沒腦地咕噥。肩膀無力下垂，大手垂落在雙腿之間。

這句話以前也聽過。對，是美鶴說的，都市瓦斯其實毒不死人，不過如果發生氣爆就麻煩了。

美鶴……，他已經不在了。不，他眞的消失了嗎？他沒回到現世嗎？

「小亘，不睏嗎？」魯伯伯問道。他的鬍渣都冒出來了，下巴和嘴唇周圍一片青黑，雙眼皮的大眼睛悲傷地眨動著。

和沮喪的奇．奇瑪一模一樣，無論是魁梧的大塊頭或溫柔的心。

「我不睏，不要緊。」

「如果累了，可以靠著伯伯睡一下。」

「嗯。」

雖然不累，無意間卻被一股控制不了的強烈情感吞沒，小亘倚向伯伯，伯伯用手臂環抱著他。

好一陣子，兩人就這麼默默無語。

「對不起。」伯伯說。「大人任性，害你受了這麼多折磨，太過分了。眞的太過分了。」

聲音嘶啞顫抖。伯伯的心裡正在哭泣，那個哭泣聲夾雜在從來不流淚的沉穩聲音裡。

「伯伯。」

「嗯？」

「我見過伯伯了吧？」

伯伯轉頭，湊近看著小亘的臉。

「你在說什麼？」

伯伯那張疲憊蒼白的臉孔充滿了愕然的表情，感到一頭霧水。

啊，對了。在第二顆寶珠到手時，我穿過光之甬道回到現世，來到媽媽住院的病房，後來正打算離開時，伯伯就來了，所以那是接下來才會發生的事。

可是我現在已經回到現世了，所以「那件事」已經不可能發生。

時間撥回來了。在幻界度過的時間，不能按照現世的時間來計算，他總算確實感受到這一點。回到「瓦斯之夜」的時間點，原來就是這個意思。

如果是這樣的話，那就更令人好奇了。芦川美鶴在哪裡？大松香織現在怎樣了？說到這裡，還有石岡健兒……

伯伯用他那粗糙的大手搓著臉龐，小亘很想安慰他。我已經不要緊了……，他想讓伯伯知道自己眞的不要緊了，遠超過伯伯所認爲的那種不要緊。可是，他不知該從何說起，弄不好說不定還會哭出來。有時候即使不傷心，一旦情感超出負荷，還是會哭。因爲小亘還是個孩子。

因爲他已經不是勇者小亘了。

小亘緩緩地靠向伯伯，深深地靠著他，伯伯的身體好溫暖，帶著古龍水的氣味。

「伯伯。」

「嗯？」

「一旦放心，就有點睏了，我可以睡一下嗎？」

「可以呀。」

小亘閉上眼，一陷入淺眠立刻做了夢，他夢見坐在達爾巴巴車上，駕駛座上坐著奇．奇瑪，正用快活的聲音催促著達爾巴巴。

這時，他終於流淚了，回到現世之後終於流出的淚水帶著懷念的滋味。

結果，在醫院待到天亮依然見不到媽媽，伯伯和小亘只好先回公寓。

兩人的早餐是在麥當勞打發的，早上店裡沒什麼人，坐在吸菸區看報的西裝男子吐出來的煙，一路飄到大嚼漢堡的小亘身邊。

「小亘！」

「什麼事。」

伯伯握著盛有咖啡的塑膠杯，微傾著頭。

「幹嘛？」

伯伯把杯子放回托盤，困惑地皺起眉。

「我覺得你喔……」

「嗯。」

「感覺好像突然堅強了。」

語氣平靜卻帶著驚訝，伯伯的視線裡加入了「觀察」的成分。

小亘面露微笑，他感覺心中好像滿溢著熱呼呼的熱水，瀰漫著善意與感恩，還有無名的光輝。

我可不是突然堅強的喲，伯伯！我一直在旅行，現在才回來。

「媽沒有死，眞是太好了。」小亘說。「怎麼可以死嘛！你說是吧？」

伯伯沒回答，只是點點頭，眼睛濕濕的。

學校已經放暑假了，校園裡空無一人，小亘直接趕去芦川美鶴和他姑姑的公寓住所。一大早，管理員正在垃圾場收集垃圾，小亘穿越自動門衝進大廳時他一臉漠不關心，但是等到小亘喘著大氣出來時，他停下手中的作業，詫異地看著小亘。

「有什麼事嗎？小弟。」

「請問，請問……」

芦川家的名牌不見了。信箱上原本還有他和姑姑使用的號碼，現在掛著一塊嶄新的白色名牌。

「芦川家已經搬走了嗎？」

「芦川？」

「那戶只有一個年輕女人和一個跟我差不多年紀的男孩子，我跟那個男孩是朋友。」

管理員撫額思索著，然後啊地一聲拍了額頭一記。

「他們搬走了。」

「什麼時候的事？」

「就是最近，好像是學校開始放暑假那天。」

「你有看到他們搬走嗎？兩個人都在場嗎？那個男孩也在嗎？」

小亘咄咄逼人的氣勢讓管理員有點狼狽，不過畢竟是見過世面的大人，立刻狠狠地回瞪著小亘。

「你幹嘛問這個？你既然跟那個小孩是朋友，應該早就知道吧？」「你來這裡到底要幹什麼，咦？我怎麼覺得好像在哪看過你……」管理員雙手叉腰打算認眞瞪視時，小亘早已跑遠了。

該去問誰呢？雖然也想趕快見到阿克，可惜他跟芦川不太熟。

問宮原，宮原祐太郎，他跟芦川都是資優生，兩人交情不錯，又是同班。呃……宮原家在哪裡？

宮原祐太郎正在老舊木屋的狹小院子裡和弟妹們一起整理牽牛花與向日葵。蹣跚學步的妹妹拿著紅色水壺好可愛，宮原正在替個頭比他還高的向日葵豎立支架。小亘扶著院子外圍的不銹鋼柵欄，開口道早安，宮原大概嚇了一跳吧，猛然轉身。

「咦，原來是三谷啊。早！你怎麼一大早跑來。」

宮原也走近柵欄。小亘呑呑吐吐地找藉口，宮原的弟妹們大概是對小亘沒興趣吧，正在興沖沖地數著牽牛花。

「我說……宮原。芦川的事，你知道嗎？」

「芦川？我們班那個？」

宮原毫不遲疑就這麼反問。對！有芦川這個人，有美鶴這個人。

「那傢伙怎麼了？」

「現在……你知道他在哪裡嗎？」

「什麼在哪？」宮原一頭霧水地猛眨眼。「他搬走啦。」

啊，果然是這個答案。

「我記得他是轉學生吧？怎麼這麼快又搬走了？」

「嗯！他還眞忙，不過聽說是家庭因素，他也沒辦法吧。」

語氣很悠哉。

「說的也是……這個芦川是怎樣的人？」

宮原這次可能眞的很驚訝，他從頭到腳仔細打量小亘，彷彿懷疑自己是在跟僞裝成三谷亘的外星人說話。

「他是怎樣的人，這叫我怎麼說……」

然後笑了出來。

「眞奇怪。三谷你應該不認識芦川吧？你們又不同班。」

「我們是同一個補習班的。」

「是喔？可是你們應該沒說過話吧？那傢伙向來很安靜。」

是啊，小亘只能點頭同意。

芦川家發生的慘案應該成了熱門話題吧？媽媽們都在竊竊私語吧？再加上石岡健兒他們的事，芦川是不是被當成了問題兒童？

好想問，可是不管怎麼問好像都問不出來。

在小亘回到的這個現世裡，已經沒有小亘所認識的芦川美鶴了，不見了，彷彿一開始便不存在，就這麼不見了。

「三谷。」宮原喊道，這次他把一隻手放在柵欄上，緊貼著小亘的手。

「我是說……」

他才剛開口，弟弟就大喊：「哥——！」

「真由美在搗蛋害我不能數牽牛花啦！」

小妹哇地放聲大哭，宮原在小亘和弟妹之間猶豫，不知該當個好哥哥，還是繼續扮演小亘的好友。

「小不點在哭了。」小亘催促他。

「嗯，嗯。」

宮原的手離開柵欄，轉身著著妹妹的方向，這時他稍微猶豫了一下，彷彿趁著還沒改變心意之前急著說：「學校那些媽媽們都很愛聊八卦。」

「啊？」

「學校在放暑假之前開過家長會，有些愛講閒話的媽媽也去了，我媽聽到一些傳言……」

小亘已經暸解宮原究竟想說什麼。霎時，他還以爲開瓦斯自殺未遂的消息已經傳出去了，但再怎麼說也未免太快了，宮原媽媽聽到的應該是更早以前的傳言。小亘他們那棟公寓的住戶雖然沒有小亘的同班同學，但是有同一學年的小孩，他們大概聽到什麼或察覺到什麼，所以才會傳出去吧。

因爲千葉的奶奶嗓門實在太大了。

「聽說你家好像出了很多麻煩？」

「嗯。」小亘坦白地點點頭，宮原是個令人放心的對象，況且小亘也已經變得很堅強，足以承認事實不會再使性子。

「我家也是，你知道的。」

宮原害羞地搓著人中。

「我爸媽是再婚，所以也經歷過不少波折。」

妹妹響亮的哭聲已經停止了，跟弟弟蹲在牽牛花的根部好像在挖什麼。

「我也是……，那時候眞的覺得很不快樂。」

「嗯，我懂。」

宮原露出笑容。「可是，現在倒還不錯，弟弟妹妹又那麼可愛，就是有點吵。」

這次輪到弟弟哭出來，因爲小娃兒拿著紅色水壺打他。

「嗯！」小亘說道，胸口一陣發熱，除此之外說不出別的話。

「所以，」宮原被自己搞得很狼狽。「我是說你呃……該怎麼說呢……」

要加油喔。終於找到正確的字眼，他鬆了一口氣地說道。

「嗯！」

哥──！弟妹倆又哭鬧起來，宮原嘴上嘆著好啦好啦，不過還是滿臉笑容地回到兩人身邊。

話說回來，牽牛花到底開了幾朵？

在回家的路上，小亘的腦袋和內心一片空白，唯一能確定的，是消失的芦川美鶴製造的空白以及宮原帶來的溫暖。

所以，他連自己走在哪裡都沒意識到。在馬路對面掛著晨間體操出席卡的阿克正打著大大的呵欠走過來，即使看到了，還需要一段時間才能意識到。

「呵──喂！」

阿克朝小亘揮揮手，大概是在道早安。

小亘停下腳步，凝視著站在原地的阿克。

小村同學，你記得那個轉學生芦川美鶴嗎？

「幹嘛？你一早就在這裡幹嘛？晨間操不是往這個方向吧？」

「阿克。」

「幹嘛啦。」

阿克倏然下巴一縮。你幹嘛一本正經的，三谷，大清早怎麼了？

「謝謝你替我放走小鳥。」

「啊？」

用不著看阿克的反應，那件事果然也沒有發生過，因爲就時間點來說，那也是未來的事。

「沒什麼。」小亘笑了。

「你一定沒洗臉吧？應該說，你看起來好像根本沒睡。」小亘還沒回答你說對了，阿克的小腦袋已經滴溜溜地猛轉，「該不會是……」他的表情變得很擔心。「爲了你爸的事，你家又出了什麼問題？」

「阿克。」

他瞞不了阿克，不過也用不著急著現在說出來，等一切塵埃落定再說吧。

「啊？」

「六年級的石岡，現在怎樣了？」

「石岡健兒？你說那傢伙？」

「嗯，」小亘小心翼翼地挑選字眼。「不是聽說他失去記憶嗎？先是突然失蹤，好不容易回來了，聽說又變得失魂落魄。」

阿克湊近注視著小亘的臉，然後伸手在小亘鼻子前面晃來晃去。

「你看得見嗎？知道這是什麼嗎？」

「知道呀。」小亘噗嗤笑了出來，可是阿克還是不罷手。

「你昨晚沒睡，都在玩『偵探梅鐸茲系列　消失的委託人』嗎？在推理冒險遊戲中，那玩意號稱是本系列的最高傑作耶，一旦迷上了鐵定會熬通宵。三谷同學，你醒一醒，在現實生活中根本沒有人失蹤。」

小亘笑翻了。阿克抓著他，一邊嚷著三谷三谷你振作一點一邊搖晃他，就這麼邊笑邊搖晃。

「石岡根本沒有失蹤，也沒有喪失記憶。不過，我聽說他最近變得安份多了，也許是誰逮住他，稍微教訓了他一下吧。」

聽到這個就已經夠了。

接到醫院的通知是在那天的中午過後，當時千葉的奶奶也過來了，不過只有小亘和魯伯伯去醫院。

小亘進入媽媽的病房時，伯伯在走廊上等著。

媽媽哭了，小亘也哭了，媽媽道歉，小亘也道歉。

可是，直到兩人的眼淚好不容易收住，重要的話才從媽媽口中冷不防冒出來。

「媽媽昏迷期間……一直……在做夢。」

「什麼樣的夢？」

那個嘛——光看媽媽的眼睛，小亘已經懂了，因爲媽媽的夢境片段還殘留在眼底。

「那是一個很不可思議的夢，跟你最愛的電玩遊戲一模一樣……是另一個世界的夢。在那裡，你正在旅行，變成勇者見習生在旅行，和一個長得像大蜥蜴的男人，還有一個貓耳朵的女孩一起快樂地旅行。」

「媽，那是怎樣的旅行，妳還記得嗎？」

如果不記得，我可以說給妳聽，毫無保留地、完完整整地告訴妳，包括我從那趟旅行帶回了什麼。

「我記得，我什麼都記得。」媽媽說。「小亘，你是個了不起的勇者。」

「媽。」小亘說。「既然如此，我們應該沒問題了。」

我們可以珍惜現在的自己，不再爲失去的東西嘆息、折磨自己了。

「縱使爸爸……再也不回來？」

媽媽小聲問道。

「嗯！」小亘點頭。「因爲，世界還在。」

我的幻界，我的現世。

媽媽的眼睛彷彿與咪娜的藍灰色眼眸重疊，接著又疊上了臨死前還在鼓勵小亘的「棘蘭的卡姿」那漆黑的瞳孔，然後是以騎士之禮目送小亘離開的隆梅爾隊長，他那雙藍眼。

媽媽抱緊著小亘。

又過了幾天。

媽媽出院了，她和小亘決定去千葉的奶奶家住上一陣子，雖然奶奶彆扭地說，其實邦子想去的應該是小田原的娘家吧……

「關於今後的事，我也想跟媽好好商量，拜託您了。」

聽到媽媽這麼說，奶奶總算鬆了一口氣，臉色也緩和下來，然後就匆匆回去了。爸爸打過許多次電話，媽媽和他長談了很久，不過，媽媽已經不再哭鬧了。

小亘對爸爸說，我沒問題的。

「邦子，對不起喔。」

他還在無意間聽到奶奶如是說。

首先，他得通知阿克一聲，如果小村伯伯小村媽媽同意，他想叫阿克也來千葉玩，魯伯伯已經答應讓他們待上整個暑假了。

「不過條件是，你們倆必須好好工作喔。」

當然，阿克樂壞了。

「不過魯伯伯很難纏喔，還會來一場切西瓜大戰。」

「那是什麼？」

「雖然也是切西瓜，但蒙眼持棒的不是一個人，是所有人一起。」

「媽呀！」

小亘直到要離開小村家之際，還想拉阿克去一個地方，他實在提不起勇氣一個人去。可是，到了跟阿克說再見的當下，他還是決定自己去。

然後，他朝著大松先生的幽靈大樓邁步。

那個地方現在變成怎樣了，他一直沒有勇氣走一趟，應該什麼都沒變吧，不可能會變。然而，他就是害怕去確認，蓋到一半就停工的鋼骨架還罩著褪色的藍色塑膠布。

「建築計畫公告」看板上的字跡在雨漬的浸泡下模模糊糊，他害怕看到那幅景象，一切就眞的眞的結束了，他將會確實感受到……魔法解除了。

所以小亘走得很慢，說什麼都不願抬起眼。

即便如此，他還是聽到聲音。

是重機械的噪音，抬眼一看，推土機和吊車正在幽靈大樓前的馬路上忙碌著。塑膠布拆掉了，幽靈大樓變得光禿禿的，吊車的吊桿前端懸掛著生銹的鋼筋。

那棟鬧鬼大樓被拆掉了。小亘拔腳就跑。

就在他凝視那鐵製樓梯——那是他遇到拉烏導師的地點，也是將他引導至要御門的通道——從大樓本體拆下、緩緩運走之際，有人從後面拍了他肩膀一下。

「嗨，三谷小弟。」

轉身一看，大松社長正笑咪咪地俯視著他。

「你…你好。」

「嚇一跳吧？」社長朝著正在解體的鋼筋揮手。

「要拆掉了吧。」

「嗯，被雨淋得都銹掉了，我決定整個拆除再重新來過，資金好不容易湊齊了，這次可要蓋一棟漂亮大樓喔。」

鬧鬼大樓要從地面上消失了。

視野，有那麼一丁點模糊。堅固的重型機械不斷地發出操作的噪音，掩蓋了小亘的嘆息。

永別了。

這時，大松社長突然往旁邊一靠，親暱地彎下腰，湊到某人耳邊。小亘這才發覺社長身旁還有「某人」企圖躲到社長背後。

「用不著這麼害羞吧。」

社長開心地笑著，環抱著那個「某人」的肩膀。

「這位三谷小弟，妳以前也見過，不過妳大概不記得了。」

是大松香織。

她沒坐輪椅，有一雙修長美麗的腿，身上穿著一件及膝的白色無袖洋裝，皮膚白皙耀眼，黑亮的秀髮紮成馬尾，反射著夏日強烈的陽光。

「最近，她的身體好多了。」

大松社長彷彿在觸摸絕世珍寶似地輕撫著香織肩膀。

「今天我也想帶她出來散步一下。快點啊香織，怎麼不打招呼？」

少女著迷似地凝視著小亘，明明在哪見過，卻想不起在哪裡，印象中曾經交談過，內容卻完全忘了。雖然努力追憶還是想不起來，但我的確認識你——漆黑的眼珠如此傾訴。

那份記憶只會日漸淡薄。

「我……」

靈魂，已經回到妳身上。好端端地，完好如初地回來了。

曾經停駐在我肩上的白色小鳥。

「我曾偷偷闖入這棟大樓，狠狠摔了一跤，社長還帶我回家照顧我。」

小亘回過神時，已經開始滔滔不絕，那彷彿不是自己的聲音。
大松社長笑了。「對對對，是有這麼回事。」
小亘只是定定凝視著香織，香織也凝視著小亘。
「你好。」她說。
把你的退魔劍給我。是那時的聲音，是朝著小亘伸出纖纖玉手的模樣。小亘永遠、永遠不會忘記這隻手，曾經安慰著即將離開幻界的小亘，曾經溫暖地緊抱過他。
妳曾是我的命運女神。
「這算是你們第一次正式見面打招呼，以後還請你多多指教喔，三谷小弟。」
大松香織仰望著父親，笑得好燦爛，她的笑容比盛夏的艷陽還明亮，照亮了大松社長的臉龐。
「妳好。」小亘也說。

維斯那．艾斯塔．荷里西亞。
直到再次重逢時。
在幻界，在現世。
人子的壽命有限，生命卻是永恆。

解說　林依俐

在非現實之中尋求眞實的勇氣

二〇〇三年，當我還在日本的動畫製作公司工作，而在辦公室裡聽到《勇者物語》要動畫電影化的消息時，其實是蠻困惑的。這困惑一部分是來自「公司哪來的人力去作電影啊」的直覺，而另一部分則是因爲看到寫在「原作」欄上的名字——宮部美幸。

當時我對「宮部美幸」的認識，就只僅於《模仿犯》與《鄰人的犯罪》，還有「日本推理文壇女王」這個稱號而已。知道她筆下有這麼一部被稱爲「少年冒險奇幻小說」的《勇者物語》存在時，只能用「錯愕」來說明。因爲光從大綱與設定看來，這作品實在不像是那個《模仿犯》的作者會寫出來的——一切都那麼像是在八〇年代後期於家用主機上所流行的ＲＰＧ（角色扮演遊戲）。

「寶珠」讓人想起『ＦＡＮＥＬ　ＦＡＮＴＡＳＹ系列（太空戰士系列）』的回復道具、「勇者之劍」則不禁使人聯想到『ＤＲＡＧＯＮ　ＱＵＥＳＴ系列（勇者鬥惡龍系列）』。從現實世界跳躍至異世界，名字叫做「ＷＡＴＡＲＵ（「亘」的日文發音）」的勇者，又更是與一九八八年播出的動畫影集，也可說是ＲＰＧ式動畫作品的經典《魔神英雄傳（魔神英雄伝ワタル）》相仿。而且其中男主角戰部渡的「渡」，日文發音也是「ＷＡＴＡＲＵ」。

如此古典的設定，縱使在日本青少年奇幻小說寶庫的電擊與富士見文庫裡，最近也很少見了。爲什麼日本平成國民作家宮部美幸會在這個時代，這個已經不再嚮往「勇者」的時代，寫下如此作品……？

然而，三年後的現在，在更加瞭解宮部美幸，還有坐下來好好閱讀了《勇者物語》之後，所有謎團都解開了（笑）。

作品涵蓋了推理、科幻、歷史等各式範圍，還拿下了許多著名文學獎項的宮部美幸，在私底下其實是很喜歡玩家用主機遊戲這件事，也許已經不是新聞。再從宮部「收集攻略本」的嗜好看來，這「很喜歡」一詞，恐怕還根本不足以表現她對遊戲的熱愛。宮部美幸對於家用主機遊戲的熱愛，則在二〇〇一年底所發售的家用主機PS2用遊戲『ICO』小說版的誕生軼事裡表露無遺。

爲了逃離由霧之城女王支配的城堡，少年牽起少女的手，往外面的世界奔去……這就是遊戲『ICO』的故事主軸，基本上是一款動作遊戲。但由於『ICO』的發售時間在年底，在日本也沒有引起多大的話題（但在美國卻大受好評，還得到美國被視爲遊戲界金像獎的AIAS多項提名），所以開發小組根本沒有將其小說化的打算。

然而，宮部在玩了『ICO』之後大受感動，於是親自與『ICO』的遊戲開發小組聯絡，提出了「請讓我把『ICO』寫成小說」的企畫。還爲了能順利催生這部作品，甚至挪用原本是準備用來刊載其他作品的《週刊現代》篇幅，以週刊連載的方式，從二〇〇二年五月起，花了一年寫下小說版《ICO　霧之城》。連載結束後，宮部又將連載時的最終回大幅刪修，結集成冊在二〇〇四年六月交由講談社出版。

而《勇者物語》又是在更之前的事了。

一九九九年十一月十一日，宮部在日本《大分合同新聞》等地方報紙上開始每日連載《勇者物語》。當時正因爲《魔戒》、《哈利波特》等奇幻大作電影化的緣故，日本的大眾文學閱讀也正在被一陣奇幻文學風潮所包圍。可是也許是因爲是地方報紙上的連載，雖然有著「宮部美幸的第一部奇幻小說！」的話題性，但連載當時並不甚引人注目，甚至在二〇〇一年初連載結束時，故事也沒有完結，只發展到收錄在單行本下卷的第二部三十二章〈小亘〉，少年小亘的冒險就中斷了。

這發展讓一些熱心於《勇者物語》的讀者十分震驚，還有人投書報社與宮部所屬的大澤工作室（主要經紀大澤在昌、京極夏彥、宮部美幸三名作家的事務所，又稱「大極宮」）詢問接下來的發展。隔了一年半之後，才由宮部加寫了超過四百頁的後續與結局，集結成上下兩冊發售。

如果說《ＩＣＯ　霧の城》是宮部藉他人的遊戲寫自己的小說，那麼《勇者物語》應該就是宮部美幸用小說，去寫出了她自己的遊戲世界。

就如之前所提到的，《勇者物語》的結構與設定是非常古典的，而且是非常古典的ＲＰＧ。也許是因爲我們的選擇太多，台灣讀者常常用「老套」兩字去排斥古典的結構，卻忽視了古典的結構，往往是前人的經驗與嘗試所留下的財產，是能夠讓從未曾接觸該領域（遊戲）的人，沒有負擔地進入未知世界的法則。

就結果而言，宮部美幸的意圖是非常成功的。除了結集後的小說單行本上下兩冊，都個別在日本創下了超過二十萬本的銷售成績。而由富士電視台、華納兄弟影業與ＧＯＮＺＯ共同製作的動畫電影版，也將結束長達三年的製作期，於二〇〇六年七月上映。而在動畫電影版的公開上映日發表會上，也同時公佈了《勇者物語》將會成爲ＰＳ２、ＰＳＰ、ＮＤＳ三種家用與攜帶型遊戲主機遊戲的消息。原本是試圖用小說形式展現類似遊戲的世界，現在竟然眞的變成了遊戲，想必宮部心裡所感到的喜悅，應該是遠超越我們所能想像的吧！

不過話說回來，宮部美幸爲什麼會將《勇者物語》寫得像款ＲＰＧ呢？當然，宮部個人對於遊戲的純粹喜好應該是主要原因，但是在另一方面，我們也可以說宮部是刻意利用ＲＰＧ感覺的世界——不受灰色的現實所干擾，一個名爲「幻界」的異世界裝置——去導出《勇者物語》最爲純粹的主題：「當不近情理的災難降臨時，應該要如何去面對？」

從《獵捕史奈克》、《理由》到《模仿犯》，宮部作品裡出現的那種存在於生活之中，發自於人心卻又脫離人性、不合情理的暴力，一再地被加諸於故事中的人物身上。而在《勇者物語》裡，父親的離家、母親的自殺，苛刻而無情的現實命運，同樣地降臨在少年小亘的生活之中，然而與其他作品不同的是，少年小亘到了幻界，一個似乎足以逃避現實的異世界。

但少年小亘終究沒有逃避，不管是混亂異世界的試煉，還是現實。少年在異世界裡的種種，讓他得到了勇氣——能夠面對一切，堅強地活下去的勇氣。鼓起勇氣，懷抱著希望，去面對自己的命運。

根據宮部本人於二〇〇三年五月號的《小說現代》上的訪談所述，《勇者物語》是希望能讓更多年輕孩子也能輕鬆閱讀的作品，所以除了文字表現上特別留心，更希望讓孩子們感受到「命運不是那樣容易改變的」，以及理解「死」這件事的重大。這樣的意圖也充分地顯現在故事裡重要角色的死亡，以及結局之中。

在一片「遊戲中的虛擬世界讓孩子學會逃避現實」的輿論之中，熱愛遊戲的宮部，似乎是試圖拿《勇者物語》去作一番反論。用這部作品來證明，在遵守著既定規則（＝收集寶珠完成「勇者之劍」便能夠改變命運）運轉，於是異於現實的遊戲世界（＝幻界）裡發生的故事，才更是能夠引導讀者或玩家（＝小亘）體會到那些在混濁現實世界裡面，難以具體表現的眞實——眞實的愛、眞實的勇氣、眞實的希望。

最後，還請讓我用一點點篇幅，說一小段故事作結。

在日本漫畫巨匠石森章太郎視爲生涯之作，描寫九名改造人爲了對抗圖謀不軌的死亡商人「黑色幽靈團」陰謀而奮戰的《無敵金剛００９（サイボーグ００９）》故事裡，當主角００９（島村丈）與黑色幽靈團所派出的改造人阿波羅對決時，具有發出高熱能力的阿波羅這麼問００９。

「你的能力呢……？不會只有加速裝置而已吧？除了『加速』之外，你還有什麼其他力量？」

雖然，００９眞的只有加速能力——不過他卻這麼回答。

「還有……還有的就是『勇氣』而已！」

「勇氣」是一種力量，一種縱使當你失去所有，也能夠用心擁有的力量。而具備勇氣之人，便是能夠改變命運的「勇者」。

人生有著各式各樣痛苦、不安以及困難，在鼓起勇氣去面對、去承受那些苦難災禍之後，你才能夠眞正地感受到活在世上的美好，改變自己的命運——這應該就是宮部美幸寄託在這部名爲《勇者物語》的作品裡，最爲誠摯而眞切的訊息吧。

ＢＲＡＶＥ　ＩＴ　ＯＵＴ！

本文作者簡介

林依俐

動漫畫、文學愛好者，曾前往日本學習動畫製作，目前爲《挑戰者月刊》總編輯。

宮部美幸

作品集／25
Miyabe Miyuki

勇者物語 Brave Story（下）

國家圖書館出版品預行編目資料

勇者物語 BRAVE STORY（下）／宮部美幸著；劉子倩譯. -初版.-臺北市：獨步文化：家庭傳媒城邦分公司發行, 2006〔民95〕
面；　公分. --（宮部美幸作品集；25）
譯自：ブレイブ ストーリー（下）
ISBN 978-986-6954-08-5（平裝）

861.57　　　　95014829

原著書名／ブレイブ　ストーリー（下）．原出版者／角川書店．作者／宮部美幸．翻譯／劉子倩．責任編輯／維特祖．發行人／涂玉雲．總經理／陳蕙慧．出版／獨步文化 城邦文化事業股份有限公司 台北市中正區信義路二段213號11樓 電話／(02) 2356-0933 傳真／(02) 2351-6320; 2351-9179．發行／英屬蓋曼群島商家庭傳媒股份有限公司城邦分公司 台北市中山區民生東路二段141號2樓．讀者服務專線／(02)2500-7718; 2500-7719．服務時間／週一至週五：09：30-12：00、13：30-17：00．24小時傳真服務／(02)2500-1990; 2500-1991．讀者服務信箱 E-mail／service@readingclub.com.tw．劃撥帳號／19863813 書虫股份有限公司．香港發行所／城邦（香港）出版集團有限公司 香港灣仔軒尼詩道235號3樓 電話／(852) 25086231 傳真／(852) 25789337 E-mail／hkcite@biznetvigator.com 馬新發行所／城邦（馬新）出版集團 Cite (M) Sdn. Bhd. (458372 U) 11, Jalan 30D/146, Desa Tasik, Sungai Besi, 57000 Kuala Lumpur, Malaysia 電話／(603) 9056 3833 傳真／(603) 9056 2833 E-mail／citecite@streamyx.com．美術設計／高鶴倫．印刷／成陽印刷股份有限公司．排版／浩瀚電腦排版股份有限公司．總經銷／大和書報圖書股份有限公司 電話／(02) 8990-2588; 8990-2568　傳真／(02) 2290-1658; 2290-1628．2006年（民95）9月初版．定價／420元

Printed in Taiwan　ISBN 986-6954-08-0．ISBN 978-986-6954-08-5

獨步文化 APEX PRESS

廣　告　回　函
北區郵政管理登記證
台北廣字第000791號
郵資已付，免貼郵票

104台北市民生東路二段 141 號 2 樓

英屬蓋曼群島商家庭傳媒股份有限公司　城邦分公司

獨步文化《勇者物語——Brave Story》抽獎活動

請沿虛線對摺，謝謝！

獨步文化 APEX PRESS

書號: 1UA009　**書名**: 勇者物語（下）　**編碼**:

獨步文化 APEX PRESS

讀者回函卡

謝謝您購買我們出版的書籍！請費心填寫此回函卡，我們將不定期寄上城邦集團最新的出版訊息。

您想免費獲得《勇者物語——Brave Story》原版遊戲軟體嗎？

請填妥回函卡（影印無效），並貼上《勇者物語——Brave Story》上下冊書封折口截角“bubu”貓 2 枚（紅、藍色各一枚），在 2006 年 11 月 30 日前寄回，您就有機會抽中《勇者物語——Brave Story》原版遊戲軟體及精美公仔（產品範本可參閱 http://shop.fujitv.co.jp/daiba/shopping/browse_bravestory.asp?B_ID=611）！抽中名單於 2006 年 12 月 10 日在城邦讀書花園網站公佈（http://www.cite.com.tw）

姓名：＿＿＿＿＿＿＿＿ 地址：＿＿＿＿＿＿＿＿＿＿＿＿

性別：＿＿＿ 生日：＿＿＿＿＿＿ E-mail：＿＿＿＿＿＿＿＿

聯絡電話：＿＿＿＿＿＿＿＿ 傳真：＿＿＿＿＿＿＿＿

職業：□1 學生 □2 軍公教 □3 服務 □4 金融 □5 製造 □6 資訊
□7 傳播 □8 自由業 □9 農漁牧 □10 家管 □11 退休 □12 其他

宮部美幸的這八本書中，您最喜歡的是？□1 獵捕史奈克 □2 繼父
□ 3 Level 7 □4 魔術的耳語 □5 龍眠 □6 蒲生邸事件
□7 無止境的殺人 □8 勇者物語（請已購買以上書籍之讀者填寫）

您喜歡宮部美幸作品的原因是？□1 洋溢著影像風格的緊湊節奏
□2 充滿懸疑張力的佈局 □3 高潮迭起的敘述技巧
□4栩栩如生的角色描寫 □5 真摯感人的少年成長故事
□6 意外的結局 □7 對社會問題的深入表現 □8 其他

您想知道關於宮部美幸的什麼事？□1 成長背景 □2 欣賞的當代作家
□3 平日閱讀的類型 □4 生活中的瑣事 □5 靈感的來源
□6 對未來的期許 □7 其他

您還喜歡獨步推出的哪些推理小說作家？□1 森村誠一 □2 松本清張
□3 土屋隆夫 □4 佐藤正午 □5 歌野晶午 □6 大岡昇平
□7 橫山秀夫 □8 伊坂幸太郎 □9 海月瑠意 □10 東野圭吾

請將上、下冊的bubu貓貼在這裡哦！

宮部みゆき